Kongressbericht
Banská Bystrica 1998

ALTA MUSICA

EINE PUBLIKATION DER INTERNATIONALEN GESELLSCHAFT
ZUR ERFORSCHUNG UND FÖRDERUNG DER BLASMUSIK

In Zusammenarbeit
mit dem Institut 4 für Blas- und Schlaginstrumente
der Universität für Musik und Darstellende Kunst in Graz

Herausgegeben von
Wolfgang Suppan und Eugen Brixel (†)

BAND 22

Kongressbericht
Banská Bystrica 1998

Herausgegeben von Armin Suppan

VERLEGT BEI HANS SCHNEIDER · TUTZING

KONGRESSBERICHT
BANSKÁ BYSTRICA 1998

Herausgegeben von

Armin Suppan

VERLEGT BEI HANS SCHNEIDER · TUTZING
2000

Die Deutsche Bibliothek – CIP-Einheitsaufnahme

Ein Titeldatensatz für diese Publikation ist bei
Der Deutschen Bibliothek erhältlich.

ISSN 1433 / 5360
ISBN 3 7952 1031 3

©2000 by Hans Schneider, D-82323 Tutzing

Herstellung:
Druck: Proff Offsetdruck, 82547 Eurasburg
Bindung: Thomas-Buchbinderei, 86069 Augsburg
Gedruckt auf alterungsbeständigem Papier

INHALT

VORWORT

Vom 6. bis 11. Juli 1998 fand in der mittelslowakischen Stadt Banská Bystrica der 13. Kongreß der Internationalen Gesellschaft zur Erforschung und Förderung der Blasmusik (IGEB) statt. Unsere slowakischen Fachkollegen hatten eine Stadt mit historischer Atmosphäre und mit einem modernen Konferenz-Zentrum ausgewählt, in dem sich Fachgespräche und persönliche Kontakte in hervorragender Weise entwickeln konnten. Dafür danken wir gerne dem Direktor des Instituts für Musikwissenschaft der Universität in Pressburg/Bratislava, Herrn Oskár Elschek, seiner Mitarbeiterin Frau Jana Lengová, vor allem aber Frau Marianna Bárdiová mit ihren Helferinnen und Helfern am Museum für Literatur und Musik in Banská Bystrica. Auch für die Autoritäten der Stadt, an der Spitze der Herr Bürgermeister, war der Kongreß ein wichtiger Anlaß, die Gäste aus aller Welt zu empfangen und auf ein beachtliches kulturelles Angebot hinzuweisen. Ausflüge, dabei besonders imponierend der Besuch der alten oberungarischen Bergstadt Kremnitz, Konzerte von Militär– und zivilen Musikkapellen, Auftritte von Folklore-Gruppen boten den Rahmen für die IGEB-Vorträge und Seminare, deren Ergebnisse zum größten Teil in diesem Band dokumentiert werden.

Den Referenten, die ihre Beiträge für diesen Sammelband zur Verfügung gestellt haben, gebührt ebenso Dank wie dem Verleger, Herrn Prof. Dr. h. c. Hans Schneider, der - nunmehr seit fünfundzwanzig Jahren - dieser Publikationsreihe in besonderer Weise zugetan ist. Genannt seien aber auch Herr Bernhard Habla, Assistent an der Pannonischen Forschungsstelle des Instituts für Musikethnologie, 1998 Generalsekretär der IGEB, im Jahr 2000 in Bad Waltersdorf/Steiermark zum Präsidenten der Gesellschaft gewählt, und die Sekretärin am Institut für Musikethnologie an der Universität für Musik und Darstellende Kunst in Graz, Frau Doris Schweinzer, die beide das Programm der Konferenz-Tage in der Slowakei gewissenhaft vorbereitet haben. Dankbar zu vermerken ist zudem, daß Frau Schweinzer in bewährter Art und Weise die Druckvorlagen hergestellt hat.

Am 16. Oktober 2000, während der Drucklegung dieses Bandes, verstarb in Graz einer der beiden Herausgeber dieser Publikationsreihe: Eugen Brixel, den wir als einen der Gründer der IGEB und als Präsidiumsmitglied seit 1974 in dankbarer Erinnerung behalten werden.

Armin Suppan
Johann-Joseph-Fux-Konservatorium
des Landes Steiermark, Graz

Graz, im November 2000

Elisabeth Anzenberger-Ramminger, Kirchstetten, Österreich

DER MILITÄRKAPELLMEISTER-PENSIONSVEREIN IN WIEN

Gegründet wurde der Verein zur Versorgung "altgediente Kapellmeister der k.k. Armee bei eingetretener Dienstuntauglichkeit – und für den Fall ihres Absterbens – deren Witwen oder Waisen"[1] im Jahre 1860 durch Armeekapellmeister Andreas Leonhardt. Mit diesem Verein sollte eine Besserstellung der Kapellmeister, die nur Vertragsangestellte des Offizierskorps des jeweiligen Regimentes waren und somit keine Altersversorgung hatten, erreicht werden. Für die heutige Forschung hat diese bis zum Ende der österreichisch-ungarischen Monarchie bestehende Institution insofern auch noch eine große Bedeutung, da die Archivalien eine unersetzbare Quelle für die Biographien der altösterreichischen Militärkapellmeister darstellen.

1. Vereinsgeschichte
1.1. Von den Anfängen bis zur Gründung 1860

Die ersten Bemühungen, eine Institution zur Versorgung der Militärkapellmeister zu gründen, reichen bis in die Mitte der 40er Jahre des 19. Jahrhunderts zurück. Den sozialen Aspekt dieser Bestrebungen kann man aber bis ins 18. Jahrhundert zurückverfolgen. Bereits 1771 wurde in Wien eine Tonkünstler-Societät als *Pensionsverein für Witwen und Waisen österreichischer Tonkünstler*[2] gegründet, die in erster Linie kranke, alte und verarmte Mitglieder finanziell unterstützen sollte. Untrennbar verbunden sind die ersten Bemühungen zur Absicherung der Militärkapellmeister mit dem Namen Josef Sawerthal[3]. Der unmittelbare Anlaß, die Gründung eines Pensionsfonds anzuregen,

---

[1] Statut des Pensions-Vereines k.k. österreichischer Militärkapellmeister (Wien, 1860).

[2] Felix CZEIKE, Historisches Lexikon Wien, Bd. 5, s.v. "Tonkünstler-Societät, Wiener", Wien 1997.

[3] 1819 (Polepp bei Leitmeritz) – 1893 (Leitmeritz), 1850 – 1864 Marinekapellmeister in Triest.

war der Tod des Militärkapellmeisters Andreas Nemetz im Jahre 1846, der eine Witwe mit 6 unversorgten Kindern hinterließ[4].

Veröffentlicht wurde der Aufruf zur Gründung eines Pensionsfonds von Sawerthal in zwei Teilen am 17. und 20. Oktober 1846 in der *Wiener allgemeine Musik-Zeitung*. Die drei wichtigsten Punkte aus seinem Vorschlag sind: Erstens die "Gründung eines Pensions-Fonds für eine durch Alter, Krankheit oder andere Unglücksfälle herbeigeführte Dienstesunfähigkeit der Militärkapellmeister selbst: ferner für die Existenz ihrer hinterlassenen Witwen und endlich für die Erziehung und Bildung ihrer Kinder zu nützlichen Gliedern der Gesellschaft"[5]. Zweitens "Die Emancipation der Militärkapellmeister". Eine aus Militärkapellmeistern, verdienstvollen Persönlichkeiten der Musikwelt und Militär zusammengestellte Kommission soll die Kandidaten für die Militärkapellmeisterstellen prüfen, wodurch "nur Befähigte solche Stellen erhalten und dem Erschleichen derselben von Unwürdigen und Unbefähigten vorgebeugt"[6] werden sollte. Drittens eine Reform der Militärmusik, wobei ihm wohl ein ähnliches System wie in Preußen mit einem Generalmusikdirektor vorschwebte.

Seine Ideen wurden von vielen Seiten unterstützt, insbesondere von den Militärkapellmeistern Ferdinand Schubert[7], Prochaska[8] und F. W. Swoboda[9], mit denen Sawerthal auch einen ersten Statutenentwurf im Jahre 1847 in Prag erarbeitet haben soll, über den uns heute leider nichts Genaueres mehr bekannt ist. Ebenso brachte ein gemeinsames Gesuch der Militärkapellmeister Sawer-

---

[4] Vergl. Wiener allgemeine Musik-Zeitung 6. Jg., Nr. 102 (25. 8. 1846), S. 408.

[5] Wiener allgemeine Musik-Zeitung 6. Jg., Nr. 125 (17. 10. 1846), S. 501.

[6] ebenda S. 502.

[7] 1819 (St. Pölten) – 1906 (Krems), Kapellmeister des 1. Genieregiments.

[8] vermutlich Prochaska Johann, ab 1840 Kapellmeister des 28. IR.

[9] ca. 1815 (Prachatitz in Böhmen) – 1856 (Prag), um 1845 Kapellmeister des 1. Feld-Artillerie-Regiments in Prag, Begründer des Vereines zur Beförderung der Militärmusik.

thal, Prochaska, Wenzel Nossek[10], Josef Bleyle[11] und Anton Sykora[12] an Feldmarschall Radetzky Anfang des Jahres 1849 keine Veränderung der Situation der Militärkapellmeister.

Eine Verbindung zu Armeekapellmeister Andreas Leonhardt[13] findet sich erstmals im Jahre 1855. Beim Tod der Kapellmeister Kern[14] und Josef Wallner[15] wurde abermals auf die Notwendigkeit einer Alters- bzw. Witwen-Versorgung hingewiesen und auch vermerkt, daß ein Statutenentwurf "bereits seit längerer Zeit höheren Ortes unterlegt und in den Grundzügen für dieses, mit Allerhöchster Bewilligung Sr. Majestät ins Leben zu tretenden Institutes, sehr vortheilhaft gefunden worden"[16].

Nach weiteren sechs Jahren erfolgte schließlich mit allerhöchster Entschließung vom 11. 9. 1860 die Genehmigung der Statuten des Pensions-Vereins k.k. österreichischer Militärkapellmeister. Eines der ersten Konzerte, das den Reinertrag diesem Verein widmete, war ein gemeinsames Konzert aller Kapellmeister der Prager Garnison im November desselben Jahres[17]. Diesem folgten zahlreiche weitere Veranstaltungen. Eine Auflistung für das Jahr

---

[10] Schüler des Prager Konservatoriums, Mitglied der philharmonischen Gesellschaft in Bologna, wahrscheinlich ab 1828 Kapellmeister des 47. IR.

[11] ab 1847 Kapellmeister beim 27. IR.

[12] Schüler des Prager Konservatoriums, 1849 Kapellmeister des 56. IR.

[13] 1800 (Asch bei Eger) – 1866 (Wien), ab 1850 Armeekapellmeister. Constant von Wurzbach, Biographisches Lexikon des Kaiserthums Oesterreich, Bd. 15, s. v. Leonhardt Andreas, Wien 1866.

[14] Kapellmeister beim 46. IR.Vergl. auch: Militär-Zeitung VIII. Jg., Nr. 107 (13. 10. 1855), S. 702.

[15] geb. vermutlich 1819, Kapellmeister beim 14. IR. Vergl. auch: Militär-Zeitung VIII. Jg., Nr. 107 (13. 10. 1855), S. 702.

[16] Militär-Zeitung VIII. Jg., Nr. 107 (13. 10. 1855), S. 702.

[17] Vergl. Militär-Zeitung XIII. Jg., Nr. 90 (10. 11. 1860), S. 718.

1861[18], verfaßt von Leonhardt, weist als Summe der Konzerterträge die beachtliche Summe von 2061 fl. 15 kr. österr. Währung auf.

1.2. Vereinsorganisation

Der Zweck des Vereines wird im § 1 der Statuten von 1860 wie folgt angegeben: "Der Pensions-Verein k.k. österreichischer Militär-Kapellmeister ist eine mit Allerhöchster Genehmigung unter dem Schutze des hohen k.k. Armee-Ober-Commando[19] stehende Privat-Anstalt, welche den Zweck hat, altgediente Kapellmeister der k.k. Armee bei eingetretener Dienst-Untauglichkeit – und für den Fall ihres Absterbens – deren Witwen oder Waisen eine Pension zu sichern." Über die genauen Aufgaben des Vereines, die Rechte und Pflichten der Mitglieder findet man in den Statuten und im Armeeverordnungsblatt[20] detaillierte Angaben.

Die Vereinseinnahmen bestehen im wesentlichen aus den Beiträgen, die von den Mitgliedern sowohl beim Beitritt als auch monatlich geleistet werden mußten. Dazu kamen noch die Erträgnisse der Musikproduktionen, die Zinsen des Vereinskapitals, freiwillige Beiträge der Truppenkörper, Geschenke, Vermächtnisse u. dgl.

Als Mitglieder konnten nur aktive Kapellmeister der k.k. Armee aufgenommen werden. Wir unterscheiden dabei drei Kategorien:

1. Vereinsgründer: Dies sind alle jene Mitglieder, die dem Verein in den ersten 6 Monaten seines Bestehens beigetreten sind und zwar nur, wenn sie die "dem § 12 dieses Statuts genau entsprechende und ganz ordnungsmäßig instruierte Beitrittserklärung bei dem betreffenden Truppen-Commando eingereicht

---

[18]   Militär-Zeitung XIV. Jg., Nr. 97 (4. 12. 1861), S. 773 – 774.

[19]   Später k. u. k. Reichskriegsministerium.

[20]   Statut des Pensions-Vereins k.k. österreichischer Militär-Kapellmeister, Wien 1860. Statut des Militär-Kapellmeisterpensionsvereines, Wien 1904. "Instruction zur Behandlung der Angelegenheiten des Militär-Kapellmeister-Pensions-Vereines bei den k.k. Truppen, Armee-Anstalten und Armee Behörden," k. k. Armee-Verordnungsblatt, Nr. 44 (19. 11. 1860), S. 491 – 493.

haben"[21]. Sie hatten das Vorrecht, auch während des Pensionsstandes mit der Leistung von Vereinsbeiträgen fortzufahren und dadurch mehr Beitragsjahre zu erreichen.

2. Beitragende Mitglieder: Das sind alle anderen beitretenden Mitglieder.

3. Vereins-Pensionisten.

Die ersten Pensionen durften ab dem Zeitpunkt ausgezahlt werden, zu dem der Vereinsfonds jährlich zweitausend Gulden abwarf, wobei die Pensionshöhe in Relation zu den Beitragsjahren stand. Eine Mindestpension wurde erst im Jahre 1910 eingeführt. Eine Pension erhalten konnten auch nur jene, die zumindest 10 Jahre Militärkapellmeister waren und 10 Beitragsjahre nachweisen konnten. Eine Ausnahme bildeten nur die Vereinsgründer, die schon länger als 10 Jahre Kapellmeister waren.

Der Sitz des Vereines war in Wien und repräsentiert wurde er durch den Verwaltungsrat des Pensions-Vereines k. k. österreichische Militär-Kapellmeister. Die Überwachung der Geschäftsgebahrung erfolgte durch das Armee-Ober-Commando. Die Vereinsverwaltung erfolgte durch einen Vorstand und fünf Verwaltungsräte, darunter der jeweilige Armeekapellmeister oder - in dessen Verhinderung - ein Kapellmeister der Wiener Garnison. Als Ehrentitel gab es die Bezeichnung "Verwaltungsrat des Pensions-Vereines k.k. österreichischer Militär-Kapellmeister." Weiters führte die Vereinsverwaltung ein eigenes Vereinssiegel. Von den Mitgliedern des Pensionsvereines waren die folgenden nachweislich ein oder mehrere Jahre Verwaltungsräte des Militärkapellmeister-Pensionsvereines: Josef Wiedemann, Josef Müller, Anton Ambrosch, Michael Kaplon, Johann Schinzl, Karl Komzak jun., Alois Kraus, Gottfried Friton, Anton Mahr, Wilhelm Wacek und Franz Sommer.

Anzustreben war auch die Übernahme des Protektorats durch den General-adjutanten seiner k.k. apostolischen Majestät oder "im Verhinderungs- oder Verweigerungsfalle"[22] durch eine andere hochgestellte Militärperson. Solche Protektoren waren gerade in jener Zeit für das Gedeihen eines Vereines von

---

[21] Statut des Pensions-Vereins k. k. österreichischer Militär-Kapellmeister, Wien 1860, § 8.

[22] Statut des Pensions-Vereins k.k. österreichischer Militär-Kapellmeister, Wien 1860, § 74.

große Bedeutung und das Fehlen eines hohen Protektors konnte einen Verein zum Scheitern bringen.

1.3. Die weitere Entwicklung bis zum Ende der Monarchie

Zwei Jahre nach der Vereinsgründung, am 1. Oktober 1862, wurde Andreas Leonhardt für seine Verdienste um den Militärkapellmeister-Pensionsfonds mit einem silbernen Ehrenpokal und einer von 134 Kapellmeistern der Armee unterzeichneten Dankadresse ausgezeichnet.

Trotz dieser positiven Ansätze dürfte sich aber vor allem die finanzielle Seite des Vereines nicht in wünschenswerter Weise entwickelt haben. So waren die Mittel des Pensionsfonds noch Mitte der 90er Jahre "so gering, daß die Ruhegehälter absolut unzureichend"[23] waren. Einer, der sich besonders bemühte, die Situation der Militärkapellmeister zu verbessern, war Karl Komzak jun.[24]. Ihm dürfte unter anderem zu verdanken sein, daß der Verein im Jahre 1899 durch Kaiser Franz Josef die erste staatliche Subvention in einer Höhe von 10.000 Kronen – ein Jahr später bereits 20.000 Kronen – erhielt. Eine weitere Steigerung 1910 auf 60.000 Kronen brachte schließlich auch eine hundertprozentige Pensionserhöhung[25]. Nach dem Ende der Monarchie übernahm die Republik Österreich die Auszahlung der Ruhebezüge an die alten österreichischen Militärkapellmeister.

2. Die Mitglieder des Militärkapellmeister-Pensionsvereines

In den etwa 60 Jahren seines Bestehens waren nahezu alle Kapellmeister der österreichisch-ungarischen Monarchie Mitglieder dieses Vereines, insgesamt 404 an der Zahl. 120 davon waren überdies Vereinsgründer.

---

[23] Internationale Musik-Zeitung Jg. 1894, Nr. 2 (1. 2. 1894), S. 3.

[24] Österreichische Musik- und Theaterzeitung VI. Jg., Nr. 7-8 (Jänner 1894).

[25] "Zirkularverordnung vom 15.12.1910", Verordnungsblatt für das k.u.k. Heer Normalverordnungen, Nr. 10238 (17. 12. 1910).

In der nun folgenden Liste sind die Namen aller nachweisbaren Vereins-mitglieder mit Lebensdaten enthalten. Weiters wird angegeben wo die einzelnen Personen in Grund- und Kontobüchern zu finden sind, inwieweit ein Personalakt vorhanden ist und ob es sich bei diesem Kapellmeister um einen Vereinsgründer handelt.

Abkürzungen: GB = Grundbuch. Die Zahl vor dem Schrägstrich gibt den Band an, die Zahl nach dem Schrägstrich die "Pagina" (vier aufeinanderfolgende Seiten für jeden Kapellmeister). Wenn nicht anders angegeben, korrespondiert diese Angabe mit der Band- und Seitenzahl im Kontobuch. PA = Personalakt. VG = Vereinsgründer. MKPV = Militärkapellmeister-Pensionsverein.

Komponist	Geburt	Tod	GB, PA, VG
Achleitner Rudolf	1864	1909	GB 3/124
Ambrosch Adolf	1841	?	GB 2/75
Ambrosch Anton	1839	1886	GB 1/8, VG, Verwaltungsrat d. MKPV 1875-1876
Antosch Anton	1838	1908	GB 1/15, VG
Arnhold Eduard	1820	?	GB 2/39, VG
Asboth Wilhelm von	1821	1877	GB 2/39, VG
Baburek Alois I.	1829	?	GB 1/46, VG
Bacho von Dezser Stefan	1858	1915	GB 3/84, PA
Bareither Johann	1834	1871	GB 2/57
Barta Wenzel	1836	?	GB 2/97
Barthlme Anton	1867	1942?	GB 3/99
Bartos Johann	1821	?	GB 1/7, VG
Baumgartner Johann	1811	1878	GB 1/3, VG
Belohlavek Karl	1817	1874	GB 2/42
Bem Franz	1872	1930	GB 3/90
Benczur von Blumenfeld Rudolf	1862	1911	GB 3/81
Berger Eduard	1833	?	GB 1/92
Bernad Josef	1834	1897	GB 3/22
Bezkocka Franz	?	?	GB 1/69, VG
Binder Peter	1823	?	GB 2/89
Blaha Johann	1831	1870	GB 1/74

Blaschek Karl	1813	?	GB 1/28, VG
Blaschke Franz	1831	1912	GB 1/34, VG
Blaton Anton	1862	1940	GB 3/120, PA
Blazek Rudolf	1885	1954	GB 4/60, PA
Bleschin Julius	1854	1898	GB 3/89 (Witwe)
Bobek Karl	1853	1926	GB 3/76, PA
Bock Karl Albin	1886	?	GB 4/54
Braun Wenzel	1818	1880	GB 1/50
Brausch Peter	1823	1892	GB 1/38
Brdlik-Bertoni Adolf Josef	1886	?	GB 4/56
Budik Franz	1812	1877	GB 1/93, VG
Budinsky Franz	1810	1863	GB 2/4
Bulicek Josef	1887	?	GB 4/46
Bunzmann Karl	1821	1871	GB 2/48
Burczinksy Jakob	1815	1862	GB 1/82, VG
Bures Adalbert	1879	1919	GB 1/86, VG
Bures Alois	1879	1919	GB 4/72
Buresch Heinrich	1835	1896	GB 3/7
Cansky Franz	1832	1905	GB 2/98
Capek Peter	1849	1897	GB 3/43
Castek Heinrich	1874	?	GB 3/115, PA
Cejka Josef	1827	1904	GB 1/21
Cerin Dr. Josef	1867	?	GB 4/12, PA
Cermák Josef	1871	1938	GB 3/143, PA
Cervenka Wenzel	1864	1921?	GB 3/148, PA
Chero Anton	1853	?	GB 3/87, PA
Chladek Lorenz	1852	?	GB 3/34
Chlum Karl	1808	1882	GB 2/41, PA
Christoph Theodor Adrian	1872	1941	GB 3/101
Cihlar Josef	1819	1872	GB 2/20, VG
Cipl August	1824	1898	GB 1/59, VG
Cizek Karl	1831	?	GB 2/81
Czaikofski Julius	1889		GB 4/53
Czernoch Franz	1874	?	GB 4/15
Czerny Carl	1838	1891	GB 3/23 + 3/54

Damberger Max	1877	1943	GB 4/18
David Josef	1833	1868	GB 2/78, VG
Dobes Franz	1858	1903	GB 3/118, PA
Domansky Ferdinand	1877	1947	GB 3/154
Domansky Ludwig	1873	1926	GB 3/116
Domes Josef	1876	1904	GB 4/2, PA
Dörer Johann	1818	1886	GB 1/1, VG
Dorfner Felix	1851	?	GB 3/31
Dubetz Josef	1824	1900	GB 2/71
Dvorák Emanuel	1879	?	GB 4/21, PA
Dvorak Josef	1848	1904	GB 3/36
Elsnic Johann	1875	1955	GB 4/69, PA
Faulwetter Anton	1840	1908	GB 2/80
Feifer Gustav	1876	?	GB 3/171, PA
Feix Adolf	1872	?	GB 3/101
Fiala Johann	1854	1921	GB 3/69, PA
Fiala Wenzel	1877	?	GB 4/1, PA
Fischer Johann	1830	?	GB 1/30
Fleischer Johann	1837	?	GB 3/2
Forka Anton	1854	1909	GB 3/37
Fridrich Anton	1849	1924	GB 3/28
Frisek Gottfried	1858	?	GB 3/129
Friton Gottfried	1824	1904	GB 1/44, Verwaltungsrat d. MKPV 1896-1904
Frydrich Franz	1856	1933	GB 3/67, PA
Frýscaj Richard	1867	1945	GB 4/88, PA
Fuchs Christoph	1871	?	GB 3/164, PA
Fuchs Josef	1831	1867	GB 2/59
Fucik Julius	1872	1916	GB 3/125
Gielg Alois	1816	1867	GB 1/54
Gindra Franz	1836	?	GB 2/16
Gottwald Johann	1869	1935	GB 3/162, PA
Großauer Ludwig	1861	1911	GB 3/55
Hackensöllner Karl	1868	?	GB 3/167, PA

Hájek Ignaz	1830	1902	GB 1/35
Hälbling Stephan	1828	?	GB 2/5, VG
Hallmayr Viktorin	1831	1872	GB 1/39, VG
Haniel Franz	1810	?	GB 1/53
Hannel Franz	1823	1895	GB 1/17, VG
Hantich Wilhelm	1873	?	GB 3/141
Häußler Jakob	1828	1897	GB 1/58, VG
Hayda Josef	1824	1892	GB 2/33, VG
Hejda Jaroslav	1880	1941	GB 4/45
Heller Anton	1878	?	GB 4/25
Heller Wenzel Josef	1849	?	GB 3/51
Herzog Ferdinand	1886	?	GB 4/73
Heyda Max	1867	?	GB 3/146, PA
Hikl Josef	1825	1910	GB 1/55, PA, VG
Hikl Martin	1827	1915	GB 1/77, VG
Hiller Ferdinand	1834	1865	GB 1/67
Hodousch Josef	1838	?	GB 1/47, VG
Hoffmann Franz	1872	?	GB 3/163, PA
Hoffmann Wilhelm	1829	?	GB 2/69
Hofmann Carl Julius	1823	1871	GB 2/38, VG
Holub Johann	1866	1908	GB 4/11
Honsa Karl	1872	1957	GB 3/144, PA
Hopf Johann	1826	1887	GB 1/5, PA, VG
Horák Josef	1874	1960	GB 4/37, PA
Hornik Karl	1833	1862	GB 1/22, VG
Horný Eduard	1838	1907	GB 2/37
Hoschek Franz	1833	?	GB 1/60, VG
Hötzel Eduard	1866	?	GB 3/72, PA
Howorka Albin	1831	?	GB 1/56, VG
Hoznourek Franz	1844	?	GB 3/18
Hrncirek Stefan	1848	?	GB 3/47
Hulbe Franz	1826	1905	GB 2/78
Hunyaczek Richard	1877	1917	GB 4/19
Hüttisch Franz Anton	1874	1956	GB 3/168
Hyna Wenzel	1829	?	GB 2/65

18

Jagschitz Alfred Johann	1875	?	GB 4/36
Jaksch Franz	1851	1931	GB 4/67, PA
Jakubiczek Gustav	1881	?	GB 4/65
Jandesek Johann	1820	1886	GB 1/85, VG
Jarosch Ferdinand	1879	?	GB 4/52
Jaudl Ferdinand	1844	1892	GB 3/11
Jedliczka Johann	1819	1886	GB 1/95, VG
Jeschko Ludwig	1830	1863	GB 2/45
Jezek Gustav	1880	?	GB 4/29, PA
Kachler Wilhelm	1854	1899	GB 3/109, PA
Kalenský Johann	1855	1917	GB 3/83, PA
Kandler Eduard	1866	1926	GB 3/160, PA
Kaplon Michael	1824	1892	GB 1/87, VG, Verwaltungsrat d. MKPV 1877-1883
Kaschte Josef	1821	1878	GB 2/2, VG
Kees Karl	1864	1907	GB 3/74
Kelner Franz	1819	1891	GB 2/46
Klemm Anton	1844	1920	GB 3/26, PA
Klerr Ludwig	1826	?	GB 2/88
Klicka Josef	1889	1978	GB 4/59, PA
Klima Franz	1828	1886	GB 2/3, VG
Klum Adolf	1873	?	GB 4/50, PA
Knipl Mathias	1833	?	GB 2/95
Knobloch Josef	1831	1908	GB 2/74
Kocourek Alois	1853	1911	GB 3/80
Köhler Anton	1865	1939	GB 3/106, PA
Kohout Franz	1821	1903	GB 1/49
Kohout Leopold	1857	?	GB 3/133, PA
Kollert Wenzel	1829	1875	GB 1/13, VG
Komzak Karl jun.	1850	1905	GB 3/24, PA, Verwaltungsrat d. MKPV 1890-1895
Komzak Karl sen.	1823	1893	GB 2/84
Konopásek Franz	1861	1911	GB 3/153, PA
Kopetzky Wendelin	1844	1899	GB 3/12, PA

Kosicek Johann	1831	1889	GB 1/65, VG
Kovacs Josef recte Schmitz	1825	1892	GB 2/44
Kracher Josef	1821	1861	GB 2/12, VG
Král Johann Nepomuk	1839	1896	GB 2/91
Král Josef	1860	1920	GB 3/60, PA
Kraus Alois	1840	1923	GB 3/46, Verwaltungsrat MKPV 1894-1896 + ab 1905
Krause Anton	1858	?	GB 3/94
Kucera Anton	1872	1934	GB 3/147
Kugler Richard	1873	?	GB 4/71, PA
Kuhn Ladislaus	1871	1931	GB 3/157, PA
Kuss Franz	1867	1915	GB 3/127, PA
Kwiatkowsky Josef	1833	1873	GB 2/58
Labský Jaroslav	1875	1949	GB 4/64, PA
Lakomy Franz	1882	?	GB 4/30
Landa Franz	1817	1901	GB 2/22, VG
Landa Wenzel	1817	1880	GB 1/11, VG
Langer Franz	1835	1874	GB 2/92
Langer Johann	1881	1944	GB 4/30, PA
Langer Josef	1840	1899	GB 3/20, PA
Laschek Wenzel	1813	?	GB 2/27
Laßletzberger Josef	1862	1939	GB 3/107
Lehar Anton	1840		GB 2/79
Lehar Franz jun.	1870	1948	GB 3/66
Lehar Franz sen.	1838	1898	GB 2/68
Leier Adalbert	1820	1867	GB 2/19, VG
Leier Ambrosius	1862	1895	GB 3/57, PA
Leitermayer Alexander	1826	1898	GB 2/28, VG
Lenhardt Theodor	1827	1888	GB 2/50
Leonhardt Andreas	1800	1866	GB 1/48, VG
Lewengly Sigmund recte Leweglowski	1829	1865	GB 2/63
Linke Wilhelm	1868	?	GB 4/24
Lippert Wilhelm	1815	1890	GB 1/89, VG
Lorenz Ernst	1886	?	GB 4/55, PA

Lorenz Rudolf	1876	?	GB 3/142, PA
Lorenz Viktor	1868	?	GB 3/86
Lucas Prokop	1829	1871	GB 1/71, VG
Ludwig Wenzel	1837	1915	GB 1/6, VG
Mach Alois	1882	1939	GB 4/70, PA
Mader Anton	1877	1953	GB 4/49
Mádlo Adalbert	1872	1951	GB 4/16, PA
Mahr Anton	1830	1891	GB 2/23, VG, Verwaltunsrat d. MKPV 1897-98 + 1901-1903
Mahr Gustav	1858	1930	GB 3/82
Maiwald Emil Adolf	1877	?	GB 4/38, PA
Malecek Josef	184?	?	GB 3/70, PA
Maller Gottfried	1833	1870	GB 1/40
Manzer Robert	1877	1942	GB 4/9
Marecek Josef	1852	1897	GB 3/108
Marek Josef	1858	1907	GB 3/114
Massak Franz	1804	1875	GB 1/9, VG
Matek Wenzel	1837	?	GB 1/24, VG
Matys Josef	1851	1937	GB 3/42, PA
Matzek Dominik	1831	1868	GB 2/29, VG
Mayer Georg	1841	1871	GB 2/85
Mazák Johann	1859	1920	GB 3/85, PA
Mazalik Josef	1856	?	GB 3/140
Mazanek Johann	1829	1879	GB 2/10, VG
Mazanek Josef	1818	1882	GB 2/13, VG
Meloun Anton	1839	1876	GB 3/13
Melusin Rudolf	1826	1887	GB 1/90, VG
Metzner Josef	1875	1927	GB 3/96, PA
Milier Hermann	1840	1898	GB 3/41, PA
Mitrovic Andreas	1779	?	GB 3/13
Mocker Karl	1821	?	GB 2/52
Modalek Latzau	?	?	GB 2/55
Morawetz Heinrich	1873	?	GB 3/117
Morelli Karl	1814	?	GB 2/86

Motal Anton	1875	1934	GB 4/39, PA
Mrasek Josef	1806	1870	GB 1/63, VG
Mühlberger Karl	1857	1944	GB 3/139
Müller Ignaz recte Ortner	1812	1885	GB 1/62, VG
Müller Johann	1856	1924	GB 3/59
Müller Josef	1821	1876	GB 1/41, VG, Verwaltungsrat d. MKPV 1873
Müller Matthias	1811	1881	GB 1/33
Neidhart Alois	1856	1935	GB 3/97
Neumann Karl	1823	?	GB 2/83
Neuner Josef	1864	1911	GB 3/105, PA
Niegmann Johann	1823	1909	GB 1/20, VG
Nováček Carl	1864	1929	GB 3/58
Novosad Johann	1839	1934	GB 3/5
Novotný Johann	1852	1896	GB 3/56, PA
Obhlidal Thomas	1843	1908	GB 3/19
Obruca Rudolf	1874	1941	GB 4/5, PA
Oslislo Josef	1822	1877	GB 2/3, VG
Panhans Anton	1836	1888	GB 3/8
Patzke Edmund	1844	1903	GB 3/53, PA
Paur Josef	1815	1882	GB 1/2, VG
Pavlis Johann jun.	1858	1915	GB 3/132
Pawlik Wilhelm	1866	?	GB 3/150
Pehel Johann	1852	?	GB 3/75
Perina Georg	1849	1913	GB 3/77 + 4/20 (Witwe Josefa)
Perl Josef	1821	1873	GB 1/94, VG
Pesta Johann Ottokar	1883	1945	GB 3/156, PA
Peters Karl	1838	1903	GB 2/54, PA
Pianezza Jakob	1824	?	GB 2/60
Piccolini Anton	1833	?	GB 1/36, VG
Pilat Josef	1817	?	GB 2/35, VG
Pinl Hilderich	1862	1947	GB 3/61, PA
Piringer Heinrich	1836	?	GB 3/6
Piro Josef	1864	?	GB 3/156

Pisecky Franz	1839	1889	GB 3/1
Pistl Josef	1829	1888	GB 1/81, VG
Pitschmann Josef	1847	1917	GB 3/32
Pochmann Wilhelm	1869	1947	GB 3/98, PA
Polzer Franz	1824	?	GB 2/66
Portisch Franz	1820	?	GB 1/84, VG
Pospischil Florian	1819	1898	GB 2/15, VG
Pospischill Anton	1827	?	GB 1/27, VG
Potuzník Josef	1882	1947	GB 4/4, PA
Preis Ferdinand	1831	1864	GB 2/8, VG
Pretl Adalbert	1848	1907	GB 3/38
Prichystal (Pécsi) Josef	1874	1958	GB 4/23, PA
Prusa Wenzel	1876	1962	GB 4/27
Rabengruber Mathias	1831	?	GB 2/96
Rankl Albin	1824	?	GB 2/82
Rathausky Wenzel	1824	?	GB 2/53
Raumer Josef	1874	?	GB 4/10
Rehorovsky Franz	1839	1871	GB 1/51, VG
Reisner Johann	1820	1890	GB 1/16, VG
Resch Anton	1808	1869	GB 1/70, VG
Resch Martin	1825	?	GB 1/42
Rezek Franz	1847	1912	GB 3/39
Richter Kaspar	1848	1902	GB 3/33, PA
Riedel Hugo	1879	?	GB 4/47
Riepl Kaspar	1836	1895	GB 3/92
Riepl Wilhelm	1872	1957	GB 3/92
Roll Karl	1849	1913	GB 3/65
Römeth Carl	1872	1947	GB 3/135, PA
Römeth Wilhelm	1873	1947	GB 4/63, PA
Roob Gustav	1879	1947	GB 3/169
Rösch Wenzel	1862	?	GB 3/120
Rosenkranz Anton	1827	1888	GB 1/83, VG
Rybnikar Karl	1860	1889	GB 3/68
Sallaba Josef	1820	1895	GB 1/66, VG
Sallac Franz	1838	?	GB 2/93

Samt Josef	1821	1878	GB 1/72, VG
Sandner Karl	1807	1870	GB 2/21, VG
Sandner Karl	1876	?	GB 3/170, PA
Sawerthal Josef Rudolf	1819	1893	GB 1/68, VG
Schafar Franz	1827	1895	GB 1/75, VG
Scharf Karl	1859	1928	GB 3/137, PA
Scharf Robert	1855	1901	GB 3/91, PA
Scharoch Franz	1836	1899	GB 3/10
Scheibelreither Franz	1826	1908	GB 2/31, VG
Scherenzel Julius	1834	1893	GB 2/18, VG
Schinzl Johann	1836	1895	GB 3/4, CB 2/119 (Witwe), Verwaltungsrat d. MKPV 1882-1886
Schlögel Ludwig	1855	1894	GB 3/25
Schmid Karl Heinrich	1883	?	GB 4/57, PA
Schmidl Anton von Hegyes	1819	1880	GB 1/5, VG
Schmidt Franz Leo	1880	?	GB 4/33, PA
Schöttner Hermann	1828	?	GB 2/24, VG
Schramm Stefan	1821	1874	GB 1/73, VG
Schroll Ferdinand	1828	1901	GB 2/51
Schubert Ferdinand	1819	1906	GB 1/19, VG
Schubert Ferdinand	1872	?	GB 3/152, VG
Schubert Franz	1841	1902	GB 3/16, PA
Schubert Johann	1836	1899	GB 3/16
Schütz Karl	1875	1921	GB 4/6
Schwaiger Eduard	1871?	?	GB 3/159
Schwarz Franz	1829	?	GB 2/90
Schwarz Carl	1842	?	GB 2/67
Seifert Anton	1826	1873	GB 2/11, VG
Siede Conrad Gustav Julius	1833	1879	GB 2/77
Simcík Josef	1872	1920	GB 3/155, PA
Sitter Engelbert	1868	1944	GB 3/138
Sitter Johann	1870	1914	GB 3/123 + Einlage mit Personalien
Slach Johann	1827	1910	GB 2/100
Smutny Karl	1824	1875	GB 1/10, VG

Sochor Johann	1861	1899	GB 3/48 + 3/134
Sommer Franz	1852	1908	GB 3/27 + 3/63, Verwaltungsrat d. MKPV 1904-1905
Soutschek Franz	1868	1924	GB 3/128 + Einlage mit Personalien
Speckmaier Franz	1828	1882	GB 1/32, VG
Speil Josef	1812	1892	GB 2/34, PA, VG
Spindler Johann	1824	1880	GB 2/14, VG
Stammberg Anton	1831	?	GB 2/94
Stampfer Johann Franz Titus	1880	?	GB 4/58
Stanek Wenzel	1823	1894	GB 1/18, VG
Stark Christoph	1821	?	GB 2/56
Stásny Carl	1832	?	GB 1/76
Stehle Franz	1812	1892	GB 1/45, VG
Steiner Eduard	1859	?	GB 3/103
Stepanek Josef	1812	1892	GB 1/91, VG
Stern Hugo	1862	1941	GB 3/130
Stern Josef	1831	1913	GB 2/47, VG
Stiaral Georg	1824	1898	GB 1/23, VG
Stöhr Wenzel	1838	1871	GB 1/26, VG
Straßer Franz	1818	1869	GB 1/64, VG
Strebinger Josef	1819	1885	GB 2/61, VG
Stritzl Josef	1871	?	GB 3/165, PA
Svec Ignaz	1858	1910	GB 3/113, PA
Svozil Johann	1854	?	GB 3/131, PA
Swoboda Thomas	1823	1870	GB 1/57, VG
Swolba Alois	1851	1918	GB 3/71, PA
Sykora Franz Josef	1856	1905	GB 3/21
Sykory Franz Josef	?	?	GB 3/79
Teplý Peter	1871	?	GB 3/145, PA
Tischler Johann	1834	1919	GB 1/12, PA, VG
Tischler Wilhelm	1822	1891	GB 1/79, VG
Tomann Franz	1816	1867	GB 1/30, VG
Tosi Alceste	1825	1880	GB 2/6, VG
Tropsch Johann	1830	?	GB 1/25, PA, VG

Tyrner Anton	1835	1893	GB 3/14
Ucen Philipp	1828	1869	GB 2/49
Urban August	1876	1916	GB 4/66
Urschitz Franz	1818	?	GB 2/9, VG
Veselý Josef	1883	1928	GB 4/61, PA
Wacek Wilhelm	1864	1944	GB 3/110, Verwaltunsrat d. MKPV 1899-1900 + ab 1906
Wagner Josef Franz	1856	1908	GB 3/78
Wagnes Eduard	1863	1936	GB 3/110
Wahl Johann Stefan	1824	1893	GB 2/40
Wallentin Adalbert	1815	1872	GB 1/37, VG
Wanek Ignaz	1819	1882	GB 1/52, PA, VG
Wanicek Johann	1888	?	GB 4/43
Waniczek Anton	1830	?	GB 2/62
Wanisek Franz	1835	1911	GB 2/26
Wanisek Otto	1838	1886	GB 2/43
Waranitsch Carl	1848	1889	GB 3/50
Watzek Josef	1822	?	GB 2/72
Weber Josef	1881	1972	GB 4/41
Weiß Michael	1878	?	GB 3/158
Wendel Josef	1808	1887	GB 2/36, VG
Wessely Josef	1825	1874	GB 1/88, VG
Wetaschek Karl	1859	1936	GB 3/35
Wiedemann Josef	1828	1919	GB 1/29, VG, Verwaltungsrat d. MKPV 1869-1872
Wiethe Josef	1811	1889	GB 1/80, VG
Wirnitzer Georg	1882	?	GB 4/35, PA
Witte Johann Anton	1840	1901	GB 2/64
Wöber Ottokar	1859?	?	GB 3/166
Wodasek Josef	1832	?	GB 2/17, VG
Wolf Anton	1872	?	GB 3/172
Wolf Peter	1814	1885	GB 1/43, VG
Womacka Josef	1813	?	GB 1/31, VG
Wotaupal Franz	?	?	GB 1/31, VG

Zaloudek Anton	1836	?	GB 2/99
Zanetti Anton Edler von	1885	?	GB 4/32
Zankl Johann	1820	1861?	GB 1/61, VG
Zatloukal Franz	1819	?	GB 2/25, VG
Zellner Alexander	1861	1940	GB 3/49
Zenkl Josef	1822	1865	GB 2/32, VG
Zerovnický Emanuel	1849	?	GB 3/62, PA
Zester Josef	1872	1937	GB 3/151
Ziehrer Carl Michael	1843	1922	GB 3/52
Zienert Moritz	1878	1951	GB 4/3
Zimmer Ignaz	1836	1895	GB 2/73, PA
Zimmermann Adalbert	1827	?	GB 2/70
Zimmermann Michael	1833	1907	GB 1/14, PA, VG
Zink Eduard	1854	1919	GB 3/136
Zistler Josef	1848	1897	GB 3/30
Zivný Stanislaus	1873	1931	GB 4/42, PA
Zizka Johann	1859	1913	GB 3/100

Quellen der Abt. Kriegsarchiv im Österreichischen Staatsarchiv:

"Militärkapellmeister-Pensionsverein. Grundbuch" 4 Bände.

"Contobuch des Militärkapellmeister-Pensionsvereines" 4 Bände.

"Personalakte des Militärkapellmeister-Pensionsvereines."

"Pensionskontobuch I, II."

"Conto-Buch / der bei den k. k. Kriegs-Kassen zu Gunsten des Pensionsfonds österr. Militärkapellmeister bewirkten zufälligen Einnahmen."

"Skontro [sic] / über / Pensionen / vom Jahre 1914 – 1918." Einlage am Schluß: "Nominalverzeichnis der ab 31.10.1918 bis Ende Juli 1919 ausbezahlten Pensionen."

"Reservefondskassa" (ab 1905).

"Normaliensammlung in Kapellmeisterangelegenheiten."

"Kapitalienprotokoll" (seit 1856).

"Kontoauszugsprotokoll" (ab 1914).

"Vormerkung über jene Vereinspensionisten, denen der Bezug der Pension während ihres Aufenthalts im Auslande bewilligt wurde."

"Exhibitionprotokoll für 1916 bis 1918."

"Subjournal zum Hauptfonds-Kassajournal Österreich 1913 – 1914."

"Militär-Kapellmeister Pensionsfond Exhibiten und Normalien 1918 – 22."

"Heimatszuständigkeitsnachweis" und "Faszikel für Pensionsversicherung (Normalien)."

"Personaldokumente" 4 Kisten (A-H / I-L / M-R / S-Z).

Schematismen sämmtlicher Kapellmeister der k.u.k. Armee. Hsg. v. Pavlis. Prag, 1866 – 1918 (vollständig, teilweise in Fotokopie).

Vereins-Siegel.

Abbildung 1
Vereinssiegel: In der Mitte Schwert und Leier schief gekreuzt, von einem Lorbeer- und Eichenkranz umgeben, mit der Umschrift "Militaer-Kapellmeister Pensions-Verein"

K. K. Armee-Ober-Commando.

Abth. 15. Nr. 5039.

    Seine Majestät der Kaiser haben mit A. h. Entschließung vom 11. September 1860 die von den Militär-Kapellmeistern der k. k. Armee beabsichtigte Gründung eines besonderen Pensions-Vereins zur Versorgung dienstuntauglicher Militär-Kapellmeister, deren Witwen und Waisen, nach dem beigeschlossenen Statuten-Entwurfe, allergnädigst zu genehmigen geruht.

    Das Platzkommando hat hievon den k. k. Armee-Kapellmeister Andreas Leonhardt mit Beziehung auf dessen Eingabe vom 18. August 1860 mit der Weisung in Kenntniß zu setzen, das erwähnte Statut sammt den beiden Instruktionen, dann den dazu gehörigen Formularien auf Rechnung des Kapellmeister-Pensionsfondes in Druck legen zu lassen und 500 gedruckte Exemplare zur Vertheilung an sämmtliche Landes-General-Commanden, Truppenkörper, Ergänzungsbezirks-Commanden, Organe des Kriegs-Commissariats ꝛc. anher vorzulegen.

    Wien, am 15. September 1860.

Vom Armee-Ober-Commando.

Teuchert,
Feld-Marschall-Lieutenant m. p.

Landes-General-Commando Dl.
Abth. 4 Nr. 5317, 17/9 1860.

Montenuovo,
Feld-Marschall-Lieutenant m. p.

Für die richtige Abschrift

Wien, 21. September 1860.

Centner,
Platz-Major.

An das k. k. Militär-Stadt- und Platz-Commando

Hier.

Abbildung 2
Allerhöchste Entschließung vom 21. 9. 1860

Aufnahms = Urkunde.

Von Seite der gefertigten Vereins=Verwaltung wird hiermit beurkundet, daß Herr N. N., Kapellmeister bei dem k. k. Linien=Infanterie=Regimente Ritter von Benedek Nr. 28, gemäß hierseitigen Sitzungsbeschlusses vom ^{ten} l. J. Geschäftszahl $\frac{}{M. K. V.}$ auf Grund seiner schriftlichen Beitritts=Erklärung ddo. Garnisonsstation am ^{ten} 1858 in den Verein zur Versorgung dienstuntauglicher k. k. österreichischer Militär=Kapellmeister vom ersten November des Jahres Ein Tausend Acht=hundert fünfzig und Acht als $\frac{\text{Vereins=Gründer}}{\text{beitragendes Mitglied}}$ an= und aufgenommen worden ist, und von diesem Tage beginnend, an den statutenmäßigen Rechten und Verpflichtungen der Ge=sellschaftsmitglieder im vollen Umfange Theil zu nehmen hat und haben soll.

Vermöge des von Allerhöchst Seiner kais. königl. Majestät genehmigten, hier in einem gedruckten Exemplar zum Gebrauche des verehrlichen Vereinsmitgliedes Herrn N. N. ange=schlossenen Vereins=Statuts hat derselbe an den Vereinsfond abzustatten:

1. Eine Einlage im Betrage von Einhundert Gulden (100 fl.) österr. Währung, und zwar im Zusammenhange mit dessen Erklärung $\frac{\text{gleich beim Eintritte in den Verein auf Einmal}}{\text{in 36 fortlaufenden gleichen Monatraten}}$

2. Monatlich, vom Zeitpunkte seiner Aufnahme in den Vereinsverband bis zur der=einstigen Pensionirung, Einen Gulden (1 fl.) österr. Währung als Vereinsbeitrag.

3. Ist derselbe verpflichtet, die bei musikalischen, zu Gunsten des Vereinsfondes zu veranstaltenden Kunstproduktionen erzielten Reinerträgnisse gewissenhaft dahin abzuführen.

Bei genauer Erfüllung dieser und der übrigen in dem Vereins=Statute enthaltenen Bedingungen bleiben dem $\frac{\text{Vereins=Gründer}}{\text{beitragenden Mitglied}}$ die aus dem Vereinsvertrage für ihn, dessen Gattin und Kinder entspringenden Versorgungsanrechte gewährleistet.

Von der Verwaltung des Pensions-Vereines k. k. österreichischer Militär - Kapellmeister. Wien, am ^{ten} 18

L. S.

N. N.
Verwaltungsrath.

N. N.
Verwaltungsrath.

N. N.
Vorstand.

Abbildung 3
Aufnahmeurkunde

Friedrich Anzenberger, Kirchstetten, Österreich

DAS REPERTOIRE DER "HOCH- UND DEUTSCHMEISTER" UNTER CARL MICHAEL ZIEHRER VON 1885 BIS 1893

Die Kenntnis des Repertoires altösterreichischer Militärkapellen in den letzten Jahrzehnten der legendären "K. u. K. Zeit" wird heute weitgehend durch Traditionsmärsche sowie durch einige Dutzend Werke der Strauß-Dynastie bestimmt. Trotz einer Vielzahl von erhaltenen Konzertprogrammen wurde noch nicht untersucht, welche Musikstücke von den Streich- und Blasorchestern der einzelnen Regimenter bei ihren Auftritten tatsächlich gespielt wurden; es liegen nur Arbeiten über erhaltene Archive oder Verzeichnisse vor[1]. Der Umfang des vorhandenen Materials und der Umstand, daß die meisten Pro-gramme in Tageszeitungen zu finden sind, die über Jahre hinweg systematisch durchzusehen sind (meist zwei Ausgaben pro Tag!), machte jedoch eine Beschränkung dieser Forschungsarbeit unumgänglich.

Zu den bedeutendsten Militärkapellen der Donaumonarchie gehörte zweifellos die Musik des K. u. K. Infanterie-Regiments Nr. 4 "Hoch- und Deutschmeister". Seine erfolgreichste Epoche hatte dieser Klangkörper unter der Leitung von Carl Michael Ziehrer von 1885 bis 1893[2]. Es lag daher nahe, für diese Untersuchung zum Repertoire jenen Zeitraum auszuwählen.

---

[1]   Bisherige Repertoire-Untersuchungen zur altösterreichischen Militärmusik gehen entweder von erhaltenen Archiven aus (Bernhard HABLA, Das Repertoire von Militärorchestern vor dem Ersten Weltkrieg. Gezeigt am Notenbestand des bosnisch-herzegowinischen Infanterie-Regiments Nr. 4, Festschrift zum 60. Geburtstag von Wolfgang Suppan, hrsg. von Bernhard Habla, Tutzing, 1993, S. 349 – 375) oder von Verzeichnissen von jetzt nicht mehr bestehenden Archiven (Elisabeth ANZEN-BERGER-RAMMINGER, Das Inventar des k. k. Genie-Regiments Nr. 2. Ein Beitrag zur Geschichte der Musiken der Genie-Regimenter, Alta Musica 20, Tutzing 1998, S. 157 – 187.)

[2]   Bezüglich weiterer Informationen zur Biographie dieses Komponisten siehe Max SCHÖNHERR, Carl Michael Ziehrer. Sein Werk - Sein Leben - Seine Zeit, Wien 1974.

1. Quellen

Die wichtigste Quelle für diese Arbeit, der mehr als 99% der Informationen entnommen wurden, ist die Wiener Tagespresse, in erste Linie das Wiener *Fremden-Blatt* [3]. In der Rubrik "Vergnügungsanzeiger" dieser Zeitung standen täglich alle bedeutenden Veranstaltungen, darunter auch die Konzerte der Militärkapellen. Zusätzlich veröffentlichte das Wiener *Fremden-Blatt* in der Beilage oft die vollständigen Programme dieser Konzerte.

---

[3]   Das Fremden-Blatt (hier immer als Wiener Fremden-Blatt zitiert, da es auch in anderen Städten Publikationen mit diesem Namen gab) erschien von 1846 mit einer Unterbrechung während der 1848er-Revolution bis 1919; ab 1865 zweimal täglich (außer Sonntag und Montag) mit einem Morgen- und Abendblatt. Diese Zeitung war nicht nur eine der ersten in der Wiener Pressegeschichte, die über Sportereignisse berichtete, auch der Wiener Unterhaltungsmusik wurde im "Vergnügungs-Anzeiger" und in den Beilagen viel Raum gewidmet.

Abbildung 1

Ein Blatt der mehrseitigen Konzertprogramm-Ankündigungen in der
Beilage des Wiener *Fremden-Blattes* vom 3. 1. 1892: ...unten links die
Deutschmeister unter Ziehrer, daneben die Banda des IR 19 mit Alfons
Czibulka .... Jedes Programm enthält Kompositionen der Dirigenten, meist
auch Erstaufführungen; alle Militärkapellmeister (bis auf Komzák) spielen
zumindest ein Stück aus "Ritter Pasman", der neuen Oper von Johann
Strauß Sohn, die zwei Tage vorher, am 1.1.1892, in der Wiener Hofoper
uraufgeführt wurde.

Eine weitere Quelle stellen die bei den Konzerten der Deutschmeister aufgelegten Programmzettel dar, von denen leider nur sehr wenige erhalten sind[4].

Sonntag den 11. Dezember 1887

DREHER'S ETABLISSEMENT

LANDSTRASSE HAUPTSTRASSE 97

GROSSES CONCERT

der vollständigen Regiments Musik N° 4.

HOCH- u. DEUTSCHMEISTER

unter der persönlichen Leitung ihres Herrn Kapellmeister
K. M. Ziehrer

PROGRAMM

1. Ouverture zu „Athalia" von — Felix Mendelssohn
2. „Mein Lebenslauf ist Lieb und Lust" Walzer v. Jos. Strauß
3. Potpourri aus der Oper: „Aida" von — Verdi
4. (Neu) „Busserl" Polka mazur — C. M. Ziehrer
5. Fragmente aus der Oper: „Faust" von — Ch. Gounod
6. „Faschingskinder" Walzer von — C. M. Ziehrer
7. „Mein Lied" für Flügelhornsolo von — Gumpert
8. „Eine Soirée dansante bei Strauß" großes Potpourri v. C. M. Ziehrer
9. Ouverture zur Op.: „Leichte Cavallerie" von — Frz. von Suppé
10. „Die Tauben von St. Marco" Polka von — Joh. Strauß
11. Production der Guitarrenharmonie
12. „Metternich-Gavotte" von — C. M. Ziehrer
13. „Auf Ferienreisen" Galop von — Jos. Strauß
14. „Fesch beinand" Marsch von — Paul Mestrozi

Abbildung 2
Konzertprogramm der Deutschmeister in "Dreher's Etablissement"

---

[4]   Die meisten Programme sind in der Konzertprogrammsammlung der Österreichischen Nationalbibliothek Wien (Musiksammlung) zu finden.

Einige zusätzliche Informationen zum Repertoire finden sich auf den Stimmen der wenigen Stücke, die sich aus dem Archiv der Hoch- und Deutschmeister[5] erhalten haben. Auf der Rückseite der Noten haben die Musiker in kleiner, fast unlesbarer Schrift fallweise die Auftritte festgehalten, bei welchen diese Stücke gespielt wurden.

Berücksichtigt wurden auch die Angaben in der Literatur, vor allem in der großen Ziehrer-Monographie von Max Schönherr. Er hat nur die Erstaufführungsdaten der Ziehrer-Werke festgehalten, die jedoch aufgrund der vorliegenden Arbeit in manchen Fällen korrigiert werden mußten[6].

Auf den Vergleich mit anderen Repertoirestudien, die aufgrund von erhaltenen Notenarchiven oder Verzeichnissen zusammengestellt wurden, habe ich verzichtet, da es bei dieser Untersuchung in erster Linie um die Häufigkeit der Aufführungen geht[7].

---

[5]   Das Archiv der "Hoch- und Deutschmeister" ist leider nicht in seiner Gesamtheit oder in wesentlichen Teilen erhalten. Einige Stücke wurden vom Militärmusikforscher Eduard Pfleger gesammelt, der seinen Militärdienst bei der Musik dieses Regiments ableistete. Die Militaria-Sammlung von Eduard Pfleger ist nun im Besitz der Musiksammlung der Wiener Stadt- und Landesbibliothek.

[6]   Aufgrund der untersuchten Konzertprogramme der Deutschmeister-Kapelle ergaben sich in einigen Fällen frühere Erstaufführungsdaten als in der Ziehrer-Monographie von Max Schönherr (siehe Anmerkung 2) angegeben ist:
Op. 283 *Faschingskinder* Walzer 14. 1. 1887 Harmoniesäle
Op. 389 *Busserl* Polka-Mazur 2. 12. 1887 Harmoniesäle
Op. 392 *Faschings-Beilage* Polka française 2. 1. 1888 Dreher's Etablissement
Op. 397 *Militärisch!* Polka française 15. 10. 1888 Harmoniesäle
Op. 413 *Das Buch der Liebe* Polka française 10. 11. 1889 Ronacher
Op. 416 *Lachen, Kosen, Tanzen!* Polka-Mazur 20. 1. 1890 Ronacher
Op. 426 *Wurf-Bouquet* Polka-Mazur 22. 2. 1891 Ronacher
Op. 437 *Durch die Blume* Polka-Mazur 25. 2. 1892 Stalehner's Etablissement

[7]   Siehe auch Anmerkung 1.

2. Kurzer Überblick über die Musik der "Hoch- und Deutschmeister" [8]

Die Wurzeln dieses Klangkörpers reichen bis um die Mitte des 18. Jahrhunderts zurück. Aber erst als Anfang der 1840er Jahre der Wiener Tanzkomponist Philipp Fahrbach sen. die Leitung der Kapelle des Infanterie-Regiments Nr. 4 übernahm, stand erstmals nicht ein langgedienter Soldat, sondern ein "Profi" der Wiener Unterhaltungsmusik am Dirigentenpult. Er spielte mit Militärmusikern, die sowohl ein Streich- als auch ein Blasinstrument beherrschten und somit als Streich- und Blasorchester auftreten konnten und daher fähig waren, zivile Aufträge für Konzert- und Ballmusiken zu übernehmen.

Die Blütezeit währte nur kurz. 1846 mußten die Deutschmeister aus der Donaumetropole nach Galizien abrücken und der Kapelle fehlten durch mehr als dreieinhalb Jahrzehnte hindurch lukrative Auftrittsmöglichkeiten. Erst im Herbst 1882 kamen die Militärmusiker – nach einem kurzen Aufenthalt unter Kapellmeister Josef Dubez in den 1860er Jahren – wieder für längere Zeit nach Wien.

Mit Carl Michael Ziehrer, der mit der Kapelle am 1. Oktober 1885 erstmals auftrat, hatten die Deutschmeister einen Dirigenten an der Spitze, der sich auch als Komponist unter den vielen Militär- und Zivilkapellen in der Reichshaupt- und Residenzstadt Wien behaupten konnte. Sogar für Johann Strauß war er nach eigenen Aussagen ein ernstzunehmender Konkurrent[9]. Die erfolgreichste

---

[8]   Zur Geschichte der "Hoch- und Deutschmeister" siehe auch folgende Arbeiten des Verfassers: Die Militärkapellmeister der Hoch- und Deutschmeister bis 1918, 300 Jahre Regiment Hoch- und Deutschmeister - Beiträge zur österreichischen Militärgeschichte, Wien, Deutschmeisterbund, 1996, S. 79 ff.; The Band and Bandmasters of the Austrian Infantry Regiment no. 4 'Hoch- und Deutschmeister' 1696-1918. A Survey to the 300th Anniversary, Band International, Vol. 18 (July 1996), S. 5 ff.; Die Kapellmeister der 'Hoch- und Deutschmeister' bis 1918. Ein Beitrag zum 300. Jahrestag der Regimentsgründung, Österreichische Blasmusik, 44. Jg., Heft 11 (November 1996) und Heft 12 (Dezember 1996) sowie 45. Jg., Heft 1 (Jänner 1997) und Heft 2 (Feber 1997); Widmungskompositionen für die 'Hoch- und Deutschmeister'. Marginalien zur Geschichte des altösterreichischen Traditionsregiments anläßlich des 300. Jahrestages der Gründung, Mitteilungsblatt der Internationalen Gesellschaft zur Erforschung und Förderung der Blasmusik, Jg. 1996/1 (April), S. 136 ff.

[9]   Brief vom 23. 10. 1893 von Johann Strauß Sohn an seinen Bruder Eduard, siehe: Johann Strauß (Sohn) - Leben und Werk in Briefen und Dokumenten - Im

Epoche in der Geschichte der "Wiener Edelknaben", wie man die Hoch- und Deutschmeister gerne nannte, endete mit Ziehrers letztem Konzert am 13. Mai 1893; danach war er mit einer Privatkapelle in Deutschmeisteruniformen bei der Weltausstellung in Chicago.

Sein Nachfolger Wilhelm Wacek, der die Kapelle von 1894 bis zum Ende der Donaumonarchie leitete, war zwar ebenfalls ein hervorragender Dirigent, konnte aber als Komponist mit Ziehrer nicht Schritt halten. In der Zwischenkriegszeit bildeten sich mehrere Deutschmeister-Privatkapellen; die erfolgreichste wurde von Julius Herrmann geleitet.

3. Die Konzerte in den Vergnügungslokalen (Etablissements)

Es mag eigenartig klingen, wenn Konzerte in Vergnügungslokalen neben Auftritten bei Bällen eine der Hauptbeschäftigungen von Militärkapellen in den Zentren der Donaumonarchie waren. Private Auftritte der Kapellen wurden aber von der militärischen Führung gestattet, da ein wesentlicher Teil der Einnahmen in den Musikfonds kam, was wiederum jenen Betrag verminderte, den die Offiziere zur Erhaltung ihrer Regimentsmusiken zu zahlen hatten. Im Laufe der Jahre nahmen die außermilitärischen Verpflichtungen der Kapellen in den großen Städten und vor allem in Wien fast unvorstellbare Ausmaße an, wodurch der Dienst bei einer Regimentskapelle auch für Musikstudenten und professionelle Musiker wegen des guten Nebenverdienstes interessant war, was wiederum eine Leistungssteigerung der Kapelle zur Folge hatte. So nennt etwa die vom Jahre 1914 noch erhaltene Abrechnung der Musikkassa von Jänner bis Juni allein 220 private Auftritte der Deutschmeister[10].

Oft mußten sich die Militärkapellen für mehrere gleichzeitig stattfindende Konzerte teilen, was in den Programmen bisweilen als "Abtheilung" ange-

---

Auftrag der Johann-Strauß-Gesellschaft Wien gesammelt und kommentiert von Franz Mailer, Bd. VI (Tutzing: Hans Schneider, 1996), S. 447.

[10] Siehe das "Commissions-Protokoll bei Angelegenheiten des Musik- und Officiers Fondes" des K. u. K. Infanterie-Regiments Nr. 4 "Hoch- und Deutschmeister", angefügt dem Nachlaß von Emil Rameis (Signatur B:796/9) in der Abteilung Kriegsarchiv des Österreichischen Staatsarchives Wien.

kündigt wurde ("Es spielt eine Abtheilung der Musik des Infanterie-Regiments..."); meist aber wies man darauf nicht eigens hin. Auftritte der ganzen Kapelle wurden hingegen manchmal als "vollständige Regiments-Musik" bezeichnet. Auch die persönliche Leitung des Konzertes durch den Kapellmeister – namentlich genannt oder nicht - hat man in den Ankündigungen oft erwähnt. Über die Unsitte, nichtmusizierende Soldaten des Regiments bei den Kapellen als Statisten – sog. "Figuranten" - auftreten zu lassen, hat Eugen Brixel im Rahmen des Kongresses der Internationalen Gesellschaft zur Förderung und Erforschung der Blasmusik in Mainz im Jahre 1996 berichtet[11].

Es entwickelte sich vor allem in den letzten beiden Jahrzehnten des 19. Jahrhunderts eine regelrechte Vergnügungsindustrie in Wien; vierzig bis fünfzig Veranstaltungen an einem Sonn- oder Feiertag waren keine Seltenheit. Geschäftstüchtige Restaurateure boten in sog. "Etablissements" diverse Belustigungen und Konzerte meist gegen Eintritt an.

Diese Konzerte fanden an Wochentagen am Abend oder an Sonntagen am späten Nachmittag oder auch am Abend statt. Auftritte an Sonntagen am späten Vormittag oder am frühen Nachmittag waren seltener. Bei vielen Veranstaltungen saß man an Tischen und konnte bei gepflegter Musik speisen.

Das für die Deutschmeister unter Ziehrer bedeutendste Lokal war das Ronacher in der Wiener Innenstadt, in dem rund 40 Prozent aller nachweisbaren Auftritte stattfanden. Hunderte Konzerte an Sonn- und Feiertagen gab es hier im Konzert- und Ballsaale. Heute wird das in den Außenfassaden nahezu originalgetreu erhaltene Ronacher als Musicalbühne genutzt.

1907 wurde das Grand Etablissement Stalehner in Hernals, damals Wiener Vorstadt, heute 17. Gemeindebezirk, abgerissen, wo die Deutschmeister durch mehrere Jahre immer an Donnerstagen ihr "Novitätenkonzert" spielten, insgesamt mehr als 25 Prozent aller Auftritte.

---

[11] Eugen Brixel bezog sich in diesem Referat auf eine Streitschrift des Österreichisch-ungarischen Musikverbandes "Ein Notschrei über die gewerbliche Tätigkeit der k.u.k. Militärmusikbanden" (Wien: Vereins-Buchdruckerei), die einen guten Einblick in die privaten Auftritte der Regimentskapellen bietet. Der Verfasser ist Herrn Prof. Mag. Dr. Brixel für das Überlassen einer Kopie dieser Schrift zu besonderem Dank verpflichtet.

Abbildung 3
Außenfassade des 1907 abgerissenen "Grand Etablissement Stalehner" in Hernals, heute 17. Gemeindebezirk. Hier fanden die beliebten "Novitäten-Konzerte" der Deutschmeister statt.

Das Etablissement Dreher in der Landstraßer Hauptstraße war lange Zeit eines der Stammlokale der Kapelle, wo es das damals berühmte "Dreher's Schwarzbier" gab. Hier wurden viele Konzerte und Bälle gespielt. An Stelle dieses Lokals, das 1959 zum "Schwechater Hof" umgebaut wurde, steht heute ein Einkaufszentrum.

Zahlreiche Auftritte fanden auch in "Paul Hopfner's Kasino" statt. Alle anderen Konzertlokale (insgesamt mehr als ein Dutzend) hatten untergeordnete Bedeutung.

Die meisten Konzerte wurden in Streichbesetzung mit rund 40 Mann gespielt. Auch in Blasmusikbesetzung wurde konzertant gespielt und es gab verschiedene Kammermusikensembles, deren Literatur wir nur in Ausnahmefällen kennen.

Beim Studium der Konzertprogramme von Ziehrer und den anderen Wiener Regimentskapellmeistern sind gewisse Regelmäßigkeiten im Aufbau festzustellen: Die Konzerte beginnen normalerweise mit einer Ouvertüre, manchmal ist ihr auch ein Marsch vorangestellt. Nach der Ouvertüre folgt immer ein Wiener Walzer. Danach kommt in den meisten Fällen ein Werk, das nicht der Tanzmusik zuzuordnen ist: ein Solo- oder Konzertstück, ein Opernfragment oder ein Vortrag eines Kammermusikensembles. Verschiedene weitere Werke folgen, wobei niemals zwei gleiche Tanzformen (z. B. zwei Walzer) unmittelbar nacheinander folgen. Ist das Programm zweiteilig, endet der erste Abschnitt oft mit einem längeren Potpourri. Der zweite Teil nach der Pause beginnt in ähnlicher Form wie der erste. Am Schluß stehen in der Regel ein beliebtes Potpourri und ein Marsch oder eine Polka schnell.

Oft spielten die Hoch- und Deutschmeister auch bei Tanzveranstaltungen, bei denen ausschließlich als Streichorchester musiziert wurde. Der Wiener Ballkalender mit den bloß summarischen Nennungen umfaßte in den achtziger und neunziger Jahren des 19. Jahrhunderts im Fasching fast zwei Druckseiten im Wiener *Fremden-Blatt*. Viele Bälle wurden wöchentlich abgehalten, so der Maskenball beim Dreher. Alle möglichen Vereine und Institutionen hatten ihre eigenen Veranstaltungen. Sehr beliebt waren die thematisch ausgerichteten Bälle mit geradezu verschwenderischen Dekorationen, die am Balltag gegen Eintritt besichtigt werden konnten. Für das Repertoire sind die Bälle allerdings wenig ergiebige Quellen, da von den Auftritten der Deutschmeister bestenfalls die Ballwidmungen bekannt sind.

4. Statistische Auswertung des Materials

Insgesamt wurden 4866 Aufführungen von 749 Werken erfaßt; im statistischen Schnitt wurde jedes Werk rund 6,5 Mal aufgeführt. Die folgende Grafik zeigt den Anteil der einzelnen Komponisten: Ziehrer allein ist mit fast einem Drittel im Repertoire seiner Kapelle vertreten und es gibt kein Programm ohne eine Komposition von ihm. Jedes sechste Werk ist von einem Mitglied der Strauß-Familie; Ziehrer und Strauß zusammen machen bereits fast die Hälfte aller Kompositionen aus.

Komponisten

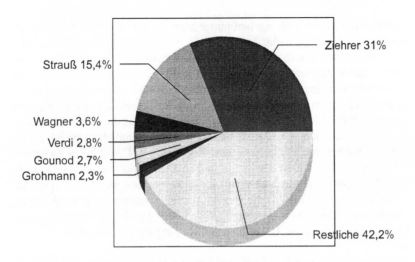

Abbildung 4

Der vergleichsweise geringe Anteil der beiden großen Opernkomponisten Richard Wagner mit 3,6% und Giuseppe Verdi mit 2,8% beweist die Dominanz der Wiener Musik im Repertoire der Deutschmeister. Auffällig auch, daß Charles Gounod mit 2,7% nahezu gleich gut vertreten ist. Auf 2,3% bringt es auch Musikfeldwebel Carl Theodor Grohmann, der als Arrangeur tätig war, für Streich- und Blasmusikbesetzung instrumentierte und Potpourris zusammenstellte.

Alle anderen Komponisten haben weniger als 2% Anteil am Repertoire. Der fehlende Rest von immerhin 42,2% teilt sich auf 220 Personen auf, die größtenteils in Zehntel- und Hundertstel-Prozentpunkten vertreten sind. Auffällig ist, daß Ziehrer zwar viele Werke seiner Wiener Kapellmeisterkollegen in das Repertoire aufgenommen, sie aber nur selten gespielt hat, sodaß sie in dieser Zusammenstellung nicht aufscheinen. Kompositionen seiner unmittelbaren Vorgänger Wilhelm Zsák, Anton Klemm und Josef Dubez[12] fehlen

---

[12] Unmittelbarer Vorgänger Ziehrers war ab dem 1. 9. 1882 der 1836 in Temesvàr

völlig, obwohl alle diese Kapellmeister Stücke für die Deutschmeister geschrieben haben.

Im Repertoire fehlt auch ein berühmter Marsch: der "Deutschmeister-Regimentsmarsch" von Wilhelm August Jurek, der im übrigen niemals der "offizielle" Regimentsmarsch der Deutschmeister war. Obwohl dieses Stück Anfang 1893 während Ziehrers Tätigkeit entstand, wurde es doch in den Konzerten der Deutschmeisterkapelle unter seiner Leitung kein einziges Mal gespielt. Auch in den Folgejahren unter Kapellmeister Wilhelm Wacek fehlt Jureks Komposition weitgehend in den Programmen und war keinesfalls "der" Deutschmeister-Marsch. Die Popularität hat dieser Marsch mit dem einprägsamen Refrain "wir san von k. u. k. Infanterie-Regiment Nr. 4" erst in der Zwischenkriegszeit durch den Deutschmeisterbund erhalten. Jurek war in dieser mächtigen Organisation führend tätig und tat alles, um seinem Marsch jene Anerkennung zu verschaffen, die ihm in der Monarchie versagt blieb. Julius Hermann profilierte sich in dieser Zeit als Leiter der zivilen Deutschmeisterkapelle und führte diese Tradition bis in die jüngere Vergangenheit.

Auch der heute bekannte "Hoch- und Deutschmeister-Marsch" von Dominik Ertl – die Klavierausgabe erschien im Oktober 1885 und somit zu Beginn der "Ziehrer-Ära" – fehlt in den Programmen genauso wie heute so beliebte Stücke wie der "Radetzky-Marsch" op. 228 von Johann Strauß Vater. Der "Donauwalzer" ("An der schönen blauen Donau" op. 314 von Johann Strauß Sohn) – angeblich die heimliche Bundeshymne der Österreicher – wurde von Ziehrer ebenso wie sein heute vielgespielter Freiherr von Schönfeld-Marsch op. 422 nur zweimal aufgeführt.

Interessant ist auch der Anteil der einzelnen Gattungen und Tanzformen. Nicht zu Unrecht hat man in bezug auf die Wiener Musik vom Jahrhundert des Walzers gesprochen, der allein ein Viertel aller gespielten Werke ausmacht. Sehr beliebt waren auch die Potpourris mit 19,3%. Nahezu ein Zehntel der Kompositionen sind Ouvertüren aus Opern und Operetten. Dem Marsch sind 6% gewidmet, wobei "nichtmilitärischen" Stücken eindeutig der Vorzug gegenüber Regimentsmärschen gegeben wird.

---

geborene Wilhelm Zsák. Vor ihm diente Anton Klemm (* Biblin, Böhmen, 9. 1. 1844, + Kuttenberg, Böhmen, 8. 2. 1920) von 1879 bis 1883, der auf Josef Dubez (* Wien, 1824, + Wien, 10. 5. 1900) folgte (Kapellmeister 1848 – 1860 und 1863 – 1879).

4% des gespielten Repertoires gehört zu den Opern- und Operettenfragmenten und genauso groß ist auch der Anteil an Solostücken und Solokonzerten. Die beliebtesten Soloinstrumente waren Violine und Flügelhorn. Zu ergänzen wären noch Polka française mit 5,5%, Polka Mazur mit 2,9% und Polka schnell mit 2,0%. Alle anderen Formen sind mit weniger als 2% vertreten, darunter Serenaden, Lieder, Romanzen, Charakterstücke u. ä.

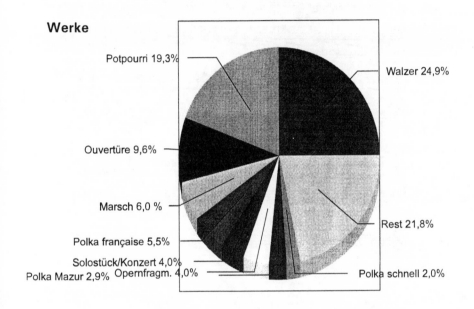

Werke

Potpourri 19,3%

Walzer 24,9%

Ouvertüre 9,6%

Marsch 6,0 %

Rest 21,8%

Polka française 5,5%

Solostück/Konzert 4,0%

Polka Mazur 2,9% Opernfragm. 4,0%

Polka schnell 2,0%

Abbildung 5

Mit Abstand das meistaufgeführte Werk war Ziehrers "Traum eines öster-reichischen Reservisten", auch als "Traum eines Reservisten" bezeichnet. Das "große militärische Tongemälde" erzählt die Geschichte eines in den Reserve-stand versetzten Soldaten, der davon träumt, noch einmal zu den Waffen gerufen zu werden. Eigene und fremde Werke in geschickter Zusam-

menstellung unter Verwendung von Militärsignalen haben den Erfolg dieses
Werkes mit insgesamt 70 nachweisbaren Aufführungen ausgemacht.

Abbildung 6
"Der Traum eines österreichischen Reservisten", großes militärisches
Tongemälde von Carl Michael Ziehrer, Klavierausgabe – mit 70
nachweisbaren Aufführungen das meistgespielte Werk des Deutschmeister-
Repertoires (Seite aus der Klavierausgabe).

An zweiter Stelle ist die Ouvertüre zur Oper "Mignon" von Ambroise Thomas mit 60 Darbietungen zu finden. An dritter Stelle der Statistik steht wieder ein Potpourri Ziehrers, diesmal mit volkstümlichen Weisen unter dem Titel "So singt man in Wien". Der Walzer op. 400 "Wiener Edelknaben", den Ziehrer ursprünglich nach Motiven seiner Operette "Ein Deutschmeister" geschrieben hat und der auch in "Der schöne Rigo" zu finden ist, folgt in der Rangliste der Häufigkeit. Von den Opernfragmenten ist Wagners "Pilgerchor und Hirtenlied" aus dem "Tannhäuser" am meisten gespielt worden. Alle anderen Zahlen sind der folgenden Liste zu entnehmen.

Die nachfolgende Repertoire-Liste nennt alle zumindest dreimal in den Programmen aufscheinende Kompositionen mit Angabe der Aufführungszahl. Diese Grenze wurde nicht willkürlich gewählt: Ziehrer war v. a. durch die wöchentlichen "Novitätenkonzerte" beim "Stalehner" in Hernals gezwungen, immer wieder neue Kompositionen aufzuführen. Teilweise wurden hier natürlich des öfteren ältere Werke als Novität "verkauft"; trotzdem gab es doch auch eine sehr große Vielzahl von tatsächlich neuen Stücken, die ein einziges Mal gespielt wurden oder gerade noch im nächsten Konzertprogramm in einem anderen Lokal aufschienen, aber nicht zum tatsächlichen Repertoire der Deutschmeister gehörten.

Um das Verzeichnis nicht zu überfrachten, wurden – soweit feststellbar – zusätzliche Informationen nur bei unbekannten Komponisten (Richtlinie: die nicht in *The New Grove Dictionary of Music and Musicians*, hrsg. von Stanley Sadie [London: Macmillan, 1980], angeführten Personen) aufgenommen. Auf kleine Varianten bei Komponistennamen oder Werktiteln (z. B. Druckfehler oder Hinzufügen oder Weglassen eines Artikels) wird nicht eigens hingewiesen; größere Abweichungen oder sonstige Ergänzungen sind in eckigen Klammern angegeben; alternativ verwendete Titel (z. B. "Fragmente" / "Fantasie" / "Potpourri") sind durch Schrägstriche getrennt worden. Opuszahlen sind in den Programmen nie angegeben, sie wurden vom Verfasser hinzugefügt. Nicht in allen Fällen war es möglich, die aufgeführten Werke exakt zu bestimmen. So schrieb z. B. Felix Mendelsohn-Bartholdy mehrere Kompositionen mit dem Titel "Frühlingslied" und es ist nicht mehr nachvollziehbar, welches Werk die Deutschmeister gespielt haben.

Komponist	Titel des Werkes	Auff.
ZIEHRER Carl Michael	"Der Traum eines österreichischen Reservisten" großes militärisches Tongemälde	70
THOMAS Ambroise	"Ouvertüre" zur Oper "Mignon"	60
ZIEHRER Carl Michael	"So singt man in Wien" Volkslieder-Revue [Potpourri]	52
ZIEHRER Carl Michael	"Phonographen-Walzer" op. 423	47
ZIEHRER Carl Michael	"Unsere Edelknaben!" Walzer op. 400 aus der Operette "Ein Deutschmeister"	47
ZIEHRER Carl Michael	"Natursänger" Walzer op. 415	46
ZIEHRER Carl Michael	"Weaner Mad'ln" Walzer op. 388	46
WAGNER Richard	"Pilgerchor und Hirtenlied" aus der großen romantischen Oper "Tannhäuser" [13]	44
ZIEHRER Carl Michael	"Echt wienerisch" Original Wiener Lieder und Tänze op. 381, Text von Franz Wagner [Potpourri]	40
ZIEHRER Carl Michael	"Sprößlinge vom Donaustrande" großes volkstümliches Potpourri	40
GOUNOD Charles	"Fragmente" / "Große Phantasie" / "Potpourri" aus der Oper "Faust"	39
ZIEHRER Carl Michael	"Backfischerln" Walzer op. 432	39
ZIEHRER Carl Michael	"Faschingskinder" Walzer op. 382	38
GOUNOD Charles	"Phantasie" / "Potpourri" / "Fragmente" aus der Oper "Le tribut de Zamora"	37
GROHMANN Carl Theodor [14]	"Tondichter-Galerie" großes Potpourri	37
ZIEHRER Carl Michael	"Wiener Bürger" Walzer op. 419	37
VERDI Giuseppe	"Große Phantasie" / "Fragmente" / "Potpourri" aus der Oper "Aida"	36
WEBER Carl Maria von	"Ouvertüre" zur romantischen Oper "Der Freischütz"	35
HÉROLD Ferdinand	"Ouvertüre" zur Oper "Zampa ou La fiancée de marbre"	34
NICOLAI Otto	"Ouvertüre" zur Oper "Die lustigen Weiber von Windsor"	33
STRAUSS Johann Sohn	"Künstlerleben" Walzer op. 316	33
VERDI Giuseppe	"Große Phantasie" / "Potpourri" aus der Oper "Simon Boccanegra"	33

---

[13] I. Akt, 3. Szene.

[14] Karl Theodor GROHMANN, Musikfeldwebel bei den Deutschmeistern; arrangierte und instrumentierte Werke für Streich- und Blasmusikbesetzung und stellte Potpourris zusammen, schrieb Märsche und Salonkompositionen.

46

WEBER Carl Maria von	"Ouvertüre" zur romantischen Oper "Oberon"	33
CHOPIN Frédéric François	"Nocturne" für Violine und Harfe [ohne nähere Angaben]	32
STRAUSS Johann Sohn	"Myrthenblüthen" Walzer op. 395	32
STRAUSS Johann Sohn	"Nordseebilder" Walzer op. 390	32
ZIEHRER Carl Michael	"Wiener Luft" Walzer op. 278a	32
GROHMANN Carl Theodor	"Feuilleton über Richard Wagner" Potpourri	31
STRAUSS Johann Sohn	"Bei uns z'Haus" Walzer op. 361	31
ZIEHRER Carl Michael	"Ohne Tanz kein Leben!" Walzer op. 391	31
STRAUSS Johann Sohn	"Rosen aus dem Süden" Walzer op. 388	30
ZIEHRER Carl Michael	"Wiener Lachkabinett" musikalische Burleske mit Bildern	30
SARASATE Pablo de	"Zigeunerweisen" Concert für die Violine, op. 20	29
ZIEHRER Carl Michael	"Österreich in Tönen" Walzer op. 373	29
ZIEHRER Carl Michael	"Wiener Vergnügungsanzeiger" großes Potpourri	29
STRAUSS Johann Sohn	"Persischer Marsch" op. 289	28
WAGNER Richard	"Potpourri" / "Phantasie" / "Fragmente" aus der Oper "Lohengrin"	28
ZIEHRER Carl Michael	"Diesen Kuß der ganzen Welt" Walzer op. 442	28
ROSENKRANZ Anton[15]	"Fliegende Blätter" humoristisches Potpourri	27
SCHUBERT Franz	"Am Meer" Lied D 957/12	27
LISZT Franz	"Ungarische Rhapsodie" Nr. 2 "Lento a capriccio" cis-moll	26
WAGNER Richard	"Ouvertüre" zur großen tragischen Oper "Rienzi"	26
MASCAGNI Pietro	"Große Phantasie" aus der Oper "Cavalleria rusticana"	25
MENDELSOHN-BARTHOLDY Felix	"Ouvertüre" zu "Athalia"	25
ZIEHRER Carl Michael	"Eine Soirée dansante bei Strauß" Potpourri	25
HÄNDEL Georg Friedrich	"Largo" aus der Oper "Xerxes" für Harfe, Violine und Orchester	24
ZIEHRER Carl Michael	"Heimathsgefühle" Walzer op. 436	24
ZIEHRER Carl Michael	"Wiener Panoptikum" großes volkstümliches Potpourri	24
BACH Johann Sebastian	"Méditation sur le 1er Prélude de piano de S. Bach"	23
GOUNOD Charles	"Serenade" für Flügelhorn	23

---

[15] Anton ROSENKRANZ, * Prag, 17. 11. 1827, + Ödenburg, 29. 6. 1888, Militärkapellmeister und Komponist.

STRAUSS Josef	"Aquarellen" Walzer op. 258	23
ZIEHRER Carl Michael	"Die Tanzgelehrten" Walzer op. 405	23
ZIEHRER Carl Michael	"Wiener Ball-Fotografien" Walzer op. 425	23
HAUSER Miska (Michael)[16]	"Das Vöglein am Baume" Violinkonzert	22
DONIZETTI Gaetano	"Potpourri" / "Phantasie" aus der Oper "Lucia di Lammermoor"	21
ROSSINI Giacchino	"Ouvertüre" zur Oper "Guillaume Tell"	21
STRAUSS Josef	"Auf Ferienreisen" Polka schnell [Galopp] op. 133	21
THOMAS Ambroise	"Ouvertüre" zur Oper "Raymond, ou Le secret de la reine"	21
STRAUSS Johann Sohn	"Groß-Wien" Walzer op. 440	20
STRAUSS Johann Sohn	"Ouvertüre" zur Operette "Die Fledermaus"	20
VIEUXTEMPS Henry	"Reverie" für die Violine	20
ZIEHRER Carl Michael	"Lachen, Kosen, Tanzen" Polka-Mazur op. 416	20
ZIEHRER Carl Michael	"Militärisch!" Polka française op. 397	20
BOHM Carl[17]	"Alpenglüh'n" Idylle	19
FAHRBACH Philipp jun.[18]	"Ungarischer [Krönungs-]Marsch" op. 29	19
HÄNDEL Georg Friedrich	"Arioso"[19]	19
MASCAGNI Pietro	"Intermezzo" aus der Oper "Cavalleria rusticana"	19
STRAUSS Johann Sohn	"Schatz-Walzer" op. 418 aus der Operette "Der Zigeunerbaron"	19
STRAUSS Josef	"Die Libelle" Polka Mazur op. 204	19
WAGNER Richard	"Große Phantasie" / "Reminiszenzen" aus der Oper "Die Meistersinger von Nürnberg"	19
ZIEHRER Carl Michael	"Großes Potpourri" aus der Operette "Ein Deutschmeister"	19

---

[16] Miska (Michael) HAUSER, * Preßburg, 1822, + Wien, 8. 12. 1887, Violinvirtuose und Komponist.

[17] Carl BOHM, * Berlin, 11.9.1844, + Berlin, 4. 4. 1920, Pianist, komponierte Operetten, Chöre, Lieder und Salonmusik.

[18] Philipp FAHRBACH jun., * Wien, 16.12.1843, + Wien, 15.2.1894, Militär- und Zivilkapellmeister sowie sehr erfolgreicher Tanzkomponist.

[19] Das "Arioso" mit dem Text "Dank sei Dir, Herr" ist ein Georg Friedrich Händel wahrscheinlich unterschobenes Werk und wurde möglicherweise von Siegfried Ochs komponiert.

ZIEHRER Carl Michael	"Mitzerl" Polka-Mazur op. 399	19
MOZART Wolfgang Amadeus	"Quintett" aus der Opera buffa "Cosi fan tutte"[20]	18
STRAUSS Johann Sohn	"Du und Du" Walzer op. 367 aus der Operette "Die Fledermaus"	18
STRAUSS Johann Sohn	"Frühlingsstimmen" Walzer op. 410	18
VERDI Giuseppe	"Duett" aus dem Melodramma "Rigoletto"	18
HARMSTON Johann William[21]	"Harfe und Spieluhr" Charakterstück	17
MILLÖCKER Carl	"Willst Du mein Liebster sein?" Lied aus der Operette "Der arme Jonathan"	17
SCHRAMMEL Johann	"Weana Gmüath" Walzer op. 112	17
STRAUSS Johann Sohn	"G'schichten aus dem Wienerwald" Walzer op. 325	17
STRAUSS Johann Sohn	"Wiener Blut" Walzer op. 354	17
STRAUSS Johann Sohn	"Wildfeuer" Polka française op. 313	17
BOHM Carl	"Hast Du mich lieb" Lied für Flügelhorn op. 42	16
MEYERBEER Giacomo	"Fragmente" / "Potpourri" / "Phantasie" aus der Oper "Die Afrikanerin"	16
MOZART Wolfgang Amadeus	"Ouvertüre" zum Singspiel "Die Zauberflöte"	16
STRAUSS Josef	"Mein Lebenslauf ist Lieb' und Lust" Walzer op. 263	16
WAGNER Richard	"Trauermarsch" aus der "Götterdämmerung"	16
ZIEHRER Carl Michael	"Busserl" Polka Mazur" op. 389	16
ZIEHRER Carl Michael	"Gebirgskinder" Walzer op. 444	16
ZOIS Hans von[22]	"Wiener Radfahrer-Marsch"	16
BAYER Josef	"Fragmente" / "Potpourri" aus dem Ballett "Die Puppenfee"	15
STRAUSS Johann Sohn	"Im Krapfenwaldl" Polka française op. 336	15
STRAUSS Johann Sohn	"Ouvertüre" zur Operette "Eine Nacht in Venedig"	15
STRAUSS Johann Sohn	"Stürmisch in Lieb' und Tanz" Polka schnell op. 393 aus der Operette "Das Spitzentuch der Königin"	15
STRAUSS Josef	"Freudengrüße" Walzer op. 128	15

---

[20] "Sento oddio, che questo piede" (I. Akt, 4. Szene, Nr. 6).

[21] John William HARMSTON, London, * 1823, + Lübeck, 26. 8. 1881, v. a. Kompositionen für Klavier, Violoncello und Gesang.

[22] Hans Freiherr von ZOIS, * Graz, 14. 11. 1862, + Prag, 12. 1. 1924, komponierte v. a. Vokalmusik.

49

VERDI Giuseppe	"Kerkerszene" aus der Dramma "Il Trovatore"[23]	15
ZELLNER Alexander[24]	"Wagneriana" Fragmente aus sämtlichen Werken	15
ZIEHRER Carl Michael	"Dies Kreuz in meiner Hand" ["Kreuzlied"] Lied aus das Operette "Ein Deutschmeister"	15
ZIEHRER Carl Michael	"Liebesrezepte" Walzer op. 434	15
ZIEHRER Carl Michael	"Nervös" Polka française op. 433	15
ZIEHRER Carl Michael	"Österreichische Fahnenlieder" Walzer op. 317	15
ADAM Adolphe	Ouvertüre zur Oper "Si j'étais roi"	14
MÜLLER Johann[25]	"Wien wie es weint und lacht [lacht und weint]" großes Potpourri	14
STRAUSS Johann Sohn	"Wiener Bonbons" Walzer op. 307	14
WESTERMEYER Wilhelm[26]	"Kaiser-Ouvertüre"	14
ZIEHRER Carl Michael	"Boshaft!" Polka française op. 424	14
ZIEHRER Carl Michael	"Loslassen!!!!" Polka schnell op. 386	14
ZIEHRER Carl Michael	"Schlittenpost" Tyrolienne op. 412, Text von Carl Lindau	14
ZIEHRER Carl Michael	"Verliebt" Romanze op. 319 [Nr. 2 der "Zwei Phantasiestücke"]	14
POPP Wilhelm [i. e. Henri Alberti][27]	"Concert-Phantasie" für die Flöte über das Lied "Gute Nacht"	13
STORCH Anton Maria[28]	"Nächtlicher Gruß" Lied für Flügelhorn und Begleitung von 4 Posaunen	13

---

[23] IV. Akt, Nr. 19.

[24] Alexander ZELLNER, * Wien, 15. 12. 1861, + 12. 2. 1940, Militär- und Zivilkapellmeister, schrieb Märsche und Potpourris.

[25] Johann MÜLLER, * Marchfeld, Niederösterreich, 3. 3. 1856, + Wien, 30. 10. 1924, Musiker bei den Deutschmeistern (1876-79, 1881-85, 1887-90) und Militärkapellmeister, komponierte Märsche und Tänze.

[26] Wilhelm WESTERMEYER, * Iburg/Osnabrück, 11. 2. 1832, + Bonn, 4. 9. 1880, komponierte Opern und Symphonien.

[27] Wilhelm POPP, Pseudonym Henri Alberti, * Coburg, 29. 4. 1828, + Hamburg, 1903, Flötenvirtuose, schrieb Klavierkompositionen und Solostücke für Flöte. Nicht ident mit dem Schauspieler und Theaterdirektor Wilhelm Popp (1863 – 1925).

[28] Anton Maria STORCH, * Wien, 22. 12. 1815, + Wien, 31. 12. 1887, Komponist und Chormeister.

WALLACE William	Ouvertüre zur Oper "Maritana"	13
WIENIAWSKI Henryk	"Faust-Phantasie" op. 20 für Violine	13
ZIEHRER Carl Michael	"Schneidig!" Polka française op. 387	13
ZIEHRER Carl Michael	"Volksgarten-Sträußchen" Walzer op. 315	13
BOITO Arrigo	"Phantasie" / "Fragmente" aus der Oper "Mephistopheles"	12
BRANDL Johann[29]	"Wie gern möcht' ich dein eigen sein" Lied	12
DELIBES Léo	"Tanz-Poem" aus dem Ballet "La source, ou Naila"	12
FAHRBACH Philipp jun.	"Storchenschnäbel" Galopp op. 149	12
GROHMANN Carl Theodor	"Eine Wanderung durch den deutschen Liederhain" Potpourri	12
LANGEY Otto[30]	"Mandolinen-Ständchen"	12
SCHLÖGEL Ludwig[31]	"Streifzug durch sämmtliche Joh. Strauß'sche Operetten"	12
SCHUMANN Robert	"Träumerei" Nr. 7 aus den "Kinderscenen" op. 15 für Streichquartett	12
STRAUSS Johann Sohn	"Wo die Citronen blüh'n" Walzer op. 364	12
WEIDT Heinrich[32]	"Wie schön bist Du" Lied für Flügelhorn	12
ZIEHRER Carl Michael	"Donau-Nixe" Polka française op. 427	12
ZIEHRER Carl Michael	"Flaggensalut" Polka schnell op. 408	12
ZIEHRER Carl Michael	"Pfiffig!" Polka française op. 384	12
ZIEHRER Carl Michael	"Ur-Wiener!" Polka op. 371	12
KOMZÁK Karl Sohn	"Märchen" [Nr. 2 von "Volksliedchen und Märchen"] op. 135	11
KOMZÁK Karl Sohn	"Potpourri für lustige Leut'" [Für lustige Leut'] op. 186	11

---

[29]   Johann BRANDL, * 30. 10. 1835, Kirchenbirk in Böhmen, + Wien, 10. 6. 1913, Operetten- und Possenkomponist, Kapellmeister am Carltheater in Wien.

[30]   Otto LANGEY, * Leichholz bei Frankfurt/Oder, 20. 1. 1851, Cellist und Kapellmeister.

[31]   Ludwig SCHLÖGEL, * Aussig an der Elbe, 4. 5. 1855, + Pola, 15. 1. 1894, Militärkapellmeister, schrieb Tanzmusik und Märsche; er zählte während seiner Tätigkeit in Wien zu den erfolgreichsten Konkurrenten der Strauß-Kapelle und der Deutschmeister.

[32]   Heinrich WEIDT, * Coburg, 1828, + Graz, 16. 9. 1901, Theaterkapellmeister, schrieb Opern, Operetten, Chöre und Lieder.

MENDELSOHN-BARTHOLDY Felix	"Frühlingslied"	11
MEYERBEER Giacomo	"Fackeltanz" Nr. 3 in c-moll	11
MILLÖCKER Carl	"Jonathan-Marsch" aus der Operette "Der arme Jonathan"	11
MOZART Wolfgang Amadeus	"Ouverture" zur Opera buffa "Le nozze di Figaro"	11
MOZART Wolfgang Amadeus	"Tempelszene" aus der Singspiel "Die Zauberflöte"[33]	11
ORSTIN Isidor	"Mein Herz ist eine Welt voller Liebe" Lied für Flügelhorn-Solo	11
STRAUSS Johann Sohn	"Kaiser-Walzer" op. 437	11
STRAUSS Josef	"Phantasiebilder" Walzer op. 151	11
SUPPÈ Franz von	"Ouvertüre" zur Operette "Die leichte Kavallerie"	11
WEINBERGER Karl[34]	"Potpourri" / "Fragmente" aus der Operette "Die Uhlanen"	11
ZIEHRER Carl Michael	"Das Buch der Liebe!" Gesangs-Polka française op. 413, Text von Gustav Blasser	11
ZIEHRER Carl Michael	"Deutschmeisterliebchen" Polka française op. 401	11
ZIEHRER Carl Michael	"Durch die Blume" Polka Mazur op. 437	11
ZIEHRER Carl Michael	"Katzenpolka" Gesangspolka op. 441	11
ZIEHRER Carl Michael	"Tanz-Poesie" Polka-Mazur op. 383	11
GROHMANN Carl Theodor	"Reisefertig" Marsch	10
REINECKE Carl	"Abendgebet" aus den "Mädchenliedern"	10
ROSSINI Giacchino	"Ouvertüre" zur Melodramma tragico "Semiramide"	10
SCHÄFFER Heinrich[35]	"Die Post im Walde"	10
STRAUSS Josef	"Lieb' und Wein" Polka Mazur op. 122	10
STRAUSS Josef	"Sphärenklänge" Walzer op. 235	10
WAGNER Richard	"Finale" aus der romantischen Oper "Lohengrin"	10
WAGNER Richard	"Fragmente" / "Potpourri" aus der Oper "Der fliegende Holländer"	10
ZIEHRER Carl Michael	"Ball A. B. C." Polka française op. 435	10
ZIEHRER Carl Michael	"Ballfieber!" Polka française op. 416	10

---

[33] Ende des 2. Aufzuges.

[34] Karl WEINBERGER, * Wien, 3. 4. 1861, + Wien, 1. 11. 1939, Operettenkomponist.

[35] Heinrich SCHÄFFER, * Kassel, 20. 2. 1808, + Hamburg, 28.11.1874, Tenorist und Komponist (Orchester, Kammermusik, Volkalmusik).

ZIEHRER Carl Michael	"Hab'ns a Idee!" Polka schnell op. 403 aus der Operette "Ein Deutschmeister"	10
ZIEHRER Carl Michael	"Herzens-Barometer" Polka-Mazur op. 412	10
ZIEHRER Carl Michael	"Im Hauptquartier" Polka française op. 455	10
ZIEHRER Carl Michael	"Nachtschwalbe" Polka française op. 417	10
ZIEHRER Carl Michael	"Wurf-Bouquet" Polka-Mazur op. 426	10
ABT Franz Wilhelm	"Gute Nacht, du mein herziges Kind" Lied op. 137, Nr. 2	9
GROHMANN Carl Theodor	"Liebeswerbung" spanische Serenade	9
KOMZÁK Karl Sohn	"En Carrière" Galopp [Polka schnell] op. 141	9
NEIDHARDT Alois[36]	"Gratulations-Marsch"	9
STRAUSS Johann Sohn	"Tauben von San Marco" Polka française op. 414 aus der Operette "Eine Nacht in Venedig"	9
STRAUSS Josef	"Feuerfest!" Polka française op. 269	9
VERDI Giuseppe	"Quintett" und "Finale" aus der Melodramma "Un ballo in maschera"[37]	9
ZIEHRER Carl Michael	"Donausagen" Walzer op. 446	9
BRAGA Gaetano[38]	"Der Engel Lied" Trio für Violine, Cello und Harfe	8
HORNY Eduard[39]	"Illustrationen" großes Potpourri	8
KRÁL Johann Nepomuk[40]	"Was kommt jetzt" Potpourri	8
MEYERBEER Giacomo	"Introduction" und "Chor" aus der Oper "Robert le diable"	8
STRAUSS Josef	"Dithyrambe" Polka Mazur op. 236	8

---

[36] Alois NEIDHARDT, * Matzen, Niederösterreich, 24.4.1856, + Matzen, 4.8.1935, Musiker (Soloflügelhornist) und Regimentstambour bei den Deutschmeistern (1885-1895) und Stellvertreter Ziehrers sowie später Militärkapellmeister, komponierte Märsche und Tänze.

[37] Wohl III. Akt, 1. Bild, Quintett "Il messagio entri" und 2. Bild, Finale III "Ella e pura".

[38] Gaetano BRAGA, * Giulianova, 29. 6. 1829, + Mailand, 20. 11. 1907, Violoncellovirtuose sowie Opern- und Liederkomponist.

[39] Eduard HORNY, * Bechyn, Kreis Tabor, 24. 10. 1838, + Wien, 27. 9. 1907, Militärkapellmeister und Komponist.

[40] Johann Nepomuk KRÁL, * Mainz, 14. 9. 1839, + Tulln, 1. 1. 1896, Militär- und Zivilkapellmeister und Komponist.

VIEUXTEMPS Henry	"Ballade et Polonaise" für Violine	8
WAGNER Richard	"Fragmente" / "Phantasie" aus der großen romantischen Oper "Tannhäuser"	8
ZIEHRER Carl Michael	"Clubgeister" Walzer op. 452	8
ZIEHRER Carl Michael	"Evatöchter" Walzer op. 448	8
ZIEHRER Carl Michael	"Meine Memoiren" großes Potpourri	8
BOITO Arrigo	"Introduction" und "Chor der himmlischen Heerscharen" aus der Oper "Mephistopheles"	7
DRESCHER Carl Wilhelm[41]	"Hilda-Gavotte" op. 78	7
ERTL Dominik[42]	"Ein Abend bei den Deutschmeistern" humoristisches Tongemälde op. 120	7
KOMZÁK Karl Sohn	"Schulter an Schulter" Marsch op. 194 nach Motiven der Volksoper "Edelweiß"	7
LUMBYE Georg August	"Traumbilder" Phantasie	7
MASCAGNI Pietro	"Intermezzo" aus der Oper "L'amico Fritz"	7
MEYERBEER Giacomo	"Fragmente" / "Phantasie" aus "Gli amori di Teolinda"	7
MOZART Wolfgang Amadeus	"Ouverture" zur Opera buffa "Don Giovanni"	7
NEIDHARDT Alois	"Tanzsport" Polka [française]	7
OELSCHLEGEL Alfred[43]	"Harfenserenade" Trio für Violine, Cello und Harfe	7
STRAUSS Eduard	"Doctrinen" Walzer op. 76	7
STRAUSS Johann Sohn	"Auf der Jagd" Polka schnell op. 373 aus der Operette "Cagliostro in Wien"	7
STRAUSS Johann Sohn	"Donauweibchen" Walzer op. 427 aus der Operette "Simplicius"	7
STRAUSS Johann Sohn	"Italienischer Walzer" op. 407 nach Motiven der Operette "Der lustige Krieg"	7
STRAUSS Johann Sohn	"Morgenblätter" Walzer op. 279	7
STRAUSS Johann Sohn	"Seid umschlungen, Millionen" Walzer op. 443	7
WIENIAWSKI Henryk	"Souvenir de Moscou" für Violine op. 6	7
ZIEHRER Carl Michael	"Couragiert!" Marsch op. 401 aus der Operette "Ein Deutschmeister"	7

---

[41] Carl Wilhelm. DRESCHER, * Wien, 12. 12. 1850, + WIen, 8. 12. 1925, Tanzkomponist und ab 1874 Leiter einer eigenen erfolgreichen Kapelle.

[42] Dominik ERTL, * Wien, 12. 4. 1857, + Wien, 4. 2. 1911, Musiker bei den Deutschmeistern, Komponist und Kapellmeister.

[43] Alfred OELSCHLEGEL, * Auscha, Böhmen, 25. 2. 1847, + Leipzig, 19. 6. 1915, Militärkapellmeister, Tanz- und Operettenkomponist.

ZIEHRER Carl Michael	"Endlich allein!" Polka française op. 390	7
ZIEHRER Carl Michael	"Frauenlogik" Polka-Mazurka op. 445	7
ZIEHRER Carl Michael	"Liebestelephon" Polka-Mazurka op. 450	7
ZIEHRER Carl Michael	"Metternich-Gavotte" op. 378	7
ZIEHRER Carl Michael	"Rendez-vous!" Polka française op. 380, Text von Franz Wagner	7
ZIEHRER Carl Michael	"Vaterlandsliebe!" Polka-Mazurka op. 407	7
ZIEHRER Carl Michael	"Vergnügungszügler!" Polka schnell [Galopp] op. 398	7
BOHM Carl	"Zitherständchen" Tirolienne	6
GUMBERT Friedrich Adolf	"Mein Lied" für Flügelhorn-Solo	6
HELLMESBERGER Josef	"Mazurka und Tarantella" ["Romanze und Tarantella"] für 3 Violinen und Harfe	6
KOMZÁK Karl Sohn	"84er Regimentsmarsch" ["84er Marsch"] op. 125a	6
KOSCHAT Thomas[44]	"Hoch-Alma-Diarndln" Duett	6
KRETSCHMER Edmund[45]	"Ouverture" zur Oper "Die Folkunger"	6
LANNER Joseph	"Die Romantiker" Walzer op. 167	6
MENDELSOHN-BARTHOLDY Felix	"Venetianisches Gondellied"	6
MEYERBEER Giacomo	"Krönungs-Marsch" aus der Oper "Le prophète"	6
MILLÖCKER Carl	"Den Witwenschleier hab' ich abgelegt" Lied aus der Operette "Das Sonntagskind"	6
MILLÖCKER Carl / Král Josef[46]	"Potpourri" aus der Operette "Der Vizeadmiral"	6
NEIDHARDT Alois	"Der Pfeifer-Franzl" Marsch	6
NEIDHARDT Alois	"Kronen-Marsch"	6
NEIDHARDT Alois	"Wiener Lieder" Marsch	6
OBERTHÜR Charles	"Feenlegende" für Violine, Cello und Harfe	6

---

[44] Thomas KOSCHAT, + Viktring in Kärnten, 8. 8. 1845, + Wien, 19. 5. 1914, Sänger und Komponist.

[45] Edmund KRETSCHMER, * Ostritz, 31. 8. 1839, + Dresden, 13. 9. 1908, Organist, Dirigent und Komponist.

[46] Josef KRÁL, * Pilsen, 14. 5. 1860, + Starý Plzenec, 31. 8. 1920, Militärkapellmeister, diente als Musiker vom 6. 9. 1885 bis 20. 4. 1887 bei den Deutschmeistern.

ROUBAUDI Vincenzo[47]	"Alla stella confidente" Lied [Romanze] für Flügelhorn-Solo	6
SCHUBERT Franz	"Ave Maria" für Cello und Harfe (D 839)	6
STRAUSS Johann Sohn	"Papacoda" Polka française op. 412 aus der Operette "Eine Nacht in Venedig"	6
STRAUSS Josef	"Lustschwärmer" Walzer op. 91	6
VERDI Giuseppe	"Phantasie" / "Fragmente" aus dem Melodramma "Un ballo in maschera"	6
WEINBERGER Karl	"Uhlanen-Walzer" aus der Operette "Die Uhlanen"	6
ZIEHRER Carl Michael	"Das Leben für unsern Kaiser" Marsch op. 394	6
ZIEHRER Carl Michael	"Das liegt bei uns im Blut" Polka-Mazurka op. 374	6
ZIEHRER Carl Michael	"Die Dorfschönen" Länder op. 393	6
ZIEHRER Carl Michael	"Faschingsbeilage" Polka française op. 392	6
ZIEHRER Carl Michael	"Münchner Kindl" Polka française op. 395	6
ZIEHRER Carl Michael	"Schlachtenbummler" Marsch op. 410	6
ADAM Adolphe	Ouvertüre zur Oper "Le brasseur de Preston"	5
AUBER Daniel-François-Esprit	Ouvertüre zur Oper "La muette de Portici"	5
BACH Otto[48]	"Le desir" Romanze	5
BRAHMS Johannes	"Ungarischer Tanz" Nr. 2	5
BRAHMS Johannes	"Ungarischer Tanz" Nr. 6	5
COWEN Frederic Hymen	"Jasmin" Gavotte aus der Suite de Ballet "The Language of flowers"	5
DOPPLER (Albert) Franz	"An der Quelle" Trio für Violine, Cello, Harfe	5
ERKEL Ferenc	"Ouvertüre" zur Oper "Hunyadi László"	5
FAHRBACH Philipp jun.	"Orangenblüthen" Walzer op. 129	5
GROHMANN Carl Theodor	"Deutscher Lieder-Marsch"	5
KAISER Emil[49]	"Historische Märsche vom 13. Jahrhundert bis auf die Neuzeit" chronologisches Potpourri	5
LANNER Joseph	"Die Werber" Walzer op. 103	5

---

[47] Vincenzo ROUBAUDI, italienischer Komponist in der 2. Hälfte des 19. Jahrhunderts.

[48] Otto BACH, * Wien, 9. 2. 1833, + Unterwaltersdorf bei Wien, 3. 7. 1893, Domkapellmeister in Salzburg, ab 1880 in Wien.

[49] Emil KAISER, * Koburg, 7. 2. 1850, + München, 15. 10. 1929, Militärkapellmeister und Komponist.

MASCAGNI Pietro	"Große Phantasie" aus der Oper "L'amico Fritz"	5
MASSENET Jules	"Gavotte" aus der Oper "Manon"	5
MOSZKOWSKI Moritz[50]	"Serenata"	5
MÜLLER Johann	"Die Fidelen" Walzer nach Motiven Wiener Volkslieder	5
NEIDHARDT Alois	"Spanisch und Weanerisch" Marsch	5
OELSCHLEGEL Alfred / BRAGA Gaetano	"Hymne an die Jungfrau" für Violine, Cello und Harfe	5
OFFENBACH Jaques	"Ouverture" zur Operette "Orphée aux enfers"	5
POPP Wilhelm [i. e. Henri Alberti]	"Hommage à Gounod" Faust-Concert für die Flöte	5
RUBINSTEIN Anton	"Toréador et Andalouse"	5
SARASATE Pablo de	"Spanische Serenata"	5
STRAUSS Johann Sohn	"Eva-Walzer" aus "Ritter Pasmán"	5
STRAUSS Johann Sohn	"Freut euch des Lebens" Walzer op. 340	5
STRAUSS Johann Sohn	"Lagunen-Walzer" op. 411 aus der Operette "Eine Nacht in Venedig"	5
STRAUSS Johann Sohn	"Tik-Tak" Polka schnell aus der Operette "Die Fledermaus"	5
STRAUSS Johann Sohn	"Unter Donner und Blitz" Polka schnell op. 324	5
SUPPÈ Franz von	"Ouverture" zur Operette "Die schöne Galatea"	5
VERDI Giuseppe	"Agnus Dei" aus der "Mazzini-Messe"[51]	5
VERDI Giuseppe	"Bacchanale und Duett" aus der Oper "La Traviata"[52]	5
WEINBERGER Karl	"Uhlanen-Marsch" aus der Operette "Die Uhlanen"	5
ZIEHRER Carl Michael	"Großstädtisch" Polka schnell op. 438	5
ZIEHRER Carl Michael	"Kornblume" Polka française op. 375	5
ZIEHRER Carl Michael	"Sei wieder guat" Lied op. 396, Text von Karl Augustin	5
ZIEHRER Carl Michael	"Sensations-Nachricht!" Polka schnell op. 418	5
BAYER Josef	"Märchen-Walzer" aus dem Ballet "Ein Tanzmärchen"	4

---

[50] Moritz MOSZKOWSKI, * Breslau, 23. 8. 1854, + Paris, 4. 3. 1925, Pianist und Komponist.

[51] Keine Person dieses Namens stand mit Verdis Messen in Verbindung; wahrscheinlich ist der italienische Dichter Alessandro Manzoni (1875 – 1873) gemeint. Verdi bewunderte ihn und schrieb zum Andenken an seinen Todestag seine "Messa di Requiem".

[52] III. Akt, Nr. 17 (Largo al quadrupede sir della festa) und Nr. 18 (Parigi o cara, noi lasceremo).

BIZET Georges	"Große Phantasie" / "Potpourri" aus der Oper "Carmen"	4
BOCCHERINI Luigi	"Menuett" [ohne nähere Angaben]	4
CZIBULKA Alfons	"Frauenlist-Gavotte" aus der Operette "Der Glücksritter"	4
DELIBES Léo	"Phantasie" / "Fragmente" aus dem Ballett "Coppélia, ou La fille aux yeux d'émail"	4
DOPPLER (Albert) Franz	"Danse de l'Ukraine"	4
EILENBERG Richard[53]	"Die Mühle im Schwarzwald" Idylle	4
FISCHER Rudolf[54]	"Bunte Blätter" großes Potpourri	4
HELLMESBERGER Josef	"Orakelsprüche" Walzer aus der Operette "Das Orakel"	4
KLEMKE Franz[55]	"Nordisches Lieder-Bouquet" ["Nordische Lieder-Phantasie"]	4
KOMZÁK Karl Sohn	"Wiener Leben" Potpourri op. 187 nach Motiven beliebter Wiener Lieder	4
KRÁL Josef	"Soldateska" Marsch	4
LANNER Joseph	"Die Abendsterne" Walzer op. 180	4
MADER Raoul[56]	"Dich will ich ewig lieben" Lied für Flügelhorn	4
MÉTRA Olivier	"Serenade espagnole"	4
MEYERBEER Giacomo	"Schwur" und "Waffenweihe" aus der Oper "Les Huguenots"	4
MILLÖCKER Carl	"Jonathan-Walzer" nach Motiven der Operette "Der arme Jonathan"	4
MILLÖCKER Carl	"Potpourri" / "Phantasie" aus der Operette "Ein Sonntagskind"	4
NEIDHARDT Alois	"Das Lied vom Edelweiß" Lied	4
NEIDHARDT Alois	"Griaß Gott, Alt-Weanastadt" Lied [Grüß Gott ...]	4
PUTLER Friedrich[57]	"Nachtigallenklage" ["La complainte de rossignol"] Imitationsstück	4

---

[53] Richard EILENBERG, * Merseburg, 13. 1. 1848, + Berlin, 6. 12. 1925, Komponist von Märschen, Tänzen und Salonstücken.

[54] Rudolf FISCHER, * Hohenbohrau, Kreis Freistadt, Schlesien, 2. 1. 1855, + Berlin, 1929, Direktor des Konservatoriums in Berlin, komponierte Lieder und humoristische Männerchöre.

[55] Franz KLEMKE - möglicherweise der Oboist Louis Klemke?

[56] Raoul MADER, * Preßburg, 25. 6. 1856, + Budapest, 16. 10. 1940, Korrepetitor und Dirigent (Wien, Budapest) sowie Komponist.

[57] Friedrich PUTLER, schrieb Tanz- und Salonkompositionen in der 2. Hälfte des 19. Jahrhunderts.

RÁZEK Anton[58]	"Die Fliege" musikalische Imitation aus den "Komischen Streichquartetten"	4
STRAUSS Johann Sohn	"Accellerationen" Walzer op. 234	4
STRAUSS Johann Sohn	"Im Sturmschritt" Polka schnell op. 348	4
STRAUSS Johann Sohn	"Juristenballtänze" Walzer op. 177	4
STRAUSS Johann Sohn	"Kriegs-Abenteuer" Polka schnell op. 419 aus der Operette "Der Zigeunerbaron"	4
STRAUSS Josef	"Dorfschwalben" Walzer op. 164	4
VERDI Giuseppe	"Fragmente" / "Phantasie" aus der Melodramma "Rigoletto"	4
WAGNER Richard	"Chor der Friedensboten" aus der großen tragischen Oper "Rienzi"[59]	4
ZAPPERT Theodor	"Mein Herz, ich will dich fragen" Lied	4
ZICHY Graf Géza	"Der Minnesänger" Phantasie	4
ZIEHRER Carl Michael	"Cavallerie-Polka" française op. 454	4
ZIEHRER Carl Michael	"Dorner-Marsch" op. 377	4
ZIEHRER Carl Michael	"Fahnen-Marsch" op. 440	4
ZIEHRER Carl Michael	"Glocken-Marsch" op. 420	4
ZIEHRER Carl Michael	"Guck in die Welt" Polka française op. 447	4
ZIEHRER Carl Michael	"Guggenberger-Marsch" op. 414	4
ZIEHRER Carl Michael	"Karnevalsbeilage" Polka française [lt. Schönherr ident mit op. 392]	4
ZIEHRER Carl Michael	"Mir nach!" Galopp [Polka schnell] op. 451	4
ZIEHRER Carl Michael	"Mutterwitz" Polka schnell op. 428	4
ZIEHRER Carl Michael	"Nadelstiche" Polka schnell op. 429	4
ZIEHRER Carl Michael	"Noblesse oblige" Walzer op. 207	4
ZIEHRER Carl Michael	"Symbole der Heiterkeit" Walzer op. 144	4
ZIEHRER Carl Michael	"Vinea-Galopp" op. 332	4
ZIEHRER Carl Michael	"Wacht an der Donau" Marsch op. 385	4
AUER Leopold von	"Ungarische Phantasie"	3
BACHÓ von Dezser Stefan[60]	"Muselmänner-Marsch"	3
BOUCHÈRE Emil [BONICHÈRE]	"Joyeux Retour" Divertissement française	3
BRAGA Gaetano	"Leggenda Valacca" ["Wallachische Legende"] Trio für Violine, Cello und Harfe	3
BUCHENTHAL Constantin von[61]	"Valurgie Prstall" Walzer	3

[58] Anton RÁZEK, schrieb humoristische Programmusik für Streichquartett in der 2. Hälfte des 19. Jahrhunderts.

[59] 2. Akt, Nr. 5: "Jauchzet ihr Täler! Frohlockt ihr Berge".

[60] Stefan BACHÓ von Dezser, * Preßburg, 15. 1. 1858 Preßburg, + Budapst, 10. 6. 1915, Militärkapellmeister und Komponist.

[61] Constantin von BUCHENTHAL, rumänischer Komponist, mit Carl Michael Ziehrer befreundet.

CONRADI August	"Die Reise durch Europa" Potpourri	3
CZIBULKA Alfons	"Fliegen-Menuett" op. 380 aus der Operette "Der Bajazzo"	3
CZIBULKA Alfons	"Liebestraum nach dem Balle" Intermezzo op. 356	3
CZIBULKA Alfons	"Waldesflüstern" op. 275	3
ENGELSBERG [i. e. Schön Eduard][62]	"Poeten auf der Alm" Männerchor, für Orchester eingerichtet von Eduard Kremser	3
ERTL Dominik	"Wien-Paris" Marsch	3
FLOTOW Friedrich	"Ouvertüre" zur Oper "Alessandro Stradella"	3
GODEFROID Félix	"La Danse de Sylphes" Ronde brilliante für die Harfe op. 25	3
GROHMANN Carl Theodor	"Große Phantasie" aus der Oper "Carmen" von Bizet	3
GROSSBAUER L. F.[63]	"O schließ dein Auge zu ["Schließe die Aeuglein"] Lied	3
HAMM Johann Valentin	"Erinnerung an Richard Wagner's Tannhäuser"	3
HELLMESBERGER Josef	"O zeig Dich endlich mir" Serenade aus der Operette "Rikiki" für Flügelhornsolo	3
HERTEL Julius[64]	"An die Nacht" Serenade mit Brummchor	3
HOLZWART Ferdinand[65]	"Alpenrosen" Walzer	3
IVANOVICI Josef	"Donauwellen" Walzer	3
KAHANÉ D.[66]	"Türkische Serenade" op. 7	3
KELER Bela [Albert von Keler][67]	"Venetianische Serenade" Flügelhorn-Solo	3
KLAUSS Ludwig	"Damenspende" Polka française	3
KOMZÁK Karl Sohn	"Volksliedchen" [Nr. 1 von "Volksliedchen und Märchen"] op. 135	3
KREMSER Eduard[68]	"Drollerie" Polka française	3

---

[62] E. S. ENGELSBERG (i. e. Schön Eduard), * Engelsberg in Schlesien, 23. 1. 1825, + Deutsch-Jasnick in Mähren, 27. 5. 1879, Männerchorkomponist.

[63] L. F. GROSSBAUER, Liederkomponist in der zweite Hälfte des 19. Jahrhunderts.

[64] Julius HERTEL, * Löbnitz in Sachsen, 29. 4. 1857, Komponist.

[65] Ferdinand HOLZWART, komponierte Tanzmusik in der 2. Hälfte des 19. Jahrhunderts.

[66] D. KAHANÉ, komponierte Märsche sowie Tanz- und Salonmusik in der 2. Hälfte des 19. Jahrhunderts.

[67] Bela KELER (Albert von KELER), * Bartfeld in Ungarn, 13. 2. 1820, + Wiesbaden, 20. 11. 1882, Militärkapellmeister und Komponist.

[68] Eduard KREMSER, * Wien, 10. 4. 1838, + Wien, 27. 11. 1914, Chordirigent und Komponist.

KREUTZER Conradin	"Phantasie" aus der Oper "Das Nachtlager in Granada"	3
LANNER Joseph	"Mädchenherzen" aus dem Singspiel "Urlaubers Heimkehr"	3
LEHÁR Franz Sohn	"Rex Gambrinus" Marsch	3
LUDWIG Wenzel[69]	"Immer tiefer" Polka française [Scherzpolka] Fagott-Solo	3
MASCAGNI Pietro	"Mondlandschaft" Romanze	3
MEYERBEER Giacomo	"Fragmente" aus der Oper "Robert le diable"	3
MILLÖCKER Carl	"Sonntagskind" Walzer nach der gleichnamigen Operette	3
MÜLLER Adolph jun.[70]	"Herr Onkel, so was thut man nicht" Polka française aus der Operette "Der Millionen-Onkel"	3
MÜLLER Johann	"Simplicius-Marsch" nach Motiven der gleich-namigen Operette von Johann Strauß Sohn	3
MÜLLER Johann	"Wiener Bürger" Marsch	3
NEIDHARDT Alois	"Das Glöcklein in der Brust" Lied für Flügelhorn	3
NEIDHARDT Alois	"Wiener Edelknaben" Lied	3
PEDROTTI Carlo	"Ouvertüre" zur Commedia lirica "Tutti in Maschera"	3
SADDLER Frank E.	"Klänge aus Amerika" großes Potpourri über amerikanische Originalmelodien	3
SARASATE Pablo de	"Faust-Phantasie" für die Violine	3
SCHENK Hugo[71]	"Die Luft von Wienerwald" ["Die Wiener Waldesluft"] Lied	3
SCHRAMMEL Johann	"Im Wiener Dialekt" Walzer	3
SIOLY Johann[72]	"Der Stern von Oesterreich" Lied für Flügelhorn	3
STRAUSS Johann Sohn	"Brautschau" Polka op. 417 aus der Operette "Der Zigeunerbaron"	3
STRAUSS Johann Sohn	"Carnevals-Botschafter" Walzer op. 270	3
STRAUSS Johann Sohn	"Ninetta-Walzer" op. 445 aus der gleichnamigen Operette	3
STRAUSS Johann Sohn	"Ouverture" zur Operette "Prinz Methusalem"	3
STRAUSS Johann Sohn	"Pasman-Walzer" aus der Oper "Ritter Pasman"	3
STRAUSS Johann Sohn	"Potpourri" aus der Operette "Der lustige Krieg"	3
STRAUSS Johann Sohn	"Russischer Marsch" op. 416	3

---

[69] Wenzel LUDWIG, * Wischrad bei Prag, 7. 9. 1837, + Mährisch-Ostrau, 7. 8. 1915, Militärkapellmeister und Komponist.

[70] Adolph MÜLLER jun., * Wien, 15. 10. 1839, + Wien, 14. 12. 1901, Kapellmeister und Operettenkomponist.

[71] Hugo SCHENK, * Wien, 10. 1. 1852, + Wien, 11. 2. 1856, schrieb v. a. Possen.

[72] Johann SIOLY, * Wien, 26. 3. 1843, + Wien, 8. 4. 1911, Kapellmeister und Pianist, bekannter Wienerlieder-Komponist (auch Deutschmeisterlieder).

STRAUSS Johann Sohn	"Violetta" Polka française op. 404 aus der Operette "Der lustige Krieg"	3
STRAUSS Johann Sohn	"Wer uns getraut" Lied aus der Operette "Der Zigeunerbaron"	3
SUPPÈ Franz von	"Ouverture" zur Operette "Die flotten Burschen"	3
VALVERDE Joaquín	"Madrid, du herrliche Stadt" Romanze aus der spanischen Original-Oper "La gran Via"	3
WAGNER Franz[73]	"Deutschmeister-Lieder"	3
WAGNER Josef Franz	"Unter dem Doppeladler" Marsch op. 159	3
WEBER Carl Maria von	"Große Phantasie" aus der romantischen Oper "Der Freischütz"	3
WELLINGS Milton[74]	"Some Day" Lied für Flügelhorn	3
ZAMARA Alfred[75]	"Diplomaten-Polka" aus dem Operette "Der Doppelgänger"	3
ZELLER Carl	"Wie mein Ahnl zwanzig Jahr'" aus der Operette "Der Vogelhändler"	3
ZIEHRER Carl Michael	"Alarm-Signal" Galopp [Polka schnell] op. 453	3
ZIEHRER Carl Michael	"Alt-Wien" Walzer op. 366 nach Motiven der Operette "Wiener Kinder"	3
ZIEHRER Carl Michael	"Blumengeister" Walzer op. 33	3
ZIEHRER Carl Michael	"Militär-Marsch" op. 321	3
ZIEHRER Carl Michael	"Quadrille" aus der Operette "Ein Deutschmeister"	3
ZIEHRER Carl Michael	"Werner-Marsch" op. 439	3
ZIEHRER Carl Michael	"Wiener Lieder" Marsch	3
ZIEHRER Carl Michael	"Wiener Weltausstellungs-Walzer" ["Von der Wiener Weltausstellung"] op. 208	3

---

[73] Franz WAGNER, * Wien, 23. 8. 1853, + Wien, 7. 3. 1930, Zitherspieler, Komponist und Textautor.

[74] Milton WELLINGS, * 1850, Tanz- und Liederkomponist in der 2. Hälfte des 19. Jahrhunderts.

[75] Alfred ZAMARA, * Wien, 28. 4. 1863, + Wien, 11. 8. 1940, Harfenvirtuose und Operettenkomponist.

Marianna Bárdiová, Banská Bystrica, Slowakei

TÜRMER IN DER MITTELSLOWAKEI

Die mittelalterlichen Bergbaustädte Kremnica (Cremniczium, Kremnitz), Banská Štiavnica (Schemniczium, Schemnitz) und Banská Bystrica (Neosolium, Neusohl), die sich bis heute ihre eigenartige Bedeutung, ihren historischen Charakter und ihre schöne Architektur bewahrt haben, spielten seit dem 13. Jahrhundert eine wichtige Rolle in der Entwicklung der Wirtschaft, des Handels und Handwerks sowie der Kunst in Ungarn. In vielen slowakischen Volksmärchen hat ein tapferer Junge, gekleidet im kupfernen, silbernen und goldenen Gewand, ein kupfernes, silbernes sowie ein goldenes verwunschenes Schloß befreit. Dies spiegelt die Wichtigkeit der drei Metalle wider, die auch zu Attributen dieser drei Städte gehörten; denn man sprach von dem kupfernen Banská Bystrica, vom silbernen Banská Štiavnica und vom goldenen Kremnica. Banská Bystrica hat seine königlichen Privilegien 1255 erhalten, und sein Reichtum wurde durch den Abbau von Kupfer- und Silbererz in der Umgebung, vor allem in Špania Dolina (Herrengrund), gesichert. Ende des 15. und zu Beginn des 16. Jahrhunderts haben hier reiche Bürger die Thurzo-Fugger-Gesellschaft gegründet, die die erste Handels- und Bergbaugesellschaft in Europa darstellte. Sie führte Kupfer und Silber in die gesamte damalige Handelswelt von Antwerpen bis nach Indien aus. Banská Štiavnica wurde vor allem durch die Förderung und Verarbeitung von Silber berühmt. Es war seit Jahrhunderten der Hauptproduzent im damaligen Ungarn. Dort hatte nicht nur die Bergbaukammer ihren Sitz, sondern auch das Amt des Hauptkammergrafen und das Bergbaugericht. Mit dieser Stadt sind einige Weltpremieren verbunden: 1627 wurde hier zum ersten Mal im Bergbau Schiesspulver verwendet, 1763 wurde die erste Hochschule für Bergbau in der Welt, die sogenannte Bergbauakademie, gegründet. Die Stadt Kremnica wurde eine der Hauptproduzenten für Gold in Ungarn. Seit dem vierzehnten Jahrhundert wurden hier jährlich rund 400 kg Gold abgebaut. 1328 wurde die Münzerei gegründet, die als einzige ihrer Art Münzen für das ganze Land prägte und bis heute prägt.

Der Reichtum dieser Städte im Zeitraum ihrer Blüte gewährte auch sehr gute Bedingungen für die Entwicklung des Handwerks, der Wissenschaft und der Kunst. Ähnlich wie in anderen freien königlichen Städten auf dem Territorium des damaligen Oberungarns (heutige Slowakei) stellten die Türmer auch in den erwähnten Städten bis in die erste Hälfte des 19. Jahrhunderts die bedeutenden Vertreter der profanen Musik dar. Als städtische Beschäftigte erfüllten sie vor allem die Wach-, Melde- sowie repräsentative Funktionen und dienten der Stadt und ihren Bewohnern. In den ältesten Dokumenten, vor allem in den Geschäftsbüchern, werden für sie mehrere Benennungen erwähnt. Sie hängen von dem Instrument ab, das sie gespielt haben: Türmer, Trompeter, Posaunist, Kunstpfeifer, Zinkenist. Die Kunstpfeifer (fistulatores) wurden in Geschäftsdokumenten von Banská Štiavnica bereits 1365 erwähnt[1]. Die erste schriftliche Überlieferung über die Türmer in Kremnica stammt aus dem Jahr 1441[2] und in Banská Bystrica aus dem Jahr 1579[3]. In Kremnitzer Geschäftsbüchern wird zwischen dem Turmmeister sowie dem Türmer unterschieden. Zwanzig Jahre später wird hier nur ein Türmer erwähnt. Sein Lohn war mit dem des Waldwächters oder des Gefängniswächters vergleichbar, also mit den nicht künstlerischen Berufen. Jahrhunderte lang gehörten die Türmer zu den begehrtesten Personen - auf Grund von Empfehlungen sehr sorgfältig ausgesucht. Im Geschäftsbuch von Banská Bystrica betrifft eine Notiz aus dem Jahr 1579 den Turmmeister Jakub, der eine Entlohnung von "fünf Denaren dafür erhalten hat, daß er während des ganzen Jahres in der Kirche Posaune spielte und damit er die Kirchenmusik verschönerte und verstärkte"[4]. Bereits aus diesen und weiteren Dokumenten geht hervor, daß die Türmer in einigen Zeiträumen sowohl als Turmwächter dienten als auch an der Kirchenmusik beteiligt wurden. Sie haben sich selbst darum beworben, um nicht nur eine Entlohnung von der Stadt, sondern auch von der Kirche oder Bergbaukammer zu erhalten. Türmer übten oft gleichzeitig die Funktion des Orgelspielers und Lehrers in den Kirchenschulen aus und unterrichteten die Jugend der Stadt in verschiedenen Musikinstrumenten[5]. Ihre Anzahl und Entlohnung war in einzelnen Zeiträumen und Städten unterschiedlich.

---

[1] E. ZAVARSKÝ, Teil I, S. 31.

[2] Ebda., S. 32.

[3] K. HUDEC, S. 72.

[4] Ebda., S. 72.

[5] Im Jahr 1642 schickte der Kantor Pavol Masterus aus Nová Bana seinen Sohn in die Türmerlehre nach Banská Štiavnica, wofür er 15 Gulden zahlen mußte. Siehe E. ZAVARSKÝ, Teil I, S. 36.

Ein interessantes Dokument über die Pflichten der Türmer stellt die Vokations-urkunde aus dem Jahr 1631 dar, die die Stadt Banská Bystrica an Andrej Weberl nach Levoča gesendet hat, als in Bystrica die Stelle des Turmmeisters neu besetzt werden sollte. Aus dem Dokument geht hervor, daß in diesem Zeitraum die Funktion des Türmers, Wächters sowie Trommlers, die in anderen Zeiten getrennt wurde, hier vereinigt war. Die Pflichten des Turmmeisters und seine Entlohnung sahen folgendermaßen aus:

Mit den anderen Türmern morgens, mittags und abends die Instrumente zu spielen, danach immer zu trommeln, zu wachen und die Stunden zu verkünden,

im Brandfall die Glocke zu läuten und eine Fahne auszuhängen,

die Ankunft eines bedeutenden Gastes durch Musik anzukündigen,

dem Kantoren in der Kirche instrumental zu helfen.

Für die Ausübung dieser Aufgaben sollte der Turmmeister von der Stadt zwei ungarische Gulden (weiter nur Gulden) wöchentlich sowie die Turmwohnung mit Brennstoff erhalten. Die Stadt erwähnt, daß die weiteren Einnahmen des Turmmeisters von den Bürgern zu Neujahr sowie für das Spielen in der Stadt zu verschiedenen kirchlichen Festen und Veranstaltungen stammen können[6]. Ähnliche Pflichten werden in den Anweisungen für den Turmmeister Blöckel aus dem Jahr 1601 (Instructio für Thürmer Blöckel) genannt, der sich um die Stelle in Kremnica beworben hat[7]. Zu seinen besonderen Pflichten gehörte, das Uhrwerk aufzuziehen und einzustellen, die Wache halten, um Brandfall zu vermeiden, die Schicht der Bergbauleute anzukündigen, viermal täglich auf dem Turm zu trommeln und bei der Kirchenmusik mitzuwirken. Außerdem war es ihm erlaubt, bedeutende Bürger zum Namenstag mit Musik zu begrüßen. Diese Möglichkeit wird auch in anderen Städten erwähnt, aber der Stadtrat mahnte, daß die Türmer dies wegen der Einnahmen nicht mißbrauchen und nur mit Erlaubnis der gefeierten Person spielen dürften.

Zu den wichtigen Aufgaben der Türmer gehörte, die Stadt zu repräsentieren und bei verschiedenen Zeremonien mitzuwirken. Zum Beispiel schickte die

---

[6] K. HUDEC, S. 156 – 157. Quelle: Copier Buch, 1631, Nr. 42, S. 67 – 69, im Staatskreisarchiv Banská Bystrica.

[7] E. ZAVARSKÝ, Teil I, S. 37 – 38.

Stadt Kremnica 1661 eine Delegation ins Parlament nach Pressburg (Bratislava) samt ihrem Türmer. Sie konnte es sich erlauben, weil sie zu der Zeit mindestens zwei Türmer hatte[8]. Es sind auch Angaben darüber erhalten geblieben, daß die Städte sich zu feierlichen Anlässen die Türmer gegenseitig je nach Bedürfnis geliehen haben. Zum Beispiel hat die Stadt Kremnica zum Empfang des Kaisers Ferdinand II. Habsburg im Jahr 1620 Türmer aus Banská Štiavnica, die einen hervorragenden Ruf besaßen, um Mithilfe gebeten[9].

Ein reizender Brauch aus dem Anfang des 18. Jahrhunderts ist in Protocolum praetoriale von Banská Bystrica aus den Jahren 1708, 1712 und 1750 beschrieben: Der städtische Pranger wurde zum Symbol der Privilegien einer königlichen Stadt. Für die Bürger war er aber auch ein Symbol der Dehonestierung, deshalb weigerten sich die Zimmerleute oft, ihn zu reparieren. Darum hat die Stadt beschlossen, daß ein Festzug diese Arbeit eröffnen wird, in dem der städtische Zimmermann, der Müller und der Maurer in ihrer traditionellen Festbekleidung und mit ihren Insignien, dann der Richter, der Stadtrat, der Vorredner mit einem Schwert und dem Stadtwappen, weiter Musikanten mit dem Turmmeister an der Spitze, hinter ihnen die Zünfte mit ihren Meistern und Angestellten der Bergbaukammer schreiten werden. An einer bestimmten Stelle hat der Vorredner eine feierliche Rede gehalten, die die Bedeutung dieses Umzugs betonte, und dann klopfte er symbolisch mit einem Hammer. Danach hat sich der Umzug aufgelöst, die Teilnehmer gingen nach Hause. Erst dann folgte die eigentliche Arbeit der Maurer und Zimmerleute[10].

Mit dem Wirken der Türmer in den Kirchen sind seit dem 16. Jahrhundert konfessionelle Probleme verbunden. In Kremnica forderte zuerst der evangelische Pfarrer vom Magistrat, das Spielen der Türmer während der Gottesdienste in der Franziskanerkirche zu verbieten. 1737 verlangte dagegen der katholische Pfarrer, daß den Türmern bei den evangelischen Gottesdiensten ihr Mitwirken verboten wird. Der Kremnitzer Stadtrat behandelte diese Anforderungen aber sehr sorgfältig und vernünftig und weichte den Verboten dieser Art

---

[8] Ebda., S. 39.

[9] Ebda., S. 36.

[10] K. HUDEC, S. 154 – 155.

aus[11]. In Banská Bystrica finden wir in der Zeit der Gegenreformation Notizen darüber, daß evangelische Türmer es abgelehnt hätten, bei den katholischen Messen mitzuwirken. Die Obrigkeit hat sie schließlich dazu gezwungen, den katholischen Bräuchen die notwendige Ehre zu erweisen. Bei den Prozessionen hatten die beauftragten Aufseher das Recht, die nicht folgsamen Türmer zu schlagen[12]. Vom Jahre 1713 gibt es einen Beleg, in dem die Bedingung formuliert ist, daß der Turmmeister dem katholischen Glauben angehören soll[13].

Die städtischen Türmer spielten gewöhnlich bei gesellschaftlichen Veranstaltungen, Bällen, Verlobungen, Hochzeiten oder Taufen in den Städten sowie auf den Landsitzen der Adeligen. Dies stellte eine Ergänzung zu den Einnahmen der Türmer dar. In Kremnica und Banská Bystrica sind mehrere Briefe aufbewahrt, in denen die Adeligen die Stadträte bitten, ihnen die Türmer zu Feiern "zu leihen". Sie dokumentieren die damalige Sprache und Traditionen sowie zeugen von Qualität und gutem Ruf der Türmerkapellen. Zum Beispiel lud 1538 Ladislav Révay die Kremnitzer Stadträte zur Hochzeit seiner Tochter Katharina ein, und zur Vergnügung der anwesenden guten Herren und Freunde verlangte er auch zwei städtische Türmer[14]. 1602 wendete sich František Radvanský aus Radvaň (heute ein Stadtteil von Banská Bystrica) an die Stadt Kremnica und schrieb: "Weil für die Verschönerung und Belustigung der Hochzeitsgäste unter anderem auch verschiedene (Musik)Instrumente nötig sind, die es bei uns nicht gibt, bitte ich aufrichtig, daß mir Ihre vernünftige und vorsichtige Obrigkeit einen der Türmer aus Ihrer Stadt schickt, der bei der Hochzeit dienen könnte. Unsere Bystricaer Nachbarn würden mir gewiß in dieser Sache gern helfen, wenn ihnen die Tatsache nicht im Wege stünde, daß auch bei ihnen an demselben Tag Hochzeiten stattfinden"[15]. Der Stadtrat und die Kirche konnten verschiedene Veranstaltungen, Hochzeiten, Verlobungen

---

[11] E. ZAVARSKÝ, Teil II, S. 324 – 325.

[12] K. HUDEC, S. 159 – 160.

[13] Ebda., S. 110. Kanonische Visitationen von Fr. L. Mednanský aus dem Jahr 1713.

[14] E. ZAVARSKÝ, Teil I, S. 34.

[15] Ebda, S. 35.

und die Mitwirkung der Musikanten dabei erlauben oder verbieten. Die Hochzeitsordnung aus dem Jahr 1550 aus Banská Bystrica verlangt, daß die Gäste ohne Lärm eingeladen werden sollen und nicht so, wie es vorher getan wurde, mit lautem Spiel der Türmer und Musikanten[16]. Die Tanzveranstaltungen und Bälle pflegte der Stadtrat und zu bestimmten Zeiten auch der Pfarrer zu erlauben, dies galt in Banská Bystrica im 18. Jahrhundert. Die gesellschaftlichen Veranstaltungen wurden vom Turmmeister organisiert, wobei er für ihre Genehmigung bezahlen mußte. Davon handelt eine Archivnotiz aus Banská Bystrica vom 4. Januar 1806, in der bezeugt wird, daß der Turmmeister Antonius Hiray für die Genehmigung von Veranstaltungen im vorigen Jahr an die Stadtkasse 24 Gulden überwiesen hat[17]. Auf den städtischen Veranstaltungen spielten und sangen manchmal auch Studenten oder fremde Musikanten, wogegen allerdings die einheimischen Türmer schriftlich protestierten. Nicht selten kam es dabei zu Auseinandersetzungen. Der Stadtrat konnte den fremden Musikanten verbieten, in der Stadt zu spielen, um die einheimischen Türmer zu schützen[18].

Es sind wenige konkrete Musikstücke und Repertoirelisten in diesen drei erwähnten Städten überliefert worden. Das mag mit mehreren Stadtbränden zu tun haben. Auch die Biographien der einzelnen Turmmeister sind kaum bekannt. Nur aus sporadischen Notizen in Geschäftsbüchern und kanonischen Visitationen kann man etwas über ihre Herkunft und Umzüge erfahren. In dieser Hinsicht ist die vielgliedrige Musikfamilie Ružička aus Kremnica interessant. Jozef Joachim Ružička (auch Ruschitska, Rusitscka), der aus Modra in der Westslowakei stammte, wird in Kremnica 1726 als Turmmeister mit einem Jahresgehalt in Höhe von 260 Gulden erwähnt. Nach seinem Tod 1774 wurde die Stelle des Turmmeisters an seinen Sohn Jozef Johann Ružička übertragen. Auch Anton Ružička, der Sohn von Jozef Johann, erlernte denselben Beruf; als Geselle wirkte dieser auf dem Kremnitzer Schloßturm. In dem städti-

---

[16] K. HUDEC, S 147.

[17] Protocolum praetoriale 1806, S. 6, Nr. 27, Protokoll vom 4. 1. 1806, im Staatskreisarchiv Banská Bystrica.

[18] 1770 verlangte der städtische Türmer von Banská Bystrica, Ignác Diringer, fremde Musikanten aus der Stadt auszuweisen. Protocolum praetoriale 1770, S. 458, im Staatskreisarchiv Banská Bystrica.

schen Geschäftsbuch aus dem Jahr 1788 gibt es eine Notiz, die darüber Auskunft gibt, daß der Turmmeister Jozef Ružička ein Gehalt in Höhe von 166,50 Gulden, die Türmer Karl Bernhardt in Höhe von 85,45, Ignác Halberdienst in Höhe von 104 und Ignác Wiesner in Höhe von 77,33 Gulden erhalten haben. Um vergleichen zu können, erwähne ich, daß im selben Jahr der Kantor Anton Aschner (sein Sohn war auch seit dem Jahr 1797 ein Turmgeselle) ein Gehalt in Höhe von 158,06 Gulden und der Orgelspieler Johann Wallery in Höhe von 133,30 Gulden erhielten[19]. Der nächste Sohn von Jozef Joachim Ružička war Václav Jozef Ružička, der hier als Kantor und Kapellmeister der Bergbaukammer wirkte. Im Archiv des Franziskanerklosters werden von ihm zwölf sakrale Kompositionen aufbewahrt[20].

Eine interessante Persönlichkeit, die ich ausführlicher erforscht habe, ist Anton Július (Julianus) Hiray (auch Heray, 1770 – 1842), der aus einer Kantorenfamilie in Nová Baňa stammte. 1790 wird er in Dokumenten als Regenschori in Banská Bystrica erwähnt, wo er später auch Turmmeister wurde. 1820 zog er nach Banská Štiavnica um, wo er bis zu seinem Tod als Regenschori in der Pfarrkirche sowie als Kammer- und Stadtkapellmeister wirkte. Aus einem Brief vom 15. April 1821, den er an das Amt des kaiserlich-königlichen Hauptkammergrafen adressiert hat, erhalten wir wertvolle Informationen über die Situation der Musik in der Stadt. Außerdem erfahren wir, daß es einen Mangel an Turmhelfern gab, weil die Entlohnung des Turmmeisters und seiner Helfer von der bescheidenen Bruderschaftskasse abhängig war. Aus einer anderen Quelle (kanonische Visitation aus dem Jahr 1829) geht hervor, daß es in diesem Jahr in Banská Bystrica drei Orgelspieler, einen Kantor, einen Tenor, eine Diskantstimme, einen Alt, zwei Balgtreter und sechs Türmer (ein Verwalter und fünf Helfer) gab. Das Dokument ist deswegen wertvoll, weil darin auch die Namen der Türmer, ihr Alter, bei einigen auch ihr Familienstand und ihre Herkunft erwähnt werden. Dies vertieft unsere Kenntnisse über die sozialen Verhältnisse und die Altersgrenze der Türmerkapelle sowie über die Migration der Musiker. Ján (Johannes) Peller, 50 Jahre alt, verheiratet, stammte aus Vágh Újhely in der Nitra-Region (heute Nové Mesto nad Váhom) und war Turmmeister in Banská Štiavnica in der Zeit der kanonischen Visitation. Weiter wird erwähnt, daß er seit zehn Jahren im Dienst war und von

---

[19]   E. ZAVARSKÝ, Teil II, S. 365.

[20]   Ebda., S. 339 – 341.

der Stadtkasse bezahlt werde. Er hatte zwei Helfer, denen er selbst den Lohn auszuzahlen hatte. Der erste war Adalbert (Adalbertus) Rzeditzio, aus Chrudim in Böhmen stammend, 25 Jahre alt, ledig, der sechs Jahre im Dienst war. Der andere war 21 Jahre alt, hieß Adalbert (Adalbertus) Palma, stammte aus Wossov bei Brünn in Mähren. In den Dienst kam er am 1. April dieses Jahres. Drei Türmer bekamen ihren Lohn direkt von der Stadtkasse: Jozef (Josephus) Halbedienszt, 32 Jahre alt, verheiratet, stammte aus Kremnica und war seit elf Jahren im Dienst, weiter Ignác (Ignatius) Fiala aus Windschacht unweit von Banská Štiavnica ursprünglich kommend, 45 Jahre alt, verheiratet, neun Jahre im Dienst, und schließlich der 33jährige Jozef (Josephus) Csaida, höchstwahrscheinlich aus Královec (Regiomontanus, Königsberg) in Ost-Preußen stammend, der acht Jahre im Dienst war. Auf dem Chor der römisch-katholischen Kirche in Banská Štiavnica haben die Mitarbeiter der Matica slovenská Noten von acht Intraden gefunden. Es wurden nur Noten für Prinzipal und Corno secundo aufbewahrt, deshalb ist es schwierig, ihre vollständige Besetzung zu bestimmen[21].

Von Anton Július Hiray ist in Banská Štiavnica nur seine sakrale Komposition "Graduale in C de Angelis" für gemischten Chor, zwei Geigen, eine Viole, zwei Clarinos, Tympana und Orgel oder Cembalo erhalten geblieben. Davon liegen gegenwärtig zwei Arrangements vor, das erste vom Komponisten Gregor Roletzký auf CD Musica Urbis Banská Bystrica und das zweite als Konzert für Chor und Blasorchester von Pavel Šiansky.

Ein einzigartiges Musikdokument darüber, wie die Türmer die Stadt repräsentierten, ist der Marsch der Bürger von Banská Bystrica (Civitatis Neosoliensis Militare Marsch) von A. J. Hiray, den er zur Ehre der Ankunft des ungarischen Palatinus am 27. Juli 1798 für Clarinetto Primo, Clarinetto Secundo, Cornu Primo, Cornu Secundo, Fagotto Primo, Fagotto Secundo komponierte. Dieses Musikstück wird ebenfalls in mehreren Fassungen/ Bearbeitungen noch heute gespielt, und zwar (1) vom Jurovský-Quintett, arrangiert von Bohumil Sedláček für Flöte, Oboe, Klarinette, Waldhorn und Fagott, (2) von der Brass Band im Arrangement für sechs Blechblasinstrumente, (3) von Adam Hudec für das große Blasorchester bearbeitet.

Aus der Zeit des Aufenthalts von A. J. Hiray in Banská Bystrica stammen auch seine elf profanen Tanzkompositionen, die ich in der Musiksammlung der

---

[21] E. MUNTÀG, S. 64.

bedeutenden Adelsfamilie Ostrolúckys von Ostrá Lúka (nicht weit von Zvolen) entdeckt habe. Es läßt sich vermuten, daß Hiray hier mit seiner Türmerkapelle gespielt hat. Diese Kompositionen stellen deutsche Tänze, Menuette und Polonaisen für Soloinstrumente (eine Querflöte und ein Clavicembalo oder ein Pianoforte) und Kammerorchester dar; neben den Streichinstrumenten übernehmen darin auch die Blasinstrumente (Flöte, Pikkoloflöte/Piccolo discanto, Klarinetten oder Clarinos, Oboen, Fagotte, Hörner und Kontrabaß) wichtige Passagen. Auch wenn nicht überall alle Instrumentalstimmen erhalten geblieben sind, erhalten wir damit doch Einblick in das Repertoire der Zeit des Klassizismus in der Mittelslowakei. Die Kompositionen verraten melodischen Reichtum, präzise Gestaltung und gutes Kompositionsniveau. Vor fünfzehn Jahren hatten wir vor, zusammen mit meinem Freund Gregor Roletzký, einem bekannten Komponisten für Blasmusik in der Slowakei, einige von Hirays Kompositionen im Slowakischen Rundfunk in Banská Bystrica wieder zu beleben. Davon sind fünf Aufnahmen erhalten geblieben, die m. E. jedoch vom Original zu stark abweichen, so komponierte G. Roletzký u. a. Cembalobegleitungen hinzu.

Aus den Kompositionen für größere Besetzungen von Anton Július Hiray liegt im Rundfunk die Aufnahme von "Tedeschi" aus dem Jahr 1798 für zwei Geigen, zwei Klarinetten, zwei Oboen, zwei Querflöten, ein Fagott, ein Pikkolo, zwei Clarinos und einen Kontrabaß vor. Im Notenpart von "Tedeschi" treffen wir auf zweierlei Bezeichnungen der Instrumente. Auf dem Titelblatt steht Clarinetto, und in der Stimme für das selbe Instrument heißt es Clarino (clarina, clarini)[22]. Dagegen heißt es in den Stimmen und auf dem Titelblatt der Polonaisen jeweils übereinstimmend "Klarinette". Im Trio des fünften Teils der Polonaisen befindet sich ein reizendes Klarinetten-Duett in rustikaler Art. Überhaupt finden sich da mehrere recht gut gelungene Teile. Dank guter Arrangeure und Interpreten bezaubert uns Hirays Musik auch heute[23].

---

[22]   Zur Frage Clarino/Clarinette siehe Wolfgang SUPPAN, Das Klarinetten-Duett, in: Studien zur Musikgeschichte. Eine Festschrift für Ludwig Finscher, Kassel u. a. 1995, S. 289 – 297.

[23]   Die Angaben über die Persönlichkeit von Anton Július Hiray stammen aus meinen Archivforschungen. Sie wurden unter dem Titel "Forschungen zur Persönlichkeit von Anton Július Hiray" am musikologischen Seminar über die Musikregionalistik "Bedeutung und Anteil der Persönlichkeiten an der Entwicklung des Musiklebens der Region", Trnava, 30. 11. – 1. 12. 1988, vorgetragen.

Das Türmergewerbe begann aus unseren Städten Mitte des neunzehnten Jahrhunderts zu verschwinden und ging schließlich unter. Die Türmer wurden durch die neuentstehenden Musikkörper, vor allem durch die Blaskapellen verschiedener Art (Bergbau-, Feuerwehr-, Betriebskapellen), Tamburinkapellen und Chöre ersetzt. Dies hing nicht nur mit der wirtschaftlichen Entwicklung, sondern auch mit den neuen demokratischen Ordnungen in Europa zusammen, die sich nach der Französischen Revolution einstellten. Die Musik übernahm im Kampf um die Unabhängigkeit der einzelnen Völker eine wichtige politische Funktion.

Literatur

Kornél BÁRDOS, Hudobný život Modry v 17. a 18. storočí, in: Hudobný archív 12, Matica slovenská, Martin 1994, S. 18 – 41.

Encyklopédia Slovenska I. – VI., Veda, Bratislava 1977 – 1982.

Konštantín HUDEC, Hudba v Banskej Bystrici do 19. storočia. Tranoscius, Liptovský sv. Mikuláš 1941.

Emanuel MUNTÁG, Vežoví trubači v období rozkvetu meštiackej hudobnej kultúry v Banskej Štiavnici, in: Hudobný archív 1, Matica slovenská, Martin 1975, S. 63 – 75.

Ernest ZAVARSKÝ, Príspevok k dejinám hudby v Kremnici od najstarších čias do roku 1650, Teil I, in: Hudobný archív 2, Matica slovenská, Martin 1977, S. 9 – 121.

Ernest ZAVARSKÝ, Príspevok k dejinám hudby v Kremnici v rokoch 1651 – 1800, Teil II in: Hudobný archív 3, Matica slovenská, Martin 1981, S. 287 – 385.

Abbildung 1
Wandgemälde in der Holzartikularkirche im Dorf Paludza
aus den Jahren 1773 – 74

VI.

Principal

Corno 2do

VII.

Abbildung 2
Intraden aus Banská Štiavnica (E. Muntág)

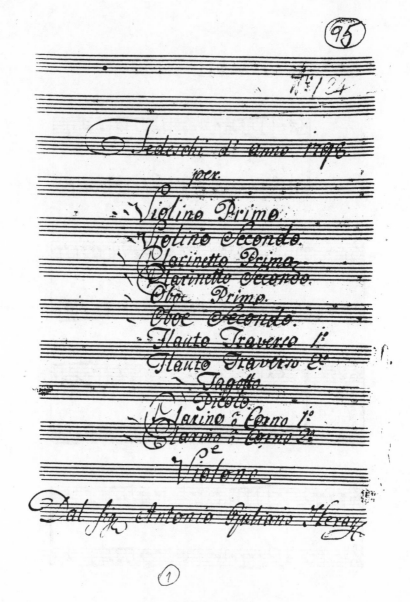

Abbildung 3 a
A. J. Hiray, Tedeschi d´Anno 1798, Titelblatt

Abbildung 3 b
A. J. Hiray, Tedeschi d´Anno 1798,
Part Clarino oder Corno Primo (Handschrift)

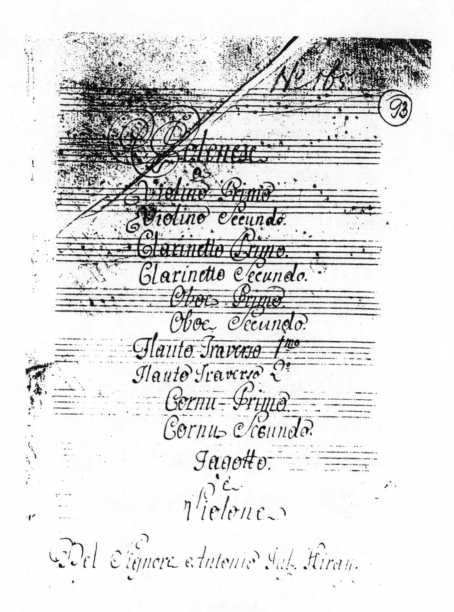

Abbildung 4 a
A. J. Hiray, Polonese, Titelblatt

Abbildung 4 b
A. J. Hiray, Polonese, Part Clarinetto Primo (Handschrift)

Helmut Brenner[1], Graz, Österreich

JARANA & CO.
GEBRAUCH UND FUNKTION VON BLÄSERFORMATIONEN WÄHREND DER FIESTA PATRONAL IN YUCÁTAN (MEXIKO)

1. Blasinstrumente und Maya-Kultur

"Die Seele ist nicht Vogel, die Seele ist nicht Hirsch, die Seele ist Wind... Weil wenn der Wind aufhört, hört die Stimme auf, und dann ist der Mensch gestorben", besagt eine indigene Vorstellung aus Mexiko. Angesichts der Äquivalenz von Seele und Wind bei vielen mexikanischen ethnischen Gruppen wird dem Wind nicht nur im täglichen Leben der indigen beeinflußten Kulturen eine bedeutende magische Funktion zugeschrieben (z. B. von einem schlechten Wind in den Bergen getroffen werden als häufige Krankheitsursache, oder die Besitzergreifung der Seele des erlegten Tiers vom Jäger, wenn sich dieser der Beute nähert, bevor der "Wind" das sterbende Tier verlassen hat), sondern es ist auch kaum verwunderlich, daß gerade im sakralen Bereich Musikinstrumente, die durch die Seele/den Wind zum Klingen gebracht werden, von alters her bevorzugte Bedeutung genießen. Sowohl bei den Zeremonien für die alten Maya-Gottheiten (seit präkolumbischen Zeiten bis heute) als auch bei den primär katholisch geprägten Festen werden Blasinstrumente in unterschied-

---

[1]   Der Autor dankt folgenden Personen und Institutionen in Mexiko für die Unterstützung, ohne welche die vorliegende Arbeit nicht hätte entstehen können/El autor les agradece a las siguientes personas e instituciones de México su apoyo, sin el cual este trabajo no habría podido ser realizado: CHOLUL: Benigno Julián Puc; José Israel Puc; MÉRIDA: Biblioteca Central de la Universidad Autónoma de Yucatán; Biblioteca Central Estatal de Yucatán; Jorge Buenfil; Efraín Camelo; Rosario Cáceres Baqueiro de Manzanilla; Fernando Cardeña; Centro del Desarrollo de la Música; Pastor Cervera Rosado; Ing. Roberto Mac-Swiney Salgado; Enrique Martín; Martín Molina; Museo de la Canción Yucateca; Orquesta Jaranera de la Ciudad de Mérida; Germán Romero; María Eli Sosa Cáceres; Alvaro Vega; Ricardo Vega; José Díaz Bolio; ACANCEH: Tomás Chan Uc; TICUL: Arturo González; Orquesta Arturo González; KOM CHEM: Guillermo Matu; CHETUMAL: Enrique Trujillo del Río; MÉXICO D.F.: Centro Internacional de Arte y Folklore de Yucatán; Luis Arturo de la Cruz; Rusel Domínguez; Juan Magaña y Alonzo; Sonia García; GRAZ: Beatrix Fürst.

lichsten Besetzungen verwendet. Auf der mexikanischen Halbinsel Yucatán, deren heutige Gliederung aus den Bundesstaaten Yucatán (Hauptstadt Mérida), Campeche (Hauptstadt Campeche) und Quintana Roo (Hauptstadt Chetumal) besteht, ist - mit Ausnahme einiger weniger Dörfer in Quintana Roo - die Mehrzahl der Orte mestizisch geprägt, die überwiegende Bevölkerungs-mehrheit ist bilingual, die Umgangssprache ist jedoch außerhalb der urbanen Zentren maya yucateco, und maya yucateco sind auch (moderne Kleidung hin, Tourismus her) die Lebenskonzepte[2]. Es ist offensichtlich, daß hier die jahrhundertlange katholische Missionstätigkeit[3] in den meisten Fällen an der Oberfläche haften geblieben ist und die traditionellen Glaubensvorstellungen zwar zu ergänzen, aber nicht zu ersetzen vermochte. Das weitgehend synkre-tistische Jahres- und Lebensbrauchtum ist dafür manchmal beredter, in den meisten Fällen aber verschwiegener Zeuge. Zeremonien und Riten für Gott-heiten aus dem präkolumbischen Glaubensbereich der Mayas sind vielfach mit dem katholischen Festkalender in der einen oder anderen Weise verschränkt oder überlappt. Das Fest des Heiligen Kreuzes (3. Mai), das mit dem Beginn der Regenzeit zusammenfällt, ist zugleich mancherorts der Regengottheit Chàak - oft auch als Chàak Mol bezeichnet - zugeeignet, die um Regen und damit gute Ernte gebeten wird. Der Karsamstag wiederum ist datumsgleich mit der Entzündung des Neuen Feuers, dem tumbul k'aak' oder tumben k'aak', dem Beginn des Jahreslaufs nach dem Mayakalender[4].

Dieser Beitrag beschäftigt sich ausschließlich mit der fiesta patronal, wo im Fall von Cholul synkretistische Elemente für den außenstehenden Betrachter nicht erkennbar waren. "Patronal" war ursprünglich im doppelten Sinn zu verstehen, sowohl weltlich als ein vom patrón (Eigentümer der hacienda) ausgerichtetes und

---

[2]   Viele Einsichten in die diversen magischen Vorstellungen verdankt der Verfasser den nächtelangen Gesprächen mit seinem Maya-Freund Tomás Chan Uc aus Acanceh.

[3]   vgl. dazu: Fray Diego DE LANDA, Relación de las Cosas de Yucatán, zitiert nach der Ausgabe: México D.F. 1982; Gerard BÉHAGUE, Music in Latin America. An Introduction, Englewood Cliffs, N. J., 1979; Robert STEVENSON, Music in Mexico. A historical survey, New York 1952.

[4]   J. Ramón BASTARRACHEA MANZANO, Pueblos indígenas de México: Mayas de la Península Yucatán, México D.F. 1994, S. 23f.

bezahltes Fest zum Abschluß ganz bestimmter landwirtschaftlicher Arbeits-
perioden, als auch religiös als Fest des santo patrón (Schutzheiligen) des
jeweiligen Ortes oder Ortsteils (barrio). Heute hat sich der Schwerpunkt deutlich
zu letzterem verlagert, in der Terminologie spiegelt sich aber teilweise auch noch
ersteres wider.

In unseren Tagen wird die fiesta patronal von religiös geprägten gremios
organisiert, in der Mehrzahl berufsständischen Vereinigungen (Gremium der
Landarbeiter, Bäcker, Fleischhauer, Taxifahrer etc.), teilweise sind aber Jung-
mädchen- oder Kinder-Gremien beteiligt. In sehr kleinen Orten oder barrios und
den entsprechend bescheidenen Gremien, wird die fiesta patronal in der Regel
gemeinsam gestaltet[5]. Dies ist zum Beispiel in Cholul, wo der Verfasser im
Frühjahr 1998 an der gesamten fiesta teilnehmen konnte, der Fall. In größeren
Orten gestaltet jedes gremio seinen eigenen Tag der fiesta patronal. In Valladolid
gibt es siebzehn Gremien, die fiesta patronal dauert dementsprechend siebzehn
Tage[6]. Manche der Gremien blicken auf eine mehr als hundertjährige Geschichte
zurück. Im Zusammenhang mit einer fiesta patronal wird der Begriff "gremio" in
zwei verschiedenen Bedeutungen gebraucht: als Bezeichnung für die berufs-
ständische Vereinigung und für die im Rahmen dieser Vereinigung durch-
geführten zeremoniellen Zusammenkünfte.

2. Musikalische Funktionen während der fiesta patronal

Jede fiesta patronal setzt sich aus sakralen und profanen Teilen zusammen, die
von den Bewohnern der mayasprachigen Gemeinden Yucatans sehr deutlich
getrennt werden. Zu den religiösen Teilen gehören gremio, Prozession und
Messe, zu den weltlichen corrida de toros (Stierkampf), baile (Tanz), feria (Ver-
gnügungspark mit Ringelspiel, Schießständen und Getränke- und Imbißbuden)
und als musikalisches Kernstück die vaquería (traditioneller Tanz). Die religiösen
Teile werden, obwohl sie de facto unverzichtbarer Bestandteil der fiesta patronal

---

[5]   zum Kalender der jeweiligen fiesta patronal siehe: Renán IRIGOYEN
ROSADO, Calendario de fiestas tradicionales de Yucatán, Mérida 1973.

[6]   Ella F. QUINTAL AVILÉS, Fiestas y gremios en el oriente de Yucatán
(=cuadernos de cultura yucateca, 4), o. O. o. J. (Mérida 1993), S. 14.

sind, von den Yucateken nicht wirklich zur wahren fiesta gezählt, wie im Abschnitt über das gremio noch näher ausgeführt werden wird.

2.1. Sakrale Funktionen
2.1.1. Das gremio als Vereinigung

Ein gremio hat üblicherweise einen im Vorjahr von einer Mitglieder-Hauptversammlung gewählten Ausschuß, der aus Präsidenten (in Maya yucateco: kuch-es), Schatzmeister, Sekretär und weiteren Ausschußmitgliedern besteht. Etwa einen Monat vor der fiesta patronal beginnen der Präsident und seine Mitarbeiter im Ausschuß, die einzelnen Mitglieder des Gremiums zu besuchen, um finanzielle Beträge für die Ausrichtung der fiesta patronal zu erbitten. Die Aufgabe des Ausschusses ist es, mit dem gesammelten Geld Blumen für den Schmuck der Kirche und Feuerwerkskörper zu kaufen, zwei Messen und einen Rosenkranz zu bestellen sowie ein "Orchester" - oft auch charanga genannt - zu engagieren. Die Besetzungsgröße ist variabel und richtet sich nach den finanziellen Möglichkeiten des jeweiligen gremio. Üblicherweise werden für die religiösen Belange vier bis fünf Musiker engagiert. Es handelt sich dabei um keine fixe Gruppe, sondern um ein extra für diesen Zweck aus örtlichen Musikern zusammengestelltes Ensemble (die Musiker in Cholul treffen sich beispielsweise jeden Montag auf der plaza, um über die Aufträge der Woche zu sprechen)[7]. Für Essen und Getränke der ebenfalls gremio genannten Zusammenkünfte im Haus des Präsidenten (vor dem festlichen Zug des Gremiums zur und dessen Einzug in die Kirche, bzw. der Übergabe der Insignien des Präsidenten an seinen Nachfolger) hat der gegenwärtige bzw. zukünftige Präsident aus eigenen Mitteln aufzukommen[8]. Mit der Wahl zum Präsidenten eines Gremiums sind daher

---

[7] Für die Engagements kontaktieren die Auftraggeber in Cholul Benigno Julián Puc, der seinerseits wiederum je nach Bedarf die Einteilung der Musiker vornimmt. Herrn Puc ist der Verfasser zu besonderem Dank verpflichtet, da dieser sein Hauptinformant für alle musikalischen Belange der fiesta patronal war und in zahllosen Gesprächen geduldig die Fragen des Forschers aus dem fernen Austria beantwortete. Seine Antworten beinhalteten auch viele in der Literatur bislang nicht erwähnte Informationen über die musikalischen Details der fiesta patronal im allgemeinen und der gremios im besonderen.

[8] QUINTAL AVILÉS, S. 16f.

beträchtliche Ausgaben verbunden, was allerdings durch das hohe soziale Prestige des Amtes kompensiert wird[9].

2.1.2. Das gremio als Anlaß

Vor dem Zug zur Kirche versammeln sich die Mitglieder des jeweiligen Gremiums samt ihren Angehörigen im festlich geschmückten Haus des Präsidenten. Dort werden Getränke und ein kleiner Imbiß gereicht, während das "Orchester" Walzer, Polkas, Paso dobles oder jaranas (dazu mehr unten) spielt. Im Fall der fiesta patronal von Cholul im April 1998, die der Virgen de Asunción (Jungfrau der Himmelfahrt)[10] gewidmet ist, bestand das "Orchester" aus einer bzw. zwei Trompeten, einem Alt-Saxophon, einer Marschtrommel und einer Großen Trommel. Bei diesem Anlaß wird trotz des Tanzmusik-Repertoires nicht getanzt, er ist ungeachtet der profanen Musikstücke eindeutig dem religiösen Bereich zugeordnet, der von den Teilnehmern klar vom weltlichen getrennt wird. Auf die von Nichtbeteiligten angesichts der Musik gestellte Frage: "Gibt es eine fiesta?" lautet die Antwort üblicherweise: "Nein, nur ein gremio"[11].

Nach einer bestimmten Zeit im Haus des Gremiums-Präsidenten formieren sich die Mitglieder des gremio und ihre Angehörigen zum festlichen Zug zur Kirche. Dem Zug vorangetragen werden die ramilletes, blumengeschmückte Ruten, die im späteren Verlauf der fiesta patronal bei der Prozession die Marienstatue umkränzen werden und deren darüber hinausgehende Funktion weiter unten behandelt werden wird. Dann folgen die Fahnen und Standarten des Gremiums bzw. der Gremien. Die Musikgruppe folgt hinter den Fahnen und bildet keinen eigenen Block, sondern ist Teil des gewöhnlichen Teilnehmerblocks, der ohne irgendwelche bestimmte Ordnung den Abschluß des Zuges bildet. Das "Orchester" spielt dabei entweder einen Paso doble oder einen Marsch. Das jeweilige Stück wird vom Haus des Präsidenten bis zum Eingang in den ummauerten Vorhof der Kirche ohne Unterbrechung gespielt und geht beim Passieren des Tores nahtlos in einen marcha religiosa genannten Choral über.

---

[9]   BASTARRACHEA MANZANO, S. 24.

[10] Die fiesta patronal in Cholul fand 1998 vom 17. bis 20. April statt.

[11] QUINTAL AVILÉS, S. 10.

85

Wenn die Träger der ramilletes und der Fahnen und Standarten die Kirche betreten, setzt die Orgel und der Gemeindegesang ein. Das "Orchester" betritt die Kirche nicht, bleibt an der Schwelle zurück, spielt aber solange, bis auch die letzten des Zuges das Gotteshaus betreten haben. Dieser Zug (entrada del gremio) darf trotz der äußerlichen Ähnlichkeit nicht mit einer Prozession verwechselt werden, die als weiterer wichtiger Bestandteil der fiesta patronal **nach** der Hauptmesse (üblicherweise am Sonntag) und nicht nach jedem Einzug eines Gremiums stattfindet.

2.1.3. Messe und Prozession

Vor der Hauptmesse der fiesta patronal, bei der üblicherweise keine Einzüge der Gremien stattfinden, spielt das "Orchester" am Kirchentor, während die Gläubigen das Gotteshaus betreten, Märsche, Walzer, Paso dobles, auch schon einmal einen Swing. Dies hat - an der Grenze von sakralem und profanem Raum - eine transitive Funktion.

Nach der Hauptmesse, manchmal auch nach anderen Messen, findet unter dem Geläute sämtlicher Kirchenglocken und dem Abschießen von zahllosen Feuerwerksraketen während des gesamten Umzugs eine Prozession rund um die plaza statt. Die Raketen werden in Yucatán voladores genannt und dürfen nicht mit den totonakischen voladores (Personen) der danza de voladores (Fliegertanz) der mexikanischen Golfküste verwechselt werden. An die Spitze der Prozession stellen sich die Vertreter der Gremien mit ihren Fahnen und Standarten, dann folgt, sowohl als räumlicher als auch als spiritueller Mittelpunkt die Gruppe mit dem vom Altar geholten und auf einem Tragegestell auf den Schultern mit-getragenen jeweiligen santo patrón, im Fall von Cholul ist dies, wie schon erwähnt, die Virgen de Asunción. In manchen Fällen gibt es auch noch santos invitados, "eingeladene" Schutzheilige anderer Orte oder barrios. Den Abschluß bilden die einfachen Prozessionsteilnehmer, unter denen - wiederum nicht als eigener Block, sondern zwanglos unter die Menge gemischt - die Musiker mitgehen, welche ohne Unterbrechung während des gesamten Umzuges eine einzige Hymne an den jeweiligen Schutzheiligen spielen und singen. In den meisten Fällen ist die Besetzung dieselbe wie beim gremio, im Fall von Cholul wurde diese Aufgabe im Jahr 1998 aber von mariachis übernommen. Rein instrumentale und nur von den Schlaginstrumenten (oder im vorliegenden Fall von Guitarrón und Guitarre) begleitete gesungene Teile alternieren dabei.

2.1.4. Übergabe der Insignien an den nächsten Präsidenten

Nach der letzten Messe der fiesta patronal werden die Insignien des Präsidenten (dies sind in der Regel die erwähnten ramilletes und/oder der Kopf des anläßlich des Festes in der Erde auf ganz spezielle Weise gebratenen Schweins (cochinita pibil)) im feierlichen Zug zum Haus des bereits gewählten nächstjährigen Präsidenten gebracht, wo dieser die Insignien empfängt. Diese Insignien sind weniger als Symbole der Macht als der Verantwortlichkeit zu verstehen, wenngleich durch das hohe soziale Prestige des Amtes bestimmt auch eine gewisse Machtfunktion innerhalb der Kommunität nicht ausgeschlossen werden darf. Ist eines der Symbole der Schweinskopf, wird bei diesem Anlaß die danza de la cabeza del cochino (pòol kekéen), das heißt "Tanz des Schweins-Schädels", aufgeführt[12]. Dieser spätestens seit Beginn unseres Jahrhunderts nachgewiesene Tanz[13] unterscheidet sich wesentlich von den anderen im Rahmen der fiesta patronal verwendeten Stücke. Es ist dies ein traditionelles, sonecito genanntes Stück in wesentlich langsamerem Tempo als beispielsweise die jaranas und im gemäßigten 2/4 oder 4/4 Takt. Dabei wird der Schweinsschädel in einer Schüssel oder auf einem Brett auf dem Kopf balanciert. Rund um den Schädel sind oft Früchte und Schnapsgläser angeordnet. Manchmal - früher öfter als heute - wird zum Abschluß der Kopf zubereitet und bei der Übergabezeremonie verspeist[14]. Das Faktum, daß nunmehr getanzt wird, ist offensichtlich als Zeichen dafür zu interpretieren, daß man den religiösen Teil (bis zum nächsten Jahr) als abgeschlossen betrachtet. In Cholul fehlte im April dieser Teil, da es im Dezember noch eine zweite, San Pedro Apostol gewidmete fiesta patronal gibt, bei der dann erst die Insignien übergeben werden.

---

[12] Luis PÉREZ SABIDO, Bailes y danzas tradicionales de Yucatán, Mérida [2]1983, S. 134ff.

[13] Frederick STARR, Notes upon the ethnography of southern Mexico, Davenport, Ia. 1900-1902, zitiert nach: QUINTAL AVILÉS, S. 38.

[14] José Luis SAGRADO, Música de los pueblos mayas. Begleitheft der gleichnamigen Doppel-CD, hg. vom INI Instituto Nacional Indigenista, México D.F. 1994, 13.

2.2. Profane Funktionen
2.2.1. Die corrida de toros

Die corrida de toros, der Stierkampf, ist ein weiterer unverzichtbarer Bestandteil der fiesta patronal. Während der gesamten Dauer findet täglich nachmittags gegen 16:00 Uhr eine corrida statt. Das "Orchester" - üblicherweise in derselben Besetzung wie bei gremio und Prozession - nimmt auf einer erhöhten, balkonähnlichen Plattform der improvisierten, temporär errichteten Arena Platz und beginnt vorerst jaranas zu spielen, während das Publikum nach und nach eintrifft und die Ränge zu füllen beginnt. Etwa eine halbe Stunde später wechselt das Orchester von jaranas zu einem Paso doble. Dies ist das Zeichen für den offiziellen Beginn, dem Einzug der toreros.

Während der gesamten corrida besteht die Musik dann aus Pasodobles, deren Reihe nur - wenn eine besondere Leistung hervorzuheben ist - von der diana unterbrochen wird. Die diana ist eine in ganz Mexiko verbreitete Melodie, die ursprünglich das definitive Ende einer Veranstaltung oder eines bestimmten Aktes anzeigte. Heutzutage erfüllt sie neben dieser Funktion auch jene einer Fanfare, um einen ganz bestimmten Teil einer Veranstaltung hervorzuheben, wie auch unten im Abschnitt über die vaquería noch ausgeführt werden wird.

Der gravierendste Unterschied der corrida bei der fiesta patronal in Yucatán zu den anderen in ganz Mexiko verbreiteten und beliebten Stierkämpfen ist, daß von den zahlreichen "teilnehmenden" Stieren pro corrida üblicherweise nur der erste getötet wird. Nachdem der matador sein Werk vollbrachte, wird wiederum eine jarana gespielt, denn nun ist die corrida für einen Augenblick unterbrochen, während die Tore geöffnet werden, die vaqueros - das mexikanische Äquivalent zu den US-amerikanischen Cowboys - zu Fuß und zu Pferd die Arena betreten, um den toten Stier hinauszuschleifen. Direkt außerhalb der Arena übernehmen diesen die Fleischhauer und beginnen noch vor Ort - gewissermaßen auf der grünen Wiese - mit dem Zerlegen des Tieres, während sich sofort eine lange Menschenschlange formiert, um die Fleischstücke, die zur Zubereitung des chocolomo[15], einem traditionellen Abendessen der fiesta patronal, benötigt

---

[15] Mischwort aus dem Mayaterminus "chocó" (heiß) und dem kastilischen "lomo" (Lendenstück). Chocolomo ist ein typisch yukatekisches Gericht, welches nur aus frisch geschlachtetem Rind ("geopferten", sagt Santamaría) zubereitet wird, indem man die Fleischstücke in Wasser zusammen mit Tomaten und anderem Gemüse siedet: Francisco J. SANTAMARÍA, Diccionario de mejicanismos, México D.F. 1992 (erste

werden, in Empfang zu nehmen. Am Ende der corrida begibt sich das "Orchester" auf die plaza und spielt dort noch zwei jaranas, eine im 3/4- und eine im 6/8-Takt, zu denen in der Regel einige Besucher zum Zeichen, daß sie die corrida genossen haben, tanzen. In einigen Ortschaften werden diese zum Abschluß der corrida gespielten jaranas auch fandangos genannt[16].

Am späten Abend und die ganze Nacht andauernd gibt es dann täglich, mit Ausnahme des ersten Abends, wo die im nächsten Abschnitt beschriebene vaquería stattfindet, Tanzmusik (vor allem für die Jugend des Ortes) mit einer modernen - lokalen oder eingeladenen - Tanzmusikgruppe. Heute benützen diese Bands üblicherweise Verstärkeranlagen, Lichteffekte und bieten Showeinlagen. Sie verfügen somit über alle jene Elemente, die auch in Europa oder den USA Bestandteil von nichttraditionellen Tanzveranstaltungen sind, und auch das von tropikalen Rhythmen (Salsa, Cumbia, Merengue etc.) dominierte Repertoire trägt keine regional zuordenbaren Züge.

2.2.2. Die vaquería

Die vaquería ist das musikalische Kernstück der fiesta patronal. Daher ist das "Orchester" auch wesentlich stärker besetzt als bei den religiösen Anlässen und bei der corrida, und es handelt sich meist um ein renommiertes orquesta jaranera, das zu diesem Zweck von auswärts eingeladen wird. Während die im vorangegangenen Absatz erwähnten Tanzmusikveranstaltungen sich in erster Linie an die Dorfjugend richten, nehmen an der üblicherweise dem ersten Abend der fiesta patronal vorbehaltenen vaquería unterschiedslos alle Altersgruppen zwischen sechs und weit über achtzig Jahren aktiv teil. Wegen der klimatischen Bedingungen beginnen in Yucatán in der Regel Veranstaltungen sehr spät, in Cholul um 23:00 Uhr, und dauern dann bis zum Morgengrauen. Renán Irigoyen Rosado meint den Ursprung dieser traditionellen Tanzveranstaltung im ausgehenden 18. Jahrhundert in den haciendas zu sehen, wo diese den Abschluß

Auflage 1959), S. 413.

[16]   QUINTAL AVILÉS, S. 24.

der Brandmarkung der Rinderherden markiert habe[17]. Daher kommt auch der Name: von den oben schon beschriebenen vaqueros, dem mexikanischen Äquivalent zu den Cowboys. Eindeutig nachweisbar ist die vaquería allerdings erst viel später. Der Baron von Waldeck unternahm in den Jahren 1834 bis 1836 eine ausgedehnte Reise durch Yucatán, welche er in einem ausführlichen Reisebericht[18] schildert, ohne dabei jedoch musikalische Ereignisse zu erwähnen. Der nächste Reisebericht stammt vom Amerikaner John Loyd Stephens, der Yucatán vom Oktober 1841 bis Mai 1842 besuchte[19]. Stephens beschreibt detailliert einen Tanz, der seinen Angaben nach "El toro" heißt, welcher allerdings der Beschreibung nach höchstwahrscheinlich mit der heute noch getanzten gleichnamigen jarana nicht identisch ist. Erste wirklich brauchbare musikalische Aufzeichnungen verdanken wir José Jacinto Cuevas, der um die Mitte des 19. Jahrhunderts die Banda del Estado de Yucatán gründete. Die Sammlung unter dem Titel "Mosaico yucateco" enthält sogenannte sones mestizos, eine große jarana "Los Aires Yucatecos", welche Teil des Repertoires des besagten Blasorchesters bildeten und heute nach dem Einzug der Teilnehmer den offiziellen Beginn der vaquería markieren. Über eine vaquería die um 1890-95 auf einer hacienda stattgefunden hatte, zu der Frauen und Männer aus allen umliegenden haciendas, fincas und Ortschaften eingeladen waren und für die ein 10-12 Musiker starkes Orchester "von gutem Ruf" engagiert worden war, dessen Repertoire aus jaranas bestand, berichtet Santiago Pacheco Cruz[20]. Damit wird deutlich, daß die wesentlichen Elemente der heutigen vaquería bereits gegen Ende des 19. Jahrhunderts in dieser Form bestanden. Die heutige vaquería findet allerdings in der Regel nicht mehr auf den haciendas sondern im salón des Dorfes statt. Dies ist eine sowohl zur plaza als auch zum Garten hin offene, nur durch eine etwa einen Meter hohe Mauer begrenzte Halle, eigentlich ein überdachter

---

[17]   IRROYEN ROSADO, zitiert nach: PÉREZ SABIDO, S. 61.

[18]   Frederic de WALDECK, Voyage pittoresque et archeologique dans la province d'Yucatan (Amerique Centrale), pendant les annees 1834 et 1836, Paris 1838, zitiert nach der spanischen Ausgabe: Mérida 1936.

[19]   John L. STEPHENS, Incidents of travel in Yucatan, 2 Bde., London 1843, zitiert nach der spanischen Ausgabe: México 1937.

[20]   Santiago PACHECO CRUZ, Usos, Costumbres, Religión y Supersticiones de los Mayas, Mérida 1962, zitiert nach: PÉREZ SABIDO, S. 61f.

Platz, der mehreren hundert Menschen Raum bietet. Der Salon ist meist direkt an das ayuntamiento (Gemeindeamt) oder bei nicht unabhängigen Orten oder Ortsteilen an die comisaría (Ortsverwaltung) angebaut.

Zur vaquería werden, wie schon vor hundert Jahren, die Menschen aus den umliegenden Orten eingeladen und erscheinen zumeist auch in großer Zahl. Die Gäste kommen ortsweise als Delegationen, die von einer embajadora (Botschafterin) und mehreren damas de honor (Ehrendamen) angeführt werden, welche wiederum schon in den Heimatorten unter den besten jarana-Tänzerinnen gewählt werden. Auch in der Ortschaft, wo die vaquería stattfindet, wurden Botschafterin und Ehrendamen gewählt. Bevor nun der eigentliche Tanz beginnt, begibt sich ein Teil des Orchesters zum Haus der örtlichen embajadora, wo sich inzwischen auch schon die Ehrendamen mit ihren Tanzpartnern versammelt haben, und geleiten diese unter klingendem Spiel zum salón. Nach dem Einzug der Botschafterin und ihrer Gefährten beginnt jener der verschiedenen Delegationen. Angekündigt durch einen Zeremonienmeister beginnt die entrada der einzelnen Gruppen jeweils mit der diana, zu deren Klängen die Delegation eines bestimmten Dorfes (es sind dies keine organisierten Volkstanzgruppen) in einer langen Reihe von Paaren den Salon betritt und diesen unter dem rhythmischen Klatschen der Anwesenden rundum abschreitet. Auf die diana folgt eine jarana, die von der soeben eingezogenen Delegation allein getanzt wird. Dies wiederholt sich solange, bis alle auswärtigen Besucher den salón betreten haben. In Cholul dauerte allein dieser Einzug von 23:00 Uhr bis weit nach Mitternacht.

Erst danach beginnt die eigentliche vaquería. Zum Zeichen des Beginns wird - ohne Tanz - die bereits oben erwähnte, spätestens seit der Mitte des 19. Jahrhunderts in der Sammlung "Mosaico yucateco" nachgewiesene jarana "Los aires de Yucatán" gespielt.

Abgesehen vom Einholen der örtlichen Gruppe und der diana beim Einzug der Gäste besteht das Repertoire der vaquería ausschließlich aus jaranas. Diese gibt es in zwei unterschiedlichen Arten, im 3/4 und im 6/8 Takt, manchmal kommen auch beide Taktarten in einer einzigen jarana vor.

Notenbeispiel 1
jarana 3/4

Notenbeispiel 2
jarana 6/8

Beide Formen scheinen ihre Wurzeln in Spanien zu haben. Die 3/4-jarana stamme, wird in der einschlägigen mexikanischen Literatur immer wieder angeführt, in direkter Linie von der aragonesischen jota ab, während die 6/8-Version eine "Enkelin" der "aires andaluses" bzw. des dortigen fandango sei[21]. Bei Vergleich der betreffenden jaranas mit den genannten spanischen Formen - zumindest in ihrer rezenten Form - ist dies allerdings nicht so ohne weiteres nachvollziehbar. Dafür konnte aber in einer anderen Region Spaniens, in Navarra, eine verblüffende Ähnlichkeit der dortigen jotas mit den jaranas gefunden werden, mit deutlichen Parallelen sowohl im melodischen als auch rhythmischen Bereich. Die Möglichkeit einer engeren Relation zu Navarra sollte also bei künftigen Untersuchungen der jarana jedenfalls im Auge behalten werden.

Ursprünglich wurden jaranas von Saiteninstrumenten ausgeführt und auch gesungen. Diese finden sich von Fall zu Fall auch heute noch im Repertoire der trovadores in Mérida und auch auf den Platten von um die Rekonstruktion alter Stile bemühter Interpreten, von denen der heute bekannteste Juan Magaña y Alonzo vom Centro Internacional de Arte y Folklore de Yucatán ist[22].

Dies veränderte sich in der zweiten Hälfte de 19. Jahrhunderts zugunsten einer Bläserbesetzung. Das daraus entstehende orquesta jaranera ist mit großer Wahrscheinlichkeit eine an die instrumentalen Gegebenheiten des ruralen Bereichs angepaßte Kopie der urbanen Blasorchester.

---

[21]   z. B. PÉREZ SABIDO, S. 36 und S. 66.

[22]   Seinem Freund Juan Magaña y Alonzo verdankt der Autor nicht nur wertvolle Hinweise zur älteren Musizierpraxis, sondern auch unveröffentlichtes Tonmaterial.

Abbildung 1
rascapuche/hòoch/güiro

Die heutige Instrumentation des orquesta jaranera besteht in der Minimalvariante aus zwei Trompeten, drei Saxophonen (zwei Alt, ein Tenor), die in der kleinstmöglichen Besetzung mit (zumeist im sehr hohen Register gespielten) Klarinetten alternieren, und einer Posaune. Den modernen Zeiten angepaßt verfügen die orquestas jaraneras heute fast immer über eine große Verstärkeranlage und in der Regel finden sich auch eine elektrische Baßgitarre (früher Kontrabaß) und ein Keyboard. Die rhythmische Basis wird von den mit filzlosen Holzschlägeln sowohl auf dem Fell als auch auf dem Rahmen gespielten kleinen Kesselpauken und einem getrockneten und mit Querrillen versehenen Kürbis (bei uns meist als güiro, im yucatekischen Spanisch als rascapuche, im yucatekischen Maya als hòoch bezeichnet) gebildet. Die Pauken haben zugleich Baßfunktion und überdecken selbst die Baßgitarre meist bei weitem (um wieviel mehr muß dies seinerzeit beim Kontrabaß der Fall gewesen sein). Durch die Verstärkeranlage kehrten die seinerzeit vom Bläservolumen verdrängten gesungenen jaranas zurück.

In verschiedenen jaranas gibt der Pauker nach freiem Ermessen komplizierte Rhythmen vor, die dann von den Tänzern (durch harte Schuhabsätze bei den Frauen bzw. Holzsandalen (huaraches) bei den Männern deutlich hörbar wiederholt werden.

Zudem finden während der vaquería Geschicklichkeitstänze (suertes) mit progressivem Schwierigkeitsgrad statt, bei denen die Tänzerinnen und Tänzer zuerst Flaschen, dann Tabletts mit Flasche und vollgeschenkten Gläsern auf den Köpfen balancieren, dann das ganze auf einer etwa 20 x 30 cm großen, 20 cm hohen Holzplattform (einem umgedrehtem Getreidemaß) wiederholen. Auch gibt es zwischen den Paaren zahlreiche Bräuche, bei denen Hüte und die seitlich an der Männertracht angebrachten gefalteten Tücher eine Rolle spielen.

Abschließend soll noch auf eine den yucatekischen Humor widerspiegelnde und in Zusammenhang mit der jarana stehende Form, die bombas (Bomben) hingewiesen werden. Von Zeit zu Zeit rufen einige Personen aus dem Publikum im Chor: bomba! Daraufhin unterbricht die Kapelle die gerade gespielte jarana, einer der Musiker tritt vor und deklamiert (oft improvisierend auf eine spezielle Situation bezugnehmend) einen Vers. Zumeist handelt es sich um Vierzeiler, oft ist dies ein Paarreim (aabb), besonders häufig findet man aber das Kreuzreimschema (abba). Danach ruft das Publikum (und meist auch das Orchester) im Chor: bravo! und die Musik geht weiter, bis die nächsten bomba! rufen (worauf ein anderer Musiker vortritt).

Abbildung 2
jarana-Tanzpaar

Mestiza bella y galana	Schöne und galante Mestiza
de Yucatán linda Flor	hübsche Blume Yucatáns
tu hermosura meridana	Deine mérida-typische Schönheit
hace que cada mañana	macht es, daß ich jeden Morgen
viva soñando tu amor	lebhaft von Deiner Liebe träume

Die bombas haben nach übereinstimmender Meinung zahlreicher Befragter in den Jahren seit den 1950er Jahren eine starke inhaltliche Veränderung erfahren. Waren sie bis dahin - wie übrigens auch die canción yucateca - von großem Respekt gegenüber Frauen, von galanten Komplimenten geprägt, so wurde ab diesem Zeitpunkt immer stärker eine sexuelle Konnotation üblich, die sehr oft mit Früchten oder Gemüsesorten, die in der Umgangssprache als Begriffe für Penis oder Vagina verwendet werden, operiert. Diese speziellen bombas (und eigentlich nur diese) werden auch auf zahlreichen Tonträgern angeboten, die meist den Hinweis "solo para adultos" tragen: "nur für Erwachsene".

Granjero nací, mestiza	Als Bauer bin ich geboren, Mestiza
y será mi profesión	und es ist meine Profession
te ofrezco un par de toronjas	Ich biete Dir ein Paar Grapefruits
y un rico melocotón	und einen schmackhaften Pfirsich

En tu granja, mesticito	Auf Deinem Hof, kleiner Mestize
no florece ni la chaya	blüht nicht einmal einfaches Gemüse
y jamás podrías sembrar	und niemals hättest du genug Samen
una radiante papaya	für eine glänzende Papaya

Auf die tanzspezifischen Besonderheiten der jarana, deren es sehr viele gibt und die zudem von Ort zu Ort variieren, konnte in diesem Rahmen nicht eingegangen werden. Allgemein kann gesagt werden, daß es sich um einen Paartanz handelt, bei dem der Oberkörper nicht bewegt wird, die Arme zumeist - auch wieder unbewegt - in Kopfhöhe gehalten werden und Mann und Frau sich - mit Ausnahme des letzten Tanzes (El toro oder El torito) nicht berühren. Das Hauptaugenmerk liegt ausschließlich auf der Beinarbeit. Zu betonen ist, daß die jaranas über keine synchrone Choreographie verfügen. Jedes Paar tanzt während der vaquería in einem bestimmten, von den Tanzschritten vorgegebenen Rahmen eigenständig und für sich nach eigenem Gutdünken. Die Ausnahme davon bilden lediglich die vaquerías in den touristischen Zentren, doch diese sind speziell für den Fremdenverkehr **vorgeführte** vaquerías. Aber das ist bereits ein ganz anderes Thema.

Eugen Brixel, Graz, Österreich

DIE TRADITION DER LITURGISCHEN BLÄSERMUSIK
IM UMFELD ANTON BRUCKNERS

Die Unschärfe der vorgegebenen Themenstellung läßt es notwendig erscheinen, zunächst eine definitorische Präzisierung dessen vorzunehmen, was den Schwerpunkt dieser Untersuchung bilden soll. Tradition impliziert Rück- und Ausblicke einer Entwicklung, ist somit vornehmlich aus historischer Perspektive zu erfassen. Musikhistorische Kriterien stehen demnach auch im Vordergrund dieser Darstellung des Umfeldes Anton Bruckners. Ist von Bruckners Umfeld die Rede, so erlaubt diese Formulierung sowohl eine persönliche als auch eine stilistische Auslegung, wobei hier beide Aspekte im folgenden gleichermaßen Berücksichtigung finden sollen. Der Terminus "liturgische Bläsermusik" schließlich ist dabei weitgespannt zu verstehen als bläserische Musica sacra, d.h. einerseits als bläserische Ensemblemusik im Dienste der Liturgie, andererseits aber auch als orchestrale Form gottes-dienstlicher Musizierpraxis.

Die Entwicklung der sakralen Bläsermusik (mit oder ohne Chor) im 19. Jahr-hundert ist vor dem Hintergrund der Bestrebungen und Intentionen des rigo-rosen Caecilianismus zu sehen, der sich als Reaktion gegen die instrumentale Kirchenmusik der Klassik verstand und in Palestrinas a capella-Kunst sein musikalisches Ideal erblickte. Die Situation, die dieser Richtung den Boden bereitete, ist einem Bericht über die Geschichte des Grazer Domchors[1] unter den Jesuiten um die Wende vom 18. zum 19. Jahrhundert zu entnehmen, in dem es heißt:

"Die guten Patres ahnten wohl kaum das Erniedrigende jener Musik, durch welche sie in frommer Selbsttäuschung Andacht und Ehrfurcht erhöhen wollten; man wußte und kannte es eben nicht besser, und der liebe Gott mußte wohlgefällig mit den festlich rauschenden Trompetenklängen, ... den zierlichen Trillern und den wohlklingenden Koloraturen ... verlieb nehmen. Besonders die Trompeten und

---

[1]   Anton SEYDLER, Die Geschichte des Domchores in Graz von den Zeiten Erzherzog Karls II. bis auf unsere Tage, in: Kirchenmusikjahrbuch, Graz 1900, S. 26 ff.

Pauken wurden nicht gespart; sie hatten bis in die siebziger Jahre dieses Jahrhunderts hinein die wichtige Aufgabe mit den Entraden, den Introitus zu ersetzen und ... die Intonationen des Gloria, Credo, Sanctus, Ite missa est und Te Deum unter einem Heidenspektakel zu begleiten. Selbst die Kanonen des Schloßberg beteiligten sich an der Verherrlichung der Kirchenfeste...".

Die später gegründeten Caecilienvereine, die in der Epoche der Romantik - aus der geschilderten Situation heraus - eine kirchenmusikalische Reform und Erneuerung der Sakralmusik anstrebten, waren zwar nicht auf eine gänzliche Eliminierung der Instrumentalmusik aus der Liturgie aus, bemühten sich jedoch um deren drastische Reduzierung.

Im Gegensatz zum restaurativen Stilideal dieser caecilianischen Reform-bewegung erhielt die weiter aufblühende instrumentale Sakralmusik zur Bruckner-Zeit im Wechselspiel von Caecilianismus und den anderen, gegen-läufigen Entwicklungstendenzen mit zeitgebundenem kirchenmusikalischen Ausdruck ihre stärksten Impulse durch vier Faktoren:

Zum einen waren, bedingt durch das seit der ersten Hälfte dieses Jahrhunderts konstatierbare stetige Anwachsen der Militärorchester, Klangkörper ent-standen, die als Pendant zum Sinfonieorchestertypus klassisch-romantischer Prägung, auch der sakralen Musizierpraxis neue Dimensionen zu erschließen imstande waren. Die würdevoll-feierliche Klangcharakteristik der orchestralen Bläserbesetzung prädestinierte geradezu diese Musizierform für den liturgi-schen Gebrauch und ließ darüberhinaus eine markante Affinität zum register-reichen Orgelklang erkennen.

Zum zweiten bot sich in der Kombination von chorisch besetzten Singstimmen und Blasinstrumenten dem, in dieser Zeit ebenfalls deutlich expandierenden bürgerlichen (Männer-) Chorwesen eine bis dahin noch kaum genützte Klangfacette. Dies ermöglichte es den Singgemeinschaften sowohl im Freien als auch im großen, geschlossenen Kirchenraum zu einer neuartigen effekt-vollen Ausdrucksform zu gelangen, bei der die Blasinstrumente im colla parte-Spiel sowohl eine Stützfunktion für die chorisch besetzten Singstimmen auszuüben als auch kontrast- und nuancenreiche Elemente in den musikalischen Ablauf einzubringen vermochten. Die Assoziation zur mehrchörigen vokal-bläserischen cori-spezzati-Musizierweise der Renaissance und zur Verwendung der im Unisonospiel mit den Singstimmen eingesetzten Blasinstrumente in der barocken Instrumentationspraxis liegt nahe.

Was drittens das Bläserensemble und in weiterer Folge das Blasorchester für liturgische Zwecke so außerordentlich geeignet erscheinen ließ, war ohne Zweifel die Klangsymbolik der Blasinstrumente selbst. Das Klangspektrum der Blasinstrumente, insbesondere in der Baßlage, wurde seit Palestrina in der Kirchenmusik, später in verstärktem Maße in der Barockoper und in den kirchenmusikalischen Werken, Oratorien und Opern der Wiener Klassiker symbolträchtig genützt und instrumentationsmäßig entsprechend eingesetzt.

Ein vierter, nicht zu unterschätzender Aspekt für die zunehmende Etablierung und Verwendung des Bläserensembles oder des Blasorchesters in der Sakralmusik der Bruckner-Zeit mag auch der Impuls gewesen sein, den das protestantische Posaunenchorwesen der Kuhlobewegung auf die liturgische Musik der römisch-katholischen Kirche ausübte. Das weitmensurierte Bläserensemble, zumeist bestehend aus Flügelhörnern und Tenorhörnern, für das Johannes Kuhlo liedmäßige Sätze adaptierte oder komponierte, fand im Bügelhornregister der österreichischen Militärmusiktradition eine klangliche Entsprechung und mochte auch im sakralen Gebrauch über das norddeutsche Wirkungsfeld der Kuhlobewegung eine überregionale Ausstrahlung auf die kirchenmusikalische Aufführungspraxis dieser Zeit besessen haben. *"Die Mitwirkung der Bläser bei den gottesdienstlichen Aufgaben des Kirchenchores"*, forderte Wilhelm Ehmann[2], *"sollte viel häufiger geschehen, als es üblich ist"*. Denn dies *"kann den Bläser aus seiner musikalischen Isolierung befreien und ihm echte gottesdienstliche, künstlerische und auch volksmissionarische Aufgaben stellen..."*.

Diese oben dargelegten Prämissen schaffen einen allgemeinen und prinzipiellen Betrachtungswinkel für die sakrale Bläsermusik der Bruckner-Zeit. Überschaut man die Entwicklung auf diesem Sektor, so zeigt sich zunächst dreierlei:

1. Die für Bläserensemble oder klein besetzte Blasmusikkapellen geschaffenen Messkompositionen bzw. Werke für den gottesdienstlichen Gebrauch stammen - sieht man von Anton Bruckners 1866 entstandener, drei Jahre danach in Linz uraufgeführter e-Moll-Messe (WAB 27) ab - zumeist von kirchenmusikalischen Praktikern und von Komponisten, deren Bekanntheitsgrad sich in regionalen Grenzen hielt. Oft waren, vor allem im ländlichen Bereich, *"musikalisch*

---

[2] Wilhelm EHMANN, Das Bläserspiel, Kassel 1961, S. 54.

begabte Schulmeister ... die Komponisten dieser Stücke"[3]. Das oft in diesem Zusammenhang gebrauchte Wort von den "Dorfkonservatorien" scheint namentlich hier seine Berechtigung zu besitzen.

2. Vielfach dienten die Kompositionen für Bläserensemble/Blasorchester als Orgel-Ersatz bei Gottesdiensten oder religiösen Veranstaltungen unter freiem Himmel. Waren Blechbläserensembles in Sakralkompositionen mit Orgel kombiniert, so übernahm die Orgel registermäßig die Aufgabe der Holzbläser.

3. Zumeist handelte es sich bei diesen Werken um anlaßgebundene Kompositionen von vornehmlich regionaler Bedeutung.

Aus dieser Perspektive kann sich der Versuch, bläserische Sakralmusiken (mit und ohne Chor) der Bruckner-Zeit zu erfassen, angesichts des oben erwähnten regionalen Bezugs zwangsläufig nur auf eine rudimentär-punktuelle Darstellung beschränken. Die Entwicklung der bläserischen Sakralwerke in der Nachfolge der Wiener klassischen Kirchenmusiktradition setzt mit der *"Deutschen Singmesse"* von Franz Schubert (D 872), den sechs Blasmusikmessen Sigismund Ritter von Neukomms[4] und den bläserbegleiteten Kirchenwerken Johann Baptist Schiedermayrs (1779 - 1840), darunter das "Pange lingua" für 4 Singstimmen, 2 Klarinetten, 2 Hörner und 2 Fagotte, ein. Die Sakralwerke J. B. Schiedermayrs, zu seiner Zeit in Abschriften und Drucken weit verbreitet und viel gespielt, dürften zweifelsohne auch Anton Bruckner sehr wohl bekannt gewesen sein, obschon eine persönliche Beziehung Bruckners zu dem zwischen 1810 und 1840 als Domorganist in Linz tätigen Schiedermayr nicht verbürgt und wohl auch auszuschließen ist.

Die sakralbezogenen Werke Anton B r u c k n e r s für Bläserensemble/Blasorchester mit Chor und/oder Solisten nehmen in seinem Gesamtschaffen nur eine marginale Stellung ein. Von den insgesamt 18 Kompositionen, in denen Bruckner den Chorstimmen Blasinstrumente (gelegentlich mit Orgel) an die Seite stellt, weisen nur acht Werke sakralen Bezug auf:

---

[3]   Wolfgang SUPPAN, Blasmusik in der Kirche, in: Allgemeine Volksmusik-Zeitung XIV, 1964, S, 258.

[4]   Im Werkverzeichnis S. Neukomms erscheinen u. a. zwei Messen für Militärmusik (Missa pour l'orchestre militaire).

WAB 1	Afferentur regi (ex 1861) für vierstimmigen gemischten Chor, drei Posaunen (Orgel ad lib.)
WAB 13	Ecce sacerdos magnus ! (ex 1885) für achtstimmigen gemischten Chor, drei Posaunen und Orgel
WAB 16	Preiset den Herrn, lobsinget seinen heiligen Namen (ex 1862), für vierstimmigen Männerchor, Bariton-Solo, Blasorchester und Pauken
WAB 19	Inveni David (ex 1868), für vierstimmigen Männerchor und vier Posaunen
WAB 22	Libera me, Domine (ex 1854) für fünfstimmigen gemischten Chor, drei Posaunen, Bässe und Orgel
WAB 27	Messe Nr. 2 in e-Moll (ex 1866) für achtstimmigen gemischten Chor und großes Bläserensemble
WAB 53	Vor Arneths Grab (ex 1854) für vierstimmigen Männerchor und drei Posaunen
WAB 114	Aequale für drei Posaunen

Bruckners einziges erhaltenes, liturgisches Bläserwerk, die Messe Nr. 2 in e-Moll[5], ist in der einschlägigen Bruckner-Literatur schon eingehend formal analysiert und musikhistorisch kommentiert[6], so daß sich an dieser Stelle eine detaillierte Darstellung erübrigt. Die weiteren, liturgischen Bläserkompositionen mit gemischtem Chor, die auf Bruckners berufliche Tätigkeit in Kronstorf und im Stift St. Florian zurückgehen - eine vierstimmige Litanei für vierstimmigen (gemischten) Chor und Blechbläser[7], die "Missa pro Quadragenima"[8] für Posaune und Orgel sowie die Messe für vierstimmigen (gemischten) Chor, zwei Oboen und drei Posaunen[9] - entziehen sich, weil verschollen, unserer Betrachtung.

---

[5] WAB 27.

[6] Vgl. dazu: Max AUER, Anton Bruckner - Sein Leben und Werk, Wien - Leipzig 1931, S. 190 ff.; GÖLLERICH A., AUER M., Anton Bruckner, Regensburg 1922 - 1936, II/1, S. 153 ff.; W. SUPPAN, Anton Bruckner und das Blasorchester, Wiora-Festschrift, Tutzing 1988, S. 189 ff.

[7] Aus dem Jahre 1844 (?).

[8] Kronstorf 1843 - 1845.

[9] Entstanden um 1846 in St. Florian.

In den oben erwähnten Bläserwerken Bruckners springt eine markante Präferenz für den Posaunenklang ins Auge. Dieses Instrument, Assoziationen zu solenner Würde und zu funeralem Ernst weckend, wird auch von Bruckner im Sinne ihrer sakralen Musiktradition eingesetzt. Schon Johann Mattheson[10] hatte im 18. Jahrhundert die Posaune zu jenen Instrumenten gezählt, die *"außer in Kirchen-Sachen und Solemnitäten sehr wenig gebraucht"* sei und damit eine dominante Spezifik herausgestrichen, die durch Mozarts Requiem, durch Beethovens drei "Aequale" für 4 Posaunen, WoO 30, und in weiterer Folge durch analoge Werke in der Epoche der Romantik dokumentiert werden sollte. Als Beispiele für die Verwendung der Posaune als Instrument der Trauer sei in diesem Zusammenhang auf den Mozart-Schüler Ignaz Ritter von Seyfried[11] hingewiesen, dessen *"Trauer-Gesang bey Beethoven's Leichenbegängnisse"* (1827), für vierstimmigen Männerchor *"mit willkührlicher Begleitung von vier Posaunen"* eingerichtet, bei dem Wiener Strauß-Verleger Tobias Haslinger im Druck erschien. Einer der prominenten Schüler Seyfrieds, Franz von Suppé, - sonst als Operetten- und Opern-Komponist in einem völlig anderen musikalischen Metier beheimatet - schrieb übrigens neben einem Requiem auch einen Trauerchor *"Wiederseh'n"* in memoriam Ferdinand Raimund, der ebenfalls von einem Posaunenquartett begleitet ist. Der Wiener Hofkapellmeister Johann von Herbeck, von dessen menschlicher und künstlerischer Beziehung zu Anton Bruckner im folgenden noch die Rede sein soll, leistete mit seiner Komposition *"Libera"* für Männerchor und Posaunenquartett (1854) einen in diesem Zusammenhang ebenfalls bemerkenswerten Beitrag zu dieser Gattung. Aus dieser Tradition heraus ist auch Bruckners 1847 entstandenes Posaunen-Aequale (WAB 114) zu verstehen, das trotz seiner Kürze als signifikantes Beispiel dieser Literatursparte anzusehen ist. In der Nähe dieses Posaunen-Aequale ist im übrigen Bruckners Trauerchoral WAB 53 (*"Vor Arneths Grab"*) anzusiedeln, während im Psalm 114 *"Alleluja!"* (WAB 36) und in anderen Kompositionen dieser Gattung der Posaunensatz als klangliches Synonym festlicher Freude gelten kann.

Im ganzen gesehen beschränkt sich das bläserische Instrumentarium in Bruckners Chor-/Bläserwerken generell nahezu ausschließlich auf engmensurierte Blechblasinstrumente, während in seinen Sakralmusiken dem

---

[10]   Der vollkommene Capellmeister, 1738.

[11]   1776 - 1841

Posaunenensemble eine zentrale Rolle zukommt. Wo Bruckner neben dem Chor eine größere, d. h. orchestrale Bläserbesetzung wählt, sieht er sein Vorbild im Bläserapparat des Sinfonieorchesters[12], weniger in der üblichen Instrumentalbesetzung der militärischen Blasorchester[13]. Die Instrumentationspraxis des Sinfonieorchesters, in dem - wie Alfred Orel[14] ausführt - *"das Ensemble der Blechbläser ... sowohl als akkordische Grundlage des Klanggebäudes wie als führender Komplex ... stark in den Vordergrund tritt"*, findet in Bruckners Chor-/Bläserwerken ebenso ihren Niederschlag wie die von der Orgelregistrierung beherrschte Klangcharakteristik. Wenn Friedrich von Hausegger meint, daß Bruckner in seiner Instrumentationstechnik *"das Orchester als Orgel"* behandelt, so trifft dies im verstärktem Maße für seine beiden starkbesetzten bläserischen Sakralmusiken - WAB 16 und 27 - zu. Auf die bereits eingangs erwähnte klangliche Affinität Orgel und Blasorchester, mehrfach von verschiedenen Autoren betont, hat Wolfgang Suppan im Zusammenhang mit der Instrumentationpraxis bei Anton Bruckner dezidiert hingewiesen:

"Orgel und Blasorchester sind oft miteinander in Beziehung gebracht worden. Ob nun das letztere eine lebendige Orgel sei oder diese als Blasorchester-Ersatz verstanden werden mag, Tatsache bleibt, daß symphonische Blasmusik von der Orgel her vielfach Impulse empfangen konnte. Das Schaffen Bruckners ist daraufhin bisher nicht untersucht worden. Doch liegt die Aussage nahe, daß gerade seine starke Beschäftigung mit der Orgel, mit Vokal- und Blechbläser- (weniger Holzbläser-) Gruppen während der Entwicklungsjahre in St. Florian zu der späteren starken Betonung der Blechbläser-Register in den Symphonien geführt hat..."[15].

---

[12] WAB 27 und WAB 60

[13] Die Besetzung des Es-Dur Marsches (WAB 116) sieht folgende Instrumente vor: 2 Flöten, 4 Klarinetten (vermutlich chorisch besetzt), 2 Flügelhörner, 3 Euphonien, 4 Hörner, 6 Trompeten, 3 Posaunen, kl. u. gr. Trommel. Als Paradoxon kann gelten, daß laut R. Grasberger, Anton Bruckner diesen Marsch der "Militärkapelle der Jäger-Truppe in Linz" widmete, die Militärkapellen der Feldjägerbattailone jedoch keine Holzblasinstrumente besetzt hatten.

[14] Alfred OREL, Anton Bruckner. Das Werk - der Künstler - die Zeit, Wien - Leipzig 1925, S. 68.

[15] Wolfgang SUPPAN, Anton Bruckner und das Blasorchester, a. a. O., S. 193.

Die Uraufführungen von Bruckners Werken für Chor und Bläserensemble fanden unter Mitwirkung örtlicher Gesangsvereine[16], von Bläsern der Militärkapellen und der Theaterorchester sowie urbaner oder ländlicher Musikvereine, gelegentlich unter des Komponisten persönlicher Leitung statt. In Bruckners Wiener Zeit machte sich vor allem der Wiener Männergesang-Verein um die Aufführung der bläserbegleiteten Chor-Kompositionen Bruckners verdient. Diese traditionsreiche Vereinigung[17], deren reichbestücktes Notenarchiv etwa 2300 Werke umfaßt, darunter rund 140 Kompositionen für Männerchor und Bläserensemble (vorzugsweise Hornquartette) oder Blasorchester[18], entfaltete neben einer regen Konzerttätigkeit auch ein umfangreiches kirchenmusikalisches Wirken. Unter den Chorleitern dieser Vereinigung sind vor allem drei Persönlichkeiten für das gestellte Thema von erheblicher Bedeutung: Hans Schläger, Anton Maria Storch[19] und vor allem der nachmalige Hofkapellmeister und Wiener Opernchef Johann Ritter von Herbeck. Von diesen komponierenden Chorleitern sind folgende Sakralwerke erhalten und dessen Aufführungen, allerdings aus der Zeit vor Bruckners Wiener Wirken, bezeugt: Anton Maria Storch brachte (am 16. Feber 1845) seine Komposition *"Die Karthause"* op. 15[20] für Männerchor und Hornquartett zur ersten Aufführung, Hans Schläger dirigierte seine *"Vocalmesse"*[21] für

---

[16]   Die Linzer Liedertafel "Frohsinn", Leitung: Engelbert Lanz; der "Wiener Männergesangsverein" Leitung: Johann Ritter von Herbeck; Eduard Kremser; der Wiener Schubertbund, Leitung: Alfred Kirchl; Akademischer Gesangsverein, Leitung: Raoul Mader u. a.

[17]   Vgl. dazu Elisabeth ANZENBERGER - RAMMINGER, Der Wiener Männergesang-Verein. Sein Repertoire von der Gründung bis zum Ende der k.k. Monarchie, Phil. Diss. Wien 1989.

[18]   Elisabeth ANZENBERGER - RAMMINGER u. Friedrich ANZENBERGER, Männerchor und Blasorchester, dargestellt am Beispiel des Wiener Männergesang-Vereins, in: Alta Musica 16, Kongreßbericht Feldkirch/Vorarlberg 1992, Tutzing 1994, S. 197.

[19]   Der Verfasser dankt in diesem Zusammenhang Frau Dr. Elisabeth Ramminger-Anzenberger und Dr. Friedrich Anzenberger für diesbezügliche Hinweise.

[20]   Textbeginn: "Schlaf in Frieden", Archiv des WMGV Sign. 746.

[21]   Archiv des WMGV, Sign. 301.

Männerchor, vier Waldhörner (in Es und B) und Baßposaune erstmals am 25. Oktober 1857 und Johann von Herbeck steuerte zur feierlichen Grundsteinlegung der Wiener Votivkirche am 24. April 1854 sein *"Te Deum"* für Orgel, 4 Hörner in Es, 2 Flügelhörner, Baßflügelhorn, 2 Euphonien (Baritone), 4 Trompeten in Es, 4 Posaunen, Kontrafagott, Helikon und Pauken (in Es und B) bei.

Johann von H e r b e c k, an einflußreichster und prominentester Position im Wiener Musikleben mit höchster Reputation und Autorität ausgestattet, war nicht nur Gönner und tatkräftiger Förderer Bruckners[22], sondern hatte sich schon in den Jahren seiner Tätigkeit als Chormeister des Wiener Männergesang-Vereins (1856 - 1866) durch vielbeachtete (bläserbegleitete) Chor-Kompositionen künstlerisches Ansehen erworben. Neben den beiden oben erwähnten Sakralkompositionen ("Libera" und "Te Deum") schrieb Herbeck mehrere kirchenmusikalische und weltliche Werke für Chor und Bläser, die zumeist besonderen Anlässen - wie etwa Denkmalenthüllungen[23], Grundsteinlegungen[24] etc. - ihre Entstehung verdankten. Franz Liszt schätzte die von Johann von Herbeck vorgenommene Transkription seiner c-Moll-Messe für Chor und Blasorchester, die (am 23. Oktober) 1859 in der Wiener Augustinerkirche unter der Leitung des Bearbeiters zur ersten Aufführung gelangte. Über den erhaltenen Briefwechsel zwischen Franz Liszt und Johann von Herbeck, über Aufführungsdetails und instrumentationstechnische Fragen hat Keith W. Kinder in seinem Aufsatz so ausführlich Stellung genommen, daß auf eine weitere Darlegung dieser Thematik hier verzichtet werden kann. In den Chor-

---

[22] Bruckner verdankte Hofkapellmeister von Herbeck u.a. seine Berufung als Nachfolger Simon Sechters an das Wiener Konservatorium.

[23] Festgesang zur Enthüllung des Erzherzog Karl-Monuments für Männerchor und Blasorchester (1860),
Festgesang zur Enthüllung des Maria Theresien-Monuments für Männerchor und Blasorchester (1862),
Festgesang zur Enthüllung des Schwarzenberg-Monuments für Männerchor und Blasorchester (1867).

[24] "Te Deum" zur Grundsteinlegung der Wiener Votivkirche (s. o.), Festgesang zur Grundsteinlegung der neuen Universität in Wien für Männerchor und Blasorchester (1868).

und Lied-Kompositionen Herbecks[25] tritt eine starke Neigung zum bläserischen Instrumentarium und eine einfühlsame, charakteristische Verwendung der Blasinstrumente deutlich zutage.

Zum Wiener Bekanntenkreis Anton Bruckners zählte auch ein Musiker, dessen kompositorisches Schaffen bisher anderen Gebieten als dem kirchenmusikalischen zuzuordnen war: Johann S t r a u ß Sohn (1825 - 1899)[26]. Von der einschlägigen Fachliteratur, in Werkverzeichnissen und biographischen Publikationen wurde bislang das einzige Sakralwerk dieses Komponisten, dessen Musik sein Jahrhundert prägte, kaum zur Kenntnis genommen[27]. Sicherlich kann das *Graduale ("Tu qui regis totum orbem")* von Johann Strauß Sohn, eine quasi Prüfungsarbeit, die der Neunzehnjährige zur Erlangung der Lizenz zur Befähigung der Orchesterleitung unter Anleitung seines Generalbaß-Lehrers, des Regenschori Joseph Drechsler, schrieb, allenfalls als Jugendwerk, als Talentprobe oder als Gelegenheitskomposition angesprochen werden[28]. Eine - bisher noch ausstehende - formale und stilkritische Analyse des Werkes wird wohl die epigonale Dimension und die mangelnde artifizielle Substanz der im Entstehungsjahr 1844[29] in der Wiener Kirche "Zu den Neun

---

[25] Die Schlacht von Pavia (für Männerchor und zwei Zinken oder Oboen) 1855, Der gesühnte Hirsch (für Männerchor, Bariton-Solo und Horn) 1856, Zum Walde (für Männerchor und Hornquartett) op. 8 1859 (?), Waldhornklang (für Männerchor und Horn) u. a.

[26] Über die Beziehung Anton Bruckners zu Johann Strauß Sohn siehe: M. AUER, Anton Bruckner, a. a. O., S. 416 f.

[27] Vgl. dazu: Eugen BRIXEL, Johann Strauß und die Blasmusik, in: Programm zum "7. Österreichischen Blasmusikfest mit Jahreskongreß des Internationalen Musikbundes CISM, Wien (28. – 31. Mai 1986), S. 9.

[28] Der Verfasser publizierte die für Aufführungszwecke eingerichtete Erstausgabe dieser Komposition im Verlag mcs Schwaiger, Vöklabruck 1999. Im Vorwort zu dieser Ausgabe finden sich weitere Hinweise zur Entstehungs- bzw. Rezeptionsgeschichte des Graduale. Die Originalhandschrift ist verloren, der Erstausgabe wurde daher eine in der Musiksammlung der Wiener Stadtbibliothek (MH 7719/c) befindliche Partiturabschrift von Johann Proksch, einem Mitglied des Strauß-Orchesters, zugrunde gelegt. Besonderer Dank für editorische Hinweise gilt Herrn Norbert Rubey (Wiener Institut für Strauß-Forschung).

[29] Die erste Aufführung fand am 4. August 1844 statt.

Engelschören" unter Joseph Drechslers Leitung uraufgeführten Komposition bemängeln. Dennoch ist dieses Werk, das erstmals anläßlich des 50jährigen Kapellmeisterjubiläums von Johann Strauß Sohn in einer Wiener Tageszeitung[30] fragmentarisch veröffentlicht wurde, bisher jedoch ungedruckt blieb[31], für die künstlerische Entwicklung des Komponisten musikhistorisch von einigem Interesse. Das 65 Takte umfassende Strauß-Graduale ist nach einem lateinischen Text komponiert und für vier Gesangsstimmen (SATB) und 2 Oboen, 2 Klarinetten in C, 2 Fagotte, 2 Clarini (Trompeten) in C, 3 Posaunen und Pauken (in C und G) instrumentiert, wobei den Bläserstimmen ausschließlich Stützfunktion für den Gesangspart zufällt. Auf die Grundtonart G-Dur fixiert, zeigt das Stück eine rein homophone Faktur in herkömmlicher d. h. frühklassischer Harmonik und läßt den für einen jugendlichen Komponisten überraschend routinierten Umgang mit Blasinstrumenten erkennen[32]. Erstmals

---

[30] Illustriertes Wiener Extrablatt 1894/282 vom 14. Oktober 1894, S. 29. Im Begleitkommentar zu dem als Chor-Particell im Ausmaß von 20 Takten veröffentlichten Strauß-Graduale heißt es: " ... Einem Freunde des Meisters, einem Schulcollegen von Johann Strauß, dem in der juridischen und musikalischen Welt hochgeschätzten Herrn Oberlandesgerichts-Rath i.P. Adolf Lorenz verdanken wir die Kenntnis desselben. Gerade 50 Jahre sind es her, seitdem das Graduale, von welchem wir heute einen Auszug vorlegen, in der Kirche Am Hof unter der Leitung des dortigen Regenschori, des Professors Joseph Drechslers, gesungen und gespielt wurde. Ungemein interessant ist die Entstehungsgeschichte dieses Werkes. Johann Strauß widmete sich nach Absolvierung seiner Studien bei den Schotten (Strauß war Schüler im Wiener Schottengymnasium. Anm. d. Verf.) ... trotz des Widerspruchs seines Vaters der Musik, und um den Kampf mit dem Leben zu bestehen, stellte er später ein Orchester zusammen. Im Sinne der gesetzlichen Verordnungen war zu der Veranstaltung öffentlicher Productionen eine Lizenz nothwendig, dieselbe aber nur zu erlangen, wenn durch eine Composition eine Art Befähigungsnachweis gegeben wurde. Das vorstehende Graduale wurde zu diesem Zweck geschaffen und Johann Strauß bekam (am 5. September 1844, Anm. d. Verf.) die Lizenz...".

[31] Abgesehen von der bereits genannten Partitur-Abschrift in der Musiksammlung der Wiener Stadtbibliothek (vide 28) befindet sich eine weitere Abschrift dieses Werkes im Archiv der Musikfreunde in Wien (I 35325).

[32] Bert Vestergard (Textkommentar zu "Strauss' Debut 1844", siehe 31) vermutet, daß - angesichts des Fehlens von Bläsern in der Kirchenmusik der Pfarre Am Hof - "die Bläserstimmen bei der Uraufführung im August 1844 ausgelassen wurden. Wahrscheinlich war es übungshalber ein Teil der Aufgabe gewesen, die ziemlich einfachen Verstärkungsstimmen für das Choralkompagnement zu instrumentalisieren ...".

wurde das Werk 1994 von Bläsern des "Stockholms Strauß-Orkester"[33] unter Mitwirkung des "Nicolai Kammarkör"[34] auf Tonträger[35] eingespielt.

Die von den Bruckner-Biographen genannten Komponistenpersönlichkeiten, mit denen Anton Bruckner in seiner Linzer oder Wiener Zeit in Verbindung stand, erweisen sich im Hinblick auf unsere Thematik als wenig ergiebig. Unter Bruckners Zeitgenossen hingegen lassen sich einige Komponisten kirchenmusikalischer Werke ausmachen, die Bläserbesetzungen (zumeist in Verbindung mit Vokalchören) aufweisen. Die oftmalige Anonymität oder der allenfalls lokale bzw. regionale Bekanntheitsgrad ihrer Urheber entzieht diese dem Versuch einer auch nur annähernd vollständigen Aufzählung, weshalb im folgenden nur eine punktuelle, schlaglichtartige Darstellung angestrebt ist.

Unter den Komponisten liturgischer Werke in der Bruckner-Zeit nimmt der südtiroler Kirchenmusiker Ignaz M i t t e r e r (1850 - 1924), obwohl insgesamt dem Caecilianismus nahestehend[36], einen bedeutenden Platz ein. In seinem Requiem in As-Dur *"Missa pro defunctis"* (1880) - genannt "Posaunen-Requiem" - läßt Mitterer den gemischten Chor durch ein Posaunenensemble aus zwei Tenor- und zwei Baßposaunen begleiten, womit die Beziehung zur funeralen Klangcharakteristik der Posaune, wie sie uns in den Beethoven- und Bruckner Aequales begegnete und in der Folge noch bei anderen Komponisten anzutreffen sein wird, hergestellt ist. Während Mitterers Brixner Seminarzeit (1874) unter dem Eindruck der Kompositionen des Domorganisten Josef Georg Zangl entstand seine "Missa in honorem S. Thomae Aquinatis" (op. 10) für gemischten Chor und Orgel oder neun Bläser. Zwischen diesem relativ frühem Sakralwerk Mitterers und seiner feierlichen Primizmesse *"Missa in primitiis neosacerdotum"* op. 152 (1910) für gemischten Chor, 3 Trompeten und 2

---

[33]   Leitung: Sven Verde.

[34]   Leitung: Chgristian Ljunggren.

[35]   CD-Einspielung: "Strauß´Debut 1844" Stockholms Strauss-Orkster, Box 92084, S-12007 Stockholm (Produzent: Tore Almgren), Copyright 1994 by Obligat.

[36]   I. Mitterer war in seiner Eigenschaft als Domkapellmeister zu Brixen jahrzehntelang in führender und prägender Funktion im Brixener Diözesan-Cäcilienverein tätig und seit 1900 vom Fürstbischof Simon Aichner zur Kirchenmusikreform der Diözese Brixen beauftragt.

110

Posaunen, die gekennzeichnet ist durch eine, an die monodische cori-spezatti-Technik der Venezianischen Renaissance-Meister erinnernde Doppelchörigkeit zwischen Chor und Bläsern, liegt eine Reihe weiterer bläserbegleiteter Chor-Kompositionen[37]:

> *Hymni* zur Fronleichnamsprozession, op. 23
> *4 Cantiones in honorem Ss. Sacramenti*, op. 32
> *Ave Maria*, op. 108 (mit einstimmigem Chor)
> *Libera me, Domine*, op. 120

Diese anlaßgebundenen Kompositionen Ignaz Mitterers weisen als Instrumentalbegleitung einen Bläserquartett-Satz aus 2 Trompeten und 2 Posaunen auf.

Zu den signifikanten Beispielen für die Verwendung von Bläsern in Verbindung mit gemischtem Chor zählt auch die *Messe in B-Dur* op. 172 des aus Liechtenstein gebürtigen, hauptsächlich in München wirkenden Komponisten Joseph Gabriel R h e i n b e r g e r (1839 - 1901). Rheinberger, der dieses Werk fakultativ für Orgel oder Bläserensemble instrumentierte, entsprach in seinem kirchenmusikalischen Schaffen stilistisch nicht dem liturgiebetonten Kompositionsideal der Caecilianer, womit eine ideelle Parallele zu Anton Bruckner gegeben ist.

Die fakultative Heranziehung eines Bläserensembles anstelle der Orgel (oder eines mit Streichern besetzten Orchesters) hat Wolfgang Suppan im steirischen Kulturraum bei einigen ländlichen Blasmusikmessen exemplarisch nachgewiesen: *"Für Verhältnisse an kleinen Gemeinden, in denen wohl Kirchenchor und Blaskapelle aber keine Streicher zur Verfügung stehen, ist es ... wichtig auf die bisher in der wissenschaftlichen Literatur nicht bekannten Blasmusikmessen hinzuweisen"* [38] und fordert in diesem Zusammenhang gleichzeitig *"weitere Untersuchungen über diese durchaus eigenständige Gattung der Blasmusik-Messe*[39]. Als Beispiele führt Suppan die *"Große Harmonie-Messe"*

---

[37]   Der Verfasser dankt diese Mitteilungen sowie diese Hinweise auf Kompositionen Karl Kochs und Vinzenz Gollers Herrn Karl H. Vigl, Meran-Obermais.

[38]   Wolfgang SUPPAN, Blasmusik in der Kirche, a. a. O., S. 258.

[39]   detto.

und die *"Kleine Harmonie-Messe"*[40] von Anton R e h a t s c h e k (1821 -
1889) und artverwandte Kompositionen von Franz Stan(t)zki[41] (1780 - 1856)
im steirischen Aflenz, Martin Heimerich[42] (1762 - 1813), Alois Steinlechner
und Alois Paulmichl (1881 - 1941) an. Von Anton Rehatschek sind des
weiteren ein *Osterlied* für vier Singstimmen und Blechblaskapelle, *2 Weih-
nachtslieder* sowie ein *Graduale in C*, ein *Alleluja ("Haec dies")*, jeweils für
4 Singstimmen mit obligaten Blechbläsern und eine *Messe in Es* für
Vokalquartett (SATB), 2 (Solo- ?)Violinen und Blechblaskapelle erhalten.
Rehatschek bearbeitete auch eine Messe von Antonio Diabelli für Vokalquartett, 2 Violinen, 2 Klarinetten, 2 Hörner, 2 Trompeten, Posaune, Pauken
und Baß[43]. Zwei Violinen in Verbindung mit Bläsern (mit oder ohne Orgel)
finden sich auch in den Messen des Oberösterreichers Franz Seraph R e i -
s i n g e r (1838 – 1905), dessen kirchenmusikalisches Wirken Othmar
Wessely[44] dem "Umkreis des jungen Bruckner" zuordnet. Von Reisiger sind
mehrere Landmessen in Bläserbesetzung, jeweils mit zwei Violinen und Orgel,
erhalten - darunter die *"Jägermesse in G"*[45] – sowie die *"Missa in roga-
tionibus"*[46] für Sopran, Alt, Baß und alte (?) Blasmusik[47].

---

[40] Die Besetzung sieht, nach Suppan, folgende Instrumente vor: Flöte, Es-
Klarinette, 2 B-Klarinetten, Flügelhorn I und II, Waldhorn (Es) I und II, Es-Trompete
I und II, B-Baßhorn (Baßflügelhorn), B-Trompete, Bombardon, Helikon und gem. Chor
(SATB), Siehe 32.

[41] Nach Mitteilung durch Dr. Klaus Hubmann, Graz, haben sich drei Messen mit
Bläser und Orgel von Franz Stanzki erhalten.

[42] Martin Heimerich schrieb eine "Deutsche Messe" für Gesang, 2 Klarinetten, 2
Hörner und Orgel (Mitteilung Dr. K. Hubmann, Graz).

[43] Vgl. dazu: Wolfgang SUPPAN, Steirisches Musiklexikon, Graz 1962 – 1966,
S. 463.

[44] Otto WESSELY, Eine Jägermesse aus dem Umkreis des jungen Bruckner, in:
Bruckner-Jahrbuch, Wien 1984, S. 57ff.

[45] "componiert für Canto, Alto, 2 Violinen, Oboen, Horn und Orgel" (Pfarrkirche
Sierning XV/65).

[46] Musikverein Hofkirchen an der Trattnach.

[47] Nach O. Wessely neubearbeitet von Norbert Berghamer.

Definiert man Tradition im weiteren Sinn historisch als Übernahme oder Überlieferung von Kulturgut und/oder ideeller Werte von Generation zu Generation,
so läßt sich das kulturelle Wirkungsfeld, auf das gestellte Thema bezogen, auch
im Schaffen jener Komponisten weiterverfolgen, die zeitlich oder stilistisch an
Bruckner anknüpfen, ohne jedoch dessen eigentlichem Umfeld zugezählt zu
werden oder im persönlichen Kontakt mit Bruckner selbst zu stehen. Dieser,
der Generation nach Bruckner angehörenden Gruppe sind Kirchenmusiker wie
etwa Johannes Georg Meuerer (* 1871), Vinzenz Goller (1873 - 1953), Josef
Venantius Wöss (1863 - 1943), Johann Wibl (1867 - 1930) und der k.u.k.
Militärkapellmeister Julius Fucik (1872 - 1916) zuzuordnen. Die genannten
Kirchenmusiker - oftmals im Spannungsfeld zwischen dem caecilianistischen
Ideengut und der von Bruckner und Rheinberger repräsentierten fortschritt-
lichen Richtung der Kirchenmusik stehend - leisteten allesamt bemerkenswerte
Beiträge zur sakralen Bläsermusik spätromantischer Prägung.

Im Werkverzeichnis des Grazer Regenschori, Domkapellmeisters und
Domorganisten Johann Georg M e u e r e r[48] scheint neben dem *Requiem* op.
4 (für vier ungleiche Stimmen, Trompete, Horn und Orgel), dem *Aufer-
stehungs-Choral* (für vier Gesangsstimmen, je zwei Trompeten und Posaunen
mit Orgel) die in Graz mehrfach aufgeführte *Missa O Crux benedicta* auf,
deren sechsstimmiger Chor ebenfalls eine Instrumentalbegleitung von je zwei
Trompeten und Posaunen mit Orgel vorsieht. Johann W i b l, der vor Meuerer
(ab 1894) als Regenschori am Grazer Dom wirkte, trat - einem zeitgenössischen Bericht zufolge - *"mit Erfolg als Komponist auf und zwar unter
anderem mit einem sehr schwungvoll und wirksam komponierten Libera für
Chor, Orgel und Posaunen..."*[49].

Eine der führenden und fruchtbarsten Komponistenpersönlichkeiten, die im
Bereich der Kirchenmusik auf der Grundlage der caecilianischen Tradition
durch die Einbeziehung des Bläserklangs Akzente zu setzen wußten, war der
Tiroler Kirchenmusiker Vinzenz G o l l e r, der als Initiator und Organisator
der Kirchenmusikabteilung an der Staatsakademie für Musik in Wien rich-

---

[48]   Meuerer hatte von 1899 bis 1904 die Stelle als Organist und Chordirektor an
der "Herz-Jesu-Kirche" in Graz inne, wirkte danach bis 1920 als Grazer Domkapellmeister und Domorganist und nahm in der Folge die Stelle eines Musikdirektors
in Alth/See in der Schweiz an.

[49]   Anton SEYDLER, Die Geschichte des Domchores in Graz ..., a. a. O., S. 64.

tungweisende Initiativen für die Entwicklung der Kirchenmusik in Österreich setzen sollte. In seinem kirchenmusikalischen Schaffen manifestiert sich einerseits *"eine glückliche Synthese zwischen dem cäcilianischen Stilpuritanismus und ... schrankenloser Chromatik"*[50], andererseits eine starke stilistische Affinität zum Werk Anton Bruckners. Diese stilistische Verbindung zu Bruckner findet sich u. a. in Gollers *"Festpräludium für Orgel in memoriam Anton Bruckner"* (1937) und in den *"Zwei Fanfaren für elf Bläser über Themen von Anton Bruckner"* sowie nicht zuletzt in seiner Orgelbearbeitung von Bruckners *"e-Moll-Messe"*[51]. Unter Gollers Sakralwerken gehören seine *"Stefans-Messe"*[52] op. 8, seine Loreto-Messe op.25, die *"Missa festiva in hon. Sti.Josephi"*[63] op. 94, das *Requiem* op. 105, die seit 1942 verschollene *"Messe zu Ehren des hl. Leopold"*[54] op. 106 und die Missa *"Anno Santo"*[55] op. 111 zur Gattung bläserbegleiteter Vokalmessen. Dazu kommen der Auferstehungschor *"Der Heiland ist erstanden!"*[56] op. 28, die *"Prozessionsgesänge für das Fronleichnamsfest"*[57] op.32, die Motette *"Tu es Petrus"*[58] op. 37, der Hymnus *"Te Deum laudaminus"*[59] op. 45, das *"Ordinarium Missae II"*[60] op.

---

[50] August SCHARNAGL, Art. "Goller", in: MGG, Bd. 5, Sp. 492.

[51] Erschienen bei Universal Edition Wien ("Meisterwerke kirchlicher Tonkunst"), Wien 1917/rev.1931.

[52] Für Chor, Orgel und Bläserquartett ad lib.

[53] Für Männerchor und vier Bläser ad lib.

[54] Für gem. Chor, 2 Trompeten, 2 Hörner, 2 Posaunen und Orgel.

[55] Für gem. Chor, Orgel, 2 Klarinetten, 2 Hörner, 2 Posaunen (Bläser ad lib.).

[56] Für gem. Chor und Begleitung von 2 Trompeten und 2 Posaunen.

[57] In mehrfachen Besetzungsvarianten:
a) gemischter Chor und vier Blechbläser,
b) einstimmiger Chor mit mehrstimmiger Begleitung,
c) Blasmusikkapelle.

[58] Für Männerchor und 4 Posaunen.

[59] Für Männerchor und Posaunenquartett.

81 und das *"Oster-Tedeum"*[61] op. 94 als Sakralwerke mit Chor und Bläsern. Ein Werk ohne Chor - *"Drei Tonstücke für Orgel und vier Bläser"* (*"Sursum corda", "Ite missa est", "Alleluja"*) op. 103 - weist starken liturgischen Bezug auf. Die oftmalige ad-lib.-Verwendung der Bläser läßt darauf schließen, daß die Blasinstrumente nur im Unisono zu den Gesangsstimmen eingesetzt und daher in verstärkender Funktion gebraucht werden.

Josef Venantius W ö s s[62], der zwischen 1880 und 1882 seine musiktheoretische Ausbildung am Wiener Konservatorium (bei Franz Krenn) besuchte, aber *"nie Schüler Bruckners"*[63] war, stand stilistisch Bruckner nahe. Seine *"Missa in adoratio Ss. Trinitatis"* für gemischten Chor, 22 Bläser und Pauken, op. 45, vereinigt, wie seine anderen kirchenmusikalischen Werke, *"die liturgische Haltung des Cäcilianismus mit einer zeitgenössischen, an Bruckner orientierten Tonsprache, deren satztechnische Meisterschaft besonders besticht..."*[64].

Julius F u c i k, dessen kompositorisches Wirken als k.u.k. Militärkapellmeister in anderen als kirchenmusikalischen Bereichen liegt, schrieb mit seinem *"Requiem"* ein Blasorchesterwerk, das bis heute noch einen festen Platz im einschlägigen Blasmusikrepertoire einnimmt und in seiner Harmonik, wie in der Verwendung der Blechblasinstrumente den Einfluß der spätromantischen Stilrichtung der Bruckner-Nachfolge nicht verleugnet.

Beleuchten wir abschließend, um der Themenstellung im Zusammenhang mit der Bruckner-Tradition im 20. Jahrhundert gerecht zu werden, die Musica sacra der jüngeren Zeit, so fällt vornehmlich in den bläserbegleiteten Sakralwerken Josef Lechthalers (1891 - 1948), Ernst Tittels (1910 - 1969) und Oswald Jaeggis (1913 - 1963) ein starker Bezug zur Spätromantik Brucknerscher

---

[60] Für Tenor-Solo, gem. Chor, Orgel und Bläser ad lib.

[61] Für gemischten Chor, Orgel und sechs Bläser.

[62] Vgl. dazu: Erich ROMANOVSKY, J. V. v. Wöss als Messekomponist, Phil.Diss., Wien 1952 (mit vollständigem Werkverzeichnis).

[63] Erich ROMANOVSKY, Art. "Wöss" in MGG, Bd. 14, Sp. 762.

[64] ebenda.

Prägung auf, während sich andere Kirchenmusiker - darunter etwa Anton Heiller (*1923) oder Joseph (*1910) und Hermann Kronsteiner (*1914) - in ihren kirchenmusikalischen Kompositionen mit Bläsern von der konservativen Richtung relativ früh abwandten.

Josef L e c h t h a l e r hinterließ mit seiner *"Klemens Maria Hofbauer-Messe"* op. 5 für gemischten Chor, Soli, Orgel und Bläseroktett (1920) und dem 30. Psalm *"Auf Dich, o Herr, vertraue ich"* op. 10 für gemischten Chor, Kinderchor und Orgel zwei Werke, die noch der spätromantischen Stilistik verpflichtet sind; die folgenden Werke hingegen - die *"Vier Hymnen zum Altarsakrament"* op. 28 für gemischten Chor und Bläser, die *"Wiener Sing-messe"* op. 33 für Volksgesang, Orgel und Bläser sowie der *"Deutsche Segen"* op. 45 (1937) für einstimmigen Chor und Blechbläser - sind durch einen *"immer freier werdenden Satz"*, durch ihre Nähe zur Gregorianik und mitunter durch den Einfluß der *"Nachzeichnungstechnik der letzten Niederländischen Schule"* gekennzeichnet, in der *"jede Stimme für sich aus einem melodischen Kern wächst, (und) der Zusammenklang aus diesen Entwicklungen resultiert, ohne daß der jeweilige harmonische Querschnitt mehr maßgebend ist..."* [65].

Ernst T i t t e l steht schon sehr früh, allein durch seine wissenschaftliche Beschäftigung mit der kirchenmusikalischen Entwicklung im 19. und frühen 20. Jahrhundert [66], insbesondere aber auch mit Bruckner [67] selbst und durch seine Tätigkeit als Assistent von Vinzenz Goller, der Bruckner-Nachfolge nahe. Aus dem umfangreichen Schaffen Ernst Tittels seien folgende bläser-begleitete Sakralwerke summarisch angeführt:

---

[65]   Hans JANCIK, Art. Lechthaler, in MGG, Bd. 8, Sp. 439 f.

[66]   Simon Sechter als Kirchenkomponist, Phil.Diss., Wien 1935; Die Lechtaler Schule, in: Musica orans, 3/1, Jänner 1949, S. 3; Das kirchenmusikalische Schaffen in Österreich (Von der Jahrhundertwende bis Josef Lechthaler), in: Singende Kirche, 2. Jg., Dez. 1954, H. 2, S.17; Vinzenz Goller, in Musica orans, 5. Jg., September 1954, H. 4., S. 11; Josef Lechthaler, der Lehrer, der Schöpfer der AGMÖ, in: Musik-erziehung, 20. Jg., Sept. 1966, H. 1, S. 3; u. v. a.

[67]   Bruckners musikalischer Ausbildungsweg, in: Festschrift für Leopold Novak, Wien 1964; Anton Bruckner und das Universitäts-Jubiläum, in: Österreichischer Musikrat, H. 6, Dez. 1965; Die Orgelwerke Anton Bruckners, in: Singende Kirche, 16.Jg., 3/1969, S. 110. u. a.

116

Missa *"Magnus et potens"* op. 15, für gemischten Chor, Bläser und Orgel
"Missa Mariana" op. 32, für gemischten Chor und Orgel (oder Bläser)
Missa *"Laudate Dominum"* op. 84, für Männerchor und Orgel (3
 Trompeten und 2 Posaunen ad lib.)
"Te Deum" op. 48, für gemischten Chor, Orgel und Bläser (1951)
"Deutsches Te Deum" op. 9 a, für Soli, gemischten Chor, Volksgesang,
 Bläser und Orgel
"Deutsche Fronleichnamsgesänge" für gemischten Chor, 2 Trompeten
 und 2 Posaunen ad lib.
"Jubilate" für gemischten Chor, Orgel und vier Blechbläser (1940)
"Hymnen für das Fronleichnamsfest" für gemischten Chor und Bläser

Der letztgenannte der drei Kirchenmusiker dieser Generation, der Tiroler
Kleriker Oswald J a e g g i, ist in seinem Schaffen bedingt auch der Bruckner-
Nachfolge zuzurechnen. Seine musikalische und musiktheoretische war geprägt
durch den Wiener Otto Rippl und bei Otto Rehm, die sich beide stilistisch der
spätromantischen Tradition des ausgehenden 19. Jahrhunderts abseits des
caecilianischen Ideenguts verbunden fühlten. Unter Jaeggis Kompositionen
verdienen das Proprium zum 10. Sonntag nach Pfingsten *"Dum clamarem"*
(1961) für gemischten Chor, Gemeindegesang, Oboe, Englischhorn, Klarinette,
3 Saxophone, 3 Trompeten, 3 Posaunen und Baßtuba sowie ein "Pange lingua"
für 3 Trompeten, 2 Posaunen, Pauken und Orgel angesichts der farbenreichen
Instrumentationsweise und der kraftvoll-ausdrucksstarken Gestaltungsweise
besondere Beachtung.

Wollte man die Entwicklung der Bläsermessen bis in unsere heutige Zeit
weiterverfolgen, so bietet sich hiefür auf dem seit jeher stark traditions-
orientierten Blasmusiksektor ein weites Feld mit zahlreichen Ansatzpunkten
und Querverbindungen zur Spätromantik der Bruckner-Nachfolge: Johann
Cescuttis "Steirische Jägermesse"[68] für Blasorchester, Alois Kolleggers
"Soldaten-Messe"[69] für Blasorchester, Fritz Mischlingers "Festliche Messe für
Blasorchester"[70], Franz Nagls "Europa-Messe"[71] für Blasorchester, Johann

---

[68] Adler Musikverlag, Bad Aussee.

[69] Musikverlag Hans Kliment, Wien.

[70] Adler Musikverlag, Bad Aussee.

Österreichers "Deutsche Messe"[72] für Gemeindegsang und Blasorchester (oder Orgel), Karl Pauspertls "Leonfeldener Messe"[73] für großes Blasorchester, Wolfgang Weißengrubers "Nordwaldmesse"[74] für Jagd- oder Waldhörner oder Sepp Thalers Blasorchester-"Requiem"[75] sind nur einige Beispiele aus dem weitreichenden Verlagsangebot dieser Gattung. Dazu kommt eine Vielzahl kleiner Sakralmusiken für Blasorchester oder Bläserensemble von Herbert König, Fritz Thelen, Gottfried Veit u. v. a. sowie eine schier unüberschaubare Fülle an Blasorchester-Transkriptionen und Neubearbeitungen sakraler Werke von J. S. Bach über Joseph und Michael Haydn, Mozart, Beethoven, Schubert, C. M. von Weber bis hin zu Anton Bruckner. Wolfgang Suppan[76] weist auf bläserische Sakralwerke unserer Zeit von Wolfgang Fortner, Josef-Friedrich Doppelbauer, Friedrich Frischenschlager u. a. hin, die im Sinne der Konstitution des 2. Vatikanischen Konzils (1963) auch im Kirchenraum einen festen Platz fanden.

Damit wirkt speziell im Bereich der bläserischen Amateurmusik in unserer Zeit das Erbe der Sakralmusik des 19. Jahrhunderts weiter fort im Bewußtsein dessen, was viele Kirchenmusiker und Komponisten von Franz Schubert bis zu Anton Bruckner hinterlassen haben. So spannt sich ein weiter Bogen von der heutigen bläserischen Sakralmusik bis hin zur "Wiener klassischen Kirchenmusiktradition, die - wie es Othmar Wessely[77] formulierte - "an der Pflege der instrumental begleiteten musica sacra festhielt und damit vor allem den Bedürfnissen ländlicher Kirchenchöre und dem fröhlichen Glauben des süddeutsch-österreichischen Katholiken viel mehr entgegenkam, als die vom

---

[71] Edition Helbling, Innsbruck.

[72] Musikverlag Hans Kliment, Wien.

[73] Musikverlag Reischl, Oberneukirchen.

[74] Musikverlag Stefan Reischl, Oberneukirchen.

[75] Edition Helbling, Innsbruck.

[76] Wolfgang SUPPAN, Blasmusik in der Kirche, a. a. O., S. 258.

[77] Otto WESSELY, Eine Jägermesse aus dem Umkreis des jungen Bruckner, in: Bruckner-Jahrbuch 1984/85, S. 62.

Standpunkt des romantischen Jahrhunderts aus gesehen eher steril anmutenden Anhänger der kirchenmusikalischen Reformbewegung...". Und vor allem in dieser Tradition dokumentiert sich das immense kirchenmusikalische Vermächtnis Anton Bruckners für die sakrale Bläsermusik unserer Zeit.

Abbildung 1

Frontispiz von Ignaz Ritter von Seyfried, Trauergesang bey Beethovens
Leichenbegängnisse (für vierstimmigen Männerchor und Posaunenquartett ad lib.)

120

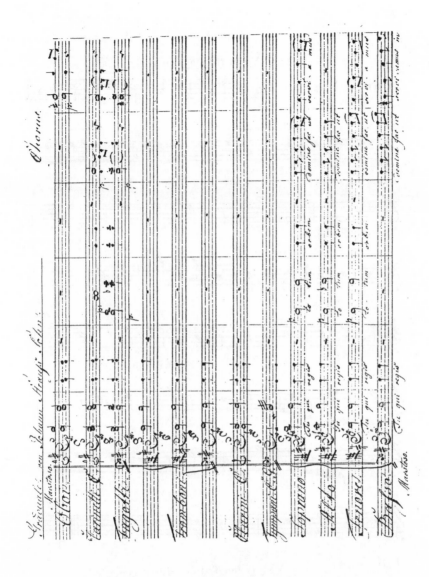

Abbildung 2
Partitur-Abschrift von Johann Strauß Sohn, Graduale ("Tu qui regis totum orbem..."). Musiksammlung der Stadtbibliothek Wien, MH 7719/c

Abbildung 3
Frontispiz und Stimme der 1. Klarinette in C von Joh. Bapt. Schiedermayr

PANGE LINGUA

für

4 Singstimmen,

mit willkührlicher Begleitung

von

2 Clarinetten, 2 Hörner und 2 Fagotte.

———————— * ————————

Zum Gebrauche

bei dem

FROHNLEICHNAMSFESTE.

Componirt

von

JOH: BAPT: SCHIEDERMAYR,

Dom-Organisten in Linz.

N.º 5031. —————— 70.ᵗᵉˢ Werk. —————— Preis 40 kr. C.M.

WIEN,

bei Tobias Haslinger,

Musikverleger

am Graben, im Hause der ersten oesterr: Sparkasse N°572.

Abbildung 3a
Pange lingua (für vier Singstimmen und Harmoniesextett: 2 Klar., 2 Hörner,
Fagotte ad lib.). Wien o. J.

123

Eugen Brixel, Graz, Österreich

BLÄSERMUSIK DER SCHUBERT-ZEIT.
Einblendungen in die Blasmusikgeschichte Wiens zwischen Vormärz und Biedermeier

Die grundlegenden politischen und gesellschaftlichen Umwälzungen, die im Gefolge der Französischen Revolution der Gesellschaftsordnung um die Wende vom 18. zum 19. Jahrhundert ihr Signum aufdrückten, bilden zugleich die Grundlage für den tiefgreifenden Wandel im musikkulturellen Bereich. Der mäzenatische Adel, der bis dahin die Musikszene beherrschte, muß zunehmend seine einst dominante Vormachtstellung zugunsten des erstarkenden Bürgertums aufgeben. In diese Ära geänderter kultureller Normen und Formen wird der Lichtenthaler Lehrersohn Franz Schubert hineingeboren, vor dem Hintergrund der durch napoleonische Kriegswirren, Wiener Kongreß, Staatsbankrott und biedermeierliche Beschaulichkeit gekennzeichneten Epoche entfaltet sich in anderthalb Schaffensjahrzehnten sein immenses künstlerisches Wirken.

Wien, als Reichs-, Haupt- und Residenzstadt des in vielfältige kriegerische Auseinandersetzungen hineingezogenen Habsburgerreiches seit alters her der kulturelle Angelpunkt dieses Imperiums, wird zur Zeit Schuberts zum Schauplatz des sich vollziehenden sozialen und kulturellen Wandels: Die Wiener Musikszene, deren signifikante Bläsertradition schon bis in die Anfänge der kaiserlichen Hofkapelle im ausklingenden 17. Jahrhundert zurückreicht, spiegelt diese Veränderung markant wider. Das "Jahrbuch der Tonkunst für Wien und Prag", ein Jahr vor Franz Schuberts Geburt erschienen, gibt einen deutlichen Situationsbericht dieser Zeit:

"Es war vormals stark die Gewohnheit, daß unsere großen fürstlichen Häuser eigene Hauskapellen hielten, bei welchen sich oft die herrlichsten Genies bildeten ... allein es sey nun Erkältung für Kunstliebe, oder Mangel am Geschmacke, oder Häuslichkeit, oder auch andere Ursachen, kurz zum Schaden der Kunst hat diese löbliche Gewohnheit sich verloren, und eine Kapelle erlosch nach der anderen, so, daß außer der Fürstl.Schwarzenbergischen fast gar keine mehr existiert. Bei dieser aber findet man, vornehmlich unter der Harmonie ganz ausgezeichnet große Virtuosen..."[1].

---

[1]   Jahrbuch der Musik für Wien und Prag, Wien 1796, S. 97f.

Ähnlich schildert Eduard Hanslick den musiksoziologischen Umbruch zur Zeit, da Franz Schubert als Sängerknabe das Wiener Stadtkonvikt der Piaristen besuchte:

> "Mit dem Anfang des Jahrhunderts waren die meisten hervorragenden Hauscapellen aufgelöst, die hochgestellten Mäzene größtenteils verschwunden: die Tonkunst flüchtete unter den Schutz des bescheidenen Mittelstandes ..."[2].

Mit der personellen Reduktion und der Aufgabeneinschränkung der kaiserlichen Hofkapelle[3] unter Josef II. trat bereits in den beiden letzten Jahrzehnten des 18. Jahrhunderts in verstärktem Maße die kaiserliche Harmoniemusik in Erscheinung. Es wird berichtet[4], daß für bestimmte musikalische Gelegenheiten die Harmoniemusik bei Aufführungen im Park des Schlosses Schönbrunn bis zu einer Stärke von vierzig Musikern aufgestockt wurde. Die kaiserliche Harmoniemusik bestand aus acht Bläsern der Hofkapelle, ihr gehörten die Oboisten Georg Triebensee und Johann Wendt (Went, Wenth), die Klarinettisten Johann und Anton Stadler, die Hornisten Johann Hörmann und Martin Rupp (später Friedrich Hradetzky) und die Fagottisten Wenzel Kautzner und Ignaz Drobnal (später Mattias Sedlaczek und Wenzel Mattuschek) an. Diese Bläser mußte der junge Schubert, der als Konvikt-Sängerknabe gemeinsam mit den Mitgliedern der Hofmusikkapelle die Sakralmusik in der Hofburgkapelle zu bestreiten hatte, gekannt haben. Inwieweit oder ob die Posaunisten der kaiserlichen Hofmusikkapelle, Anton Ulbrich und Clemens Messerer, Schubert direkt oder indirekt zur Verwendung von Posaunen in seiner "Trauermusik in es-Moll" D 79 anregten, gehört in den Bereich der Spekulation. Fest steht jedenfalls, daß Posaunisten in dem aus Zöglingen zusammengesetzten Orchester des Konvikts nicht vertreten waren.

---

[2] Eduard HANSLICK, Geschichte des Concertwesens in Wien, Wien 1896, S. 139.

[3] Die musikalischen Aufgaben der k. k. Hofkapelle beschränken sich in der zweiten Hälfte des 18. Jahrhunderts hauptsächlich auf Kirchendienste, Kammer- oder Tafelmusiken (vgl. dazu L. Ritter v. KÖCHEL, Die Kaiserliche Hofkapelle in Wien von 1543 bis 1867, Wien 1869, S. 12).

[4] Udo SIRKER, Die Entwicklung des Bläserquintetts in der ersten Hälfte des 19. Jahrhunderts, Regensburg 1968, S. 6.

Mit dem Einsatz der kaiserlichen Hofharmonie, vorzugsweise im höfischen Musikzeremoniell (bei Tafel-, Serenaden- oder Unterhaltungsmusiken), begann auch in Wien die eigentliche Blütezeit dieser Sparte der Bläsermusik. Nach dem Vorbild des Kaiserhofes entstanden um die Wende vom 18. zum 19. Jahrhundert an den Höfen des Wiener Hochadels, oft als Ersatz für die früheren Hofkapellen, derartige achtstimmige Harmoniemusiken, die zu Trägern des musikalischen Geschehens der Kaiserstadt in dieser Zeit wurden. Fürst Grassalkowitz etwa unterhielt eine derartige; von dem Klarinettisten Raimund Grießbacher[5], geleitete Harmoniemusik und von Baron von Braun hieß es, er habe des öfteren seine "eigene Harmonie zur Tafelmusik"[6] aufspielen lassen. In den Akademien der Wiener Tonkünstler-Sozietät, die Hanslick als die "älteste organisierte Musikgesellschaft und das erste offizielle Concertinstitut in Wien" bezeichnet, waren zu Ende des 18. Jahrhunderts außer der Grassalkowitzschen Harmoniemusik noch die Palmsche Harmoniemusik und jene des Fürsten Eszterházy zu hören. Die prominenteste unter den Wiener adeligen Harmoniemusiken war neben der kaiserlichen Hofharmonie zweifelsfrei wohl die Harmoniemusik des Fürsten Liechtenstein, der (von 1794 bis 1808) der Sohn des Solo-Oboisten der kaiserlichen Hofmusikkapelle, Joseph Triebensee, und in weiterer Folge (ab 1812) der Klarinettist Wenzel Sedlak als musikalische Leiter vorstanden. Durch eine Studie von Hannes Stekl über die "Harmoniemusik und 'türkische Banda' des Fürstenhauses Liechtenstein"[7] sind wir über die Aktivitäten dieser aus neun Bläsern (der paarweisen Besetzung von Oboen, Klarinetten, Hörnern und Fagotten gesellte sich noch ein Kontrafagott als Baßinstrument hinzu) relativ umfassend unterrichtet. So ist bekannt, daß der Wirkungskreis der "Liechtensteinschen Harmonie in erster Linie auf den Bereich Kammer- und Theatermusik zugeschnitten"[8] war. Einerseits bestritt die Liechtensteinsche Harmoniemusik als "musikalische Morgenunterhaltungen" bezeichnete aristokratische Matineen und wirkte andererseits ab dem Jahr 1807 - jeweils sonntags, dienstags und donnerstags - im Rossauer

---

[5] Grießbacher war Klarinettist in Schikaneders Theater an der Wieden.

[6] vide 1).

[7] In: Das Haydn Jahrbuch, vol. X, Wien – Eisenstadt 1978, S. 146ff.

[8] Hannes STEKL, in: Das Haydn Jahrbuch, a. a. O., S. 169.

Gartenpalais bei Abendkonzerten mit[9]. Das Repertoire dieses Ensembles bestand - den Usancen der Zeit entsprechend - vorwiegend aus quodlibetartigen Opern- oder Singspielarrangements von Werken Mozarts, Cherubinis, Brunis, Dittersdorfs, Salieris u. v. a. sowie aus unterhaltender "kurzlebiger Gebrauchsmusik", Parthien, Cassationen, Divertimenti, Serenaden etc., die im wesentlichen Joseph Triebensee selbst sowie dessen Nachfolger Wenzel Sedlak beisteuerten. "Aufgrund der Wertmaßstäbe der adeligen Gesellschaft war dabei", wie Hannes Stekl bemerkt[10], "größtmögliche Abwechslung im musikalischen Oeuvre geboten". Als durch die, seit der Wende vom 18. zum 19. Jahrhundert aufkommende bürgerliche Musikpflege auch für die Bläsermusiken der Schubert-Zeit neue Perspektiven und Dimensionen sich eröffneten, galt es nun "für den entstehenden freien Markt musikalischer Produkte ... Stücke zu schreiben, die dem Publikumsgeschmack auch langfristig entgegenkamen"[11]. So nimmt es nicht Wunder, wenn Joseph Triebensee als Kapellmeister der Liechtensteinschen Harmoniemusik im Jänner 1804 folgende Einschaltung in der Wiener "Allgemeinen Musikalischen Zeitung" erscheinen ließ:

"Da seit einiger Zeit mehrere Meisterstücke der berühmtesten Kompositeurs auf Harmonie gesetzt erscheinen, bey welchen oft der Geist des Autors ganz verstümmelt, oft gar unerkennbar war - ohne Rücksicht auf Instrumente - ihre Lage - ihre Anwendbarkeit - und dadurch die Freude der Künstler der Produktion sich verlieren muß, von welchem allen die natürliche Folge ist, daß das erwartete Vergnügen des Zuhörers, wo nicht ganz vernichtet, doch wenigstens sehr geschmälert wird, so gibt sich Joseph Trübensee, der bereits, ohne ruhmredig zu seyn, schon lange das Glück genoß, daß die hohen Herrschaften sowohl, als übrigen (P.T.) Kenner und Freunde der Harmonie seine Arbeiten mit ungetheiltem Beyfall belohnen, die Ehre, die Anzeige zu machen, er sey gesonnen seine Sammlung der besten und neuesten Opern und Ballette wie auch Originalparthieen

---

[9]   Die Tatsache, daß das Liechtenstein-Palais in der Rossau kaum 10 Gehminuten vom Wohnhaus Schuberts entfernt ist, sollte allerdings nicht zur Annahme verleiten, daß der junge Komponist durch die Produktionen der Liechtensteinschen Harmoniemusik kreative Impulse erhielt, zumal diese Veranstaltungen ausschließlich elitären Charakter besaßen.

[10]   Hannes STEKL, a. a. O., S. 169.

[11]   detto.

für achtstimmige Harmonie in ununterbrochenen Jahrgängen mittels Subskription herauszugeben..."[12].

Triebensees 138 Harmonie-Kompositionen gingen schließlich 1806 gegen ein Honorar von 1.500 fl. in den Besitz des Fürsten Johann I. über[13].

David Whitwell gibt in seiner "History and Literature of the Wind Band and Wind Ensemble"[14] eine Fülle von Harmoniemusiken an, die Komponisten wie Adalbert Gyrowetz, Johann Nepomuk Hummel, Leopold Kozeluch, Franz Krommer, Franz Leidersdorf, Ignaz Pleyel, Antonio Salieri, Franz Süßmayer, Peter von Winter u. v. a. als repräsentative und zentrale Exponenten dieser bläserischen Musikgattung erscheinen lassen. Wie schon zu Zeiten Triebensees, Wendts oder Sedlaks waren Harmoniemusik-Transkriptionen von Opernmelodien, mitunter sogar ganzer Opern oder Ballette äußerst beliebt. Eine Annonce Ludwig van Beethovens in der Wiener Zeitung vom 1. Juli 1814 beweist diese Praxis anschaulich:

"Der Endesunterzeichnete, aufgefordert von Herrn Artaria und Comp., erklärt hier mit, daß er die Partitur seiner Oper: Fidelio gedachter Kunsthandlung überlassen habe, um unter seiner Leitung dieselbe ... für Harmonie arrangiert, herauszugeben. Wien, am 28. Juni 1814. Ludwig van Beethoven" .

Nicht nur im herrschaftlichen, vielmehr auch im bürgerlichen Bereich erfreuten sich die Harmoniemusiken außerordentlicher Beliebtheit: so wird berichtet, daß "zur Sommerszeit im Augarten bei der Tafel"[15] die Harmoniemusik des Hoftraiteurs Jahn musizierte.

Wenn auch mit Beginn des 19. Jahrhunderts der eigentliche Höhepunkt dieser Musiziergattung überschritten schien, so wäre es dennoch verfehlt anzu-

---

[12]   Zit. nach David WHITWELL, History and Literature of the Wind Band and Wind Ensemble, Vol. 5 (The 19th Century Wind Band and Wind Ensembles in Western Europe), Northridge 1984, S. 205f.

[13]   Hausarchiv des regierenden Fürsten von Liechtenstein in Wien, Fasz. H-2, Nr. 24 vom 14. Jänner 1806.

[14]   Northridge (California, USA), 1983, Vol. 8, S. 171ff.

[15]   detto.

nehmen, daß - wie Udo Sirker behauptet - die sozialen Umwandlungen dieses Genre in den Jugendjahren Franz Schuberts "zur Bedeutungslosigkeit absinken ließ"[16]. Zwar nimmt Hanslick "das Jahr 1809 als den entscheidenden Wendepunkt, als das Sterbejahr jener schönen aristokratischen Bestrebungen an"[17], die in dem "einstigen Lieblingsgenre der musikalischen Fürsten"[18] ihren sinnfälligen Ausdruck gefunden hatten; Dennoch beweist die vielfältige Produktion an Harmoniemusiken in den ersten Jahrzehnten des 19. Jahrhunderts, daß auch diese Form der Bläsermusik keineswegs nur einen marginalen Stellenwert besaß. Allerdings stieß im zweiten und dritten Jahrzehnt des 19. Jahrhunderts neben den herkömmlichen Harmoniemusiken eine neue Form bläserischen Musizierens im bürgerlichen Musikleben Wiens auf breiteres Interesse: die von Anton Reicha in Paris inaugurierte Gattung des Bläserquintetts. Eduard Hanslick schreibt in seiner "Geschichte des Concertwesens in Wien"[19] über diese sich zu Beginn der zwanziger Jahre in Wien etablierende Spezies der Bläserkammermusik:

"Schließlich muß noch ein Ensemble von Blasinstrumenten erwähnt werden, das eine Zeit lang in Wien floriere. Veranlaßt durch die Beliebtheit von Reichas Harmoniequintetten in Paris, entstand nämlich hier im Jahre 1821 das "Harmonie-Quintett" der Herren Sedlaczek, Krähmer, Mittag, Sedlak und Hradetzky".

Das Wiener "Harmonie-Quintett" - "gelobt und gut besucht"[20] - setzte sich aus führenden Bläsern der Wiener Hofkapelle oder der Wiener Theaterorchester[21]

---

[16] Udo SIRKER, a. a. O., S. 6.

[17] Eduard HANSLICK, a. a. O., S. 52.

[18] Eduard HANSLICK, a. a. O., S. 39.

[19] a. a. O., S. 254.

[20] detto.

[21] Johann Sedlaczek (1789 – 1866) galt als einer der "vorzüglichsten Flötenvirtuosen und fleißigsten Concertgeber" Wiens (HANSLICK, a. a. O., S. 251) und reüssierte bei mehreren Konzertreisen durch Deutschland, Italien und England. Die Herren Ernst Krähmer (Oboe) und August Mittag (Waldhorn) gehörten der Wiener Hofkapelle an. Der Klarinettist Wenzel Sedlak und der Fagottist Friedrich Hradetzky waren Mitglieder des Wiener Hofopernorchesters.

zusammen und wirkte bei den sog. "Privat-Unterhaltungen" im landständischen Saal mit. Wenn auch ein direkter persönlicher Kontakt der genannten Bläservirtuosen mit Franz Schubert in den diversen Schubert-Biographien nicht ausdrücklich belegt ist, so darf doch davon ausgegangen werden, daß die Herren Wenzel Sedlak, Johann Hradetzky und August Mittag gemeinsam mit dem damals berühmten Ignaz Schuppanzigh-Quartett am 16. April 1827 im Wiener Musikverein die Uraufführung des Schubertschen Oktetts op. post. 166 (D 803) besorgten.

Spätestens seit der Mitte des 18. Jahrhunderts wurde die regionale Blasmusikgeschichte vorwiegend von den Militärmusikbanden geschrieben. Nicht anders in der einstigen Haupt- und Residenzstadt Wien, deren facettenreiche Blasmusikgeschichte bis auf den heutigen Tag noch nicht geschrieben ist. Im Wien des Vormärz garnisonierten die Infanterie-Regimenter Nr. 2 (Zar Alexander), Nr. 4 ("Hoch und Teutschmeister"), Nr. 33 (Colloredo Mansfeld) sowie in weiterer Folge die Infanterie-Regimenter Nr. 52 (Franz Carl), 12 (Liechtenstein), 21 (Gyulai) und 25 (De Vaux), deren Regimentsbanden über ihren rein militärischen Wirkungsbereich hinaus sich besonderer Publikumsgunst erfreuten. Vor allem in der Zeit des Wiener Kongresses gab es für die Regimentsbanden in der Tat genügend Anlässe, sich musikalisch zu produzieren. Noch der spätere Armeekapellmeister Andreas Leonhardt führte in einer Replik auf einen Aufsatz seines Kollegen Emil Urban in der "Militärischen Zeitung" im Jahre 1857[22] aus, daß die damaligen Wiener Regimentsbanden "ohne alle Apparate von heute (gemeint sind Ventilinstrumente, Anm. des Verf.) auf solcher Stufe standen, daß es zu wünschen wäre, daß recht viele Militärmusiken diesen Stand einnehmen möchten". Neben den Regimentsbanden der Infanterie traten auch jene der Kaiser Uhlanen (Nr. 6) und der Artillerie bei verschiedenen, durchaus nicht immer rein militärischen Anlässen in Erscheinung. So etwa heißt es über die Musikbanda des Wiener Artillerieregiments in einem zeitgenössischen Bericht:

"Die hiesige Artillerimusik besteht aus sehr geschickten Leuten; der Director Herr Gromann[23] bläst die Oboe vortrefflich. Diese Gesellschaft musiziert im Sommer

---

[22] Mil.Ztg. 1857/83, Zit. nach Emil RAMEIS, Militärmusikkartei Nr. 105, Kriegsarchiv Wien.

[23] Sebastian Gro(h)mann war Mitglied der k. k. Hofmusikkapelle.

alle Abende bei der Limonadehütte auf der Bastey, und ist auch sehr gut in Privatakademien zu gebrauchen.."[24].

Ob es sich dabei um die Musikbanda des Wiener "Bürgerlichen Artillerie Corps" handelt, für die Ludwig van Beethoven 1816 auf Ersuchen des Stadt-oberkämmerers und Magistratsrates Franz Xaver Embel seinen Marsch in D-Dur (W. o. O. 24) schrieb, kann nicht mit absoluter Sicherheit gesagt werden. Der genannte Kapellmeister (Sebastian) Grohmann jedenfalls scheint mit dem Oboisten der Wiener Hofkapelle ident zu sein[25].

Während Beethoven bekanntlich auf Verlangen seiner Gönner, vor allem der Erzherzöge Anton und Rudolf, mehrere Märsche (sog. "Zapfenstreiche") und andere Gelegenheitskompositionen für Militärmusik komponierte, stand Franz Schubert dieser musikalischen Spezies fern. Wie bekannt sind Schuberts Militärmärsche im Original für Klavier zu vier Händen komponiert und wurden erst nach Schuberts Tod - von fremder Hand - für Militär- oder Blas-orchester arrangiert. Die durchaus bläserische Faktur und der militärmusikalische Charakter von Schuberts stilisierten Klaviermärschen läßt ohne Frage den musikalischen Einfluß erkennen, den die Wiener Regimentsbanden auf den jungen Komponisten ausgeübt haben mochten.

Der bläserische Background der Schubert-Zeit wäre unvollständig, übersähe man die zahlreichen Bläservirtuosen, die in den ersten Jahrzehnten des 19. Jahrhunderts hier die Aufmerksamkeit der musikalischen Öffentlichkeit auf sich zogen und das bunte Bild der Wiener Musikszene auf attraktive Weise belebten.

"Concerte auf Blasinstrumenten waren zu jener Epoche (1800 - 1830) an der Tagesordnung. Zahlreiche Virtuosen auf der Flöte, Oboe, Clarinette, dann Fagott, Waldhorn, sogar der Trompete und Posaune reisten unablässig auf ihre Kunst. Dazu kam in Wien die Übung, daß fast jeder bessere Solobläser aus den Theater-orchestern alljährlich sein eigenes Concert gab und selbst zur Mitwirkung in den verschiedenen bunt zusammengestoppelten Akademien gebeten wurde. In den zwei ersten Dezennien dieses Jahrhunderts waren in Wien die blasenden Virtuosen

---

[24]   vide 1).

[25]   Sebastian Grohmann (1765 – 1813) war vom 28. Juli 1806 an bis zu seinem Tod, am 7. Sept. 1813, Mitglied der Wiener Hofmusikkapelle.

an Zahl den Geigern und noch mehr den Pianisten überlegen. Erst im dritten Jahrzehnt nahm ihre Zahl ab...".[26]

Die Stadt Wien und ihre belebte Musikszene scheint jedenfalls für viele reisende Bläservirtuosen ein anziehendes und lohnendes Ziel gewesen zu sein: Bei den Künstlerkonzerten der Tonkünstler-Societät und den Gesellschafts-konzerten der 1812 gegründeten "Gesellschaft der österreichischen Musik-freunde", aber auch in den privaten adeligen und bürgerlichen Liebhaberzirklen begegnen wir in dieser Zeit den arriviertesten Bläservirtuosen jener Epoche: Die Flötisten Caspar und Anton Bernhard Fürstenau (1815), "einer der besten Flötisten Deutschlands", Louis Drouet (1824), "ein französischer Künstler vom ersten Rang" und der "königlich bayerische Kammervirtuos" Theobald Böhm (1821) gastierten in Wien ebenso wie die prominenten Klarinettenvirtuosen Iwan Müller (1810), Heinrich Josef Baermann (1813 und 1821), Johann Simon Hermstedt (1814, 1815) oder das Brüderpaar Jacob und Valentin Bender (1820). Im Gegensatz zu den formidablen Flöten- und Klarinettenvirtuosen hielt sich die Reputation der zahlreichen nach 1810 in Wien gastierenden Oboen-, Fagott-, oder Hornsolisten in Grenzen[27]. Eine Ausnahme bildete der exzellente Münchner Fagottvirtuose Georg Friedrich Brandt, für den be-kanntlich Carl Maria von Weber sein Fagottkonzert op. 75 schrieb.

Eine bedeutende Belebung erfuhr, wie schon Hanslick nicht ohne Sarkasmus bemerkt, das Wiener Musikleben in den ersten Dezennien des 19. Jahrhunderts durch die solistischen Aktivitäten der Bläser aus der Wiener Hofkapelle und der Wiener Theaterorchester. Allen voran der aus Graz stammende, im Hofopernorchester tätige Flötenvirtuose Raphael Dreßler und seine Orchester-kollegen Johann Sedlaczek und Alois Khayll. Letzterer trat häufig gemeinsam mit seinen Brüdern, dem Oboisten Josef und dem Trompeter Anton, auf und machte mit diesem Trio künstlerisch Furore:

"Dieses blasende Trifolium trat fast immer gemeinschaftlich auf, und in den Jahren 1815 bis etwa 1820 war ein jährliches 'Concert der 3 Brüder Khayll' so sicher, wie der Eintritt der Jahreszeiten. Das Zusammenspiel der drei Brüder wurde als ein vollendetes gerühmt und ihre Konzerte gehörten zu den beliebtesten..." [28].

---

[26] Eduard HANSLICK, a. a. O., S. 247.

[27] Vgl. dazu Eduard HANSLICK, a. a. o., S. 252ff.

[28] Eduard HANSLICK, a. a. O., S. 252.

Nicht unerwähnt bleiben dürfen in diesem Zusammenhang die solistischen Produktionen der heimischen Oboenvirtuosen Josef Sellner, "der sich als Dirigent der Zöglings-Concerte am Wiener Konservatorium große Verdienste erwarb", sowie Jacob Ullmann und Ernst Krähmer, der sich auch als virtuoser Czakan-Spieler besonderer Beliebtheit erfreute.

Geht man davon aus, daß bekanntermaßen die musikalische Romantik unter den Blasinstrumenten die Klarinette und das Waldhorn besonders favorisierte, so wird im kammermusikalischen Oeuvre Franz Schuberts die Präferenz für diese beiden Instrumente verständlich. Schuberts Äußerung, "wer die Klarinette seelenvoll bläst, scheint der ganzen Welt, ja den himmlischen Wesen selbst eine Liebeserklärung zu machen", findet in einigen seiner Werke einen substanziellen Niederschlag. Die kantable Verwendung der Klarinette in Schuberts Oktett (D 803), in seinem opus "Der Hirt auf dem Felsen" (D 965) oder im zweiten Satz seiner h-Moll-Sinfonie scheinen dies zu bestätigen. Obwohl Schuberts Beziehung zu den namhaften Klarinetten-Solisten im Wiener Musikleben - etwa zu Josef Friedlowsky oder Wenzel Sedlak - bisher nicht nachgewiesen ist, kann deren bläserischer Einfluß auf das Schaffen des Komponisten als evident angenommen werden. Darüberhinaus entstanden manche Schubert-Kompositionen auch auf Anregung bzw. Bestellung durch dilettierende Bläser oder Musikpädagogen aus dem Bekanntenkreis Schuberts. So etwa schrieb Schubert sein Oktett (D 803) im Auftrag von Ferdinand Graf Toyer, Obersthofmeister des Erzherzog Rudolfs und ambitionierter Klarinettist, der "auch selbst bei der ersten Aufführung noch im Entstehungsjahr (1824, Anm. des Verf.) in seiner Wohnung ... die Klarinette geblasen"[29] habe. Bei späteren öffentlichen Aufführungen (noch zu Lebzeiten des Komponisten) nahmen sich freilich, wie schon erwähnt, die führenden Bläsersolisten Wiens dieses Werkes an. Ähnlich verhält es sich wohl auch mit Schuberts Flöten-Variationen in e-Moll, D 802, (über das Lied "Trockene Blumen"): Diese entstanden - übrigens im selben Jahr wie Schuberts Oktett - auf Anregung des "Flötenvirtuosen Ferdinand Bogner, Honorar-Professor des Conservatoriums in Wien, der durch seine Wahlverwandschaft mit der Familie Fröhlich auch Schubert bekannt und befreundet war"[30].

---

[29] Otto Erich DEUTSCH, Franz Schubert. Thematisches Verzeichnis seiner Werke in chronologischer Folge, Kassel 1978, S. 502f.

[30] Otto Erich DEUTSCH, a. a. O., S. 502.

134

In Schuberts letzten solistischen Bläserwerken, dem Lied für Singstimme, Horn und Klavier "Auf dem Strom" (D 943) und dem Lied "Der Hirt auf dem Felsen" (D 965) mit obligater Klarinette kommen nochmals die bevorzugten Blasinstrumente der Romantik, Waldhorn und Klarinette, zu ihrem Recht. Nach Otto Erich Deutsch schrieb Schubert das erstgenannte Lied für den Wiener Hornvirtuosen Josef Rudolf Lewy, der neben seinen erfolgreichen Solo-auftritten in Wien auch als Virtuose in Stuttgart und Dresden frenetischen Beifall erntete. "Der Hirt auf dem Felsen" hingegen wurde für die gefeierte Wiener Opernsängerin Anna Milder-Hauptmann - in der Entstehungszeit dieser Komposition allerdings an der Berliner Hofoper engagiert - komponiert. Nahe-liegenderweise dürfte die Widmungsträgerin einen Klarinettensolisten aus der Berliner Hofkapelle, vielleicht den als Virtuosen gefeierten Friedrich Wilhelm Tausch, für die Uraufführung des Werkes im Auge gehabt haben. Der Interpret des Klarinettenparts bei der Uraufführung des Liedes im März 1830 in Riga blieb letztlich jedoch unbekannt.

Die vielfältige, von den beiden Protagonisten Beethoven und Schubert beherrschte Musikszene Wiens zwischen Vormärz und Biedermeier war, um dies abschließend nochmals zusammenzufassen, in reichem Maße auch von Bläsermusik für Soloinstrumente und Ensembles geprägt. Es "wimmelte" - wie Hanslick bemerkt - "in jener Periode von reisenden Virtuosen auf der Flöte, Oboe, Klarinette, Harfe, dem Waldhorn, ja selbst der Trompete", wobei sich besonders die Wohltätigkeits-Akademien der Gesellschaft der Musikfreunde als wahre "Hauptstappelplätze ... für virtuose Solostücke", hauptsächlich Varia-tionen, Potpourris, Rondos und vor allem Polonaisen, erwiesen. Diese von Hanslick als "musikalische Landplage der zwanziger Jahre" gebrandmarkte Situation fand ihren Ausdruck einerseits vielleicht in der "schalen Unterhal-tungsmusik" (Hanslick[31]), andererseits aber in der exorbitanten Dominanz des Bläserklangs, wie er sich in manchen Werken Beethovens und/oder Schuberts, aber auch in den ungezählten Harmoniemusiken oder Bläserkonzerten zahlreicher Kleinmeister dieser Zeit widerspiegelte. Beethoven schlug in einem Brief an seinen Verleger Hoffmeister vor, er wolle sein Septett auch für Flöte und Streichquartett arrangieren, "dadurch würde den Flötenliebhabern, die mich schon darum angegangen, geholfen, und sie würden darin wie die Insecten herumschwärmen und davon speisen..."[32] Und daß Franz Schubert, der

---

[31]   vide 27).

[32]   Georg KINSKY, Hans HALM, Das Werk Beethovens. Thematisch-

135

als exzellenter Geiger und passabler Pianist galt, aber nach eigener Aussage kein Blasinstrument beherrschte, in genialer Weise aus dem Quell der Bläserkunst seiner Zeit schöpfte, bleibt unbestritten.

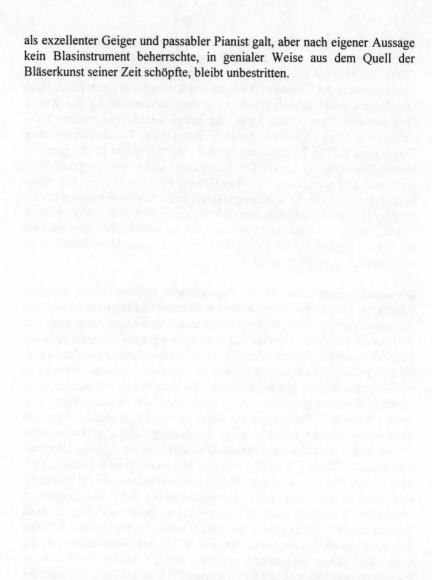

Bibliographisches Verzeichnis seiner sämtlichen vollendeten Kompositionen, München 1955, S. 52 (Brief Beethovens an seinen Verleger F. A. Hoffmeister in Leipzig, vom 22. April 1801).

Raoul F. Camus, New York/NY, USA

IM MARSCHTEMPO.
EINE SAMMLUNG AMERIKANISCHER MÄRSCHE

Einer der wichtigsten Bestandteile des militärischen Lebens war die Notwendigkeit, Truppen in einer ordentlichen Art organisiert zu bewegen. Wir alle
wissen, was ein Marsch ist, und wir alle haben viele Märsche gehört und
gespielt. Aber was bedeutet das Wort "Marsch" wirklich? Eberhard Thiel
erklärt: "Der Marsch ist daher die Hauptform der Militärmusik"[1]. Er definiert
das Wort wie der Marsch ist "Gebrauchsmusik, ursprünglich mit dem Zweck,
durch mit starken, regelmäßigen Akzenten bestimmten Rhythmus das gleich-
zeitige Schreiten einer Mehrzahl von Personen zu veranlassen und zu er-
leichtern, häufig zugleich mit der Absicht, eine gemeinschaftliche Einsatz-
bereitschaft zu schaffen oder zu erhöhen". August Kollman schrieb in seinem
Essay on Practical Musical Composition von 1799, folgendes: "Ein militärischer Marsch ist ein Stück, der die Tritte der Infanterie markiert, wenn diese in
Parade marschiert; und gleichzeitig den Zuhörern eine angenehme Unterhaltung bietet"[2]. Das *American Heritage Dictionary* nennt "eine musikalische
Komposition mit regelmäßiger Betonung, gewöhnlich im Zweiertakt, zum
Marschieren" als fünfte Definition unter dem Stichwort "Marsch". Der *New
Harvard Dictionary of Music* ist ein bißchen genauer: "Marsch. Musik, um das
Marschieren von Truppen, oder Prozessionen von nichtmilitärischen Gruppen
zu vereinheitlichen, was gewöhnlich durch nachdrückliche starke Schläge in
einfachen, wiederholenden rhythmischen Mustern erreicht wird". Allgemein
bekannt ist, daß Musik zur Begleitung menschlicher Bewegungen eingesetzt
wird. Würde es dann schockierend sein, zu sagen, daß der Marsch eine Form
von rhythmischer Körperbewegung bedeutet? In anderen Worten, eine "Tanz-
form"? Folgen wir weiter der Analogie, so sind Märsche wie Tänze Stilen und
Veränderungen unterworfen. Wie es viele Arten von Tänzen gibt, so gibt es
auch viele Arten von Märschen, jede mit ihrem eigenen auffälligen Charakter.

---

[1] Eberhard THIEL, Sachwörterbuch der Musik, Stuttgart 1984, S. 368.

[2] August Friedrich Christoph KOLLMAN, An Essay on Practical Musical
Composition, according to the Nature of that Science and the Principles of the Greatest
Musical Authors, London 1799.

Wir müssen uns auch an die primäre Aufgabe des Marsches erinnern, und zwar: "begleiten beim Marschieren". *Washington Post*, zum Beispiel, ist ein wunderbarer Marsch von Sousa, aber ich habe schon gelernt, daß er keiner von denen ist, den man benutzt, um Truppen zu begleiten, weil die Betonungen nicht auf dem Takt sind. Ein ganzes Bataillon hatte bei einer Parade den falschen Schritt, und natürlich gab man der Blaskapelle die Schuld!

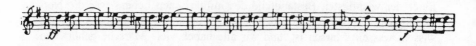

Beispiel 1
John Philip Sousa: *Washington Post*

Vergleichen Sie diesen Marsch mit jenem von *Gloria* von Frank Losey, wo es keinen Zweifel gibt, wann sie mit Ihrem linken Fuß weggehen:

Beispiel 2
Frank H. Losey: *Gloria*

Dies bedeutet natürlich nicht, daß *Gloria* ein besserer Marsch als *Washington Post* ist, sondern daß die Aufgabe der Musik betrachtet werden muß. Beide, *Gloria* und *Washington Post*, werden normalerweise im traditionellen amerikanischen Marschtempo von 120 Tritten per Minute genommen, obwohl wir nicht annehmen können, daß alle im selben Tempo gespielt werden sollen.

Es gibt große Unterschiede in Europa. 120 ist das normale Schritt-Tempo für die Franzosen, die Briten haben 116 für den Geschwindmarsch und 65 für den zeremoniellen Parademarsch bevorzugt. Leichte britische Infantrie-Truppen benutzen ein Marschtempo von 140. Die Bersaglieri von Italien benutzen normalerweise den Schnellschritt im doppelten Tempo[3].

---

[3]   An dieser Stelle wurde folgendes Hörbeispiel eingefügt: Hertel-Marenco: Flick e Flock, mit MM c.160 pro Schlag gespielt: Bella Italia: Viva la Banda, Fanfara dell'Associazione Bersaglieri, A. Mamprin, Dirigent. EMI 092 7921352.

Die Bersaglieri, italienische Berg-Truppen, haben also ein schnelles Marsch-tempo. Die Franzosen haben ihr Gegenstück im *Chasseurs*. Hier ist *Marche Lorraine*, von einem Chasseur-Regiment gespielt.

Beispiel 3
Louis Ganne: *Marche Lorraine*
[Mit MM c.152 pro Schlag gespielt: *Chasseurs No. 5*, 8e Bataillon. Decca 123 975]

Aber die Franzosen haben auch die Fremdenlegion, Truppen, die oft im Sand marschieren müssen. Hier ist der erste Teil aus ihrem Regiments-Marsch, *La Marche de la Légion étrangère*.

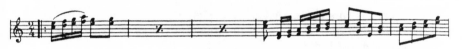

Beispiel 4
Doering-Quéru: *La Marche de la Légion étrangère*
[Mit MM c.88 pro Viertel gespielt: *Official Recording in Commemoration of the Armstice of 1918*, Musiques des Gardiens de la Paix de Paris, Désiré Dondeyne, ltg..
Musical Heritage Society MHS 1181]

Es gibt weiters die Begräbnis- oder Trauer-Märsche. Hier ist der berühmte *Marche lugubre* von Gossec.

Beispiel 5
François Joseph Gossec: *Marche lugubre*
[Mit MM c.54 pro Viertel gespielt: *Musiques de la Revolution Française*, Orchestre de la Musique Municipale de Bordeaux, Lucien Mora, Dirigent. Cybelia CY 825 DS 813]

139

Die Spanier kennen den *paso doble*. Die meisten Amerikaner denken an die Aufregung der Stierkampfarena und *Amparito Roca* von Jaime Texidor.

Beispiel 6
Jaime Texidor: *Amparito Roca*
[Mit MM c.160 pro Viertel gespielt: Southwestern Oklahoma State University Band, James Jurrens, Dirigent. *Heritage of the March*, vol. 86]

Aber nicht alle *paso dobles* sind und waren für die Arena bestimmt. Es gibt viele regionale Typen, viele mit ziemlich ruhigem Tempo, wie zum Beispiel *Valencia*, von José Padilla.

Beispiel 7
José Padilla: *Valencia*
[Mit MM c.104 pro Schlag gespielt: *Valencia es Musica*, Banda Municipal de Valencia, Juan Garces, Dirigent. Doblon 96014]

Diese großen Unterschiede in Tempo sind aber nicht nur auf Europa begrenzt. Hier ist eine Aufnahme von *Barnum and Bailey's Favorite* von Karl King, die von einem deutschen Musikkorps der Bundeswehr gemacht werde.

Beispiel 8
Karl L. King: *Barnum and Bailey's Favorite*
[Mit MM c.120 pro halbe Note gespielt: *Militärmusik live*, Meeresmusikkorps 7, Düsseldorf, Maj Christoph Lieder, Dirigent der Bundeswehr]

Der deutsche Kapellmeister wußte anscheinend nicht, daß dies ein sehr populärer Zirkus-Marsch ist, und Amerikaner sind gewohnt, diesen Marsch in einem wesentlich schnelleren Tempo zu hören. Hier ist eine Aufnahme von Bill Pruyn, der Nachfolger Merle Evans beim Barnum und Bailey-Zirkus, mit der Allentown Band, Hörbeispiel: Karl L. King: *Barnum and Bailey's Favorite,* mit MM c.144 pro halbe Note gespielt: *The Allentown Band Goes to the Circus,* The Allentown Band, Bill Pruyn, Dirigent. Bob Hoe recording.

Unterschiede in der Interpretation gehen aber auch den umgekehrten Weg. Hier ist eine Aufnahme von Julius Fučiks berühmtem Marsch *Einzug der Gladiatoren,* der oft im Zirkus-Tempo gespielt wird, hier aber in einem lebhaften Tempo mit Leonard Smith und der Detroit Concert Band.

Beispiel 9
Julius Fučik: *Entry of the Gladiators*
[Mit MM c.138 pro halbe Note gespielt: *Gems of the Concert Band,* vol. 14. Detroit Concert Band, Leonard B. Smith, Dirigent. H. & L. HL-84824-S]

Aber Fučik war Kapellmeister in der Österreichisch-Ungarischen Monarchie, Hörbeispiel: Julius Fučik: *Der Einzug der Gladiatoren,* mit MM c.114 pro halbe Note gespielt: *Die schönsten Fučik Märsche,* Militärmusik Kärnten, Oberstleutnant Sigismund Seidl, Dirigent. Koch International 323 764.

Welche ist nun die korrekte Interpretation? Dies sind alles Märsche, aber der Charakter und das Tempo jeder Art sind unterschiedlich. Ich hoffe, mit diesen Beispielen bewiesen zu haben, daß es kein einheitliches Tempo gibt, das für alle Märsche paßt. Wie kann ein Kapellmeister dann aber wissen, welches Tempo zu nehmen ist, um einen Marsch zu dirigieren? Um eine Antwort zu finden, lassen Sie uns die Vergangenheit betrachten.

Wir wissen nicht, wer als erste Militärtruppe in der Geschichte im Gleichschritt marschierte, aber auf ägyptischen Grab-Gemälden aus dem vierzehnten Jahrhundert v. Chr. werden im Gleichschritt marschierende Soldaten dargestellt, denen Trompeter vorausgehen. Vegetius schreibt im zweiten Jahrhundert n. Chr. über den Unterschied zwischen Langsamem Marsch und Geschwindmarsch. Er sagt auch, daß "falls sie dieses Tempo überschreiten, sie nicht mehr marschieren sondern laufen"[4].

Ich möchte nun Ihre Aufmerksamkeit auf Tabelle 1 lenken, bitte beachten sie die vier grundsätzlichen gemeinsamen Marschtempi in europäischen Armeen: der Präsentier- oder Langsamer Marsch (Common, or Slow March, *Pas ordinaire*), der Geschwindmarsch (Quick March, *Pas accéléré*), der Sturm Marsch (Double Quick March, *Pas de charge, Pas redoublé*), und der Trauermarsch (Funeral March, *Marche funèbre*). Da Amerika von der europäischen Traditionen beeinflusst wurde, überrascht es nicht, daß man eine Mischung aus französischen, deutschen und britischen Märschen in amerikanischen Melodie-Büchern finden. Tabelle 1 faßt die Änderungen in den Regulierungen zusammen, die von amerikanischen Truppen, regulären und Miliz, von der Kolonialzeit bis zur Gegenwart benutzt wurden und werden.

Britische Drill-Handbücher haben die Länge des Schrittes nicht spezifiziert und auch nicht das Tempo. Aber 1759 wurde der Windham Plan für die Miliz in London veröffentlicht. Es hat einen 24-inch-Schritt und die Geschwindigkeit von 60 Schritten per Minute für den Langsamen Marsch festgelegt sowie 120 Schritte für den Geschwindmarsch. Es gibt bis dato noch keinen Geschwindmarsch. Frankreich hatte auch einen 24-Inch-Schritt, mit 70 Schritten pro Minute für den *pas ordinaire*, und 120 Schritten pro Minute für den *pas accéléré*. Die amerikanischen Kolonisten benutzten bis 1779 britische Regulierungen, als Baron von Steuben die Preußische Regel mit 75 Schritten pro Minute in seinen *Regulations for the Order and Discipline of the Troops of the United States* aufnahm. Der Präsentier- oder gewöhnliche Marsch wurde, wie sein Name schon erkennen läßt, von Truppen beim Marschieren benutzt.

Regulations	Common Step	Quick Step	Double Quick Step
1759 (Windham)[5]	24"-60/min	24"-120/min	(keine)

---

[4]   Military Institutions of Vegetius, trans. John Clarke, London 1767, S. 18.

[5]   William WINDHAM, A Plan of Discipline Composed for the Use of the Militia of the County of Norfolk. London 1759, p. 23.

1775 (Pickering)[6]	24"-60/min	24"-120/min	(keine)
1779 (von Steuben)[7]	24"-75/min	24"-120/min	(keine)
1812 (Smyth)[8]	24"-75/min	24"-100/min	(keine)
1815 (Scott 1815)[9]	28"-90/min	28"-120/min	(keine)
1835 (Scott 1835)[10]	28"-90/min	28"-110/min	(keine)
1855 (Hardee)[11]	28"-90/min	28"-110/min	33"-165-180/min
1862 (Casey)[12]	28"-90/min	28"-110/min	33"-165/min

[6]   Timothy PICKERING Jr., An Easy Plan of Discipline for a Militia. Salem, Samuel and Ebenezer Hall, 1775 [based primarily on Windham's *Plan of Discipline*].

[7]   U. S. Inspector General's Office, Regulations for the Order and Discipline of the Troops of the United States [Baron von Steuben]. Philadelphia: Styner and Cist, 1779; reprint ed., Philadelphia 1966, p. 13.

[8]   Col. Alexander SMYTH, Regulations for the Field Exercise, Manœuvres, and Conduct of the Infantry of the United States. Philadelphia 1812.

[9]   United States, Adjutant General's Office, Rules and Regulations for the Field Exercise and Manoeuvres of Infantry [Scott 1815] Concord, Isaac Hill, 1817.

[10]   Major General Winfield SCOTT, Infantry Tactics; or Rules for the Exercise and Manœuvres of the United States Infantry, 3 vols., New York 1835.

[11]   Brevet Lieut.-Col. W. J. HARDEE, Rifle and Light Infantry Tactics; for the Exercise and Manœuvres of Troops when acting as Light Infantrymen or Riflemen. 2 vols., Philadelphia 1855.

[12]   Brig.-Gen. Silas. CASEY, Infantry Tactics, for the Instruction, Exercise, and Manœuvres of the Soldier, a Company, Line of Skirmishers, Battalion, Brigade, or Corps d'Armée, New York 1862.

1867 (Upton)[13]	28"-90/min	28"-110/min	33"-165-180/min
1891 (Board)[14]	(keine)	30"-120/min	36"-180/min
1923 (TR 50-15)[15]	(keine)	30"-128/min	36"-180/min
1939 (FM 22-5)[16]	(keine)	30"-120/min	36"-180/min

Tabelle 1
Regulierungen haben von Amerikaner Truppen benutzt

Der schnelle Schritt, der im Französischen manchmal *pas de manœuvre* genannt wurde, wurde nur für Wende-Bewegungen oder bei Positions-Änderungen angewendet. Nach Abschluß des Wendemanövers fielen die Soldaten in das langsamere Paradetempo zurück. Die Reglementierungen sind sehr klar und erklären, daß "Marsch" selbst immer "Präsentiermarsch" bedeutet, und falls der Geschwindmarsch gemeint wurde, würde es entsprechend angekündigt werden.

Bitte bemerken Sie die Änderungen im Geschwindmarsch. Beim Bürgerkrieg wurden die meisten Unternehmungenen mit dem schnellen Tritt durchgeführt, und General Emory Upton forderte 1867, "sobald der Rekrut sich Festigkeit angeeignet hat und mit den Prinzipien des Waffentragens sowie mit der Schritt-Länge und Schritt-Schnelligkeit im Präsentiermarsch vertraut ist, wird er nur noch im Geschwindmarsch, im Sturm-Marsch und im Lauf exerzieren"[17]. Die

---

[13] Bvt. Major-General Emory UPTON, A New System of Infantry Tactics, New York 1867.

[14] U. S. Adjutant General's Office. Infantry Drill Regulations. Washington, D. C. 1891.

[15] U. S. War Department. Training Regulations 50-15, 14 April 1923.

[16] U. S. War Department. FM 22-5, Basic Field Manual, Infantry Drill Regulations, 1 July 1939.

[17] Upton, System, S. 17.

Regulierungen legten auch fest, daß der Befehl "Marsch" jetzt den Geschwindmarsch bedeutete.

Welches Marschtempo soll demnach ein Dirigent benutzen, um einen Marsch zu interpretieren? Weil es selten irgendwelche Tempo-Angaben gibt und die Takt-Angabe keine exakte Angabe ist, muß man sich näher an den Regulierungen des Militärs orientieren. Die Tabelle läßt erkennen, daß außer dem kurzen Zeitraum von 1923 bis 1939 der Geschwindmarsch im Grunde zwischen 110 bis 120 Schritten pro Minute blieb. Der gewöhnliche Schritt ist ein wenig komplizierter, und zeigt, wie sich das Tempo menschlicher Aktivität im Verlauf der letzten zweieinhalb Jahrhunderte verändert hat. Beginnend mit 60 Schritten pro Minute, erhöhte es sich auf 90 und dann auf 120 Schritte des Geschwindmarsches, doppelt so schnell als zu Beginn.

Zurück zur Betrachtung der Tabelle wird klar, wie jeder Marsch, exklusiv dem Geschwindmarsch, von der Kolonialzeit bis 1779 in einem Marschtempo von 60 Schritten gespielt werden sollte, mit 75 Schritten zwischen der Revolution und der föderalistischen Periode, und von 1815 über den Bürgerkrieg bis 1891 mit einem Marschtempo von 90 Schritten. Da man an der Taktangabe nicht wie an zuverlässigen Tempoangaben das Tempo erkennen kann, muß der zweckmäßige Gebrauch von der Musik betrachtet werden. Ich bin deshalb der Meinung, daß jede originale Komposition, die als Marsch bezeichnet wird, unabhängig davon, ob die Takt-Angabe gewöhnlich oder *alla breve* ist, als Zähl-Einheit die halbe Note, also zwei Schläge pro Takt, anzusehen ist, und zwar bei allen Tempi, die in der Tabelle gezeigt werden.

Das ist schwierig zu beweisen, denn es beruht auf der Tradition genausoviel wie auf der Aufführung-Praxis. Teil des Problems in der Interpretation dieser Märsche ist die Tatsache, daß sie nicht mehr in gewöhnlicher Verwendung sind. Die Übermittlung von älteren auf jüngere Künstler ist unterbrochen worden, und nur die Noten blieben. Betrachten wir ein Werk, das nie das Repertoire verlassen hat, und wo die Tradition erhalten blieb. Der letzte Satz der fünften Symphonie Beethovens hat eine gewöhnliche Takt-Angabe, nämlich das *allegro* Tempo. Der Marsch sowie die Großartigkeit sind unmißverständlich, und es wird normalerweise in zwei Schlägen per Takt vorgestellt und dirigiert.

Beispiel 10
Beethoven: Symphonie No. 5, IV: *allegro*
[Mit MM c.92 pro halbe Note gespielt: NBC Symphony Orchestra, Arturo
Toscanini, RCA Victor LM-6901]

Später, im *presto*-Teil, ist die Takt-Angabe zu *alla breve* verändert, und das
Tempo verändert sich zu einem schnellen Schlag per Takt. Hier ist der Anfang
vom letzten Satz.

Beispiel 11
Beethoven: Symphonie No. 5, IV: *presto*
[Mit MM c.120 pro ganze Note gespielt: NBC Symphony Orchestra, Arturo
Toscanini, RCA Victor LM-6901]

Ein weiteres Beispiel eines bekannten Satzes, das normalerweise eher in zwei
als in vier Schlägen pro Takt interpretiert wird, ist der Sturm-Teil der Overtüre
zu *Wilhelm Tell*. Es steht im Vierertakt und ist mit einem *allegro* Tempo
überschrieben.

Beispiel 12
Gioachino Rossini: *William Tell*: Overtüre, Sturm-Teil
[Mit MM c.96 pro halbe Note gespielt: *Classics for Joy*, The Boston Pops, Arthur
Fiedler, conductor. Camden Classics PMC 7013]

146

Weitere Erläuterungen hierzu entnehmen Sie bitte meinem Beitrag "On the Cadence of the March" im *Journal of Band Research*.[18] Erinnern Sie sich daran, daß die Musiker dieser Märsche entweder professionelle Musiker waren oder militärische Pfeifer unter dem Kommando eines Querpfeifen-Mayors, ebenfalls häufig einem professionellen Musiker. Sie lernten von älteren Musikern und gaben diese Traditionen wiederum an die jüngeren Generationen weiter. Weiters, sollte das schnellere Tempo als technisch zu schwierig angesehen werden, sei daran erinnert, daß sie voll fähige Musiker waren, entsprechend den Fähigkeiten heutiger Profis.

Sehen wir uns nun einen Präsentier- oder gewöhnlichen Marsch an. Es gibt zwei verschiedene Märsche, die für George Washington bestimmt waren, und die während der revolutionären Zeit sehr populär waren. Beachten Sie bitte, daß der zweite Marsch, oft auch "Washington's March at the Battle of Trenton" genannt, auf Ihrem handout wiedergegeben wird. Hier ist ein Teil einer Aufnahme, die von der Goldman Band gemacht wurde, wo der Dirigent annahm, daß der angegebene 4/4 Takt mit Viertelnoten gleich 120 aufgeführt werden sollte, Hörbeispiel, *Battle of Trenton*: "Washington's March", mit MMc.126 pro Viertel gespielt: *Greatest Band in the Land!*, The Goldman Band, Richard Franko Goldman, Dirigent. Capitol Lp SP 8631.

Aber *Washington's March* ist ein Parade-Marsch, und sollte mit halben Noten gleich 75 aufgeführt werden, in Übereinstimmung mit den militärischen Regulierungen auf dem Tabelle 1. Hier ist *Washington's March* im richtigen Tempo, aufgenommen von einer Harmoniemusik im Stil der Revolution.

---

[18] On the Cadence of the March, in: Journal of Band Research 16 (Spring 1981), S. 13 – 23.

Beispiel 13
Washington's March
[Mit MM c.75 pro halbe Note gespielt: *The Birth of Liberty: Music of the American Revolution*, The Liberty Tree Wind Players. New World Records NW 276]

Da war ein Beispiel im Konzert letzte Montag Abend. Der *Banska Bystrica Marsch* von Hiray ist ein Paradmarsch, aber der Kapellmeister hat es in vier dirigiert. Der Character dieses Marsches wurde dadurch verändert.

Noch eine weitere Marsch-Form wurde in der militärischen Zeremonie "trooping the line" ["Abschreiten der Front"] benutzt. Der "troop" war eine Möglichkeit für die Militärmusik sich zu präsentieren: beim Befehl des Adjutanten marschiert die Militärkapelle die ganze Länge der Linientruppen entlang, wendet, führt einen Gegenzug aus, und geht dieselbe Strecke wieder zum Ausgangspunkt zurück. Interessant ist, daß Allen Dodworth in seinem 1853 erschienenen Buch *Brass Band School* Anweisungen für die Blaskapellen gegeben hat, beim Hinwärtsschreiten einer Truppenreihe einen Walzer zu spielen, und einen Geschwindmarsch oder eine Polka beim Zurückschreiten. Anscheinend wurde die Polka, ein sehr populärer gesellschaftlicher Tanz dieser Zeit, als ein akzeptabler Ersatz für den Geschwindmarsch betrachtet. Hier ist ein Beispiel einer Polka, das als Musikstück für den "troop" verwendet werden konnte, *The Norwich Cadets* von Patrick Gilmore.

Beispiel 14
Patrick S. Gilmore: *The Norwich Cadets*
[Mit MM c.88 pro Viertel gespielt: *A Bicentennial Celebration: 200 Years of American Music*, The Goldman Band, Richard Franko Goldman, Dirigent. Columbia M 33838 JCP]

Zu Tabelle 1 und dem Marsch zurückkommend, betrachten Sie den neuen doppelten schnellen Schritt in den Reglementierungen von 1855. Verbesserungen der Feuerwaffen in den 1850er Jahren erforderten eine neue militärische Taktik und so wurde dieses neue Marschtempo eingeführt: der Schnellschritt oder Sturm-Marsch. Dieser hatte zunächst 165 Schritte pro Minute, die dann auf 180, "in dringenden Fällen", wie sie gleich sehen werden, angehoben wurden. Man mag sich wundern, was ein Notfall bewirkt: Augustus Meyers schrieb um das Ende von 1861, daß "Die Brigade-Drills mit einem "Vorbeimarsch" vor General Sykes und seinem Stab endeten. Diese Truppenbewegung wurde oft im Sturm-Marsch-Schritt ausgeführt. So wie die Soldaten dieses Regiments redeten, sahen sie den Grund für diesen Schnell-Lauf darin, daß die kleine Tochter des Generals großen Gefallen daran gefunden hatte und ihren Vater mit den Worten 'Papa, make "em twot!' [Papa laß sie traben] aufforderte, die Soldaten galoppieren zu lassen, was sie dann sehr amüsiert hat"[19]. Stellen sie sich den Vorbeimarsch in diesem Tempo vor! Der Galopp wurde sehr populär in der Zirkus-Musik. Es wurde normalerweise in einem Tempo von 152 Schritt pro Minute gespielt. Zirkus-Märsche, wie vorhin erwähnter *Barnum and Bailey's Favorite*, werden normalerweise im Tempo eines Galopp genommen. Hier ist *Rolling Thunder*, ein Marsch von Henry Fillmore, im mäßigen Galopp-Tempo.

Beispiel 15
Henry Fillmore: *Rolling Thunder*
[Mit MM c.160 pro halbe Note gespielt: *Screamers (Circus Marches)*, Eastman
Wind Ensemble, Frederick Fennell, Dirigent. Mercury D 125362]

Lassen Sie uns diesen verlangsamten und einen Quickstep betrachten. Ich habe den *Liberty Bell* (*Die Freiheits-Glocke*) von Sousa als Beispiel ausgewählt, nicht nur um einen üblichen amerikanischen Marsch im Tempo von 120 zu zeigen, sondern auch um zu illustrieren, welche Herausforderung an den Dirigenten in dieser Musik gestellt wird. Bitte sehen Sie auf die Kornett-Stimme auf Ihrem handout. Diese Stimme diente auch dem Dirigenten als Partitur. Sie gibt Ihnen wirklich nicht viele Informationen. Sie haben keine

---

[19]   Augustus MEYERS, Ten Years in the Ranks, New York 1914, S. 186.

Vorstellung, was die anderen Stimmen spielen, und das Kornett hat ausschließlich die Melodie. Diese Noten wurden für durchschnittliche Blaskapellen gedruckt, die im Freien marschierten, wo es notwendig war, daß die Melodie immer von lauten Melodie-Instrumenten gespielt wurde. Im Saal sollte man jedoch diese Märsche nicht spielen, wie sie veröffentlicht worden sind. Sousa selbst wollte nicht, daß seine Märsche in der Weise veröffentlicht werden, mit der seine Blaskapelle diese spielt, da er nicht wünschte, von anderen nachgeahmt zu werden. Dirigenten, die den Sousa-Stil kennen, wissen, daß er oft die Kornette und Posaunen pausieren ließ, besonders beim ersten Mal einer Melodie. Häufig kommt es vor, daß im zweiten Teil zunächst die Klarinetten spielen, und zwar eine Oktave tiefer als in der hohen notierten Lage und dann bei der Wiederholung spielten die Klarinetten wie notiert und hat die Kornette und Posaunen die das erste mal pausiert haben setzen bei der Wiederholung wie gedruckt ein. Achten Sie beim Zuhören auf all die Änderungen dieser gedruckten "Partituren", und besonders darauf, wie die Holzblasinstrumente im Trio, wo sich die Tonart ändert, in den Vordergrund treten. Der fortissimo-Teil im Trio wird in Amerika "dogfight" (Hunde-Kampf) oder "break strain" genannt. (Bitte sehen Sie Abbildung 1 für die amerikanische Freiheits-Glocke.) Hier ist *The Liberty Bell* (*Die Freiheits-Glocke)* von John Philip Sousa.

Abbildung 1
Die Freiheits-Glocke
Independence Hall, Philadelphia

Beispiel 16
John Philip Sousa: *The Liberty Bell*
[Mit MM c.120 pro Schlag gespielt: *A Grand Sousa Concert*, The Nonpareil Wind
Band, Timothy Foley, conductor, EMI CDC 7 54130 2]

Damals, im Jahr 1771, gab Anton Bemetzrieder in seinem Unterrichtswerk für
Klavier *Leçons de clavecin* an, daß der "Geschmack das wahre Metronom
ist"[20]. Darüber hinaus muß bei Märschen der Geschmack mit dem Wissen von
der Tradition und den Aufgaben, für welche die Märsche original bestimmt
waren und sind, kombiniert werden. Danke.

---

[20]   Anton BEMETZRIEDER, Leçons de clavecin (Paris, 1771) as quoted in:
Robert DONINGTON, Baroque Music, London 1982, S. 19.

Ludmila Červená, Banská Bystrica, Slowakei

BETRIEBS- UND ARBEITERBLASKAPELLEN IN DER SLOWAKEI

Das Entstehen und Aufkommen der Betriebs- und Arbeiterblaskapellen in der Slowakei ist unmittelbar mit der im ausgehenden 19. Jahrhundert entstehenden Arbeiterkultur und der Gewinnung eines Selbstbewußtseins dieser Arbeiterkultur verbunden. Musikwisssenschaft und Volkskunde haben sich bislang kaum damit beschäftigt. Wir finden Hinweise auf unser Thema in den Jubiläumsfestschriften der einschlägigen Blaskapellen, seltener in den kulturgeschichtlichen Abschnitten einzelner Monographien über Städte und Gemeinden, häufiger in den Berichten der Regionalzeitungen. Für die Musikwissenschaft ist dieses Blasmusikwesen Ausdruck der "niederen Musik", für die Folkloristik liegt es außerhalb der "echten, authentischen" Volksmusik. Doch für die Menschen außerhalb der großen Musikzentren war und ist diese Musik Bestandteil ihrer kulturellen Identität.

Die folgende Darstellung wird in drei Abschnitte unterteilt:

(1) Vom ausgehenden 19. Jahrhundert bis 1920,
(2) 1920 bis 1948,
(3) 1948 bis 1990.

Vom ausgehenden 19. Jahrhundert bis 1920

Die Arbeiterkultur und damit die Arbeitermusikkapellen und Arbeiterchöre entfalteten sich auf dem Gebiet der heutigen Slowakei vor allem in den Industriezentren des ehemaligen Oberungarn. Es handelt sich dabei um die mittelslowakischen Orte im oberen Grangebiet mit den Gemeinden Hronec (Ende des 18. Jahrhunderts), Podbrezová (1853), Mostenica, Tisovec, Piesok, Lubietová. Um das Jahr 1900 gehörte dieses Gebiet mit seinen fast 3300 Mitarbeitern zu den größten Eisenwerken im damaligen Ungarn. Weiter war es der Betrieb UNION in Zvolen sowie die Umgebung von Prešov, Kompachy, Rudnany und Košice in der Ostslowakei. Die Arbeitervereine waren zunächst als karitative Einrichtungen gegründet worden, wie dies im Statut der "Ehrlichen Gesellen des k. u. k. mechanischen Werks in Hronec" aus dem Jahr

1853 fixiert ist. Den ursprünglich karitativen Einrichtungen wurden bald Bildungsangebote, in Hronec etwa 1846 eine Bibliothek, angeschlossen. Schließlich entstanden im Umkreis dieser Einrichtungen Arbeitermusikkapellen, deren älteste auf eine Gründung des Pfarrers von Hronec *Tomaš Hromada* (1793 – 1870) zurückgeht. Bereits 1867 begrüßte eine solche Musikkapelle den zuständigen Minister für das Eisenwesen mit klingendem Spiel[1]. Im UNION-Betrieb in Zvolen ist das Bestehen einer Blaskapelle für das Jahr 1872 bezeugt, die dann im Jahr 1883 in den damals neu gegründeten Arbeitermusikverein integriert wurde. Um die Jahrhundertwende bestanden Instrumentalgruppen der deutschen Arbeiter, vermutlich Blaskapellen, in Vyšný Medzev, Matejovce bei Poprad, Kezmarok und Smolník. In dem Maße, als die Arbeiterblaskapellen zu kulturellen Repräsentanten der Industriebetriebe wurden, erfolgte die teilweise Professionalisierung dieser Orchester. Sie galten nun als unverzichtbarer Bestandteil offizieller Feiern, aber auch aller geselligen Anlässe. Solche Musikkapellen hatten die Möglichkeit, während der Arbeitszeit ihre Proben abzuhalten, was für Podbrezová im Jahr 1879 bezeugt wird. Teilweise wurden den Musikern auch Honorare bezahlt, die jedoch vom Lohn anderer Mitarbeiter oder Angestellter abgezogen wurden[2].

Es waren vor allem tschechische Kapellmeister, die im Zuge der Professionalisierung der Betriebs- und Arbeiterkapellen in die Slowakei gekommen sind. Als solcher ist von 1872 bis 1892 *Vojtech Florian* bezeugt, der nach einem Aufenthalt in Ostrava im Jahr 1905 nach Zvolen zurückkehrte. Weiter bedeutende Persönlichkeiten waren *Václav Novotný, Franz Gorrieri* und *Ignác Göbel*[3]. Die Betriebsmusik der Podbrezovské Eisenwerke wurde von *Antonín Kříž* geleitet, geboren in Vyškov in Mähren, in Budapest und Miskolc ausgebildet, dann Militärmusiker, Dirigent der Blaskapelle der Eisenwerke in Diósgyör, seit dem 19. Juli 1892, im Alter von 23 Jahren, Kapellmeister in

---

[1]   Andrej BIENEK, Hudba a spevokoly v erárnych železiarňach, in: Robornícke spevokoly a robonícka kultúra na Slovensku. Zborník z muzikologickej konferencie v rámci Bratislavských hudobných slávností 1981, Vydal: MDKO Bratislava 1983, S. 93 – 94. Im folgenden zitiert als "Bienek".

[2]   Bienek, a. a. O., S. 96.

[3]   Marianna BÀRDIOVÀ, Hudobná kultúra, in: Zvolen. Monografia k 750. výročiu obnovenia mestských práv, Vydal: Mesto Zvolen, 1993. S. 226. Im folgenden zitiert als "Bardiova".

Podbrezová. Dem Vorbild der altösterreichischen Militärkapellen entsprechend, spielte diese Betriebsmusik sowohl in Streich- wie in Bläserbesetzung. Auch mehrere Musiker dieses Orchesters hatten zuvor in Militärkapellen gedient[4].

1892 wurde in Tisovec eine Blaskapelle gegründet, deren Blütezeit in die Jahre 1896 bis 1914 fällt, als sie von *Jozef Hoffmajster* dirigiert wurde. Diese Kapelle wurde ab dem Jahr 1922 als reine Amateurkapelle weitergeführt. Nur wenig ist über das Repertoire dieser Blaskapellen bekannt. Marianna Bardiová kann für die Musikkapelle des Betriebes UNION in Zvolen einerseits feierliche und hymnische Choräle, andererseits lustige Lieder deutscher oder ungarischer Provenienz, Melodien aus Operetten, Polkas, Walzer, Csardas-Tänze und Märsche nachweisen. Vielfach hatten die Betriebsleitungen auch Interesse an der Ausbildung talentierter Nachwuchsmusiker. In Zvolen unterrichteten *Gustáv Šimkovic* die Streichinstrumente, *Vojech Florián* die Blasinstrumente[5].

1921 bis 1948

In dieser Phase der Entwicklung gerieten die Betriebs- und Arbeiterblaskapellen in der Slowakei in den Sog parteipolitischer Interessen. Es entstanden auch neue Blaskapellen, vor allem in der Ostslowakei, in Prešov, Levoca, Krompachy, Lovinky, Rudany und Košice. Das Repertoire wurde nun stärker von politischen und patriotischen Arbeiterliedern bestimmt. Als Komponist ist uns aus diesen Jahren der Kapellmeister der Arbeiterkapelle in Prešov, *Ján Pöschl*, bekannt[6]. Die Kapelle des Eisenwerkes UNION in Zvolen wurde wegen wirtschaftlicher Probleme in einen Eisenbahner Musikverein übergeführt; im Statut heißt es dazu: um "die Wechselbeziehungen zu entwickeln und sich um die Vervollkommnung der Fachbildung sowohl unter den Kapell- als auch anderen Vereinsmitgliedern durch Vorlesungen, didaktische

---

[4]   Bienek, a. a. O., S. 98 – 99.

[5]   Bárdiová, a. a. O., S. 226 – 227.

[6]   František MATUŠ, Z dejín robotníckej hudobnej kultúry v Prešove a jeho okolí, in: Robotnícke spevokoly a robotnícka kultúra na Slovensku. Zborník z muzikologickej konferencie v rámci Bratislavských hudobných slávností 1981, Vydal: MDKO Bratislava 1983, S. 21. Im folgenden zitiert als "Matúš".

und unterhaltsame bzw. fachbezogene Treffen, Ausflüge, Theatervorstellungen zu kümmern, alljährlich ein Konzert für die Öffentlichkeit zu veranstalten, weiterhin an der Feier des 28. Oktobers, dem Gedenktag der Entstehung der Tschechoslowakischen Republik teilzunehmen. Kapellmeister wurde *Hynek Homolka*, ein erfahrener tschechischer Musiker, der zuvor als Kapellmeister in Kiew und Sarajewo gewirkt hatte[7]. Da viele Arbeiter den Lohnabzug zur Förderung der Musikkapelle nicht mehr bezahlen wollten, machten sich in den 20er Jahren die ehemals betriebseigenen Musikkapellen vielfach selbständig. Zu den überlokal beachtenswerten Persönlichkeiten der Blasmusikszene zählt *Václav Prokop*, am 21. Oktober 1887 im Tschechischen geboren, der 1903 bis 1908 der Militärmusik in Lemberg, 1908 bis 1912 einer Militärkapelle in Budapest und danach dem Orchester des Stadttheaters in Neupest angehört hatte. Einer seiner Nachfolger als Kapellmeister in Podbrezová war *Karel Hübner*, ebenfalls tschechischer Herkunft, der als Geiger dem Orchester des Stadttheaters in St. Pölten in Niederösterreich sowie dem Symphonieorchester in Sofia in Bulgarien angehört hatte[8].

1948 bis 1990

Die parteipolitische Vereinnahmung der Blaskapellen in der Slowakei fand ihre Fortsetzung nach 1948. Zwar wuchs die Anzahl der Kapellen, doch benötigte man sie vor allem für 1. Mai-Veranstaltungen, politische Demonstrationen, die Begleitung von Folkloreensembles, die im In- und vor allem auch im Ausland für die Kultur des Landes werben sollten. Abschließend möchte ich betonen, daß der Wert der Arbeiterchor- und Arbeitermusikvereine in der Slowakei vor allem darin liegt, daß abseits der professionellen Musikkultur breite Kreise der Bevölkerung mit lebendiger Musik in Berührung kommen können.

---

[7] Bárdiova, a. a. O., S. 228.

[8] Bienek, a. a. O.,S. 98 – 99.

Abbildung 1
Blasmusik des Eisenbetriebes Podbrezová 1915

Abbildung 2
Eisenbahnmusikverein Zvolen 1933, Kapellmeister Homolka

Dianna Eiland, Alexandria/VA, USA

THE BAND PROGRAM IN THE FAIRFAX COUNTY
PUBLIC SCHOOLS

What makes a good band? Is it the students, the parents, the location, the community, the teacher? Why does one town have a good band program and another town not? This paper will try to answer these and other questions about the band program in the Fairfax County Public Schools (Virginia, U.S.A.)

Fairfax County is located in northern Virginia across the Potomac River from the capital of the United States, Washington, D.C. The population in 1994 was 818,584, and the land area in square miles was 399. The people who live in the county are, for the most part, affluent, well educated, high achieving individuals who expose their children to the fine arts in the area, such as the National Symphony Orchestra, the four major military service bands, the opera, the ballet, the theater, the museums, and other arts. The families of band students are supportive of the bands and provide money for instruments and private lessons. Parents at the high school and junior high level support the program through membership in band parent organizations. Parents in the county expect high quality band education from their schools and band directors.

Instrumental music was introduced to the Fairfax County Public schools in the late 1930's and early 1940's by local music stores. Salesmen would sell instruments to the students and then teach them how to play the instruments, but the salesmen would move on to another school as soon as they were paid for the instruments leaving the students with instruments that they did not know how to use. Some schools would have a teacher, of another subject, run the band in their "off period". This, however, did not work because the teachers did not have the time to devote to the band. The parents of one high school in the county hired a professional band master in 1946 to direct a band for their children on Tuesday evenings and Saturdays. He was paid fifty cents per student per rehearsal. Bands first became a part of the daily curriculum in the high schools in 1948 when a band was started at Fairfax High School. Philip J. Fuller, the first certified band director in the county, set a standard of high quality programs that were soon copied in other schools in the county. Since a quality program at the high school was not possible without a quality program at the elementary and Junior high level programs were soon established in those levels by Mr. Fuller. In 1949 the first elementary band teachers were hired by the county. Gradually band directors were hired for the other schools in the county and band programs began to flourish in Fairfax County, until in 1966 there were sixteen elementary band directors, sixteen middle school band directors, and seventeen high school band directors. Concurrently band enrollment was 8,832 in grades five through twelve. Today, there is a tradition of strong band programs in the county at all levels. They receive support from the school and community, and they attract good teachers from all over the nation.

Music education in Fairfax county starts in the general music class. All students, kindergarten to sixth grade, attend general music classes twice weekly. These classes, taught by general music specialists, teach singing, music notation, listening skills, and recorder playing. Most students are able to read treble clef and count simple notation rhythms when they begin band. The students are taken to symphony orchestra concerts and ballet performances during the year.

"You are able to reach more lives by teaching in the public schools. ...Instrumental music gives the student an in-depth knowledge of music, it improves their ability to learn music. ...Everyone can learn to play a band instrument to some level. ...Music is a tool to education. Music is the core of life."

Rima Vesilind, elementary band director, Fairfax County Public Schools

The band in the county's 120 elementary schools starts in fifth and sixth grade. Each school has one band teacher and that teacher can have from two to seven schools each week, teaching up to seven forty-five minute classes a day at each school. One teacher might teach over 300 students in a week. Enrollment in band at this grade level is at its highest percentage compared to school enrollment, and band enrollment in fifth and sixth grade has increased over the past five years. Students are started on the basic band instruments: flute, clarinet, alto saxophone, trumpet, trombone, percussion (snare drum and bells). Some teachers will also start children on oboe, bassoon, French horn, baritone and tuba. The teachers are allowed to select their own teaching materials, but the most popular texts are the *Yamaha* and *Ed Suite Band* methods, and the *Best in Class*, *Essential Elements* and *Standard of Excellence* series. Most schools will have a beginning band of fifth and sixth graders and an advanced band on sixth grades. Beginning classes are taught by homogeneous instrument groups.

160

Each class is forty-five minutes long and a teacher will meet with a class once a week. Enrollment in band programs at each school will range from thirteen to over 150. Class size will range from one to twenty-five for beginners and advanced band can be taught by instrument group or as a full band so the size will vary. One to three concerts are given each year and the level of music will range from grade one half to two plus. Between fifth and sixth grade from fifty to ninety percent of the students will continue band. Between sixth and seventh grades from thirty to ninety-five percent of the band students will enroll in junior high band. During the 1993-94 school year the county provided $11.50 per student enrolled to each school's band program for method books and concert band music. The county provides some instruments at this level for rent, and has a county wide program for free instruments for low income students.

Recruiting takes place at the start of each school year. Each teacher has their own method of exciting students about the band program. In any method, however, the band instruments are demonstrated and the students are told about band. After the student shows interest the teacher will allow each student to try the instrument they have shown an interest in to determine if they can be successful with that instrument.

There are two types of band schedules used in the elementary schools. One is the fixed schedule where the students go to their class, by instrument, at a set time each week. This schedule has the advantage of being easily remembered, but the disadvantage of conflicting each week with the same academic subject. The second form is the rotating schedule. The times for band class are the same each week, but the band classes rotate through the different times. This eliminates the conflict with academic subjects, but is harder for the students to follow, so that the teachers need to help them remember their class time.

Each band student can be involved in band outside of the school day by going to solo and ensemble festival, participating in Area band or by taking private lessons. Area bands are organized and taught by elementary band directors for their and others students. Area bands meet once a week at the local Junior high in the band room and rehearsal grade one to two music for one or more concerts during the school year. Some Area bands will participate in District concert and Sight-reading festival playing grade two and perhaps three music. During the summer elementary band students can participate in summer band programs run by the junior high band directors with the help of elementary band directors. There is a fee for participation in these camps, but the students can make great improvement in a short amount of time.

"I have learned to relate well to the kids, I treat them all equal, and that is my strength as a teacher. ...The kids want to play well for me because they like me. ...I want my students to feel in the future that being in the band was a special time for them. ...The students should feel that they have succeeded at something. ...I never talk about limits, I help them discover the possibilities."

Victor Bernharts, junior high band director, Fairfax County Public Schools

Bands in the twenty-three middle schools/junior highs in Fairfax County meet during the school day in a band room for fifty to sixty minutes per day. Some directors will have after school hours full band rehearsals and/or sectionals during the year. Each director teaches only at his/her school. The county gave each school $8.10 per band student in 1993 for the purchase of music and method books. Each school will have between two and six bands. Enrollment in each group will range from ten to ninety students. The music played will range from grade one-half to grade five. Method books are also used and the most popular ones are the *First Division Band Method*, the *Yamaha Band Method*, and the *Hal Leonard Band Method*. These bands play five to sixteen concerts per year. One performance is the District Concert and Sight-Reading Festival. They also take performance trips to festivals in Virginia, and Pennsylvania, the Mid-West International Band and Orchestra Clinic in Chicago, Illinois, and the Music Educators National Conference national and regional meetings. In order to make these trips possible each school has a band booster organization consisting of band parents who raise money for the band program through car washes, candy and fruit sales, raffles, and many other fund raising activities. These booster groups will earn between $2500.00 and $8000.00 per year for their band program. In addition to the trips the money will be spent on music, clinicians, instruments and other equipment. It would not be possible to have the high level of performance and number of trips at the middle school level without the money raised by the band parents. The parents support the bands in one other important way by paying for their child's private lessons that are taught at the school in the afternoon and evening. From ten to eighty per cent of the students in a band take private lessons each week from a professional player on their instrument. Private lesson teachers perform with the major military bands and the National Symphony Orchestra. Advanced students can audition for District Band every year and their teachers help them with the music. The district band will meet one weekend in the spring to rehearse and give one concert with a guest clinician. Private teachers also help

162

the students prepare for District Solo and Ensemble Festival, also held in the Spring, where the young musicians can perform solos on their instrument or small ensembles with members of their school band before a judge that will rate and comment on their performance.

> "The students bring refinement, polish and experience to the band room. ...I hold the students accountable for their part in the group and they expect a lot from me forcing me to be a better teacher. ...I want the students to continue with music as part of their lives past public school and I select my literature based on that idea. ...The one underlying motive for everything I do is training consumers."

John Casagrande, high school band director, Fairfax County Public Schools

Fairfax County has twenty-three high schools. The top bands of seventeen of these performed grade six music at District Concert and Sight-reading festival in 1994. The remaining six performed grade five music. The majority of the bands received the highest rating, a one, for their performances. There are twenty-eight band directors for the twenty-three schools, an average of 1.2 per school. Each school will have two to four bands, with an enrollment of from ten to ninty-six in each group. The level of music played is grade two to grade six. All high school band programs in the county have band booster groups which involve from five to one hundred parents. The parent groups will raise from $15,000.00 to $70,000.00 in a school year. Enrollment in bands is at its lowest at this level.

The first yearly activity of the high school band is marching. Marching band starts in mid-August before school begins and consumes the band's full attention until late November. During that time the band will perform at Friday night football games, and Saturday Contest and Festivals, hosted by local high schools and the State Band Association, in the area. Bands also travel to other states to participate in marching band contests. Many of the bands go to a one week away band camp in the mountains of West Virginia to learn the show for the fall marching season. Each band learns and performs only one Corps Style show per season. Each band will spend between $2000.00 and $40,000.00 on a show for one season. Before school band camp is scheduled for up to sixteen days with rehearsals lasting from eight to twelve hours a day. The cost to the students is from nothing to $200.00 per student. Bands will perform at contests between two and five times in a season. Not all members in a band program take part in marching band. Enrollment in the marching band program ranges from fifty to 250. The staff of the marching band will range from one (the band director) to twelve or more. Most band directors in the county have the music and the charting of the field movements of the band and color guard done for them by professional arrangers and marching show designers.

After marching season the bands will concentrate on concert season preparing for the fall concert, and District Concert and Sight-Reading Festival as well as spring trips to out-of-state festivals and contests. In recent years several Fairfax County high school bands have performed at the Mid-West International Band and Orchestra Clinic in Chicago, Illinois and national and regional Music Educator National Association Conventions.

Concert band activities are funded in part by the county budget which includes $9.26 per student for the purchase of music. The schools band boosters will also provide money for music, equipment and trips. A high school program will spend $2000.00 or more per year on music.

Spring band trips are a major part of the band program in Fairfax County. The parents and students expect a trip and they also expect it to be outside Virginia. Bands and their boosters will spend from $10,000.00 to $70,000.00 on a spring trip. Bands have traveled as far away as Florida (and other distant states), Canada, and Europe. Trips last from three to five days and are taken on charted buses.

Bands in the county would not be able to maintain their high level of performance and activity without the support and money of the band parents groups. Groups will raise up to $50,00.00 in a school year through Tag Days (a fund raiser where students go door to door for donations from the local community), car washes, fruit sales, candy sales, and other fund raisers.

Individual activities that students can be involved in are Solo and Ensemble Festival (up to sixty per cent of band students participate) held in the Spring, District Concert Band and Orchestra (up to thirty or more make this group from each school), also held in the spring, and All-State Concert band and Orchestra (up to ten students make this group from each band). Small groups of students can also be in Jazz Ensemble, but not all schools have this ensemble. Another important part of the band is private lessons. Up to seventy-five per cent of each band's members study with private teachers at their schools. Band directors in the county will also hire outside band experts/clinicians to come to their school and work with their band. They do this between two and ten times in one school year.

During marching season there are groups of non-musician students that perform with the marching band to add visual "color" to the show, they are the color guard or flags. They perform dance and flag routines, as well as making forms on the field, to the music, in conjunction with the band. The guard has their own instructor to teach them their routine. In the spring semester these same students perform in the Winter Guard Unit. This group makes forms, dances and moves flags to recorded music on a gym floor. They perform their routines for large audiences at Winter Guard Contest held in gyms at local high schools and they also travel to other states for contests. Of course all of this takes money, time, parent support, and a teacher. This group is supported by the band boosters, but they also do their own fund raising.

"I teach people through music."

An anonymous band director, Fairfax County Public Schools

There are ninety-two band directors teaching in the county's 166 schools (twenty-three high schools with twenty-eight directors, twenty-three middle schools with twenty-six directors, and 120 elementary schools with thirty-seven directors). They have come from all over the United States to teach in Fairfax County and some have had jobs outside of the music profession (such as bus driver, police officer, magazine editor, park ranger, military musician, and secretary). All ninety-two have bachelors degrees in music, about fifty per cent have masters degrees, and two have doctorates. Their teaching experience ranges from one to over thirty years and their time with the county ranges from one to over twenty-five years. They have taught grades kindergarten through college/university during their careers. Most of them continue their education by attending professional conferences, and taking college courses at their own expense. They spend from ten to twelve hours a day at work when they are paid for seven and a half hours and high school directors work much of the summer, unpaid. For most of them their job is their life and they work for the sake of the students and the program. As is the case in other areas with strong band programs these band directors are well educated, talented musicians and teachers, and are dedicated to the students and their programs.

There are several factors that contribute to the high quality and large numbers of students in bands in the Fairfax County Public Schools. They are the high level of the community, the education level of the family, school and administration support, the elementary general music program, availability of private lessons, and the band teacher. All the factors contribute to the strong program in the county, but one stands out and is the most influential. That is the

165

band director, the teacher. The men and women that teach in Fairfax County are among the best the nation has to offer. They are the one factor that pulls the other factors together. Without a musical director with developed rehearsal technique and musical skills the bands in Fairfax County would just be a room of talented well educated young musicians with no one to pull that talent together into a fine band. Ninety percent of the bands in the county are of high quality with excellent directors. To be sure there are pockets of fine bands and band directors all over the world and one of those pockets is in Fairfax County Virginia.

BIBLIOGRAPHY

"Band Program Survey: High School, Middle School, Elementary School, and Director." March 1994, Typewritten. Collection of the author, Alexandria, Virginia.

Victor BERNHARDTS, band director in Fairfax County Public Schools. Interview by author, May 25, 1994, Alexandria, Virginia. Tape recording. Collection of the author, Alexandria, Virginia.

Carl BLY, band director in Fairfax County Public Schools. Interview by author, June 16 1994, Centerville, Virginia. Tape recording. Collection of the author, Alexandria, Virginia

John CASAGRANDE, band director in Fairfax County Public Schools. Interview by author, June 9, 1994, Fairfax, Virginia. Tape recording. Collection of the author, Alexandria, Virginia.

Fairfax County Public Schools. "Band Enrollment Reports: 1989-1993." Typewritten. Fine Arts Office, Walnut Hill Center, Falls Church, Virginia.

Fairfax County Public Schools. "Pupil Membership Report: April 30, 1993" Typewritten. Department of Management Information Services, Office of Records and Reporting Services, Alexandria, Virginia.

Richard FLOYD to Dianna Eiland. June 2, 1994. Typewritten. Collection of the author, Alexandria, Virginia.

Philip J. FULLER, "Fairfax County Music Education Program: Past, Present, Future." December 1966. Typewritten.

Jan McKEE, music supervisor in Fairfax County Public Schools. Interview by author, January 31, 1994, Falls Church, Virginia. Tape recording. Collection of the author, Alexandria, Virginia.

Ben PASQUALY, band director in Fairfax County Public Schools. Interview by author, June 1, 1994, Herndon, Virginia. Tape recording. Collection of the author, Alexandria, Virginia.

Rima VESILIND, band director in Fairfax County Public Schools. Interview by author, May 28, 1994, Alexandria, Virginia. Tape recording. Collection of the author, Alexandria, Virginia.

Garwood WALEY, band director in Fairfax County Public Schools. Interview by author, June 15, 1994, Alexandria, Virginia. Tape recording. Collection of the author, Alexandria, Virginia.

Frank B. WICKES to Dianna Eiland. June 6, 1994. Typewritten. Collection of the author, Alexandria, Virginia.

Zoltán Falvy, Budapest, Ungarn

BLASINSTRUMENTE IN MITTELALTERLICHEN JÜDISCHEN HANDSCHRIFTEN

Bei der Untersuchung mittelalterlicher Handschriften werden die hebräischen Quellen von Seite der Musikwissenschaft nur äußerst selten behandelt. Der Grund dafür liegt vermutlich darin, daß diese Handschriften keine Noten enthalten. Die **Hebraica** beschäftigt sich dagegen eingehend mit den kunsthistorischen Aspekten der Denkmäler. Eines der Hauptgebiete dieser Erforschungen stellt die Illuminierung der Handschriften dar. Durch die Illuminationen, welche des öfteren Instrumentenabbildungen enthalten, bietet sich auch für die Musikwissenschaft Gelegenheit, Erfahrungen zu sammeln und interessante Beobachtungen zu formulieren.

Ich darf mit der Untersuchung der bildlichen Darstellungen von Blasinstrumenten im sgn. Kaufmann-Nachlaß beginnen. Dieser Fonds befindet sich in der Ostsammlung der Zentralbibliothek der Ungarischen Akademie der Wissenschaften in Budapest.

David Kaufmann, Begründer der Sammlung, wurde 1852 in einer Ortschaft namens Kojestin in Mähren geboren. Er besuchte das Jüdisch-Theologische Seminar in Wroclaw. Nach Abschluß seiner Studien trat er ein Lehramt als Professor am Lehrstuhl für Religionstheorie und jüdische Geschichte an. Später hat er in Budapest im Landesinstitut für Rabbierziehung unterrichtet. Er starb 1899 in Karlsbad (Karlovy Vary)[1].

Der gelehrte Rabbi hat als erster mit der systematischen Erschließung der mittelalterlichen jüdischen Kunstgeschichte begonnen. Seine Bibliographie weist 546 Titel auf. Eine seiner wichtigsten Arbeiten stellt die "Geschichte der Attributenlehre in der jüdischen Religionsphilosophie des Mittelalters von Szadia bis Maimun" dar[2]. In seinem Aspekte der Geschichte Ungarns be-

---

[1] Miksa WEISZ, Kaufmann Dávid, in: Irodalmi Lexikon [Literarisches Lexikon], Red. Benedek Marcell, Budapest 1927, S. 582.

[2] David KAUFMANN, Geschichte der Attributenlehre in der jüdischen Religionsphilosophie des Mittelalters von Szadia bis Maimun, Gotha 1877 – 1878.

handelnden Werk beschäftigt er sich mit der Zurückeroberung Ofens von den türkischen Okkupanten: er veröffentlicht die Chronik des jüdischen Augenzeugen Isaac Schulhof (1650-1732)[3].

Seine Bibliothek, deren Schätze er selbst durch Ankäufe aus verschiedenen Ländern Europas zusammentrug, enthält zahlreiche hebräische Handschriften, Wiegendrucke sowie illustrierte Kodizes aus dem Mittelalter und der Renaissance.

Im Kaufmann-Nachlaß sind insgesamt sechs Handschriften mit Instrumentenabbildungen zu finden. Die sechs Handschriften sind zwischen dem 13. und 15. Jahrhundert entstanden, und können zweier grundlegenden hebräischen Dialektengruppen zugewiesen werden:

1. Ashkenazi-Gruppe (Handschriften hauptsächlich deutscher und französischer Herkunft.
2. Sefardi-Gruppe (Quellen überwiegend spanischer und italienischer Provenienz).

Die Ashkenazi-Gruppe ist mit drei, die Sefardi-Gruppe mit zwei Blasinstrumentenabbildungen enthaltenden Handschriften vertreten.

Methodologie der Musikikonographie:

Bevor ich mit der Darstellung der Blasinstrumentenabbildungen der einzelnen Handschriften ansetze, gestatten Sie mir auf einige methodologische Fragen der Musikikonographie kurz einzugehen.

Die Suche nach Instrumentenabbildungen in alten Handschriften oder Drucken, sowie deren Anordnung ist einerseits aus der Sicht der Organologie möglich. In diesem Fall werden lediglich die Instrumente und deren Typen behandelt und möglichst einer systematischen Untersuchung unterworfen. Die Schlüsselfrage lautet hier: inwieweit ist das betreffende Instrument im Vergleich zu den bis dahin kennengelernten als authentisch zu betrachten; handelt es sich um einen neuen Typus, so ist ein neuer Begriff in die Welt der Instrumente einzuführen. Es stellt sich gleichfalls die Frage, welche musikalischen Kennt-

---

[3]   David KAUFMANN, Die Erstürmung Ofens..., Trier 1895.

nisse der Illuminator wohl besaß, ob er überhaupt als Musiker anzusehen ist oder bloß als ein Kopist, der sich mit dem mechanischen Abschreiben der Vorlage zufrieden gab.

Zur Methodologie der Musikikonographie gehört nach meiner Untersuchungsweise ebenfalls der Hintergrund, die Provenienz der Handschrift, ihre liturgische Funktion, d. h. alles, was ihren Inhalt bestimmen konnte, sowie jene geographische Umgebung, in welcher das betreffende Scriptorium seine Tätigkeit ausübte. Die Illuminierung war mehrfach abhängig von der sozialen Umgebung, von deren Vermittlungssystem bzw. von der Region, welcher der Illuminator entstammte. In den mittelalterlichen Scriptorien gehörte es nicht zur Seltenheit, daß Textschreiber und Illuminator zwei oder mehrere verschiedene Personen waren. Es ist demnach kein Wunder, daß in den Illustrationen der hebräischen Texte und Handschriftenfolios verschiedene Stiltendenzen simultan auftreten. Damit wir diese Mannigfaltigkeit voll erfassen können, müssen wir die liturgischen Strukturen der Handschriften, sogar die liturgischen Funktionen selbst befolgen.

Die Handschriften der Ashkenazi-Gruppe:

Nr.1. Der erste Kaufmann-Mahzor ist süddeutschen Ursprungs und wurde um 1270/1290 verfasst[4]. Der Mahzor vom Ashkenazi-Ritus enthält Gebete und biblische Lesungen für das ganze Jahr. Neben den Texten werden zwei Schofare abgebildet: der erste ist am Fol. 12v bei den Lesungen zwischen dem ersten und zweiten Tag des Rosh Hashanah zu finden. Der blasende Musiker besitzt einen jüdischen Hut mit einem Pompon und sein linker Fuß ruht auf einem Dreibein, dessen Funktion unklar ist. (siehe Abb. 1).

Der zweite Schofar befindet sich auf Fol. 163v. Der Tag, zu welchem er als Illustration beigefügt wurde, ist der Ne' ilah (Tag der Buße). Der Musiker besitzt erneut den typisch jüdischen Hut und beim Blasen hebt er sein Bein gleicherweise auf das vorher erwähnte Dreibein. Diese marginale Zeichnung wurde später, vielleicht im 14. Jahrhundert auf ihrem Platz eingetragen. (siehe Abb. 2).

---

[4] Signatur: MTAK. A 388/I-II.

Nr.2. Tripartite Mahzor - süddeutsch (aus der Umgebung des Konstanzer Sees) - etwa 1320. Es handelt sich gleichfalls um einen Mahzor mit Ashkenazi-Ritus, es enthält Tagesgebete[5]. In der Handschrift sind Instrumentenabbildungen an drei Stellen zu finden: bei den Gebeten für den ersten und zweiten Tag des Pesah, beim Canticum canticorum sowie beim siebten Tag des Pesah[6]. (siehe Abb. 3).

Die Illustration ist in der Handschrift schwer aufzufinden, sie wurde mit gelber Tinte ausgeführt und allem Anschein nach unvollendet überliefert. In den Initialen der nicht-hebräischen mittelalterlichen Handschriften erscheinen musizierende Gestalten recht häufig. In den hebräischen Kodizes gehören jedoch intertextuale Instrumentenillustrationen eher zur Seltenheit.

An dieser Stelle finden wir uns zwischen den ornamentalen Blättern der Initiale einem vollständigen mittelalterlichen Orchester gegenübergestellt. Die Figuren sind hybride Gestalten (halb Tiere, halb Menschen). Unter den Instrumenten kommen folgende zum Vorschein: Pfeife, Pfeife mit Trommel, Flöte und Platterpfeife.

Auf Fol. 197 beim siebten Tag des Pesah wird die Überschreitung des Roten Meeres dargestellt. (siehe Abb. 4). Die Ägypter befinden sich am unteren Rand des Bildes, Moses steht in der Mitte der linken Seite, während das jüdische Volk am oberen Rand abgebildet ist. Im Mittelpunkt steht Miriam, die mit Pfeife und Trommel in der Hand ihren Tanz vorführt.

Nr.3. Heilbronn-Mahzor - deutsch - 1370-1400[7]. Die Handschrift wurde nach den Besitzern des Mahzors benannt: der erste Besitzer war Moses Abraham aus Heilbronn, der zweite Moses Joseph, ebenfalls aus Heilbronn[8]. Die Handschrift enthält Gebete für das ganze Jahr beginnend mit Neujahr. (siehe Abb. 5).

---

[5]   Signatur: MTAK. A 384.

[6]   B. NRAKISS, A Tripartite Illuminated Mahzor from a South German School of Hebrew Illuminated Manuscripts around 1300, in: Fourth World Congress of Jewish Studies, Jerusalem 1968, S. 129 – 133.

[7]   Signatur: MTAK. A 387.

[8]   D. KAUFMANN, Zur Geschichte der Jüdischen Handschriften-Illustration, in: D. H. Müller – J. Schlosser, Die Haggada von Sarajevo, Wien 1988. S. 270 – 271.

Auf Fol. 66v ist auf einer Marginalienzeichnung eine Hand mit einem Schofar zu sehen, die hebräische Überschrift daneben bedeutet Horn.

Die nächste Illustration des Kodex ist auf Fol. 192 ebenfalls als Marginalie abgebildet. (siehe Abb. 6). Die Gestalt auf der linken Seite bläst ein trompetenartiges Instrument, die Zeichnung steht in keinerlei inhaltlicher Verbindung zum Text.

Die nächste Bläser-Abbildung ist auf Fol. 316v zu finden. (siehe Abb.7). Gleichfalls eine marginale Zeichnung, ein jüdischer Musiker in voller Gestalt mit originalem Hut. Nach der sonderbaren mittelalterlichen Praxis werden bestimmte Textteile des öfteren durch einen Custos hervorgehoben. Der Custos-Text ist zwischen den Beinen des Musikers zu sehen.

Die Handschriften der Sefardi-Gruppe:

Nr.4. Eine Kaufmann-Haggadah vom Sefardi-Ritus - spanisch - Barcelona 1350 - 1360[9]. Es handelt sich um die bekannteste Handschrift der Kaufmann-Sammlung. Sie wurde in zwei Faksimile-Ausgaben veröffentlicht und wird auch seitens der Fachliteratur stark hervorgehoben[10]. Die sechzig reich illustrierten Pergamentblätter enthalten 11 Instrumenten- bzw. Musikdarstellungen. Es handelt sich meistens um Bibelillustrationen. Es überwiegen die Bläserdarstellungen, es ist jedoch kein Schofar unter ihnen zu finden. (siehe Abb.8).

Fol. 8. Beim Exodus 9:7 sind unter den drei Gestalten zwei Hirtenmusiker: sie blasen die Flöte und den Dudelsack. Dies ist eine stark beschädigte Seite im Kodex. Ähnliche Abbildungen sind in zahlreichen mittelalterlichen Handschriften aufzufinden. (siehe Abb.9).

---

[9]   Signatur: MTAK. A 422.

[10]   S. SCHEIBER, The Kaufmann Haggadah, ed. Facsimile, Publications of the Hungarian Academy of Sciences. Budapest 1957. – B. NARKISS, The Kaufmann Haggadah. Kyriath Sefer. 34, 1958. S. 71 – 79, 1966. S. 104 – 107. – J. GUTMAN,: The Haggadic Motif in Jewish Iconography, Eretz Israel 6, 1960, S. 18 – 19. – B. NRKISS, Hebrew Illuminated Manuscripts, Jerusalem 1969, S. 70. – G. SED-RAJNA, The Kaufmann Haggadah, ed. Facsimile (2).

Fol. 34v. In der rechten Oberecke der Rahmenillustration steht eine hybride Gestalt eines Pfeifers, wahrscheinlich Dudelsackspielers. Die untere Hälfte der Gestalt ist die eines Tieres, die obere die eines Menschen. (siehe Abb.10).

Fol. 36. Die gerade Trompete besitzt hier keinerlei Funktion. Sie dient als nachträgliche Verzierung eines hebräischen Buchstaben und ist demnach viel später als die Handschrift entstanden. (siehe Abb. 11).

Fol. 36v. Eine ähnliche Illustration wie vorher. Späterer Nachtrag. Eine Frauengestalt bläst eine gebogene Trompete. (siehe Abb. 12).

Fol. 44. Die um das Wappen von Kastilien gruppierten vier grotesken Gestalten blasen gerade Trompeten. Zwei von ihnen haben jüdische Hüte, zwei wiederum solche, die für Hirten bezeichnend waren. Manche vertreten die Meinung, es werden hier die vier herrschenden Winde in Kastilien dargestellt. (siehe Abb.13).

Fol. 55. Eine groteske Gestalt der Rahmenillustration hält eine auffallend lange Pfeife in der Hand, bzw. spielt auf der Spielpfeife des Dudelsacks. Es handelt sich erneut um eine hybride Figur. (siehe Abb.14).

Fol. 57v. Am unteren Rand der Rahmenillustration erscheint ein Blasinstrument, das nicht leicht zu bestimmen ist. Es wird von einem Tier geblasen. Im Vergleich zum Körper des Tieres handelt es sich um ein konisches Holzblasinstrument von gewaltigem Ausmaß. (siehe Abb. 15).

Fol. 60. Ein Schloss mit drei Türmen: eine sitzende Gestalt im Turm von Baal Zephon spielt auf einer gebogenen Trompete, die in unserem Fall ein signalgebendes Instrument sein dürfte.

Nr. 5. Kaufmann Pesaro Sidur - Pesaro, Italien, 1481[11]. Es ist ein zweibändiges sefardisches Sidur nach römischem Ritus. Die Instrumentenabbildungen sind im zweiten Band überliefert. Auf den schönen farbigen kleinformatigen Illustrationen an den Blatträndern erscheinen drei konische Blasinstrumente. Laut einer Studie, welche sich mit diesen Abbildungen beschäftigt, handelt es sich ausnahmslos um Schofare. Die Illustrationen befinden sich unter den Gebeten zum zweiten Neujahrstag. (siehe Abb. 16).

---

[11]   Signatur: MTAK. A 380/II.

Fol. 38. Ein stehender junger Mann ohne Hut bläst eine leicht gebogene Trompete. Der sichtbare Teil des Instrumentes besteht aus Metall. Der Kodex wurde bereits zur Zeit der Renaissance verfasst, und die Abbildungen signalisieren ebenfalls den Stil dieser Epoche. (siehe Abb. 17).

Fol. 41. Ein Mann mit Hut bläst gleichfalls eine gebogene Trompete. Das Instrument scheint vielleicht ewas größer zu sein, als vorher. Im Hintergrund ist eine ländliche Gegend abgebildet. (siehe siehe Abb. 18).

Fol. 44. Eine Gestalt bläst inmitten einer Landschaft erneut eine reich geschmückte gebogene Trompete.

Zusammenfassend können wir feststellen, daß unter den 18 Abbildungen 8 einen Schofar darstellen, 5 von ihnen markieren eine gerade oder gebogene Trompete, 2 eine Flöte, die weiteren je eine Pfeife oder ein pfeifenähnliches Instrument.

Was den Vergleich mit dem mittelalterlichen Instrumentenbestand betrifft, sind nahezu sämtliche verwendete Blasinstrumente in den Handschriften zu finden, und das auch dort, wo sie nicht gleichzeitig mit dem Haupttext, sondern erst als spätere marginale Ergänzung eingetragen worden sind. Dies bedeutet, daß in den Scriptorien oder jüdischen Gemeinden nach Niederschrift der hebräischen Texte den Kodizes solche Illustrationen beigefügt wurden, die sich teils durch gewisse inhaltliche Verbindung zum Text auszeichneten. Zwischen den hebräischen Texten einerseits und den an Blatträndern abgebildeten Instrumenten andererseits bestand also meistens eine inhaltliche Identität. Die Abbildungen haben - abgesehen vom biblischen Schofar - fast den vollständigen mittelalterlichen Blasinstrumentenbestand als Dekoration festgehalten.

Abbildung 1

בסתדר לעשות. את כל הברכה הזאה לפני יי אלהי כאשר
צד **וּצְדָקָה** וְכָה וריחים וריחים וסלום יהיה לנו ילנו ישׂ
עד יהדה בחיר אתה יי עושה השלום · אם ·

יתגדל ויתקדש שמיה רבא בעלמא דברא כרעותיה ויבליך
מלכותיה בחייכון וביומיכון ובחיי דכל בית ישׂ בעגלא
ובזמן קרב ואמירו אמן · יהׂ שמיה רבא מברך לעלם ולעלמי עלמיא ·

יתברך וישתבח ויתפאר ויתרומם ויתנשא ויתהדר ויתעלה ויתהלל
שמיה דקדשא בריך הוא לעילא מכל ברכתא ושירתא
תשבחתא ונחמתא דאמירן בעלמא ואמירי אמן · אם ·

תתקבל צלותהון ובעותהון דכל ישׂ קדם אבוהון דבשמיא
ואמירי אמן · אם

יהא שלמא רבא מן שמיא וחיים על כל ישראל
ואמירי אמן · אם

עשה שלום במרומיו הוא יעשה שלום עלינו ועל כל
ישראל ואמירי אמן · אם ·

וְהוּא רַחוּם יכפר עון ולא ישחית והרבה
להשיב אפו ולא יעיר כל חמתו · יי ·
הוֹשִׁיעָה המלך יעננו ביום קראנו · יי ·
בָּרְכוּ אֶת · יי הַמְבֹרָךְ

בָּרוּךְ אתה יי אלהינו מלך העולם אשר בדבר בערב ערבים בחכמה
פותח שערים בתבונה משנה עתים בחכמה את הזמנים
ומסדר את הכבכבים במשמרותיהם ברקיע מרצונו בורא יום ולילה
גולל אור מפני חושך וחשך מפני אור ומעביר יום ומביא

Abbildung 3

178

Abbildung 4

Abbildung 5

Abbildung 6

181

Abbildung 7

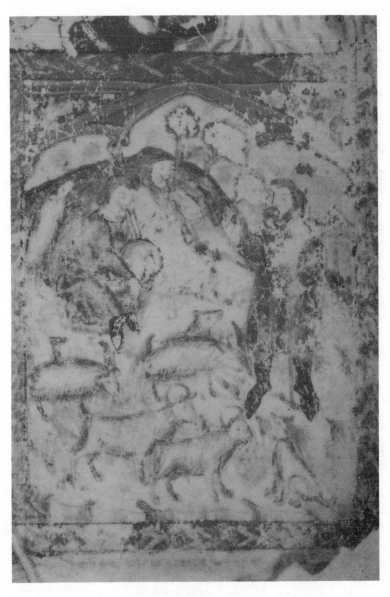

Abbildung 8

Abbildung 9

Abbildung 10

185

Abbildung 11

Abbildung 12

Abbildung 13

Abbildung 14

Abbildung 15

Abbildung 16

191

Abbildung 17

Abbildung 18

193

Thomas Hochradner, Salzburg, Österreich

REPRÄSENTANZ UND EMBLEMATIK. TROMPETEN UND PAUKEN ZU DEN EINZÜGEN DER FÜRSTERZBISCHÖFE VON SALZBURG

I. Repräsentanz und Emblematik

Als um 730 Awaren das slawische Stammesherzogtum der Karantanen aus dem Osten bedrängten, wandte sich deren Herzog Boruth an Herzog Odilo von Bayern um nachbarschaftliche Hilfe. Odilo gewährte zwar den gewünschten militärischen Beistand, blieb aber dann mit seinen Truppen auch gleich im karantanischen Gebiet. Um das auf billige Weise neugewonnene Terrain für sich zu sichern, trieben die bayerischen Herzöge die Christianisierung und Germanisierung des Landes östlich der Enns gleichermaßen voran. Mit der Erhebung Salzburgs zum Erzbistum am 20. April 798 ging dieser Aufgabenbereich in die Kompetenz der salzburgischen Erzbischöfe über, die in der Folge das Land im Osten mit Missionsstationen durchsetzten. Die beiden östlichsten waren Pécs (Fünfkirchen) und Veszprém (Weißbrunn). Nach Nordosten wurde die Wasserscheide von Moldau und Donau nur ausnahmsweise überschritten. Doch vor 830 weihte der Salzburger Erzbischof Adalram ein Gotteshaus in Nitra, wo der slawische Fürst Pribina residierte[1].

Aber noch im 9. Jahrhundert mußten die Salzburger Erzbischöfe ihre Missions-tätigkeit im Osten erheblich einschränken. Das byzantinische Apostolat der Cyrill und Method setzte sich auch im Fürstentum Pribinas fest und verdrängte insbesonders durch die päpstliche Erlaubnis, die heilige Messe in der slawischen Landessprache feiern zu dürfen, die älteren salzburgischen Bemühungen. Dennoch: mit der historischen Ausdehnung des germanischen Einflußbereiches nach Osten begann ansatzweise jene mitteleuropäische kulturelle Verflechtung, welche im Lauf der Jahrhunderte ein weitgehend einheitliches Zeremoniell kristallisierte und damit auch Trompeten und Pauken eine ausgesuchte offizielle Funktion zuwies.

---

[1]   Zusammenfassend nach Johannes NEUHARDT, Europas erste Ost-Erwei-terung, in: Salzburger Nachrichten vom 3. Jänner 1998, Beilage "Zum Wochenende", S. (I).

So waren auch am Salzburger fürsterzbischöflichen Hof im Spätmittelalter – zuvor fehlen darüber schriftliche Belege – beständig Trompeter und Pauker in Dienst gestellt. Erstmals wird 1450 ein Trompeter, Thomas Veldpacher, genannt, und seit 1482 existieren vereinzelt sog. "Dienstreversen", worin Trompeter dem Landesfürsten gegenüber ihre Dienstpflichten bestätigen. Da diese Reverse in der Regel von zwei weiteren Trompetern bezeugt wurden, waren insgesamt offenbar stets drei Musiker beschäftigt. Und vielleicht sind es nicht zufällig drei Trompeter, die auf den bemalten Holzvertäfelungen des "Rittersaales" im Schloß Goldegg (im salzburgischen Pongau gelegen) das Gastmahl des reichen Prassers mit Tafelmusik untermalen (Abb. 1)[2]. Vorbild dazu dürfte ein 1535 von Jörg Breu d. J. geschaffener Holzschnitt gewesen sein. Nachweislich stammen die Malereien im "Rittersaal" des Goldegger Schlosses aus den dreißiger Jahren des 16. Jahrhunderts und wurden 1536 montiert[3].

Zuweilen suchten die salzburgischen Trompeter auch um das städtische Bürgerrecht an, während über eine zunftmäßige Organisation aus dieser Zeit nichts berichtet wird[4]. Ohnedies ist die Frage, ob eine solche Zunft vor 1623 bereits bestand, als sich offiziell die "Reichszunft der Trompeter und Pauker" (i. e. der Zusammenschluß aller Trompeterkorps im Heiligen Römischen Reich deutscher Nation) konstituierte, kontrovers und spekulativ diskutiert worden[5]. Jedenfalls beeinflußte der Umstand, daß viele Trompeter aus der sozial schwachen Schicht der Spielleute in den Hofdienst aufstiegen, dort aber aufgrund ihrer mangelhaften

---

[2] Friederike ZAISBERGER, Der Rittersaal im Schloß Goldegg. Salzburger Land, (Salzburg 1981), S. 31f.

[3] An der Südwand des "Rittersaales" ist zudem eine Musikempore gemalt, die acht Musikanten mit Streich- und Blasmusikinstrumenten, dazu einen Edelmann – vermutlich den Auftraggeber, Erbpfleger Christoph Graf – zeigt; außen links sind zwei Musiker mit Trompeten (vielleicht Zugtrompeten) zu sehen. – ZAISBERGER (wie Anmerkung 2), S. 25, 27.

[4] Siehe Hermann SPIES, Beiträge zur Musikgeschichte Salzburgs im Spätmittelalter und zu Anfang der Renaissancezeit, in: Mitteilungen der Gesellschaft für Salzburger Landeskunde 81 (1941), S. (41) – 96: 43 – 49.

[5] Vgl. Detlef ALTENBURG, Untersuchungen zur Geschichte der Trompete im Zeitalter der Clarinblaskunst (1500–1800), Regensburg 1973 (Kölner Beiträge zur Musikforschung 75), Bd. 1, S. 40 – 43.

Spieltechnik nicht zu überzeugen wußten, nachhaltig die Durchsetzung einer zunftmäßigen Ordnung. Jene Privilegien, welche darin 1623 der Trompeterei zugesichert und 1630 von Kaiser Ferdinand II. bestätigt werden, fußten auf althergebrachten Sonderrechten und regelten deren Gebrauch. Sie betreffen, kurz zusammengefaßt, die Abgrenzung von Türmern und Spielleuten, die Ausbildung von Lehrjungen innerhalb der Zunft und die Beschränkung öffentlicher Auftritte auf den militärischen und zeremoniellen Bereich[6].

Trompeter und Pauker traten damit im Kriegsfall im fürstlichen Heer, in Friedenszeiten aber als offizielles "Emblem" des Landesfürsten in Erscheinung. Ihr Einsatzbereich erstreckte sich über Signale, Empfangs- und Auftrittsmusiken[7], das Spiel bei der Hoftafel und Hofbällen bis zur Beteiligung an musikdramatischen Werken und in der Kirchenmusik. In Salzburg schränkte indes eine – gemäß dem geistlichen Stand des Landesherren – zurückgenommene Hofhaltung dieses Aufgabenfeld ein. Umso mehr unterstrich es den repräsentativen Charakter des Trompetenspiels, wenn das Ensemble bei Gottesdiensten im Salzburger Dom oder zur Hoftafel auftrat. Die fürsterzbischöfliche "Hof- und Feldtrompeterei" unterstand dem Obersthofmarschall und blieb somit auch nach der Neuordnung der Hofmusikkapelle unter Wolf Dietrich von Raitenau (1597) außerhalb der eigentlichen Hofmusik, welche in die Zuständigkeit des Obersthofmeisters fiel. Im Höchstfall setzte sich seit damals die "Hof- und Feldtrompeterei" aus zwölf Trompetern und zwei Paukern zusammen[8].

Indem der 1795 von Johann Ernst Altenburg, dem Sohn eines Hoftrompeters im sächsischen Weißenfels, publizierte *Versuch einer Anleitung zur heroisch =musikalischen Trompeter und Paukerkunst*[9] eine historische Legitimierung der

---

[6]   Ebenda, S. 43 – 52.

[7]   Siehe etwa Franz MARTIN, Barockfeste in Salzburg, in: Mitteilungen der Gesellschaft für Salzburger Landeskunde 82/83 (1942/43), Beiheft, S. 60 – 69; Peter F. KRAMML, Salzburg in einem Reisebericht des Jahres 1492, in: Salzburg Archiv 14 (1992), S. 133 – 140.

[8]   Ernst HINTERMAIER, Die Salzburger Hofkapelle von 1700 – 1806, Diss. Salzburg 1972, S. XXI – XXIV.

[9]   Johann Ernst ALTENBURG, Versuch einer Anleitung zur heroisch=musikalischen Trompeter und Paukerkunst zu mehrerer Aufnahme derselben historisch,

zunftgebundenen Vorrechte versucht, erhalten die Ausführungen eine retrospektive Note. Dies spiegelt sich überdies darin, daß Altenburg für seine Schrift erst nach jahrzehntelanger Suche einen Verleger gewinnen konnte[10]. Im Zeitalter der Aufklärung, bei schwindender höfischer Repräsentanz, mußte das Trompetenspiel einen empfindlichen Bedeutungsverlust erfahren. Deshalb unterscheidet sich Altenburgs *Versuch* wesentlich von den etwa zeitgleich entstandenen und erfolgreichen Lehrwerken für eben "aktuelle" Instrumente wie die Flöte (Johann Joachim Quantz, *Versuch einer Anweisung, die Flûte traversiere zu spielen*, Berlin 1752) oder das Clavier (Carl Philipp Emanuel Bach, *Versuch über die wahre Art das Clavier zu spielen*, Berlin 1753) und ein gleichsam zeitloses wie die Violine (Leopold Mozart, *Versuch einer gründlichen Violinschule*, Augsburg 1756).

So muß Altenburg beklagen, daß die Trompeterei an zahlreichen Höfen, darunter in Berlin, bereits abgeschafft sei, und sein Verweis darauf, daß vielerorts "die Hoftrompeter und Paukerstellen oft mit andern ansehnlichen Bedienungen von Bedeutung verknüpft sind. Einige darunter bekleiden die Stelle eines Hof= Cammer= und Reisefouriers[11] [...]"[12] ist Augenauswischerei, war doch die Verbindung mit dem Hofkammerdienst zwar für "gewöhnliche Hofmusiker", nicht aber für das Trompeterkorps üblich. Dessen offiziell-zeremonielle Funktion verbot einen zusätzlichen Einsatz dieser Musiker als Kammerdiener von selbst, und nur über die Schwächung ihrer Position bei Hof konnten Trompeter und Pauker außerhalb ihres primären Aufgabenbereiches eingesetzt werden, etwa in der sonstigen Hofmusik oder gar auf der Stelle "eines Küchen=Keller=Jagd oder Forstschreibers"[13]. Die Zeit der fürstlich-repräsentativen Emblematik, als die zugestandenen Privilegien in etlichen Mandaten *Wieder das unbefugte*

---

theoretisch und praktisch beschrieben und mit Exempeln erläutert, 2 Teile, Halle 1795, Nachdruck Amsterdam 1966.

[10] Wilhelm EHMANN, Artikel "Johann Ernst Altenburg", in: Die Musik in Geschichte und Gegenwart, Bd. 1, Kassel und Basel 1949, Sp. 386 – 388: 387f.

[11] Ein Fourier ist im Grunde ein für die Versorgung zuständiger Hofbediensteter. Altenburg gibt aber als Obliegenheiten offizielle Botengänge, Quartiermeisterschaft und die Beaufsichtigung der Lakaien während der Hoftafel an.

[12] ALTENBURG (wie Anmerkung 9), S. 26f., Zitat S. 27.

[13] Ebenda.

Trompeten=Blasen und Heer=Paucken= Schlagen verteidigt wurden[14], war definitiv vorüber.

II. Trompeten und Pauken zu den Einzügen der Fürsterzbischöfe von Salzburg

Bereits im Mittelalter hielten die neugewählten Fürsterzbischöfe von Salzburg (die Inthronisation fand immer am Wahltag selbst statt), sobald das päpstliche "Placet" eingetroffen war, feierlich Einzug in die Stadt[15]. Der aufwendige Festzug führte von einem nahegelegenen Schloß (im Mittelalter stets Freisaal, später zuweilen auch Mirabell), wonach sich der Gewählte zurückgezogen hatte, zur hochfürstlichen Residenz, wo anschließend im "Rittersaal" die offizielle Huldigung durch die Regierung, das Domkapitel, die Äbte der Klöster, den Hofstaat und den Magistrat stattfand, während Landfahne, Bürgerkorps und Studenten dem Fürsterzbischof huldigten, als er sich am Fenster zeigte. Neben dem vorangehenden Wahlvorgang und der nachfolgenden Verleihung des Palliums, eines schmalen wollenen, mit Kreuzen verzierten Bandes, mit dessen Verleihung der Papst den neugewählten Erzbischof in sein geistliches Amt einsetzte, war der feierliche Einzug eine der drei Formalitäten, die zur Amtsübernahme notwendig geschehen mußten. Der prunkvoll ausgestattete Festzug bot zugleich ein Spektakel für das Volk und die Einbindung von Trompetern und Paukern in diesen Zug war angesichts des zumeist ersten öffentlichen Auftretens des Fürsterzbischofs als Landesregent nur selbstverständlich. Einmal wurde im übrigen der

---

[14] So im Titel einer 1711 in Dresden veröffentlichten Schrift. Weitere Mandate sind in Sachsen aus den Jahren 1650, 1661, 1736 und 1804 bekannt, wobei die letzte Verfügung unter dem Eindruck der Revolution als ein bewußtes Klammern an – längst verlorengegangene – landesfürstliche Autorität einzuschätzen ist. Zu den Schriften siehe Edward H. TARR / Ernst W. BUSER, Die Trompete. Instrumente und Dokumente vom Barock bis zur Gegenwart, Katalog einer Ausstellung in Bad Säckingen, Bad Säckingen o. J., S. 32. Ebenda, S. 33, eine Abbildung des Titelblattes aus dem Mandat von 1711.

[15] Eine erste zusammenfassende Besprechung bei Lorenz HÜBNER, Beschreibung der hochfürstlich=erzbischöflichen Haupt= und Residenzstadt Salzburg und ihrer Gegenden verbunden mit ihrer ältesten Geschichte, 2 Bände, Salzburg 1792/93, Nachdruck Salzburg (1982), Bd. I, S. 524, Bd. II, S. 116 – 137, 227, 369 – 371. Auf Hübners Darstellung stützt sich ein früher "landeskundlicher" Artikel: Anton SCHALLHAMMER, Die Einzüge der Erzbischöfe von Salzburg, in: Salzburger Post 1851, S. (473)f.

Zuglauf unterbrochen: Beim Nonntaler, später Kajetanertor (bzw. beim Linzer Tor, wenn der Einzug von Schloß Mirabell aus erfolgte) erwarteten den einziehenden Fürsterzbischof diverse Abordnungen der Stadt, des Militärs und der Studenten; dort wurden ihm vom Bürgermeister in einer gesonderten Zeremonie die Schlüssel der Stadt überreicht, ehe sich die "paradierenden" Gruppen in den Zug integrierten oder sich ihm anschlossen.

Ein erster solcher Einzug ist aus dem Jahr 1462 für Fürsterzbischof Burkhard von Weißpriach belegt, die erste ikonographische Quelle auf den vor 1557 im "Freskensaal" des Schlosses Freisaal festgehaltenen Szenen zu finden[16]. An der Türwand dieses Saales, der nach den übrigen drei Seiten hin Fenster besitzt, ist im oberen Streifen eines geteilten Freskos ein hochfürstlicher Einritt, vermutlich des Fürsterzbischofs Michael Graf Kuenburg von 1555 zu sehen (sein Wappen ist oberhalb der Türe angebracht)[17]. Der neue Regent sitzt zu Pferd – auf einem weißen Roß; das Vorbild solcher Einzüge, der "Königsritt" der deutschen Könige, läßt sich daran deutlich erkennen[18]. Unmittelbar vor dem Fürsterzbischof schreitet ein Geistlicher, welcher das Legatenkreuz trägt[19], davor aber reiten vier Trompeter und ein Paukenknabe[20] (Abb. 2). Diese Gruppe trennt innerhalb des

---

[16] Der etwa 80 m^2 große Raum weist eine Tramdecke auf. Unterhalb des unterzogenen großen Deckenbalkens ist die Jahreszahl "1558" zu erkennen. 1557 besichtigte Abt Benedikt Obergasser von St. Peter die Wandmalereien. Vgl. die Beschreibung in: Friederike ZAISBERGER (Hg.), Einzüge. Katalog zur Ausstellung [des Salzburger Landesarchivs], Salzburg 1995, S. 34 (gezeichnet Friederike Zaisberger).

[17] Möglich, aber nicht zwingend ist Friederike Zaisbergers These, die Fresken im Schloß Freisaal würden den Einzug Herzog Ernsts von Bayern (1540) zeigen (ebenda).

[18] Siehe Lore TELSNIG, Schloß Freisaal und der Einritt der Salzburger Erzbischöfe, in: Alte und moderne Kunst 12 (1967), Heft 4, S. 2 – 8.

[19] Der Erzbischof von Salzburg war als "legatus natus" – seit 1026 jeweils ad personam, seit 1179 generell urkundlich verbrieft – bereits per Amtsantritt ständiger Vertreter des Papstes in seiner Kirchenprovinz und durfte damit an dessen Stelle entscheiden. Er besaß das Recht, den Legatenpurpur zu tragen (welcher älter ist als der Kardinalspurpur) und bei seinem Einzug ein rotgeziertes Pferd zu reiten sowie sich das Legatenkreuz vorantragen zu lassen. Die spätere Übergabe des Palliums war also ein formeller Akt.

[20] Es dürfte sich um Eberhard Schrobenauer (Schrofenauer) handeln, Sproß einer Salzburger Trompeterfamilie, dessen jüngerer Bruder Adam nach Spies "bereits 1571 als

berittenen Zugteiles die Land- und Ritterschaft vom Fürsterzbischof, welcher von Trabanten (seiner Leibgarde) zu Fuß umgeben wird. Abschließend folgen, zu Pferd, die höchsten Würdenträger des Domkapitels (Domdechant, Domprobst und Domscholar) und berittene Edelleute, vermutlich hochrangige Angehörige des heimischen Adels und eventuell auch auswärtige Gäste.

Das Nahen des Fürsterzbischofs wurde also von der "Hof- und Feldtrompeterei" unmittelbar angekündigt. Wie anderwärts auch bildet dies eine Konvention, sobald der Landesregent in der Öffentlichkeit auftritt. "Pauken und Trompeten" sind demnach durchaus kein Spezifikum für den feierlichen Einzug des neu-gewählten Fürsterzbischofs, sondern begleiten ihn generell in seiner Eigenschaft als weltlicher Fürst. Fürsterzbischof Wolf Dietrich von Raitenau z. B. führte die "Hof- und Feldtrompeterei" auch bei seinen Einzügen in Laufen (1588) und Gastein (1591) mit[21] und desgleichen befand sich offenbar zumindest ein Trompeter im fürsterzbischöflichen Hofstaat, wenn sich der Landesherr ins Ausland begab[22]. Ebenso trat die "Hof- und Feldtrompeterei" bei Begräbnissen auf. So heißt es in der Beschreibung des Leichenzuges für Fürsterzbischof Leopold Anton Freiherr von Firmian (1744): "Die Trompeter und Pauckher wie sie bekleidet worden, mit aufgesteckhten Sardinen [sic] so einen wohl com-ponirten aufzug sehr kläglich geblasen haben"[23]. Insgesamt schwankte der Stand der "Hof- und Feldtrompeterei" in der frühen Neuzeit je nach den Möglichkeiten, die für eine repräsentative Hofhaltung zur Verfügung standen. Fürsterzbischof Matthäus Lang sah sich nach den Bauernaufständen (1525/26) gezwungen, seine neunköpfige Trompeterei (sechs Trompeter und drei Lehrjungen) auf einen Trompeter und zwei Lehrjungen zu reduzieren. Die Anzahl konnte aber wenig

---

der beste Pauker in Süddeutschland" galt; vgl. SPIES (wie Anmerkung 4), S. 70, sowie Kurt BIRSAK, Kleine Salzburger Trommelgeschichte (in Vorb.).

[21] Siehe Hans ROTH, Der "Einritt" des Erzbischofs Wolf Dietrich von Raitenau am 14. Dezember 1588 in Laufen, in: Salzburg Archiv 20 (1995), S. 47 – 56: 51, bzw. August Freiherr VON HÄRDTL (Hg.), Gasteiner Chronik. Nach alten Handschriften aus dem XVI. und XVII. Jahrhundert, Salzburg 1876, S. 44 – 59: Übertragung einer hs. Reimchronik [Einzug und Empfang des Erzbischofs Wolf Dietrich in Gastein], S. 49.

[22] SPIES (wie Anmerkung 4), S. 54.

[23] Landesarchiv Salzburg, Geheimes Archiv I/36, Bd. I, S. 44.

später wieder erhöht werden[24]. Beim Einzug des neugewählten Fürsterzbischofs Herzog Ernst von Bayern (1540) wirkten zwanzig Trompeter und zwei Pauker mit[25].

Erst seit dem späten 16. Jahrhundert sind erhaltene Berichte über die Einzüge so ausführlich angelegt, daß sie weitreichendere Rückschlüsse auf den Platz und die Funktion der Trompeter und Pauker im Zug erlauben[26]. Nachrichten über die Einzüge der Fürsterzbischöfe Marcus Sitticus von Hohemems (1612), Franz Anton Fürst Harrach (1709), Leopold Anton Freiherr von Firmian (1727), Jakob Ernst Graf Liechtenstein (1745) und Hieronymus Graf Colloredo (1772) werden im folgenden exemplarisch herausgegriffen.

1. Einzug des Fürsterzbischofs Marcus Sitticus von Hohenems (9. Oktober 1612)[27]

Zu Beginn ritten ein "Courier" und zwei "Marstaller mit 12 raisigen Knechten", danach drei Trompeter, zwei Rittmeister und eine große Schar Diener der Rittmeister, Hof- und Landherren sowie Pfleger, angeblich alle zu Pferd, schließlich wiederum vier Trompeter, über deren Gewand es heißt: "Die französischen Röck oder Casaggen waren von gut rot lindisch [Tuch], daran schmale Ermel mit plaugelben Borten. Die Wämmser mit gelbtaffentnen Ermeln mit vermischten porten verprämt, wie vor. Sie ritten schöne braune Pferde mit weißen Rüstungen. Auf den Trompetenfahnen von rothem Doppeldaffent waren des Fürsten und der Stadt Wappen angebracht." Nun folgte zu Fuß die bewaffnete Bürgerschaft, etwa 500 Mann, die man zwei Tage zuvor eigens gemustert hatte. In ihrer Formation befanden sich auch Spielleute, die ein blaugelb, i. e. mit den

---

[24] SPIES (wie Anmerkung 4), S. 66 – 70.

[25] Blasius HUEMER, Einritt des Erzbischofes Herzog Ernst von Bayern, in: Mitteilungen der Gesellschaft für Salzburger Landeskunde 55 (1915), S. (45) – 70: 57.

[26] Quellen im Landesarchiv Salzburg, Geheimes Archiv I/8 (Wolf Dietrich von Raitenau), I/31 (Franz Anton Fürst Harrach), I/33 (Leopold Anton Freiherr von Firmian), I/36 (Jakob Ernst Graf Liechtenstein), XVI/11 (Marcus Sitticus von Hohenems).

[27] Vgl. Franz Valentin ZILLNER, Ordnung des Einzugs des Erzbischofs Marx Sittich am 9. October 1612, in: ders. (Hg.), Geschichte der Stadt Salzburg, Salzburg 1890, Bd. II, S. 711 – 725.

Farben des Erzbischofs und der Stadt bemalenes Spiel trugen. Den beiden "Fähnlein" schloß sich der berittene Hauptteil an: vier Trompeter, ein Rittmeister mit drei Untergebenen, dann die bedeutendsten Bürger, die Pfleger und Landherren, Kammerherren und Freiherren, dazwischen immer wieder Rittmeister und andere fürsterzbischöfliche Bedienstete, danach per pedes die Bruderschaften und Zünfte, die Geistlichkeit (Mönche der städtischen und umliegenden Klöster sowie Domgeistliche) – wobei der Aufmarsch der Hofmusik den gemeinen Klerus von den Würdenträgern trennte – und endlich acht Trompeter unmittelbar ehe der hohe Adel und der Fürsterzbischof ritten, dieser wie gehabt auf einem rot gezäumten Schimmel. Marcus Sitticus wurde von einigen Bischöfen begleitet, und nach drei Edelknaben und einem letzten Trompeter folgte am Ende des Zuges die fürsterzbischöfliche Leibgarde.

Deutlich zeichnet sich ab, daß Trompetern und Paukern eine Signalfunktion für einzelne "Blöcke" innerhalb des Festzuges zufällt. Drei Trompeter vor der aufgebotenen Dienerschaft, vier vor der städtischen Abordnung, vier vor den Bürgern und dem Adel, schließlich acht vor dem Landesfürsten und einer vor dessen Leibgarde. Insgesamt befanden sich ergo zwanzig Trompeter im Zug, mehr, als die "Hof- und Feldtrompeterei" Mitglieder zählte. Es ist anzunehmen, daß sich die Bürgerschaft des Türmers und seiner Gesellen bediente, um sich Trompeter voranreiten zu lassen, die Leibgarde und das Militär hingegen selbst bei gegebenem Anlaß Leute stellen konnten, die zumindest einfache Signale auf der Trompete beherrschten. Jedenfalls wurden bei einem so festlichen Moment die Zunftprivilegien gebrochen, da auch unzünftige Trompeter mitwirken durften.

2. Einzüge der Fürsterzbischöfe Franz Anton Fürst Harrach (27. Mai 1709), Leopold Anton Freiherr von Firmian (28. Oktober 1728) und Jakob Ernst Graf Liechtenstein (1. Juni 1745)[28]

Nahezu ein Jahrhundert später erscheint die Ordnung des Zuges fast unverändert, womit auch die Positionen der Trompeter beibehalten werden. Der Fürst aber reitet nun nicht länger ein, sondern sitzt in einem offenen Wagen. Seine

---

[28] Vgl. Leopold SPATZENEGGER, Solenner Eintzug und Huldigungs Act Seiner Hochfürstl. Gnad. Francisci Antonii [Fürst Harrach] [...]. Solenner Eintzug und Huldigungs Act Seiner Hochfürstl. Gnaden Leopoldi Antonii [Freiherr von Firmian] [...], in: Mitteilungen der Gesellschaft für Salzburger Landeskunde 15 (1875), S. (209) – 225.

"Leibsänfte", offenkundig gleichsam ein Insignium, wird wie die übrige Hofequipage am Ende des Zuges leer mitgeführt. Die städtischen, militärischen und studentischen Abordnungen bleiben unerwähnt, wohl weil die Formationen hier beschrieben werden, bevor sie sich nach der Schlüsselübergabe in den Zug einfügten. Die Anzahl der Trompeter an den angestammten Plätzen weicht vom Einzug des Marcus Sitticus leicht ab: im Festzug für Franz Anton sind es zwei zu Beginn, zwei vor der Landfahne, zwölf und ein Pauker[29] vor dem Fürsten (also die komplette "Hof- und Feldtrompeterei") und zwei vor der Leibgarde; bei Leopold Anton wirken nur zehn Hoftrompeter mit, die übrigen Trompeter-Gruppierungen bleiben gleich stark. Aus dem Bericht über diesen Einzug geht zudem hervor, daß die "Hof- und Feldtrompeterei", während in der Residenz die Huldigungsformalitäten vor sich gingen, den über Arkaden gebauten Gang von der Residenz in den Dom besetzte und sich von dort habe "mit Rührung der Trompetten und Pauckhen hören lassen" (Abb. 3).

Die verschiedenen Gruppen von Trompetern lassen sich auf einer Kupfer-radierung ausmachen, welche den Einzug Fürsterzbischof Jakob Ernst Graf Liechtensteins (1745) zeigt[30] (Abb. 4). Hier reiten vier Trompeter knapp nach der Zugspitze vor der Landfahne, vermutlich vier und ein Pauker vor dem Bür-gerkorps (s.u.). Die "Hof- und Feldtrompeterei", welcher wenig später die hochfürstliche Kutsche folgt, besteht aus 12 Trompetern und einem Pauker, vor der Leibgarde sind weitere zwei Trompeter zu sehen. Angaben in einem von Johann Carl Joseph Schnuerer verfaßten und im selben Jahr gedruckten Bericht über diesen Einzug[31] weichen indes mehrfach von der Radierung ab, was die

---

[29] Unter den Fürsterzbischöfen Johann Ernst Graf Thun und Franz Anton Fürst Harrach wurde als Hofpauker der Mohr Anton Monteur beschäftigt – ein Zeichen der barocken Freude an Kuriosem und Ausgefallenem; vgl. BIRSAK (wie Anmerkung 20).

[30] Anonyme Radierung, Carolino Augusteum. Salzburger Museum für Kunst und Kulturgeschichte, IN 4235/49. Eine Beschreibung in: Friederike ZAISBERGER (Hg.), Einzüge. Katalog zur Ausstellung [des Salzburger Landesarchivs], Salzburg 1995, S. 49 – 51 (gezeichnet Nikolaus Schaffer).

[31] Johann Carl Joseph SCHNUERER, Prächtiger Einzug Und Huldigungs=Act, Dann Empfang des Ertz=Bischöfflichen Pallii Des Hochwürdigist=Hochgebohrnen des Heiligen Römischen Reichs Fürsten Und Herrn Herrn Jacobi Ernesti, Ertz=Bischoffen zu Saltzburg [...], Salzburg (1745). Schnuerers Veröffentlichung ist der einzige gedruckte zeitgenössische Einzugsbericht; alle übrigen sind handschriftlich überliefert.

Aussagekraft der verfügbaren Quellen bedenklich relativiert. In Schnuerers Schilderung heißt es zum Aufgebot der Bürger "Die mit blauem Sammet reich bordirt mit in mitt=gestickten gemeiner Stadt=Wappen kostbar behangte Paucke (welche Seine Hochfürstliche Gnaden der Burgerlichen Compagnie zu Pferd zu disen Solennen Act das erstemal gnädigist erlaubet) mit 2. Trompeter alle drey roth=Bonso mit blau=Sammeten Aufschlägen reich verbramten Flüglen und Uniform anzusehen waren unter gehöriger Bedeckung", was bedeutet, daß "ein Paucker und zwey Trompeter" von einer ansehnlichen "Paucken=Wacht" begleitet wurden[32]. Über die "Hof- und Feldtrompeterei" liest man bei Schnuerer: "Nach disen allen mit 6. Pferden bespannt=schön und kostbaren Wägen folgten zu Pferd [...] 6. Hochfürstliche Trompeter mit silbernen Trompeten und ein Paucker. Die angehängte Trompeten= und Paucken=Fahnen waren mit vermengt=Hochfürstlichen Stammen= und Hohen Ertz=Stiffts=Wappen gezieret" und schließlich "Die Hochfürstl. Leib=Guarde zu Pferd mit vorauß reuthenden zwey Hochfürstl. Trompetern (...)". Da aber die Leibgarde in der Regel selbst die Trompeter stellte (vgl. die komplett auftretende "Hof- und Feldtrompeterei" nach anderen Einzugsberichten), dürfte Schnuerer zumindest hier ein Fehler unterlaufen sein.

3. Einzug des Fürsterzbischofs Hieronymus Graf Colloredo (29. April 1772)[33]

Als Hieronymus Graf Colloredo nach den üblichen Zwistigkeiten und versuchten Einflußnahmen von seiten des habsburgischen und des bayerischen Gesandten am 14. März 1772 zum Metropoliten gewählt wurde, ahnte wohl noch niemand, daß er der letzte souverän regierende Salzburger Fürsterzbischof sein würde. Seine Wahl war im Volk, wo man den populären Domdechanten Ferdinand Christoph

---

[32] Die Bürgerschaft konnte damals in Salzburg keinen geeigneten Pauker finden (der Hofpauker zog ja mit der Hoftrompeterei) und engagierte deshalb den Pauker Johann Michael Eder aus Linz (die Landschaft verpflichtete ebenfalls aus Linz die Trompeter Joseph Khörner und Kaspar Schickhler); die beigestellte "Paukenwacht" demonstriert, mit welchem Stolz die Bürgerschaft ihr neues Recht ausübte; vgl. Kurt BIRSAK / Manfred KÖNIG, Das Große Salzburger Blasmusikbuch, Wien 1983, S. 45, sowie BIRSAK (wie Anmerkung 20).

[33] Vgl. Judas Thaddäus ZAUNER, Chronik von Salzburg, fortgesetzt von Corbinian GÄRTNER, Bd. IX, Salzburg 1826, S. 328 – 332, sowie Georg Abdon PICHLER, Salzburg's Landes=Geschichte, Salzburg 1865, S. 626f.

Graf Zeil favorisierte, mit Enttäuschung aufgenommen worden. Abermals hatte sich der habsburgische Günstling gegen den bayerischen Kandidaten durchgesetzt, wie es angesichts des traditionsgemäß vorwiegend aus den habsburgischen Ländern besetzten Domkapitels indes nicht anders zu erwarten war. Mit Graf Colloredo kam jedoch eine Persönlichkeit in das Amt, die den staatspolitischen Ideen der Aufklärung nahestand und sie in das Netz amtskirchlicher Überlegungen einband. Ähnlich wie Joseph II. und ebenso nicht zu Unrecht machten ihm bereits Zeitgenossen eine übertriebene Sparsamkeit zum Vorwurf. Jene Berichte, die von seinem Einzug handeln und etwa zwei bis drei Jahrzehnte später einsetzen, sind gewiß zum Teil aus der Erinnerung nachgezeichnet. Darin wird betont, daß der neugewählte Regent bereits bei seinem Einzug habe den Aufwand möglichst geringhalten wollen. Vielleicht hat aber Hieronymus Graf Colloredo auch empfunden, wie sehr ein solches Ereignis zum bloßen "Mummenschanz" entraten war und seine ursprüngliche symbolische Funktion vollends eingebüßt hatte. Das Volk jedenfalls, inzwischen emanzipiert genug, bekundete seine Unzufriedenheit über das Wahlergebnis, indem es den nach der Wahl üblichen Kirchgang schweigend besah. Es wurde kein Jubel laut. Ein Knabe, der "vivat" rief, erhielt von einem Nebenstehenden eine Ohrfeige verabreicht.

In der Tat hat Hieronymus eineinhalb Monate danach bei seinem Einzug auf die Mitwirkung der gesamten "Hof- und Feldtrompeterei" verzichtet. Nur sechs Trompeter und ein Pauker ritten seinem Wagen voraus. Erwähnt sind ferner noch die beiden vor der hochfürstlichen Leibgarde reitenden Trompeter, von den übrigen vormals im Zug befindlichen Trompetern wird nichts berichtet. Die geringe Zahl der "Hof- und Feldtrompeterei" fällt umso mehr ins Gewicht, als der musikalische Anteil dieses Tages insgesamt nicht gering war[34]. So hatten sich die Studenten der Universität im Stand von 200 Mann in vier Kompanien aufgeteilt, die von über zwanzig Spielleuten begleitet die Straßen im Spalier säumten und sich dem Zug am Ende anschlossen. Nach dem Einzug und der Huldigung gelangte wie gewohnt im Hoftheater in der Residenz eine Serenata zur Aufführung; Wolfgang Amadeus Mozart hatte zu diesem Anlaß *Il sogno di Scipione* (KV 126) komponiert.

---

[34] Siehe Thomas HOCHRADNER, Musik zu den Feierlichkeiten für den neugewählten Erzbischof Hieronymus Graf Colloredo (1772), in: De editione musices. Festschrift Gerhard Croll, hg. v. Wolfgang Gratzer und Andrea Lindmayr, Laaber 1992, S. (285) – 292.

Das Trompetenspiel war vom Emblem zur Schablone der fürstlichen Repräsentanz gesunken. Mehr und mehr wurde es zurückgedrängt. Bei der Hoftafel standen Sinfonien und Kantaten auf dem Programm, Trompeten fanden in diesem Umfeld offenbar keine Verwendung mehr. Trompetenduette, wie sie Heinrich Franz Bibers *Sonatae tam aris quam aulis servientes* (1676) oder des Lambacher Klosterkomponisten Romanus Weichleins *Encaenia musices* (1695) enthalten, sind in Salzburg bereits seit Beginn des 18. Jahrhunderts nicht mehr überliefert. Sie wurden im 17. Jahrhundert unter der Hoftafel im Residenzhof geblasen und nur an hohen kirchlichen Feiertagen durch einen Aufzug ersetzt, der von der gesamten "Hof- und Feldtrompeterei" auszuführen war[35].

Für das barocke Bedürfnis, bedeutende Feierlichkeiten prunkvoll und repräsentativ zu umrahmen, schwand der Sinn. Künste waren daran in ihrer Gesamtheit beteiligt gewesen. Anläßlich der "Reliquienprozession" 1628, als die Gebeine der heiligen Rupert und Virgil vom Kloster St. Peter in den neuerrichteten Dom übertragen wurden, stellte man symbolträchtige Ehrenpforten auf, welche die Prozession durchquerte[36]. Diese prächtige und vielköpfige Prozession ist in einem Kupferstich festgehalten[37], der Vergleiche zur Ordnung der feierlichen Einzüge ermöglicht[38]. Ein Pauker und mehrere Trompeter (zwei Reihen zu fünf Mann) reiten am Kopf des Zuges, später erscheinen weitere "Tubicines" innerhalb dieses

---

[35] Vgl. Heinrich Franz Biber (1644 – 1704). Musik und Kultur im hochbarocken Salzburg. Studien und Quellen, Katalog einer Ausstellung in der Johann-Michael-Haydn-Gedenkstätte in Salzburg, Salzburg 1994, S. 190f. (gezeichnet Ernst Hintermaier).

[36] Siehe Wolfgang STEINITZ, Ehrenpforten, Festgerüste und Trionfi, in: Barock in Salzburg. Festschrift für Hans Sedlmayr, hg. v. Johannes Moy, Salzburg (1977), S. 145 – 210.

[37] Kupferstich von Santino Solari, Johann Jenet, Gregor Kürner. Privatbesitz (Palazzo Moll, Villa Lagarina, Italien). Eine Beschreibung in: Friederike ZAIS-BERGER (Hg.), Einzüge. Katalog zur Ausstellung [des Salzburger Landesarchivs], Salzburg 1995, S. 15f., 34 (gezeichnet Friederike Zaisberger). Ebenda ausführliche Artikel über die Prozession und die Ordnung des Zuges (vgl. dazu das Literaturverzeichnis im Anhang).

[38] Eine instrumentenkundliche Auswertung dieses Kupferstiches im Vergleich mit zwei Kupferradierungen, welche die Prozession zum (irrtümlich angenommenen) 1100-Jahre-Jubiläum des Erzbistums Salzburg im Jahr 1682 zeigen, bietet Kurt BIRSAK, Die Musikinstrumente in Salzburgs barocken Umzügen, in: Barockberichte 18/19, hg. v. Salzburger Barockmuseum, Salzburg 1998, S. 134 – 148.

militärischen Zugteiles (Abb. 5). Insgesamt sind es 14. Auch die nachfolgenden Zunftabordnungen werden mehrfach von Spielleuten begleitet, die aber nicht mit Trompeten, sondern mit Streich-, Zupf- und anderen Blasinstrumenten musizieren (Abb. 6 und 7). Solcherart präsentieren sich die Zünfte der Steinmetze und Maurer, der Bürstenmacher, Schneider, Schiffbauer, Bierbrauer, Müller und Bäcker mit insgesamt 26 Musikern. Sobald aber der Zug zu den geistlichen Teilnehmern wechselt (beginnend mit Bruderschaften, gefolgt von Ordensleuten, Domgeistlichen, schließlich den hohen geistlichen Würdenträgern) befinden sich keine Trompeter mehr in der Prozession. In diesem Zugteil wurde gebetet und vermutlich im Gregorianischen Choral gesungen. Bei jenen acht Personen, welche unmittelbar nach den Domgeistlichen gehen und als "Musica" bezeichnet sind, handelt es sich wohl um die Domchoralisten, deren Zahl traditionell acht betrug. Es ist anzunehmen, daß sie während des Zuges choraliter Prozessionsgesänge anstimmten.

Daraus wird deutlich, wie überlegt Trompeter und Pauker im Rahmen der Repräsentanz eingesetzt wurden, und daß sie in der Tat darüber hinaus ein zeremonielles Emblem bildeten: auch im Umfeld eines geistlichen Landesfürsten blieb es ihre Aufgabe, die Gegenwart weltlicher Herrschaftsgewalt anzuzeigen[39].

---

[39]   Hierin liegt vielleicht eine Erklärung für den Umstand, daß die Plazierung der Trompeterei im Festzug sich in den Prozessionen von 1628 und 1682 deutlich unterscheidet. Vgl. dazu BIRSAK (wie Anmerkung 38), S. 144.

Abbildung 1

"Rittersaal" im Schloß Goldegg (Pongau), bemalte Holzvertäfelung,
angebracht 1536, Ausschnitt "Das Gastmahl des reichen Prassers", gestaltet
vermutlich nach einem Holzschnitt von Jörg Breu d. J. (1535). Abgebildet bei
Friederike Zaisberger, Der Rittersaal im Schloß Goldegg. Salzburger Land,
(Salzburg 1981), o. Sz.

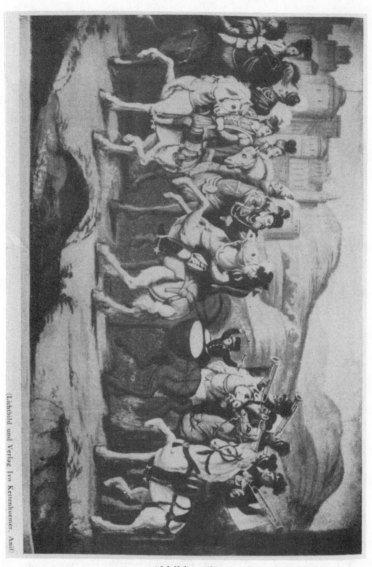

Abbildung 2

"Freskensaal" im Schloß Freisaal (Salzburg), Fresken von Hans Bocksberger d. Ä. (vor 1557), Ausschnitt mit der fürsterzbischöflichen Trompeterei. Abgebildet bei Hermann Spies, Beiträge zur Musikgeschichte Salzburgs im Spätmittelalter und zu Anfang der Renaissancezeit, in: Mitteilungen der Gesellschaft für Salzburger Landeskunde 81 (1941), S. (48).

210

Abbildung 3
"Hoftrompeter" mit dem Wappen Fürsterzbischof Hieronymus Graf
Colloredos aus der sog. "Kuenburg-Sammlung" (private Sammlung von
Kostümbildern, Salzburg ca. 1790). Abgebildet bei Reinhard Rudolf Heinisch
/ Friederike Prodinger, Gewand und Stand. Kostüm- und Trachtenbilder der
Kuenburg-Sammlung, (Salzburg und Wien 1983), Tafel 14.

Abbildung 4

Einzug des Fürsterzbischofs Jakob Ernst Graf Liechtenstein, anonyme
Kupferradierung (1745). Vier Gruppen von Trompetern (davon dreimal mit
einem Pauker) treten darin auf: Pauker und Trompeter zu Beginn des Zuges
vor der Landfahne (1) und vor der Bürgerschaft (2), die "Hof- und
Feldtrompeterei" vor dem hochfürstlichen Wagen (3) und die Trompeter der
Leibgarde (4). Abgebildet in: Einzüge. Katalog zur Ausstellung [des
Salzburger Landesarchivs], Salzburg 1995, S. 50.

Abbildung 5
Reliquienprozession von 1628: Übertragung der Gebeine der Heiligen Rupert
und Virgil vom Kloster St. Peter in den neuerbauten Dom am 24. September
1628, Kupferstich von Santino Solari, Johann Jenet, Gregor Kürner (1629).
Detail: Trompeter ("Tubicines") vor der "Landschafts-Kompanie". Abgebildet
in: Einzüge. Katalog zur Ausstellung [des Salzburger Landesarchivs],
Salzburg 1995, S. 33.

Abbildungen 6, 7
Details aus der Reliquienprozession von 1628: Spielleute bei den Zünften der
Müller ("Molitores") mit Geige, Laute und Bassettl, sowie der Bäcker mit
zwei Schalmeien und Dudelsack. Nachweis wie bei Abb. 5, S. 23 bzw. 17.

Abbildungen 6, 7
Details aus der Reliquienprozession von 1628: Spielleute bei den Zünften der
Müller (''Molitores'') mit Geige, Laute und Bassettl, sowie der Bäcker mit
zwei Schalmeien und Dudelsack. Nachweis wie bei Abb. 5, S. 23 bzw. 17.

LITERATURVERZEICHNIS

Quellen (handschriftliche und gedruckte Einzugsberichte)

Landesarchiv Salzburg, Geheimes Archiv I/8, I/31, I/33, I/36, XVI/11.

Anonym, Relation Unnd Beschreibung wie die Translation der Reliquien beeder Heyligen SS. Ruperti & Virgilii, als Haupt Patronen deß Uhrallten Ansehlichen Erzstüffts Saltzburg [...] inn die Newerpawte Thumb Kirchen zu Saltzburg dann volgends die Dedication und Weyhung jetztbesagter Thumb Kirch abgangen und verricht worden, Salzburg 1628, Nachdruck, mit einem Vorwort von Wilfried Schaber, in: Homo Ludens. Internationale Beiträge des Institutes für Spielforschung und Spielpädagogik VIII: "Fest und Spiel", München und Salzburg 1998, S. 273 – 411.

August Freiherr von HÄRDTL (Hg.), Gasteiner Chronik. Nach alten Handschriften aus dem XVI. und XVII. Jahrhundert, Salzburg 1876, S. 44 – 59.

Lorenz HÜBNER, Beschreibung der hochfürstlich=erzbischöflichen Haupt= und Residenzstadt Salzburg und ihrer Gegenden verbunden mit ihrer ältesten Geschichte, 2 Bände, Salzburg 1792/93, Nachdruck Salzburg (1982), Bd. I, S. 524, Bd. II, S. 116 – 137, 227, 369 – 371.

Georg Abdon PICHLER, Salzburg's Landes=Geschichte, Salzburg 1865, S. 626f.

Johann Carl Joseph SCHNUERER, Prächtiger Einzug Und Huldigungs=Act, Dann Empfang des Ertz=Bischöfflichen Pallii Des Hochwürdigist= Hochgebohrnen des Heiligen Römischen Reichs Fürsten Und Herrn Herrn Jacobi Ernesti [Graf Liechtenstein] [...], Salzburg (1745).

Leopold SPATZENEGGER, Solenner Eintzug und Huldigungs Act Seiner Hochfürstl. gnad. Francisci Antonii [Fürst Harrach] [...]. Solenner Eintzug und Huldigungs Act Seiner Hochfürstl. Gnaden Leopoldi Antonii [Freiherr von Firmian] [...], in: Mitteilungen der Gesellschaft für Salzburger Landeskunde 15 (1875), S. (209) – 225.

Judas Thaddäus ZAUNER, Chronik von Salzburg, fortgesetzt von Corbinian GÄRTNER, Bd. IX, Salzburg 1826, S. 328 – 332.

Franz Valentin ZILLNER, Ordnung des Einzugs des Erzbischofes Marx Sittich am 9. October 1612, in: ders. (Hg.), Geschichte der Stadt Salzburg, Salzburg 1890, Bd. II, S. 711 – 725.

Literatur

Kurt BIRSAK / Manfred KÖNIG, Das Große Salzburger Blasmusikbuch, Wien 1983.

Kurt BIRSAK, Die Musikinstrumente in Salzburgs barocken Umzügen, in: Barockberichte 18/19, hg. v. Salzburger Barockmuseum, Salzburg 1998, S. 134 – 148.

Kurt BIRSAK, Kleine Salzburger Trommelgeschichte (in Vorb.).

Thomas HOCHRADNER, Musik zu den Feierlichkeiten für den neugewählten Erzbischof Hieronymus Graf Colloredo (1772), in: De editione musices. Festschrift Gerhard Croll, hg. v. Wolfgang Gratzer und Andrea Lindmayr, Laaber 1992, S. (285) – 292.

Blasius HUEMER, Einritt des Erzbischofes Herzog Ernst von Bayern, in: Mitteilungen der Gesellschaft für Salzburger Landeskunde 55 (1915), S. (45) – 70.

Peter F. KRAMML, Salzburg in einem Reisebericht des Jahres 1492, in: Salzburg Archiv 14 (1992), S. 133 – 140.

Hannes LACKNER, Studien zu Signaltrompete und militärischer Signalmusik Österreich-Ungarns und Beispiele ihrer Übernahme in die Kunst- und Blasmusik von ca. 1750 bis 1918, Diss. Universität Wien 1997.

Andreas LINDNER, Die kaiserlichen Hoftrompeter und -pauker in Wien von 1700 bis 1900. Quellenstudien im Archivbestand des Haus-, Hof- und Staatsarchives Wien, Diss. Universität Wien 1997.

Johannes NEUHARDT, Die geistlichen Teilnehmer an der Prozession von 1628, in: Einzüge. Katalog zur Ausstellung [des Salzburger Landesarchivs], Salzburg 1995, S. 26 – 31.

Peter PUTZER, Die nichtgeistlichen Teilnehmer an der Reliquienprozession von 1628, in: Einzüge. Katalog zur Ausstellung [des Salzburger Landesarchivs], Salzburg 1995, S. 20 – 25.

Hans ROTH, Der "Einritt" des Erzbischofs Wolf Dietrich von Raitenau am 14. Dezember 1588 in Laufen, in: Salzburg Archiv 20 (1995), S. 47 – 56.

Anton SCHALLHAMMER, Die Einzüge der Erzbischöfe von Salzburg, in: Salzburger Post 1851, S. (473)f.

Hermann SPIES, Beiträge zur Musikgeschichte Salzburgs im Spätmittelalter und zu Anfang der Renaissancezeit, in: Mitteilungen der Gesellschaft für Salzburger Landeskunde 81 (1941), S. (41) – 96.

Wolfgang STEINITZ, Ehrenpforten, Festgerüste und Trionfi, in: Barock in Salzburg. Festschrift für Hans Sedlmayr, hg. v. Johannes Moy, Salzburg (1977), S. 145 – 210.

Lore TELSNIG, Schloß Freisaal und der Einritt der Salzburger Erzbischöfe, in: Alte und moderne Kunst 12 (1967), Heft 4, S. 2 – 8.

Friederike ZAISBERGER, Der Rittersaal im Schloß Goldegg. Salzburger Land, (Salzburg 1981), bes. S. 25 – 35.

Friederike ZAISBERGER, Die Reliquien-Prozession anläßlich der Weihe des Salzburger Domes 1628, in: Der Dom zu Salzburg in Not und Gefahr [Österreichische Ingenieur- und Architektenzeitschrift 140 (1995)], Heft 12, S. 459f.

Friederike ZAISBERGER (Hg.), Einzüge der Fürsterzbischöfe vom 16. bis 19. Jahrhundert, in: Einzüge. Katalog zur Ausstellung [des Salzburger Landesarchivs], Salzburg 1995, S. (2) – (57).

Friederike ZAISBERGER, Werkstattbericht über den Kupferstich mit der Reliquienprozession von 1628, in: Einzüge. Katalog zur Ausstellung [des Salzburger Landesarchivs], Salzburg 1995, S. 15 – 19.

Ladislav Kačic, Bratislava, Slowakei

BLASINSTRUMENTE IN DER FRANZISKANERMUSIK

Von den Anfängen der Existenz des Franziskanerordens an war in der Musik immer der Gregorianische Choral von größter Wichtigkeit. Seine Stellung folgt aus den Generalstatuten und -Konstitutionen[1], sowie aus den Statuten und Konstitutionen einzelner Provinzen. Im 17. – 18. Jahrhundert hat aber bei den Franziskanern die sog. Figuralmusik viel an Bedeutung gewonnen, wobei die Orgel offiziell das einzig genehmigte Instrument war. Die Unterschiede zwischen Choral- und Figuralmusik der Franziskaner waren jedoch nicht groß: 1. Der Gregorianische Choral wurde seit dem 17. Jahrhundert - wie damals üblich - oft von einer Orgel begleitet; 2. Ähnlich wie in der *"musica choralis"*, war auch in der franziskanischen Figuralmusik der Chor bis zum Ende des 18. Jahrhunderts grundsätzlich nur einstimmig[2]. Infolgedessen stimmte auch die Aufführungspraxis der franziskanischen Figuralmusik des 17.-18. Jahrhunderts zum Großteil mit jener der Gregorianik oder des sog. mensurierten Chorals (um den sich die Franziskaner große Verdienste gemacht haben)[3] überein. Der

---

[1] Vgl. Heinrich HÜSCHEN, Stichwort "Franziskaner", in: Die Musik in Geschichte und Gegenwart, Bd. 4, Kassel 1955, Sp. 826 und Friedrich W. RIEDEL, Franziskanische Liturgie und Musik, in: 800 Jahre Franz von Assisi (Franziskanische Kunst und Kultur des Mittelalters), Krems-Stein 1982, S. 729 – 742.

[2] Von der 1. Hälfte des 18. Jahrhunderts konnte ein Franziskanerchor auch 2-stimmig sein als Canto und Basso, d. h. ohne Mittelstimmen, sie wurden von den Franziskanern erst seit den 80er Jahren des 18. Jahrhunderts komponiert. Man kann aber mit Recht über Einstimmigkeit sprechen, weil im 2-stimmigen Chor die Baßstimme zum Großteil im Unisono mit dem Baß geführt wurde, d. h. sie ist mit dem Generalbaß praktisch identisch. Näheres zur Besetzung des Franziskanerchors s. Ladislav KAČIC, Figuralmusik der Franziskaner in Mitteleuropa - Repertoire und Aufführungspraxis, in: Musik der geistlichen Orden in Mitteleuropa zwischen Tridentinum und Josephinismus (hrsg. von L. Kačic), Bratislava 1997, S. 163 – 174: 171 – 172.

[3] Allgemein zum sog. mensurierten Choral siehe Karl-Gustav FELLERER, Geschichte der katholischen Kirchenmusik, Kassel-Basel-London-Tours 1976, Bd. 2, S. 120, 126 und 178. Über diese Gattung in der Marianischen Provinz Näheres bei Ladislav KAČIC, Missa franciscana der Marianischen Provinz im 17. und 18. Jahr-

Mönchschor sang aus einem großformatigen Buch, dazu gab es regelmäßig nur Orgelbegleitung, an hohen Feiertagen und Ordensfesten aber auch Instrumente, vor allem Trompeten. Es ist dabei bezeichnend, daß im 17. Jahrhundert auch die Figuralmusik der Franziskaner - ähnlich wie der Gregorianische Choral - in den Chorbüchern oft an vier Linien notiert wurde. Nicht nur aufgrund der teilweise verwischten Trennungslinie zwischen der Choral- und Figuralmusik ist die franziskanische Musik des 17. und 18. Jahrhunderts einer näheren Aufmerksamkeit wert, sondern sie ist eine der interessantesten Äusserungsformen in der gesamten Ordensmusik im Barockzeitalter und in der Klassik[4]. In der Figuralmusik war schon seit der 2. Hälfte des 17. Jahrhunderts auch der typische barocke Stil *"con trombe e timpani"*[5] in einigen mitteleuropäischen Franziskanerprovinzen präsent. Es muß betont werden, daß es sich nicht um die sog. schwarzen Franziskaner (Minoriten), sondern um den Hauptsproß des Franziskanerordens, die *"braunen"*, in strenger Armut lebenden Franziskaner-Observanten handelt.

Der Stil *"con trombe e timpani"* (bzw. *"cum tubis et tympanis"*) war im 17. Jahrhundert - zuerst wahrscheinlich nur in einer Form von improvisatorischen Zugaben der **Trompeten** zu den einstimmigen Messen mit Orgelbegleitung - vor allem in der Österreichischen Provinz des hl. Bernardin bekannt. Auf diese sehr interessante Praxis der Beifügung der Trompeten hat 1966 F. Grasemann in ihrer Studie über die Franziskanermesse des 17. und 18. Jahrhunderts aufmerksam gemacht[6]. Die Aufführungspraxis *"cum tubis et tympanis"* kann man

---

hundert, in: Studia Musicologica Academiae Scientiarum Hungaricae 33, Budapest 1991, S. 5 – 107: 7 – 11.

[4] Dies war einer der Schlüsse der Round-Table-Diskussion im Rahmen der Konferenz Musik der geistlichen Orden in Mitteleuropa zwischen Tridentinum und Josephinismus (siehe Anm. 2), S. 301 – 312.

[5] Vgl. Friedrich W. RIEDEL, "Der Reichstil" in der deutschen Musikgeschichte des 18. Jahrhunderts, in: Bericht über den internationalen musikwissenschaftlichen Kongreß Kassel 1962, Kassel-Basel 1963, S. 34 – 36. Richard RYBARIČ, "Con trombe e timpani", zur Frage der Stilarten der Barockmusik in Mitteleuropa, in: Atti del XIV Congresso della Società internazionale di musicologia, Bologna 1987, III Free Papers, S. 191 – 197.

[6] Friederike GRASEMANN, Die Franziskanermesse des 17. und 18. Jahrhunderts. In: Studien zur Musikwissenschaft (hrsg. von E. Schenk), Bd. 27, Graz-Wien-

aber nicht nur an einigen Messen aus dem Maria Enzersdorfer Fonds (ME I/122, I/128, I/140) beweisen, sondern sie war schon im 17. Jahrhundert in der ganzen Provinz des hl. Bernardin gültig (z. B. auch Messen ME I/114, I/134, I/167, I/178).

Bei einigen Messen aus der 2. Hälfte des 17. Jahrhunderts gibt es in den Chorbüchern (für den einstimmigen Mönchschor) Anmerkungen wie *"Ista Repetitio cantatur cum Tubis"* (I/122 Credo), *"Repetitiones cum clarinis omittuntur"* (I/122 Kyrie), *"Chorus tacet"* (I/128) *"NB quando cum tubis"* (I/178), *"Cum Clarinis repetitiones"*, oder *"Quando haec Missa cantatur cum Tubis, tunc pausatur apud signatas cruces, ut et in sequenti Missa"* (I/140, die Anmerkung bezieht sich aber auch auf die folgende Messe, d. h. I/122), wobei im letzten Fall an mehreren Stellen tatsächlich Kreuze sind, wo der Chor still bleiben sollte, es folgte ein kurzer, meistens den vorhergehenden Passus des Chors nachahmender Trompetenaufzug. Es ist merkwürdig, wie ähnlich die Melodik dieser Messe dem beschränkten Tonmaterial der Naturtrompete ist, sie sind ja oft identisch:[7]

a.

Köln 1966, S. 72 – 124: 89 – 90. (Im weiteren benutzen wir die Katalog-Nummern des Maria-Enzersdorfer Musikfonds.)

[7] F. Grasemann betont es auch: "Die Melodik der Messe ist von Bläsern her bestimmt, das heißt, sie bewegt sich häufig in Dreiklangspermutationen, die immer wiederkehrend die Substanzgemeinschaft im Zyklus betonen" (Friederike GRASEMANN, Die Franziskanische Messenkomposition im 17. und 18. Jahrhundert, gezeigt an dem Notenbestand des Maria Enzersdorfer Klosterarchivs (Diss.), Wien 1963, S. 140).

Notenbeispiel 1
[*Missa Sancti Bernardini*] (ME I/140)

Man könnte hier mehrere Beispiele (auch längere melodische Abschnitte) anführen, in einer Quelle - im Schlagbuch (Orgelparticella) Sign. ME IX/2 - sind nämlich ausnahmsweise alle diese Instrumentalsoli aufgezeichnet (in den meisten Abschriften der Messe ME I/140 fehlen sie). Ihre Aufzeichnung hatte mehrere Bedeutungen. F. Grasemann schreibt, daß "sie im Notfall auch vom Organisten gespielt werden konnten"[8], d. h. die Trompeter können ersetzt werden. Aber diese Messen wurden wahrscheinlich schon mit den Trompeten-Soli komponiert. Bei mehreren Messen (aber auch bei der Antiphone "Stella Coeli extirpavit", Te Deum laudamus, weniger z. B. bei den Lauretanischen Litaneien oder anderen liturgischen Gattungen) aus der Provinz des hl. Bernardin, gibt es nämlich schon am Anfang der Komposition Pausen und Anmerkungen wie *"Sonata"*, *"Sonata tacet"* (I/134, auch vor dem Credo und Sanctus), *"Cum Clarinis Sonata tacet"* (I/140), *"Sonata cum tubis tacet"* u. ä. Solche Trompetenaufzüge am Anfang einer Messe oder kürzere Instrumental-

---

[8]   Friederike GRASEMANN, Die Franziskanische Messenkomposition, a. a. O., S. 23.

soli innerhalb der einzelnen Messeteile könnten aber gewiß auch improvisiert werden.[9] Auf den ersten Blick geht es nur um eine Variante der kirchlichen *"alternatim"*-Praxis, doch der Widerspruch zwischen dem einstimmigen Mönchschor und dem hellen Klang der Trompeten in der hohen Clarino-Lage war sicher sehr reizvoll und einmalig. Auch wenn wir nun dies als Problem der Aufführungspraxis sehen, ist es interessant: bis Ende des 18. Jahrhunderts hat der Mönchschor in jedem größeren Franziskanerkloster nicht aus den Stimmheften, sondern aus einem großformatigen Chorbuch auch Figuralmusik gesungen, ähnlich, ja identisch, mit der uralten Aufführungspraxis des einstimmigen lateinischen Chorals (oder später im 16. Jahrhundert der Chorbücher mit mehrstimmiger Musik). Zu diesem einstimmigen Gesang des Mönchschors wurden Blasinstrumente (Trompeten) aus den Stimmheften gespielt oder auch improvisiert.

Diese franziskanisch bescheidene Variante des Stils *"con trombe e timpani"* hat sich seit der Wende des 17.-18. Jahrhunderts aus der Wiener Provinz des hl. Bernardin auch in einigen Nachbarprovinzen verbreitet. Quellenmäßige Beweise dafür gibt es aus der *Provincia Tirolensis S. Leopoldi* und aus der *Provincia S. Mariae in Hungaria*, die eine Vielzahl ihrer Klöster in der heutigen Slowakei hatte. Einerseits wurden einige Messen österreichischen Ursprungs (ME I/128, ME I/140, in der Marianischen Provinz als *Missa Sancti Bernardini*, in der Tiroler Provinz als *Missa Vienensis* bekannt, I/122, I/134 u. a. m.) von diesen Provinzen übernommen und gehörten beispielsweise in der Marianischen Provinz seit etwa 1730 zum Stammrepertoire[10]. Auf der anderen Seite sind weitere solche Kompositionen überliefert, z.B. in einem Chorbuch aus dem Jahr 1717, wo in der einstimmigen *Missa S. Annae* (nicht der sog. "mensurierte Choral") aus dem 17. Jahrhundert nicht nur mehrere Anmerkungen *"Solo"* oder *"Choro"*, sondern auch zahlreiche Anmerkungen *"Choro. Clarino"*, ja sogar *"Solo.Clarino"*, stehen. Es handelt sich hier bestimmt um eine 1-stimmige Figuralmesse (sie wird manchmal entsprechend *Missa Artificialis* genannt). Im Unterschied dazu ist die in mehreren mitteleuropäischen Franziskanerprovinzen (in einigen bis zum Anfang des 19. Jahr-

---

[9] Erinnern wir nur an Toccata con trombe im Te Deum laudamus bei den Krönungen, siehe Friedrich W. RIEDEL, Krönungszeremoniell und Krönungsmusik im Barockzeitalter, in: Mitteleuropäische Kontexte der Barockmusik, Historia Musicae Europae Centralis 2 (hrsg. von Pavol Polák), Bratislava 1997, S. 109 – 132: 122 u. 132.

[10] Vgl. Ladislav KAČIC, Missa franciscana, a. a. O., S. 11 – 16.

hunderts!) gesungene *Missa Tubicinalis* (oder *Trombetalis*, in einigen Quellen auch deutsch *Trometter-Meß* genannt, ME I/185) keine Figuralmesse mit Trompeten, sondern eine Choralmesse. Das im sog. mensurierten Choral ("canto fratto") komponierte Werk hat seinen Namen vielleicht nur aufgrund der typischen Trompetenmelodik bekommen[11]:

Ky - ri-e _____ e - - - - lei - son,

Notenbeispiel 2
Missa Tubicinalis (17. Jh.)

Im 18. Jahrhundert gibt es viele quellenmäßige Belege über die Verwendung der Trompeten in der Franziskanermusik, und zwar in mehreren Provinzen Mitteleuropas: *Provincia S. Bernardini, Provincia S. Mariae in Hungaria, Provincia Bavariae S. Antonii, Provincia Tirolensis S. Leopoldi, Provincia S. Ladislai* und *Provincia S. Joannis Capistrani,* allerdings sind nur von den ersten drei Provinzen auch Stimmhefte für Trompeten überliefert[12]. Von den

---

[11] Vgl. auch Andreas HOGGER, Geschichte des Frauenklosters im Groggental von Ehingen an der Donau und des dortigen Franziskanerklosters mit Einbeziehung der Musik der ehemaligen Tirolerordensprovinz (Diss.), Tübingen 1949, S. 65 – "...Ob der Name auf eine Trompetenbegleitung hinweist, ist nicht sicher anzunehmen, da wir ja nur die Singstimme besitzen. Vielleicht hat man auch die einfache Tonart oder die Tonfolgen trompetenartig empfunden." P. AEgidius FÖDINGER OFM, Verschollene Komponisten unserer Provinz, in: Mitteilungen aus der Tiroler Franziskanerprovinz, März 1976, Folge 147, S. 39 schreibt dazu zwar, daß diese Messe "einem Trompeter Chancen zu Glanzleistung geboten hätte", "aus der Partitur ist jedoch darüber nichts zu entnehmen".

[12] In der Provinz des hl. Bernardin sind "3 Orchesterstimmbücher" - Clarino 2do, Tympano und Oboe ac Violino Primo aus Maria Enzersdorf überliefert (Friederike GRASEMANN, Die Franziskanermesse, a. a. O., S. 108), aus der Marianischen Provinz 2 Stimmbücher Clarinum sive Cornu Primum, bzw. Clarinum sive Cornu Secundum von der Hand des P. Thelesphorus Hoffmann aus Preßburg (Ladislav KAČIC, Missa franciscana, wie Anm. 3, S. 86, vgl. auch Abbildungen 1 – 3) und mehrere Stimmhefte von den Händen des P. Gaudentius Dettelbach und P. Pantaleon Roškovský, in der Bayerischen Provinz "3 Notenbücher für Pauke, Clarino II und Horn II" aus Dietfurt

224

anderen gibt es nur Angaben in den Handschriften (sog. Orgelparticellas), z. B. *"Cum clarinis"*, *"Cum tubis et tympanis"* (oft mit dem Vermerk *"ad libitum"*), oder *"Dona cum Clarinetis ut Kyrie, Osanna sine Clarinetis"* (es geht hier, der Faktur einer C-Dur-Messe nach, so gegen 1750, bestimmt nicht um Klarinette oder Chalumeaux, sondern um Trompeten). In der Tiroler Provinz des hl. Leopold wurden in der 1. Hälfte des 18. Jahrhunderts viele Messen, Litaneien, Antiphonen usw. bereits mit Blasinstrumenten komponiert. P.AE. Födinger OFM nennt mehrere Komponisten, von denen solche Werke überliefert sind - P.Gerold Negele, P.Christoph Anreiter, P.Gerold Cathan, P.Michael Ziglauer, P. Emmanuel Rutter[13], auch weltliche für die Franziskaner komponierendeTonsetzer haben sich diesem Stil in Tirol angepaßt, z. B. Bernardo d'Aprile, Giovanni Abondio Grotti, Candidus Faitelli u. a. m. Diese Kompositionen waren oft nur für Trompeten ohne Streichinstrumente geschrieben, die von einer Orgel besser ersetzbar als Trompeten waren, mit einem 1-stimmigen Chor und stets 2-stimmigen Soli. Im 18. Jahrhundert war aber der franziskanische Chor öfter zweistimmig, ohne Mittelstimmen als Canto+Basso (als Beweis dienen wieder erhaltene Stimmhefte aus der Wiener Provinz des hl. Bernardin und aus der Marianischen Provinz). Den vollen 4-stimmigen Chor haben die Franziskaner gelegentlich erst im letzten Viertel des 18. Jahrhunderts verwendet, wobei in den Bearbeitungen für andere Orden sie nicht diesen "lückenhaften" 2-stimmigen, sondern regelmäßig den "standardisierten" 4-stimmigen Chor benutzt haben, wie z. B. P. Gaudentius Dettelbach

---

(Hildegard HERRMANN, Die Musikpflege der Bayerischen Franziskaner von der Gründung der Provinz bis zur Säkularisation (1625 – 1802), in: Musik in bayerischen Klöstern I, Beiträge zur Musikpflege der Benediktiner und Franziskaner (Schriftenreihe der Hochschule für Musik in München 5), Regensburg 1986, S. 259 – 285: 280).

[13] P. AEgidius FÖDINGER, Verschollene Komponisten unserer Provinz. Spiritus et Vita Fratrum Minorum, 7.Jhrg., Innsbruck 1927, S.123 – 132: P.Gerold Negele - Missa Martyrum für 2 Soli, Chor, Orgel, 2 Trompeten und Pauken, Litaniae lauretanae solemnes cum Clarinis ad lib. (vgl. auch Hildegard HERRMANN-SCHNEIDER, Zur Werküberlieferung von Komponisten der tirolischen Franziskanerprovinz im 18. Jahrhundert, in: Der Schlern, Heft 2, 62/1988, S.92 – 102: 97), Te Deum für Soli, Chor, 2 Trompeten, Pauken und Orgel; P. Gerold Cathan - Motetto pro Primitiis für 2 Soli, Chor, Orgel, 2 Violinen und Pauken; P. Christoph Anreiter - Missa in hon. Ss. Triadis für Chor und Orgel, 2 Trompeten und Pauken, Missa Ss. Nominis Jesu a Choro et Organo con 2 Clarini et Timpano; P. Michael Ziglauer - Messe für 2 Soli, Chor, Orgel und 2 Hörner; P.Emmanuel Rutter - Si quaeris miracula für 2 Soli, Chor, Orgel, 2 Violinen und 2 Hörner.

in mehreren seiner für die Preßburger Ursulinerinnen bearbeiteten Werken (in der franziskanischen Version gab es immer nur den 1- oder 2-stimmigen Chor, z. B. *Te Deum laudamus*, marianische Antiphonen).

Die typischen Besetzungen der Franziskanermusik im 18. Jahrhundert sind aus folgender Tabelle zu sehen:

Typische Besetzungsmöglichkeiten in der Franziskanermusik (18. Jh.)

1.	Canto (Soli meistens immer "a 2"), Basso, Organo
2.	**2 Trompeten** (mit oder ohne **Timp.**), Canto, Basso, Organo
3.	**2 Hörner**, Canto, Basso, Organo
4.	**2 Oboen**, Canto, Basso, Organo
5.	**2 Trompeten, 2 Violini** (+Violone), Canto, Basso, Organo
6.	**2 Trompeten, 2 Oboen**, Canto, Basso, Organo
7.	**2 Violinen** ("oblig."), Canto, Basso, Organo

Anmerkung: Der Chor kann aber auch im 18. Jahrhundert nur 1-stimmig sein.

Ob alle für Trompete bezeichneten Soli in den handgeschriebenen Orgelparticellas tatsächlich auch für dieses Instrument bestimmt waren, bleibt aber eine offene Frage. (Wir meinen hier nicht, daß sich die Bezeichnung "cum Tubis" oder "cum Clarinis" in einer F-Dur-Komposition selbstverständlich auf Hörner bezieht.) Als Beispiel möchten wir zwei virtuose Soli aus der Messe ME I/155 von P. Eugenius Windhaber (1735 – 1802) anführen. Das erste Solo (Notenbeispiel 3 a) ist auf einer Naturtrompete spielbar, aber die Spielbarkeit des zweiten (Notenbeispiel 3 b) muß man grundsätzlich bezweifeln (es sind hier zu viele Töne außerhalb des Bereichs der Naturtöne des Instruments)[14].

---

[14] Vgl. z. B. Johann Ernst ALTENBURG, Versuch einer Einleitung zur heroischmusikalischen Trompeter- und Paukerkunst (Reprint der Ausgabe von 1795), Michelstein/Blankenburg 1993.

a.　Clarin. Solo

Notenbeispiel 3
P.Eugenius Windhaber OFM: Missa (ME I/155)

Leider fehlt das Stimmbuch "Clarino 1mo", daher zeigt es sich, daß die Bezeichnung *"Clarino solo"* in einer Particella immer sorgfältig geprüft werden soll. Die virtuosen Trompetensoli waren (im Unterschied zu den Orgelsoli) jedenfalls kein typisches Merkmal der franziskanischen Figuralmusik. Franziskaner haben Trompeten (meistens nur als Paar mit Pauken) mehr als

Klangbereicherung für die "solenne" Musik betrachtet, u.zw. aufgrund ihrer Lebensprinzipien oft nur "ad libitum".

Daß für die Franziskaner Blasinstrumente im allgemeinen viel wichtiger als Streichinstrumente waren, ist nicht nur aus den Primärquellen oder aus der Tabelle der Besetzungsmöglichkeiten ersichtlich, sondern ein Beweis dafür sind auch sog. Sekundärquellen, z. B. die Angaben über die regelmäßigen Zahlungen der Stadttrompeter vom Preßburger Franziskanerkonvent in der Wirkungszeit von P. Pantaleon Roškovský und P. Gaudentius Dettelbach in den 60-70er Jahren des 18. Jahrhunderts[15], aber auch während der Tätigkeit ihres Nachfolgers P. Thelesphorus Hoffmann seit 1779. Stadttrompeter haben bei den Franziskanern in Eisenstadt[16], Skalica, Kremnica, wie auch in den kleineren Klöstern mitgewirkt, vor allem zu feierlichen Anlässen. Trompeter waren aber auch unter den Mönchen, ja sogar unter Priestern keine Ausnahme: in der Marianischen Provinz waren es im 18. Jahrhundert z. B. P. Thelesphorus Hoffmann (1752 – 1801) - von ihm sind 2 größere Stimmbücher für Blasinstrumente überliefert (siehe Abbildung 1), Fr. Valerianus Remethei (1734 – ?), P. Pantaleon Roškovský (1734 – 1789) war *"cantor, organista, tubicen et fidicen"*, d. h. er beherrschte sowohl Streich- als auch Blasinstrumente. Daß Trompetenspiel im Franziskanerorden um die Hälfte des 18. Jahrhunderts keine Seltenheit war, beweist eine kuriose Verordnung des Deffinitoriums der Marianischen Provinz aus dem Jahr 1766: Lektoren der Philosophie und Theologie wurden aufgefordert, sich nicht "den Trompeten und Pauken oder irgendwelcher Musik" zu widmen[17], sondern ihren regelmäßigen Pflichten.

---

[15] Solche Angaben gibt es im Liber rationum des Preßburger Franziskanerklosters, MOL Budapest, P 233, Nr. 84 - es wurden "Turneri" regelmäßig zu den Festen des hl. Franziskus, hl. Antonius, Portiunculae, aber auch bei Primizfeiern seit 1759 bezahlt.

[16] Kornél BÁRDOS, Turner in den königlichen Freistädten Ungarns vom 16. bis zum 19. Jahrhundert, in: Arbeitsberichte - Mitteilungen, Pannonische Forschungsstelle Oberschützen (hrsg. von Wolfgang Suppan), Nr. 2, September 1991, S. 121 – 125: 124. Er beruft sich dabei an die älteren Forschungen von Sepp Gmasz.

[17] "Ad evintandas nimirum sumptuosas vanitates nostrae pauperitate, et humillimae professioni contrarientes cum rigido mandato decisum est in V. Deffintorio, ut sive Theologiae sive Philosophiae Lectores cum Tubis et Tympanis, vel qualicunque est alia Musica, neque sub imaginibus, aut libellis suas instituere deffusiones attentent, sed semper et inviolabiliterseposito qvocunque contrario praetextu sub fusis duntaxat thesibus defendant pro qvibus ex solvendis solicitam curam genere teneatur Patres

Da Franziskaner keine Musiksammlungen besaßen und die Musikinventare ("Invenatrium chori") der Franziskaner aus dem 17. und 18. Jahrhundert äußerst spärlich überliefert sind, besitzen wir nur wenige schriftliche Belege über die Verwendung von Blasinstrumenten aus diesen wichtigen sekundären Quellen. Im Preßburger Inventar sind z. B. seit 1725 im Chor außer den gottesdienstlichen Büchern (*"Missalia, Antiphonalia, Libri litaniarum"* usw.) nur *"duo tympana"* zu finden. Dagegen konnte F. Grasemann am Beispiel des Maria Enzersdorfer Klosters zeigen, wie sich das Instrumentarium eines Franziskanerklosters innerhalb des 18. Jahrhunderts geändert hat: anfangs des Jahrhunderts standen nur Trompeten und Pauken zur Verfügung, an der Wende des 18. zum 19. Jahrundert hat sich das Instrumentarium in Maria Enzersdorf kaum von den anderen Chören unterschieden[18].

Kurz noch zu den anderen Blasinstrumenten, die doch etwas weniger wichtig für die Franziskanermusik als die Trompete waren:

Hörner wurden in anderen Tonarten als C-Dur, D-Dur oder B-Dur verwendet, am öftesten in F-Dur, Es-Dur und G-Dur. Auf Hörner beziehen sich oft auch Angaben *"Cum Clarinis"*, wie z. B. in der bekannten, bis 1989 irrtümlicherweise P. Edmund Pascha zugeschriebenen Weihnachtsmesse F-dur aus *Harmonia pastoralis* (1766) des P. Georgius Zrunek[19]. Typisch für die Franziskanermusik sind auch schlichte *"Ritornellae a duabus cornibus"* zu den

---

Guardiani..." (Ladislav KAČIC, Missa franciscana, a. a. O., S. 20.) Diese Anordnung konnte sich auf P. Michael Kraus (1720 – 1798), seit 1744 Lektor der Philosophie und Moraltheologie, und auf den aus der österreichischen Provinz übergetretenen P. Dismas Grapmayr beziehen (ebenda, S. 27 – 28), wahrscheinlich aber auch auf P. Pantaleon Roškovský, der nur "lector candidatus" war. Alle drei waren auch kompositorisch tätig.

[18]   Friederike GRASEMANN, Die Franziskanische Messenkomposition, a. a. O., S. 7 – 8: "In der ersten Hälfte des 18. Jahrhunderts, eine genaue Jahreszahl ist nicht überliefert, bestand das Instrumentarium des Chors nur aus 2 Trompeten und 1 Pauke. 1779 kaufte der Syndikus des Konvents Herr Held aus eigenen Mitteln 2 neue Hörner und schenkte sie den Brüdern. Die nächste Aufzählung des Instrumentalbestandes stammt aus dem Jahr 1807: 1 Paar Pauken neu, 6 Trompeten (!), 2 Paar Waldhörner, 8 kleine Geigen 2 Pratschen, 1 altes Violon, 1 Violonzello, 1 Paar Fagott."

[19]   P. Georgius Zrunek OFM: Missa I pro Festis Natalitiis (ex Harmonia pastoralis) (hrsg. von Ladislav Kačic), Hudobný fond, Bratislava 1993.

einfachen Strophenarien und -liedern. Sonst ist die Stelle und Bedeutung der Hörner gleich den Trompeten (u. a. auch "ad libitum"-Praxis, z. B. Anmerkung *"Cum vel sine Cornuis, Cornua habes in folio distincto"* in einer Quelle aus der Kapistraner Provinz).

Eine sehr interessante Funktion haben in der Franziskanermusik **Oboen** gehabt. Sie wurden nämlich n i e zusammen mit den Streichinstrumenten (Geigen) verwendet. Es gibt beispielsweise Messen und andere liturgische Werke in der Besetzung: 2 Oboen, 1- oder 2-stimmiger Chor (mit Soli) und Orgel, es konnten auch Trompeten dazukommen, aber nie gab es zusammen Oboen und Violinen (vgl. Tabelle), d. h. Oboen sind in der Franziskanermusik eher auf gleichem Niveau mit Geigen (z. B. *"Missa brev. in B a Canto, Basso, Organo, Violone et 2 Obois ad lib. "* des P. Symphorianus Roth aus der Wiener Provinz, ME I/30). Oboen und Geigen zusammen, das wäre für die Franziskaner schon "zu viel". Besetzungen mit Oboen sind aus der Wiener, Tiroler und Marianischen Provinz überliefert[20].

In der Marianischen Provinz sind auch **Posaunen** quellenmäßig belegbar. Sie wurden von denselben Spielern wie die Trompeten geblasen (vgl. Abbildung 2). Bei den Franziskanern konnten Posaunen nur die Funktion eines obligaten Instrumentes haben (Alt- und Tenor-Posaune). Ein typisches barockes "colla parte"-Spiel mit Chor kommt bei ihnen nicht in Frage, weil die Mittelstimmen in einem Franziskanerchor fehlten. Da viel Musik in der Marianischen Provinz aus der Nachbarprovinz des hl. Bernardin übernommen wurde, waren Posaunen gewiß auch in dieser Wiener Franziskanerprovinz keine Seltenheit - v. a. in Werken des P. Engelbertus Katzer (1719 – 1779). In den österreichischen Quellen gibt es dafür zwar keine konkreten Beweise, sie sind nur in den Abschriften des P.P. Roškovský zu finden. Posaunen sind in vielen Kompositionen unter der verballhornten Bezeichnung *"Trompo"* versteckt (d.h. "Trompon", wie es tatsächlich in einer Messe von P. Thelesphorus Hoffmann steht, "Trompo" bedeutet also nicht "Trompete"). Man kann dies auch aufgrund des Tonmaterials und der Stimmlage in den Particella-Aufzeichnungen behaupten. Diese Instrumentalsoli sind am häufigsten im Alt- oder Tenor-

---

[20] Aus der Tiroler Provinz Missa in hon. S.P.N..Francisci für Chor, Orgel und 2 Hautbois und Missa in B für Chor, Orgel und 2 Hautbois von P. Geold Negele (P. AEgidius FÖDINGER, Die verschollenen Komponisten, a.a.O., aus der Marianischen Provinz die anonyme Missa S.P. Antonij Paduani ex F.

schlüssel notiert. Posaunen wurden bei den Franziskanern übrigens mehr solistisch exponiert als Trompeten.

Wenigstens eine kurze Erwähnung verdienen die **Volksmusikblasinstrumente:** sie waren in der Weihnachtsmusik der Franziskaner üblich, sogar in den Provinzen, die nach den strengsten Prinzipien der Observanz lebten, wie die Böhmische oder Salvatorianische Provinz. Aus der Böhmischen Provinz ist u. a. eine anonyme *"Missa Pastoritia cum 2 flaut. et tuba"* und *"Offertorium Pastorella cum tuba, Basso multiplicato"* überliefert, aus der Salvatorianischen sei an erster Stelle die originelle lateinisch-slowakische *Missa I pro Festis Natalitiis* des P. Georgius Zrunek im Konvolut *Harmonia pastoralis* (1766) erwähnt. Von Volksinstrumenten ist die **Hirtentrompete** (*Tuba pastoritia*) am wichtigsten, sie war das am meisten verwendete Volksmusikinstrument in der Weihnachtsmusik, auch bei den Franziskanern. In einigen Fällen ist aber nicht klar, um welches Instrument es sich handelt, z. B. die Angabe *"Incipit Tuba, Clarino Marche"* am Anfang der *Pastorella Pro Epiphania Domini* "Co je to dnešní den za znamení?" aus *Prosae pastorales* (1766).[21] Obwohl die Verwendung der Hirtentrompete vor allem in den Angaben der Musikhandschriften vorkommt, gibt es auch ausgeschriebene Stimmen, z. B. in der erwähnten Weihnachtsmesse aus *Harmonia pastoralis* des P. Georgius Zrunek[22]. In dieser Komposition gibt es auch die Angabe *"idem inflatur flauta sed non bene"* (bei der Nachahmung des schlechten Spiels eines unbegabten Hirten), es könnte die **Hirtenflöte** gewesen sein, die doch durch die barocke **Querflöte** ersetzbar (imitierbar) ist.

Schließlich noch ein paar Worte zu der rein instrumentalen Bläsermusik. Vor einer Messe wurden bei den Franziskanern auch selbständige Instrumentalstücke geblasen - als Intraden anstelle einer *"Sonata ante Kyrie"* (siehe Abbildung 3). Solche Stücke sind als eine selbständige Gruppe (Abteilung) -

---

[21] "Marche" ist nicht ausgeschrieben, weil aber diese Pastorella im 6/8-Takt ist, konnte am Anfang der Komposition auch ein 6/8-Takt Marsch stehen. Vgl. Jiří SEHNAL, Hudba pro trompetu v 17. a 18. století na Moravě (Musik für Trompete im 17. und 18. Jahrhundert in Mähren), in: Acta Musaei Moraviae, Scientiae sociales, LXXV, Brno 1990, S. 176, 178.

[22] P. Georgius Zrunek OFM, Missa I pro Festis Natalitiis, a. a. O., S. 46. Eine orgelhafte Stilisierung des Hirtentrompetenspiels findet man in dieser Messe an mehreren Stellen, z. B. im Qui tollis und Agnus Dei.

ähnlich wie Messen, Litaneien, Offertorien, Antiphonen usw. - in den Stimmbüchern von P.Thelesphorus Hoffmann überliefert. Interessanterweise sind es
nicht nur Sonaten (aus *Harmonia Coelestis* oder *Harmonia Polonica*), sondern
z. B. auch eine *Villanesca* (ein Tanzstück). Trotzdem konnten diese Stücke
keine andere Funktion als die der Klangbereicherung des Gottesdienstes haben,
sie sind in den Stimmbüchern übrigens als zweite Gruppe nach den Messen,
noch vor den Offertorien, eingereiht.

Zusammenfassend kann man wiederholen, daß Blasinstrumente, vor allem
Trompeten, für die Franziskaner außer der Orgel die wichtigsten Instrumente
waren, die im allgemeinen wichtiger als z. B. Streichinstrumente waren. Z. B.
sind von 14 Messen aus der 2. Hälfte des 18. Jahrhunderts (P. Symphorianus
Roth, P.Eugenius Windhaber, Fr.Tiburtius Walter, P.Angelus Gruber, 2
anonyme Messen) im Maria Enzersdorfer Fonds 8 Kompositionen ohne
Streichinstrumente, d. h. nur mit Blechblasinstrumenten (7 mit Trompeten, 1
F-Dur Messe mit Hörnern), 4 Messen mit Trompeten und Geigen (bzw. 1 mit
Oboen anstatt Geigen) und 2 Messen nur für vokale Besetzung (Canto, Basso)
und Orgel. Von 7 Messen des P. Angelus Gruber (1739 – 1806) in dieser
Sammlung sind 6 Messen für 2 Trompeten (mit oder ohne Pauken), Vokal-
stimmen und Orgel und nur 1 Komposition mit Trompeten und Violinen.
(Ähnlich ist es in den anderen Gattungen, z. B. den Lauretanischen Litaneien.)
Es ist bezeichnend, daß auch die wahrscheinlich für Franziskaner komponierte
Missa Sti. Antonij des Johann Georg Reutter d. J.[23] nur für 2 Trompeten,
Pauken, einstimmigen Chor und Orgel (d. h. ohne Streichinstrumente) be-
stimmt ist. Die Entschlüsselung der eigenhändigen Anmerkung des P.
Gaudentius Dettelbach, seine *Missa Ss.Trinitatis* (1769) sei *"cum apparatu
omnium instrumentorum"* aufgeführt worden[24], weist auch auf die Wichtigkeit
der Blasinstrumente in der Franziskanermusik hin: Es ist gelungen, die

---

[23] Norbert HOFER, Thematisches Verzeichnis der Werke von Georg Reutters jun.
(Maschinenschrift), Wien 1947, Nr. 1 (Messe z. Ehren d. hl. Antonius, ca. 1752,
Sopran, 2 Cl., Tymp. Org.). In einer Particella-Abschrift von P. Adrianus Damian gibt
es gar keine Bemerkung über die Verwendung der Trompeten und Pauken, d. h. die
Franziskaner haben auch die Alternative "cum tubis et tympanis" nur gelegentlich
vermerkt.

[24] Die Gelegenheit dieser Aufführung war die Beendigung einer Musikreform in
der Marianischen Provinz, wobei die hl. Messe der Provinzial selbst zelebrierte, siehe
Ladislav KAČIC, Missa franciscana, a. a. O., S. 22.

komplette Besetzung seiner Komposition auch mit Stimmen zu belegen - und zwar 2 Trompeten, 2 Posaunen (im Et incarnatus), 2 Violini, Canto (Soli "a 2"), Basso und Organo. Obwohl eine solche oder andere festliche Besetzung der Figuralmusik mit Trompeten bei den Franziskanern im 17.- 18. Jahrhundert oft nur als eine Alternative betrachtet wurde (*"cum tubis et tympanis ad libitum"*), haben sie sich im Rahmen der Möglichkeiten der allgemeinen Situation in der Kirchenmusik angepaßt, wenn auch in Grenzen beschränkt durch die Ordensregel und die Provinzkonstitutionen sowie durch Lebensprinzipien. Aber das ist vielleicht an der Franziskanermusik am interessantesten.

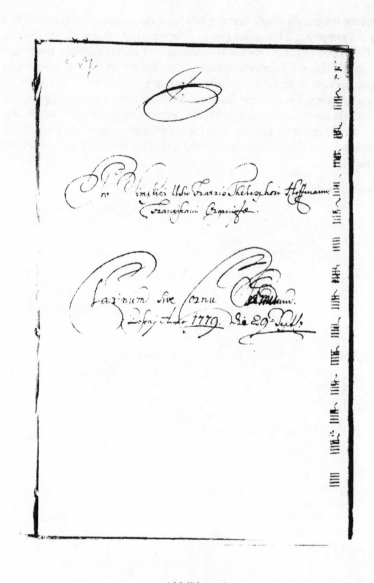

Abbildung 1
Das 1. Trompeten-Stimmbuch *"Pro Simplici Usu Fratris Thelesphori
Hoffmann Franciscani"* (Bratislava 1779, SK-Mms D IV 9) - Titelblatt

234

Abbildung 2

Das 1. Trompeten-Stimmbuch *"Pro Simplici Fratris Thelesphori Hoffmann Franciscani"* (Bratislava 1779, SK-Mms D IV 9) - *Missa Ss. Trinitatis* (hier als *Missa S.Eugenii Episcopi Toletani* genannt) des P. Gaudentius Dettelbach (1769)

236

Abbildung 3

Das 1. Trompeten-Stimmbuch *"Pro Simplici Usu Fratris Thelesphori Hoffmann Franciscani"* (Bratislava 1779, SK-Mms D IV 9) – *Sonatae*

Keith Kinder, Hamilton/Ontario, Canada

ANTON BRUCKNER'S MUSIC FOR CHORUS AND WINDS:
MORE THAN THE *E-MINOR MASS*

When we consider the wind-chorus music of Anton Bruckner, we usually only think of the great *E-minor Mass* of 1866. This magnificent work is certainly Bruckner's most important wind-chorus composition, but is also a major contribution to the choral repertoire generally, and is perhaps the most original piece of sacred music composed in the 19th-century. However, Bruckner's interest in music for voices and winds ranged well beyond this one work, and it will be those lesser-known compositions that will be the focus of this paper.

Until he was nearly 40 years old, Bruckner was a provincial church musician who wrote a substantial amount of highly competent but rather old-fashioned music. Then, in 1863, he was introduced to the music of Richard Wagner. This experience precipitated a change in his style so dramatic and so total that it is unprecedented in the life of any other major composer. With Wagner as his model, he embarked on a harmonic journey that would take him to the fringes of 19th-century tonality and surround him with controversy.

Bruckner's wind-chorus music comes from every part of his life, and thus serves as a useful vehicle for following the evolution of his musical thinking. The early works (pre-1863) have been largely ignored by researchers, but, as will be seen, many of them are interesting pieces that represent substantial developments in his compositional ability and contain numerous glimpses of his mature style.

Mass in C-Major (Windhaager) - WAB 25:

Until after his thirtieth birthday, Anton Bruckner prepared for a career as a schoolmaster, not as a musician. In late 1841, he became assistant schoolmaster in the small upper Austrian village of Windhaag near the Bohemian border (Watson 1977, 7). A year later he produced his first extended composition - the *Mass in C-Major* (Schulze 1986, 3). Since the musical resources of the village were limited, this work was written in a modest, hymn-like style, and was scored for solo alto voice with two horns and organ. However, despite its simple style, the *C-Major Mass* contains musical ideas that would preoccupy Bruckner throughout his life. The work presents unison textures, melodies encompassing descending octaves, abrupt modulations to third-related keys, and text realized in a programmatic way. An excellent example of programmatic writing occurs in the *Gloria*, where the words "*Cum Sancto Spiritu*" are set to the unison motive *doh-sol-lah-mi* - precisely the same motive Wagner was to employ as the "bell motive" in *Parsifal* some thirty years later (Nowak 1988, 88-89). Bruckner apparently intended to convey a similar image - church bells announcing the arrival on earth of the Holy Spirit.

While its simple, resolutely homophonic style would seem to preclude performance, this work's prophetic musical ideas makes it a good place to begin any study of Bruckner's compositional development.

In September 1845, Bruckner was appointed assistant schoolmaster and deputy organist at the great Augustinian monastery of St. Florian (Watson 1977, 9). He was to remain there for ten years. During this time, his musical responsibilities gradually increased and his compositional skill dramatically improved. In the early 1850s he produced six wind-chorus works, several of which are truly imaginative compositions.

Psalm 114 - WAB 36:

Bruckner's setting of *Psalm 114* dates from early 1852, and was scored for five-voice mixed choir and three trombones. The precise chronology is unclear since this is one of the composer's least known works. Even today, it remains in manuscript.

The circumstances attending to its creation are interesting. In the liturgy the psalm is associated with Vespers (*Liber Usualis* 1952, 280, 1772), but Bruckner's setting appears to have had a personal rather than a liturgical purpose. By 1852, Bruckner was deeply distressed by the low priority assigned to music at St. Florian, and apparently turned to the comforting words of this psalm as a means of personal reassurance (Göllerich/Auer 1974, II/1: 137-38).

The structure of the work was determined by the text. It opens with an *Alleluia*, which functions like an *Antiphon*, then each of the nine verses of the psalm are separated from each other by strong cadences or silences. These verses exhibit substantial contrasts of timbre, texture and harmony. However, Bruckner has also provided a considerable amount of musical unity. Verses one, two, five and seven, which describe a kind and merciful God, are set to variations of the same musical material. Scored for voices alone, in simple diatonic harmony and a polyphonic texture, this music is gentle and devout. It contrasts sharply with the music surrounding it. The *Alleluia*, which precedes verse one, employs the full ensemble and archaic-sounding modal harmony. At verse three the trombones enter at *fortissimo*, the voices are compressed to a single line comprising many wide skips, and the key changes abruptly from D Major to D minor, then progresses through a series of third-related keys. The words of this verse speak of the "sorrows of death", and "the pains of Hell". Bruckner's music appears to be the anguished cry of a soul in distress, pleading for God's mercy.

Example 1
Psalm 114 - bars 40-9

The words of verse four are a prayer and are set initially for female voices in a texture that would become a hallmark of Bruckner's style - a series of parallel sixth chords, like *fauxbourdon*.

The last half of the work is a large-scale, five-voice double *fugue*. The two subjects are immediately set against each other in counterpoint, and clearly display their derivation from the music of J. S. Bach.

241

Ich will ge- fal- len ge- fal- len dem Herrn

Ich will ge- fal- len dem Herrn im Lan-de der Le- ben- di- gen

Example 2
Psalm 114 - bars 119-123

Psalm 114 is an aurally pleasing and expressive composition that does not deserve the near oblivion to which it has been relegated. Certainly some of the music is derivative. The influence of Mozart (Göllerich/Auer 1974, II/1: 139) and J. S. Bach can easily be heard. However, this setting also projects a profound and deeply personal understanding of the text, and demonstrates that Bruckner, even at this early point in his career, was capable of creating appealing and compelling music.

Cantata: Heil, Vater! Dir zum hohen Feste - WAB 61:

A few months later, in September 1852, Bruckner composed the *Cantata: Heil, Vater! Dir zum hohen Feste*. This work was intended for the nameday celebration (September 29, 1852) of Michael Arneth, prior of St. Florian. Arneth had assisted Bruckner while the composer was still a schoolboy and had helped him to establish his teaching career. Bruckner was deeply appreciative of Arneth's help.

This particular *Cantata* comprises seven movements (although some sections have identical music), and was scored for male quartet, mixed chorus and brass instruments (two trumpets, three horns and bass trombone). Unfortunately, it appears to have been written quickly, and therefore represents something of a backward step from *Psalm 114*. The harmony is conventionally diatonic, the timbres and textures show limited contrast or imagination, and most of the melodic development involves simple repetition or sequence. However, despite its rather simplistic realization, Bruckner apparently liked some of the musical materials. Motives from it reappear in several later compositions, most notably in the *E-minor Mass* (Göllerich/Auer 1974, II/1: 129) and in the *Festcantata: Preiset den Herrn* of 1862.

Libera me - WAB 22:

On March 24, 1854, the St. Florian community was saddened by the death of its Prelate, Michael Arneth (Watson 1977, 12). Bruckner wrote two interesting works for the funeral ceremonies, and both were scored for chorus and winds.

The *Libera me* in F minor is one of the few early works by Bruckner that have secured a place in the choral repertoire. Scored for the unusual combination of mixed chorus, three trombones, cello, double bass and organ, it was intended for the service of Absolution that followed the Requiem Mass. It illustrates considerable development in the composer's musical ideas.

As with other works of this time period, the form was determined by the Latin text. The four verses are contrasted by texture, and the textures employed are those traditionally associated with church music - chorales, *fugato*, and responsive textures reminiscent of the high Renaissance. However, while the conception of the work is conventional, the harmony is unorthodox. Much of the work employs a rapid harmonic rhythm of step-wise or third-related progressions. During the second verse, which is a *fugato*, Bruckner introduces the augmented sixth chord as a substitute for the dominant. This harmonic strategy was to become a particular favourite in later years (Simpson 1967, 125) and produces some surprising chordal juxtapositions.

Example 3
Libera me - bars 20, 22

The *Libera me* in F minor is an important precursor to Bruckner's mature style, but is also effective on its own terms. The music is heartfelt and profound and is a gracious, if rather austere, rendering of the text.

Vor Arneths Grab - WAB 53:

The gravesong *Vor Arneths Grab* was written at the same time as the *Libera me*, and was scored for male chorus accompanied by three trombones. It displays little of the mournful character one might expect, focusing instead on confidence in the Christian teachings on death and resurrection. The harmony is largely diatonic, with a predominance of major sonorities. A wide space is maintained between the two lowest parts, creating very resonant voicings.

Like many other works by this composer, *Vor Arneths Grab* opens with a unison melodic fragment that provides most of the material for the entire piece.

Example 4
Vor Arneths Grab - bars 1-3:

This particular motive has a curiously ambiguous tonality - both A-flat Major and F Minor are implied. A-flat Major is eventually confirmed as the tonic, but not until the end of the first phrase (bar 8). Since the second half of the work will be in F, these initial bars are an example of the "double-tonic" or "tonal pairing" procedures that are now recognized as a central element in late 19th-century tonal practice[1]. Theorists have successfully applied tonal pairing to much late 19th-century music, including mature works by Bruckner. However,

---

[1]   Robert Bailey is credited with evolving this concept for his analyses of the music of Wagner. Bailey noticed that Wagner preferred to foreshadow the overall tonal movement within an entire act of his operas at the very beginning of the overture. Thus the two opening phrases of the *Tristan* prelude suggest A and C, which correspond to the tonal movement from A to C in the first act (Kindermann/Krebs 1996, 5). Bailey also demonstrated that 19th-century composers considered the major and minor forms of a key to be equivalents and interchangeable (Bailey 1985, 116).

it is very surprising to find him employing this concept in a small scale, functional composition in 1854.

Laßt Jubeltöne laut erklingen - WAB 76:

In April, 1854, Elizabeth, bride-to-be of Habsburg Emperor Franz Joseph, visited Linz. The *Liedertafel "Frohsinn"*, the primary choral society in the city, asked Bruckner to write a celebratory chorus for performance at a reception honouring the future Empress (Göllerich/Auer 1974, III/1: 536-37). Bruckner's composition, *Laßt Jubeltöne laut erklingen*, was scored for male voices and an unusual brass ensemble consisting of two trumpets, two horns and *four* trombones (the score stipulates two bass trombones).

This work has several notable musical features. The brass writing tends to reverse the expected scoring procedures. The trumpets and horns are used rather sparingly to contribute fanfares, pedal tones and to fill out the harmony of otherwise incomplete chords. The trombones almost always double the voices, which explains the unusual number of players. Four trombonists were necessary to provide equal support for all the voices. Not surprisingly, *Laßt Jubeltöne...* begins with a distinctive motive that provides most of the work's musical material.

Example 5
Laßt Jubeltöne ... - bars 1-4

In this instance, the voices sing in unison with harmony provided by the brass. The motive ends at its fourth bar with an upward leap into dissonance - the voices sing an E-flat against an incomplete B-flat dominant seventh chord. In effect, the voices create a chord in fifths (A-flat, E-flat, B-flat, F) that persists for two complete beats. Eventually the E-flat resolves to D to complete the dominant seventh sonority. Surprising dissonance placed in prominent rhythmic positions is an important musical element throughout this work, and can be easily heard in all of Bruckner's mature compositions. Also significant is the appearance, probably for the first time, of the "Bruckner rhythm". This pattern, a duplet followed by a triplet or vice-versa, is considered to be one of his compositional fingerprints[2].

Cantata: Auf, Brüder, auf! Und die Saiten zur Hand! - WAB 60:

Arneth's successor as prior of St. Florian was Friedrich Mayr. Mayr was musical, and to mark his nameday on July 17, 1855, Bruckner produced his most impressive wind-chorus work to date - the *Cantata: Auf, Brüder, auf! Und die Saiten zur Hand!*. This work has three movements, requires a mixed choir, a men's choir, a male quartet and the largest wind ensemble yet employed by Bruckner - two oboes, two bassoons, three horns, two trumpets, and three trombones.

The composer's use of these varied forces is interesting and shows careful attention to the text. The words of the initial movement express a male point of view and are set for male chorus supported by instruments that sound in a comparable register - horns and trombones. The second movement employs only two lines of text that project a quiet, thoughtful mood. Bruckner captured this character with unaccompanied male voices. The final movement is highly celebratory, and employs virtually the complete ensemble. The composer apparently wanted his music to reflect the entire St. Florian community, and added female voices to the choir. The tessitura of the women's voices probably necessitated the addition of oboes, while the inclusion of bassoons provided a complete woodwind quartet. However, these instruments also permitted Bruckner to write rapid modulations and energetic, arpeggiated accompanimental figures that would have been impossible on valveless brass. In addition to the frequent modulations, Bruckner also employed chromatic bass lines that generate unusual chord sequences and some surprisingly dissonant sonorities.

---

[2]   In most of the literature, the appearance of this rhythmic pattern is credited to the *Symphony No. 3* of 1873. However, as can be seen here, Bruckner developed it long before the Third Symphony - in the mid-1850s.

Em   GV7   CM   Em   Fr.6 DM? AV7   F♯0 GV7 CM   Am7

Example 6
Cantata: Auf Brüder! ... Hand! - Mvt. 2 - bars 23-7

All of these harmonic practices would be developed to a high degree in later works; however, this composition also introduces cyclic form - a structural principle that would become central to Bruckner's conception of the symphony. The final movement recalls material from both the first and the second movements. In fact, the horn call that opened the work is present in the final bars as well[3].

All of these elements make the *Cantata: Auf, Brüder! auf, und die Saiten zur Hand!* perhaps the first work in which Bruckner's own distinctive voice can be recognized. A composition of considerable variety and excitement, it represents a major step forward for this composer. It may also be worth noting that the "Bruckner rhythm" appears in the choral writing in both the first and the second movements.

In early 1856, after much prodding from his friends, Bruckner accepted the position of cathedral organist in Linz. Now thirty-one years old, he was finally a full time professional musician (Watson 1977, 15-16). A few months prior to this appointment, he had embarked on a rigorous correspondence course in harmony and counterpoint with the eminent Viennese teacher, Simon Sechter.

---

[3]   Bruckner probably took the concept of cyclic form from Mendelssohn. He heard a performance of *St. Paul* in Linz in 1847 and was much impressed. The influence of Mendelssohn can be heard in many of his works from the 1850s (Watson 1977, 9).

Sechter based his teaching on Baroque and Classical models, and insisted that his students refrain from all free composition while studying with him (Simpson 1967, 12). Bruckner's tuition lasted for nearly seven years (until 1861), and, since he took his teacher's directive seriously, he produced very few compositions during this time.

In 1857, he was asked to provide a work for the nameday celebration of the prior of St. Florian, Friedrich Mayr. Bruckner evidently wanted to comply with this request, but was constrained by Sechter's prohibition on free composition. His solution was to revive an old work the *Cantata: Heil, Vater! Dir zum hohen Feste*, written for a similar occasion in 1852. For the most part the music was only slightly adapted to accommodate a new text, but did include one short passage of new composition. These bars, which employ secondary seventh chords, multiple suspensions, and chromatic voice leading, stand in stark contrast to the rather simplistic music of the original score, and illustrate the rapid evolution of Bruckner's musical thinking during the 1850s.

In early 1861, Bruckner completed his studies with Sechter (Watson 1977, 17). After nearly seven years of assignments and exercises, he confessed to his friends that he felt "like a watchdog that has broken his chain" (Cooke/Nowak 1985, 7). He was now interested in expanding his compositional activity from church music to symphonic writing, and the engaged Linz musician, Otto Kitzler, for instruction in form and orchestration. Kitzler advocated the study of contemporary masters, especially Beethoven and Mendelssohn, and encouraged Bruckner's harmonic experimentation (Cooke/Nowak 1985, 9). These lessons were an important foundation for the new style that would soon emerge.

Afferentur regi - WAB 1:

One of the first works to appear after the conclusion of his studies with Sechter was the Offertory, *Afferentur regi*, commissioned by St. Florian for performance on St. Lucy's Day, December 13, 1861 (Grasberger 1977, 5). The text is designated to this feast day in the *Liber Usualis*, and the music is based on the plainchant specified in the same source (*Liber Usualis* 1952, 1322-25). All of the works written immediately after the Sechter-imposed compositional hiatus are intensely polyphonic (almost as if Bruckner was flaunting his newly acquired contrapuntal virtuosity), and this short piece is no exception. The first and third sections of the ternary form consist of two statements of the same *fugato*, the subject of which is drawn directly from the plainchant. The B section presents a stream of sixth chords over a pedal, a texture reminiscent of *fauxbourdon* that was particularly favoured by the composer.

The three trombones that accompany the choir are used sparingly, and are marked optional in the score. Their primary purpose was to guide the pitch of the choir during the modulations, but the work is performable without them.

The assuredness and the complexity of the counterpoint demonstrates the effectiveness of Sechter's teaching, but the harmony harkens back to the early 1850s. Serene and brief, this attractive miniature has secured a place in the repertoire of choruses everywhere.

Festcantata: Preiset den Herrn - WAB 16:

Bruckner's supervisor in Linz was Bishop Franz Joseph Rudigier (Watson 1977, 16). In the mid 1850s, Rudigier decided that his diocese would build a new cathedral venerating the recently decreed doctrine of the Immaculate Conception. This was a long-range project (the new cathedral was not finished until 1924), but by May 1, 1862 the foundations were in place, and Rudigier asked Bruckner to compose a festive cantata for the dedication of the cornerstone (Göllerich/Auer 1974, II/1: 134-35). The work presented, the *Festcantata: Preiset den Herrn*, was scored for male chorus and a large wind orchestra consisting of two flutes, two oboes, four clarinets, two bassoons, four horns, three trumpets, three trombones, tuba and timpani.

Cast in eight short movements, this work displays a masterly blend of musical integration and variety. The distinctive opening music recurs several times, and themes throughout the piece are closely related. However, the movements also exhibit substantial contrast of timbre and texture, illustrating Bruckner's concern with orchestration at the time of its creation.

The opening music features a unison descending octave in dotted rhythm - a common Bruckner beginning.

Example 7
Preiset den Herrn - bars 1-4

When the choir enters with the same motive in bar two it is harmonized. Bars three and four are a quotation from the *Cantata: Heil, Vater! Dir zum hohen Feste* of 1852. In the *Festcantata* this music is associated with praising God and recurs whenever the text requires it. Movement two begins as a Baroque style four-voice *fugue*. The subject recalls the main theme of Mendelssohn's Second Symphony.

Example 8A
Preiset den Herrn - *fugue* subject

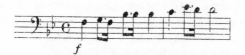

Example 8B – Mendelssohn
Symphony No. 2 - main theme

Mendelssohn was one of Kitzler's favourite composers, and his *Symphony No. 2* includes a *cantata* movement, *Lobgesang*, that uses textual phrases very similar to those being set by Bruckner. It appears that Kitzler pointed Bruckner

250

to the *Lobgesang* symphony when he was composing this *Festcantata*. The theme of Bruckner's sixth movement is also based on Mendelssohn's melody.

In the fourth movement, the text refers to Mary for the first time, and Bruckner created easily recognizable music for her as well.

Example 9
Preiset den Herrn - Mvt. 4, bars 18-22

The final movement draws the total work together by quoting thematic fragments from several previous movements. Most remarkable is the final few bars where the music associated with God is combined with that identified with Mary.

Example 10
Preiset den Herrn - concluding bars

The intention is clearly poetic. The words speak of Mary as God's helper, and the music is an illustration of that relationship.

Preiset den Herrn is an important contribution to the wind-chorus repertoire. The work is carefully unified and the counterpoint and scoring generate considerable drama. While much of the harmony can be identified using traditional means, other passages employ chromatic voice-leading that can only be understood through contrapuntal analysis. Bruckner was finally ready to hear Wagner's music.

In late 1862 Kitzler decided to mount the first Linz performance of Wagner's *Tannhäuser*, and invited Bruckner to study the score with him (Cooke/Nowak 1985, 10). This score and the performance on February 13, 1863, were a revelation, and the second Bruckner - the Bruckner for the ages - appeared, seemingly without warning. Examples of strikingly original harmony have been observed in most of the works reviewed thus far, but in Wagner's score Bruckner found music of genius that went far beyond what he had previously deemed possible. He never discussed the transformation of his style, except to say: "I didn't dare before" (Schönzeler 1970, 45). Wagner's example provided him with a new and much broader framework in which to exercise his copious gifts of invention.

Germanenzug - WAB 70:

The secular *cantata*, *Germanenzug*, occupies a place of enormous significance in Bruckner's compositional evolution. The composer considered this work to be his "first real composition"; that is, his first composition written after he had completed his studies with Kitzler. It was his first published work, and, during his lifetime, was among his most frequently performed pieces. He spent more than a year on its creation, and produced four different versions.

The inspiration for the work came from the announcement in June 1863 of a composition contest for the next summer's Upper Austrian Songfest. During the next few months the Festival was postponed for a year and given a much wider scope, <u>and</u> it was announced that the winning compositions would be published. Since this would be his first published work and would be heard by a large audience, Bruckner went to considerable pains to ensure that it precisely represented his conception and that the edition would be free of mistakes. *Germanenzug* won second prize in the competition and was premiered in Linz on June 5, 1865, under Bruckner's baton (Hawkshaw 1990, 21-22, 26-29).

252

The text was supplied by August Silberstein, and deals with Teutonic mythology, the same stories that Wagner was to use in his *Der Ring des Nibelungen*. Bruckner scored his setting for men's chorus and brass band - two soprano cornets, four trumpets, tenorhorn, four horns, three trombones and tuba. The work was structured in three movements according to the versification of the poem. Because the imagery of the first and third stanzas is similar, much of the music from the first movement recurs in the third. The second and third movements are bridged.

The first sounds of the piece, three octaves of a unison D set melodically as several descending octave skips in dotted rhythm, is easily identified as Bruckner's music. Only the initial bar is in unison, but the dotted rhythm persists through a powerful series of third-related chords that cadences with a familiar progression, German sixth to tonic.

Example 11
Germanenzug - Mvt. 1, bars 1-6

This movement contains several distinctive ideas. Unison to harmony textures, modelled on the opening bars, appear frequently. Most of the words that directly mention warriors or battles are in unison, probably a reference to the ancient tradition of singing battle songs in unison. The words "whisper so quietly" are set programmatically, in unison with a *decrescendo*, then "so quietly" is repeated in harmony at a *pianissimo* dynamic.

Movement two, the "Song of the Valkyries", employs quartets of singers and horns. The music is made expressive by on-the-beat dissonance, suspensions, and delayed resolutions of seventh chords. The opening phrase presents a striking example of tone painting. The text is "*In Odin's Hallen ist es licht*", and the final three words are set to the "bright" harmonies, A Major → F-sharp

Minor → C-sharp Major. Bruckner said these chords were intended to represent the brightness in Odin's hall. "See, now it becomes bright", he is reported to have explained to the performers during rehearsals (Göllerich/Auer 1974, III/1: 208).

This movement also has a curious transition between its two verses that appears to be a *cadenza* for the singers. Each voice in turn assumes the lead, enunciating the words "sweet time ceases" in a florid style unlike anything else in this work. The slow harmonic rhythm and improvisatory nature of these bars do indeed give the impression that time is standing still[4].

The third movement begins with a reprise of the first movement, but, since the imagery of the poem is more active, uses louder dynamics and a fuller accompaniment. The final part of the work presents a combination of new material and hints of the "Song of the Valkyries".

Bruckner's musical imagination, his pictorial representation of the text and his attention to detail produced a major wind-chorus composition. *Germanenzug* is completely in his new style with hardly a backward glance. The instruments are more independent of the voices than in any work thus far reviewed, and a number of passages appear where only a few chords can be analyzed in any one key. By 1865, Bruckner was a professional composer fully in command of his abilities and capable of realizing his innovative harmonic, structural and timbral ideas.

Inveni David - WAB 19:

During the first months of 1868, Bruckner served as conductor of the *Liedertafel "Frohsinn"*, the primary choral society in Linz (Watson 1977, 23). In April and May the choir celebrated the anniversary of its founding in a series of special concerts. For the concert scheduled for May 10, Bruckner composed his Offertory, *Inveni David*, which is dedicated to the choir (Grasberger 1977, 23). Since May 10 is the feast day of St. Antonius, and the *Liber Usualis* specifies this particular text for that observance (*Liber Usualis* 1952, 1465),

---

[4] Had this passage been written a century later, it would probably have been notated 'senza misura'.

254

Bruckner apparently drew on his broad knowledge of the Catholic liturgy to select a text appropriate for the day on which the concert would occur. *Inveni David* is scored for male chorus and four trombones, and makes extensive use of Neapolitan chords, a sonority that occurs frequently in Bruckner's mature compositions (Watson 1977, 77).

This work conforms to no pre-determined structure and much of the harmony is difficult to assign to any key, although the first section progresses from F Minor to its dominant, C Major. Chords are created through chromatic voice-leading, and certain passages contain definite hints of Wagner. The final section is an extensive coda using only the word "*Alleluia*". The texture is responsive, the harmony is grounded in F Major, the voicing is resonant, and the trombones assume an active role, contributing substantially to the dramatic character of this music.

Inveni David is among the few wind-chorus works by Bruckner that have achieved lasting popularity. Such attention is not surprising considering this work's well integrated compositional technique, intriguing harmony and effective use of the performing forces. This composition stretches the boundaries not only of sacred music, but of tonal music itself. It shows that by 1868 Bruckner was prepared to remake any genre he chose to take up.

In mid-summer 1868, Bruckner moved to Vienna (Redlich 1955, 15). He had been trying to relocate for several years, but it took the influence of his friend Rudolf Weimwurm and the Viennese conductor Johann von Herbeck to finally secure for him a position at the Vienna Conservatory and in the Imperial Court Chapel (Watson 1977, 20, 23-24). Bruckner's years in the Austrian capital were primarily dedicated to the composition and revision of symphonies, and were marked by glorious successes and devastating failures.

From the point-of-view of wind music, Bruckner's Vienna years are somewhat disappointing. Only four short chorus-wind works appeared during this time, but, as would be expected from a composer at the zenith of his creative powers, these are miniature masterpieces of astonishing originality.

255

Das hohe Lied - WAB 74:

Bruckner completed the curious work, *Das hohe Lied*, on December 31, 1876. A striking example of evocative tone painting, the work was immediately problematic because Bruckner's imagination seemingly outstripped all practical considerations. In its original setting the work proved to be unperformable and the composer revised it several times. The published score is an adaption of Bruckner's original by Hans Wagner, choirmaster of the Academic Choral Society of Vienna.

The text is a short, descriptive poem by Heinrich von der Mattig[5], that is full of Alpine imagery, and includes an archetypal Romantic figure - the wanderer. Bruckner originally scored the music for three male soloists and two male choirs, one of which was a "humming choir" throughout most of the work. Rehearsals soon revealed that the complex parts for the humming choir could not be performed accurately, and Bruckner doubled them with low strings and added low brass as well. Ultimately, the soloists were reduced to a single tenor, and the enigmatic humming choir was removed altogether. The version with strings, brass and chorus (but without the humming choir) was finally performed in 1902, six years after the composer's death, but it is not clear that Bruckner would have approved of removing the humming choir (Göllerich/ Auer 1974, IV/1 422, 426-27).

Das hohe Lied is intriguing music. The humming choir/strings present what are in effect harmonized trills, a graphic representation of rushing water and the sound of a mill, which is mentioned in the text. These passages are essentially "sound clouds" that would surely have been strange to 19th-century ears. The music, filled with horn calls and call-and-response textures inspired by the mention of an echo in the poem, is attractive and engaging. However, if performance of any of the original versions is contemplated; that is, any version that includes the humming choir, the conductor is confronted with the same performance difficulties that confounded Bruckner's 19th-century colleagues. Hans Wagner's simplification is perhaps the best compromise, but does not really reflect the composer's intentions.

---

[5] Pseudonym for Dr. Heinrich Wallmann, a medical officer in the Austrian army (Göllerich/Auer 1974, IV/1: 422).

Abendzauber - WAB 57:

Another curiosity in Bruckner's oeuvre, *Abendzauber* has several points-in-common with *Das hohe Lied*. The text is another short poem by Heinrich von Mattig, and the performing forces include a humming choir, as well as tenor/baritone soloist, male chorus, four horns and three yodellers. The work was completed early in 1878 (Grasberger 1977, 63).

Bruckner apparently remained intrigued by the unusual sound of the humming choir, but he did simplify the music assigned to it. The choir hums long notes or straightforward moving passages; however, the advanced harmonic usage still creates substantial performance challenges.

The poem establishes the physical context of a quiet, moonlit mountain lake, and evokes the spiritual mysteries of night. The yodellers represent the elemental spirits of nature that Bruckner evidently heard as distant female voices, akin to Wagner's *Rheinmaidens*. Because they were mystical creatures, they could sing no identifiable words (Göllerich/Auer 1974, IV/1: 490-91). Throughout the work, the horns and yodellers function in antiphonal relationship, presenting a series of short fanfares that enhance the Alpine atmosphere.

Near the beginning, the humming choir sustains a G-flat Major chord for four bars at a slow tempo. This "dark" tonality establishes the impression of night, and the chord's open spacing and slow rate of change creates a sense of stillness and spaciousness. When the soloist enters, he outlines an E-flat Minor chord against the G-flat Major background - another example of "double tonic".

Example 12
Abendzauber - bars 4-6

As with other works discussed in this paper, *Abendzauber* draws heavily on root progressions of a third, but in this work the concept is developed somewhat. The opening sixteen bars function tonally within the tonic (G-flat Major), although the mediant and submediant are prominently featured. Such tonal stability is rare in Bruckner's mature style, and had programmatic intent in this work. Later in the piece, the music modulates around a complete circle of major thirds.

Example 13
Abendzauber - bars 28-33 (harmony only)

Chords related by major thirds are common in Bruckner's second style, but circular modulations of this type have not been previously observed in the wind-chorus music.

Abendzauber is a remarkable work. Evocative and atmospheric, it is unlike any other 19th-century composition, and, even today, sounds astonishing in performance.

Ecce sacerdos magnus - WAB 13:

In 1885, Bruckner participated in the celebrations marking the centennial of the diocese of Linz. The revised version of the *E-minor Mass* was premiered during the concluding ceremonies on October 4, 1885 (Nowak 1959 iii-iv), and he was commissioned to write a processional to accompany the entry of the Bishop into the cathedral (Göllerich/Auer 1974, IV/2: 313). The work submitted, *Ecce sacerdos magnus*, is one of Bruckner's crowning achievements in the small forms.

As he had so often in the past, Bruckner turned to the Roman Catholic liturgy for his text. His singularly appropriate choice is the Responsory from the ceremony for the solemn reception of a Bishop. He scored the work for eight-part chorus, three trombones and organ, and structured it around a *ritornello*, separating a series of verses that seem to trace the history of church music, from *organum*, to the 19th-century.

The harmony, however, erases any historical associations. The *ritornello* begins forcefully using the full ensemble. The voices are separated into female and male choirs that respond antiphonally to each other, and the harmony generates an astonishing chord progression that largely alternates major and minor sonorities, most of which are related by major thirds.

Example 14
Ecce sacerdos magnus - bars 23-30 (harmony only)

Later in the *ritornello*, the music rises to a dramatic climax on a highly decorated Neapolitan chord on B-flat that resolves to a long cadential passage on its tonic - A Major.

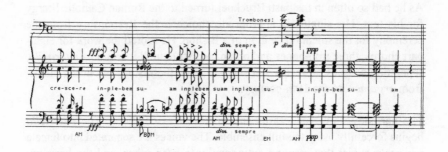

Example 15
Ecce sacerdos magnus - bars 33-39:

Ecce sacerdos magnus, a work of almost barbaric intensity, is church music at its most compelling. Few small-scale works by any composer can match its range of expression, splendour and dynamic power.

Das deutsche Lied - WAB 63:

Das deutsche Lied, a short patriotic chorus for male voices and orchestral brass (four horns, three trumpets, three trombones, tuba) was written in 1892 (Grasberger 1977, 69). At the time, Bruckner was preoccupied with the first movement of the Ninth Symphony, and some of the musical considerations foremost in his mind found expression in this choral work. Bare, archaic-sounding octaves and fifths are mixed with lush triadic sonorities and some startlingly dissonant chords. While the work begins in what appears to be D Minor and ends in D Major, most of it cannot be analyzed in any key. Most of the writing is declamatory in style with numerous fanfare figures that are related to those found in both the Eighth and Ninth Symphonies.

The work opens with a fanfare consisting of several octaves of the single pitch D in dotted and double-dotted rhythms. This figure, plus the harmonic descent of a major third at bar 14-15, immediately identify the composer of this music. Surprising harmonies appear quickly. The initial choral entry begins in unison, proceeds through a couple of open fifths and culminates on a startling chord that appears to be a D Minor triad with simultaneous perfect and diminished fifths.

260

Example 16
Das deutsche Lied - bars 5-8

The theoretical explanation for this chord is probably a diminished seventh on G-sharp, over a pedal A, but the voicing emphasizes the dissonance and the listener certainly does not hear a diminished seventh.

A number of similar passages occur throughout this work, generating a remarkably fresh harmonic context that clearly had its origin in the Ninth Symphony.

Das deutsche Lied is an excellent example of a major composer expressing himself very effectively in a small-scale setting. Among his last few compositions, it presents some of his best wind-chorus music and, as such, occupies a significant place in the repertoire.

The works reviewed here represent a substantial contribution to the wind repertoire specifically, but are also important to the musical literature generally. Many of these compositions show a marked development in Bruckner's musical abilities, and point the direction his creative thinking would take. They are essential to any comprehensive understanding of his ultimate achievement.

Bibliography

Robert BAILEY, An Analytical Study of the Sketches and Drafts, in: Richard Wagner. Prelude and Transfiguration from Tristan and Isolde, ed. by Robert Bailey, New York 1985, pp 113 – 146.

Deryck COOKE and Leopold NOWAK, Anton Bruckner, in: The New Grove Late Romantic Masters, New York 1985, pp. 1 – 73.

August GÖLLERICH and Max AUER, Anton Bruckner. Ein Lebens- und Schaffensbild, 9 Vols., Regensburg 1974.

Renate GRASBERGER, Werkverzeichnis Anton Bruckner, Tutzing 1977.

Paul HAWKSHAW, 1990 From Zigeunerwald to Valhalla in Common Time. The Genesis of Anton Bruckner's Germanenzug, in: Bruckner Jahrbuch 1987/88, Linz 1990, pp. 21 – 30.

William KINDERMANN and Harald KREBS, eds. The Second Practice of Nineteenth-Century Tonality, Lincoln and London 1996.

Liber Usualis, Tornaci 1952, Desclée & Co.

Leopold NOWAK, ed., Messe E-moll. Fassung von 1882, in: Anton Bruckner: Sämtliche Werke, Band 17/2, Wien 1959.

Leopold NOWAK, Anton Bruckner's Kirchenmusik, in: Bruckner Symposion. Anton Bruckner und die Kirchenmusik, Linz 1988, pp. 85 – 93.

H. F. REDLICH, Bruckner and Mahler, London 1955.

Hans-Hubert SCHÖNZELER, Bruckner, London 1970.

Willi SCHULZE, Preface to the score of Anton Bruckner. Choralemesse in C – WAB 25, Stuttgart 1986.

Robert SIMPSON, 1967 The Essence of Bruckner, London 1967.

Derek WATSON, Bruckner, London 1977.

David C. McCormick, Fort Myers/FL, USA

THE UNITED STATES ARMY BAND AND THE EARLY YEARS OF COMMERCIAL RADIO BROADCASTING[1]

Establishment of The United States Army Band (Pershing's Own) of Washington, D.C. in 1922 coincided with emergence of radio as America's dominant communication and entertainment medium. The Army Band[2] and the medium of radio became closely allied in 1923 and continued to serve each other's mutual needs until the 1960s,when television transformed American entertainment. This paper studies the alliance in the 1920s and 1930s.

In the decades preceding World War I, American concert bands had created a very successful cultural phenomenon combining, within single programs, popular music, serious art music, and the traditional glamour of the military. Even though the bands were civilian, they affected military appearance and style. While 1920s Americans pursued their new passions of jazz, the automobile and alcohol (it became a passion after being legally forbidden), they also enjoyed radio as it revolutionized communication and entertainment by reaching directly into individual homes. The home radio became a focal point of family life. Traditional band programs that included diverse kinds of music appealed to all age groups in all socioeconomic populations and continued, via radio, the comfortable tradition of live band concerts that had been established in the previous four decades at family-oriented venues such as amusement parks.

---

[1]   This paper is based on materials in the author's "A History of The United States Army Band to 1946," unpublished Ph.D. dissertation, Northwestern University, 1970. Unless otherwise noted, the source for all performance information is the unpublished unit diary in archives of The United States Army Band of Washington, D.C. (Pershing's Own), Fort Myers, Virginia, USA.

[2]   The organization was founded as The Army Band. In 1946 the title was changed to The United States Army Band, and in the latter 1960s the suffix "Pershing's Own" was added.

Radio in the form of wireless telegraphy had been developed early in the twentieth century and, prior to the World War of 1914-18, there were experiments with transmitting voice and music. The war stimulated radio developments and, when the conflict ended, the public became fascinated by the new apparatus to capture sound from the airwaves. Manufacturers of receiving sets established broadcast stations to stimulate purchases of receivers. The Westinghouse Electric Manufacturing Company's station KDKA (Pittsburgh) is said to have inaugurated the modern form of American commercial radio by broadcasting returns of the presidential election on November 2, 1920. Within a year, there were eight stations in the United States, all operated by firms whose income was from the manufacture and sale of radio receiving equipment, and in the next two years the number of stations exploded to 564. Much of the growth was stimulated by the example of the Radio Corporation of America, which established station WEAF (New York City) for the new purpose of renting broadcast time to anyone who wished to use the facilities.

The broadcast industry quickly developed a pattern of presenting commercial programs for income and other programs for public service. The premier bands of the United States Army, Navy and Marine Corps in Washington, D.C., became obvious candidates to perform. Radio stations wanted high quality, they needed public service programs, the military services wanted to project a positive image to the public, and large audiences could be attracted to programs in the band tradition that spanned popular entertainment and serious art music. The three premier military bands had the added attractions of offering high-quality professional performances at no cost to the radio stations. Furthermore, the bands included sub-units such as orchestra and jazz ensemble.

The Washington Navy Yard Band, later established as The United States Navy Band, was the first Washington military unit to broadcast, making an experimental transmission in 1920 over a crystal set from a tent at the Anacostia Naval Air Station. In 1921, the Navy Yard Band began weekly broadcasts over the Navy's station in Arlington, Virginia (a suburb of Washington), and in 1923-24 there were regular series over the station owned by the Washington Telephone Company[3]. The United States Marine Band

---

[3]   Letter and pamphlet from Lt. Preston H. Turner, Assistant Leader, United States Navy Band, sent to David C. McCormick, January 7, 1966.

began broadcasting in 1922 with a series of programs also transmitted from the Anacostia Naval Air Station[4].

The Army Band first broadcast on April 16, 1923, over station WRC from a studio in the Woodward and Lothrop department store in downtown Washington. Primitive acoustical treatment was improvised by hanging blankets around the perimeter of the room. Because of limited space, only forty bandsmen could be used. The forty-piece band returned to the same site for a broadcast on April 30, and the full complement of bandsmen broadcast an outdoor concert at the General Sherman Monument in Washington on June 4. During the remainder of 1923, the forty-piece unit broadcast from the studio three times, the full band once from a local high school auditorium, and the orchestra broadcast once from the WRC studio.

The orchestra was formed by using bandsmen who doubled on string instruments, a common practice of the time. The U.S. Marine Band required virtually all players to double until the late 1950s. The Army Band orchestra was titled at various times the concert orchestra, symphonette and dance orchestra. There were also other versions of dance bands and jazz ensembles.

The eight broadcasts of 1923 grew into thirty-eight in 1924, of which five were orchestra. An additional Washington outlet, station WCAP, was established by the American Telephone and Telegraph Company and The Army Band helped in adjusting the new studio in the Homer Building with a demonstration performance on February 11, 1924, followed by a full broadcast on February 14. The new station put the band into a network with WEAF in New York City, and stations in Providence, Rhode Island, and South Dartmouth, Massachusetts. The Army Band was fulfilling its missions to win friends for the military and stimulate patriotism not only in Washington, but also across the country. The most important military person in the country, General John J. Pershing, who had founded The Army Band, commended Band Leader W. J. Stannard in a personal note on April 17, 1924[5].

---

[4]   Letter to David C. McCormick from Capt. Frank Byrne, Exec. Asst. to the Director, The United States Marine Band, June 10, 1998, with attached typewritten, unplublished historical information.

[5]   Letter from General J. J. Pershing to W. J. Stannard, Warrant Officer, U.S. Army, April 17, 1924. File 201 W.J. Stannard, U.S. Military Personnel Records Center, St. Louis, Missouri.

Broadcasts of stirring military band music fit the American public's perception that humankind could be improved. The doctrine of progress might have been debated by European intellectuals in the aftermath of the devastating war of 1914-18, but the American public of the early 1920s was convinced that life on earth had been steadily improving in the three hundred years since colonists had arrived in Virginia and Massachusetts, and they believed that life would continue to improve. Americans believed they had developed the best form of government. They believed that American intervention in the final stages of World War I had brought Allied victory, they believed the war had made the world safe for democracy, and they believed it had been the war that would end all wars. Ingrained optimism was apparent as Americans were convinced that, just as their nation exemplified the continual improvement of material life, the human spirit and human morals could be improved if subjected to the proper stimuli. That line of reasoning led to belief that humans who improved to a higher spiritual and moral plane would be more patriotic, and music was seen as a superb stimulus for all those improvements. Concern for patriotism had intensified in the war years and the concern heightened in response to what mainstream Americans saw as threats of communism and socialism that had emerged in 1919 and 1920. Consequently, the military band of the 1920s was seen to have a special role in human progress.

There was also an interesting sidelight to the relationship between the military establishment and the emerging radio industry. Because of the military's necessary interests in radio technology, the self-evident need for government regulation of all broadcast activities, and the industry's recognition of advantages that could accrue from cordial relations with the government, the industry and government became closely allied. When Radio Corporation of America executives searched for a president in 1922-23, they took the advice of Secretary of War Newton D. Baker and hired retired Major General James G. Harbord, who had been chief of staff of the American Expeditionary Forces in France during the war and postwar deputy chief of staff in Washington. Even though Harbord's experience was far removed from the radio business, he provided the desired image and his influence proved valuable as the government affected RCA fortunes[6].

---

[6]   Erik BARNOUW, A History of Broadcasting in the United States, Vol. I, New York 1966, p. 124.

If Harbord's attitudes were typical of other radio industry leaders, it is little wonder that radio broadcasters used military bands. Harbord was deeply concerned about the rise of pacifism and antimilitary sentiments in the United States and stated:

War represents a permanent factor in human life and a very noble one. It is the school of heroism from which a nation's noblest sons are graduated into highest manhood. Individual preparation for national defense is necessary for the peacetime benefits that come to the people who prepare themselves for the efficiency that will come when your streets will again echo to the tread of marching soldiers, your railways and your waterways again teem with men and implements of war assembling to protect the flag[7].

In another comment, a vestige of wartime attitudes, Harbord questioned why a certain song was performed in German rather than English[8].

In their earliest years, broadcast stations were concerned about filling time more than they were concerned about limiting program length. In the 1920s, sixty percent of radio programming was music[9]. The program for a combined Army-Navy-Marine Band Radio Fund Benefit Concert on September 14, 1924, from the American League baseball park was typical of band concert and broadcast fare:

Elgar, *Pomp and Circumstance March No. 1*
Encore: Benter, *Call Me Henry*
Sibelius, *Finlandia*
Vocal Solos: *Dear old Pal of Mine and Mother Machree*, sung by Wee Willie Robyn of Roxie's Gang
Encore: Branson, *General LeJeune March*
Arr. M. L. Lake, *Medley of Songs from the Old Folks*
Encore: *Anchors Aweigh*
Meacham, *American Salute*

---

[7]   Ibid.

[8]   Ibid.

[9]   J. Fred MACDONALD, Don't Touch That Dial: Radio Programming in American Life, 1920-1960, Chicago 1979.

Encore: Sousa, *The U.S. Field Artillery March*
Wagner: *War Fanfare and King's Prayer from Lohengrin*
Encore, Sousa, *Semper Fidelis*
The Star Spangled Banner

Appearance of Roxie's Gang was an example of how civilian performers were integral parts of military band broadcasts. Roxie's Gang was a group of entertainers associated with Samuel L. Rothafel, who was a stage celebrity under the name "Roxie." Rothafel had begun his radio career only a short time before in programs from the Capitol Theatre in New York over station WEAF. He became a regular announcer for The Army Band broadcasts and Roxie's Gang frequently appeared on those programs. In subsequent years famous personalities Arthur Godfrey and Robert Trout were among civilian announcers for Washington military band broadcasts[10]. Only after World War II did the bands add announcers as part of the uniformed band roster.

Solos performed by band members on concerts and broadcasts in summer 1924 demonstrate an emphasis on expressive, cantabile interpretations of popular and traditional songs, not necessarily virtuoso showpieces:

Piccolo
  Demare, *Cleopatra*

Cornet
  Sullivan, *The Lost Chord*
  Romberg, *Song of Love*
  Stults, *The Sweetest Story Ever Told*

Euphonium
  Gounod, *Ave Maria*
  Drigo, *Serenade*
  Drigo, *Les Millions d'Arlequin*
  Harlow, *The Wonderer*
  Ray, *The Sunshine of Your Smile*
  Stults, *The Sweetest Story Ever Told*
  Openshaw, *Love Sends a Little Gift of Roses*

---

[10]   Interviews, 1965-66, with Master Sergeant Charles Kline, retired first sergeant.

Flute and horn duet
Titl, *Serenade*

Cornet duet
Serradell, *La Golodrina*

Cornet and trombone duet
Verdi, *Home to Our Mountains*

When broadcasting within a restricted time frame, long pieces would be cut. For example, instead of exposition, development and recapitulation in a symphony movement, the development section would be omitted, or a theme and variations piece might omit some variations[11].

Radio broadcasts also brought The Army Band a close relationship with the Pan American Union, the association of Western Hemisphere nations with its headquarters in an imposing building near the White House. Franklin Adams, Counselor of the Pan American Union, had tried for years to interest musical organizations in performing pieces he had collected from Latin American countries. Army Band Leader William Stannard was the first to respond, and a close relationship, including formal concerts at the Pan American Union building, endured for at least four decades[12]. A broadcast of Chilean music at 9:30 p.m. on Saturday, June 7, 1924, was typical of the kinds of programs that elicited enthusiasm from the Pan American Union:

March, Stannard, *Salutation to thePan American Union*
Two Chilean Song Gems: Pericon, *Ay, Ay, Ay*, and *El Chiripa*
Selection: Schmol, *Pan Americana*
Marches: Ramoniz,, *Toreador* and *Matador*
Chilean National Anthem
The Star Spangled Banner

---

[11] Informal conversations, 1952-55, with Master Sergeant Randolph Walters, trombonist.

[12] Letter from Franklin Adams, Counselor, Pan American Union, to Maj. Gen. R.C. Davis, The Adjutant General, Jan. 26, 1926. File AG 201, W.J. Stannard. Loc. Cit.

The program for a July 12, 1924, broadcast of Mexican music was:

March: Codina, *Zacatecas*
Mexican Dance, Davilla, *Maria*
Cornet duet: Serrandell, *La Golandrina*
Valse, Rosas, *Sobre Las Olas*
Missud, *Chili Dance*
Codina, *Six Mexican Dances*
Characteristic: Gonzales, *La Giralda*
March: Ramoniz, *Toreador*
Mexican National Air
The Star Spangled Banner

Ramoniz' *Toreador March* must have been sufficiently international or sufficiently unfamiliar to be considered both Chilean and Mexican.

Pan American Union programs commonly included popular Latin American music along with serious original works by native composers, and entailed major investments in time and energy. Although some of the popular music was available in commercial versions for band, all of the original pieces and much of the popular music required manuscript arrangements to be made from a piano score. Before the days of duplicating machines, not only was the score and each part written by hand, but copies of parts for multiple stands also required manuscript. After the score and parts were prepared, the rehearsals absorbed more time than usual because of the unfamiliar musical styles.

Latin American music was just beginning to be recognized in the 1920s and most of the literature performed by The Army Band could be classified as pioneer efforts by the composers. There were few extended pieces, the repertoire emphasizing indigenous tunes and dance forms, mostly rather unsophisticated compositions. Yet it was an important stage of development for Latin American music and a positive contribution by The Army Band. A uniquely large library of Latin American music was thus gathered by The Army Band, and around 1950 most of it was given to the Pan American Union[13].

---

[13] Conversations, 1952-68, with Master Sergeants Charles Kline and Charles Peterson, librarian.

In developing high-quality dance ensembles, The Army Band had the good fortune to gain the interest and help of one of the nation's leading names among civilian dance band leaders, Myer Davis, who had an avid following among Washington high society. Davis provided advice, instruction and even copies of his special musical arrangements[14]. At any given moment The Army Band could provide five or six dance ensembles ranging in size from sextets to a large dance orchestra with a full string section. A radio broadcast of July 18 with ten men was representative of the dance orchestra repertoire:

For trot: *Bagdad*
Charleston Cabin
You know Me Alabam'
Worried
Big Boy
Limehouse Blues
Jimminy Gee
Somewhere in the World
Waltz: *Sleep*
Fox trot: *Why did I kiss that Girl?*
Shanghai Lullaby
After the Storm
From One 'Till Two
Waltz: *On the Blue Lagoon*
Memory Lane

Radio audiences were large and devoted, but perhaps not particularly sophisticated, as shown by one radio critic. The Marine Band had a long tradition of presenting full symphony orchestra concerts, including complete master symphonies, in the winter and those were broadcast in the 1924-25 season. That same winter season, The Army Band broadcast as a wind band, with essentially the same literature and format as its outdoors summer concerts. That the difference in performance medium and literature was of little import to radio audiences was apparent in a radio critic's column complaining about poor microphone placement for a Marine Symphony Orchestra broadcast of the Brahms third symphony but praising The Army Band broadcast of V. F.

---

[14] Tape recorded interview with Capt. P. W. Lewis, an infantry officer who was the first commanding officer of The Army Band, The U.S. Army Band archives.

Safranek's *Don Quixote*, a piece on quite a different artistic plane than Brahms[15]. Mass audiences, accustomed to hearing bands in outdoor summer concerts far more than symphony orchestras in any setting, perhaps welcomed this opportunity to hear a band in winter as well as summer. Army Band Leader Stannard, with his unit only two years old, might have felt it discreet to avoid direct competition with the Marine Band in the realm of concert orchestra and, instead, concentrate on the wind band and dance ensembles.

In 1925, the most important series of summer outdoor concerts, Saturday nights at the Ellipse, an open area adjacent to the White House, were moved to the Sylvan Theatre at the nearby Washington Monument grounds and were broadcast over four stations. A typical program, July 11, 1925 was:

> Sousa, *Hail to the Spirit of Liberty March*
> Kuhlau, *Elverhoi Overture*
> Sousa, *Looking Upward Suite*
> Saxophone solo: Bleger, *Souvenir de Valence*
> Luders, *Excerpts from "The Burgomaster"*
> Lake, *Old Timers Waltz* (by special request from New York)
> Herbert, *Gems from "The Fortune Teller"*
> Gounod, *Selections from "Faust"*
> Encores--
>   Stannard, *The Washington Evening Star March*
>   King, *Emblem of Freedom March*
>   Saxophone solo: Oppenshaw, *Love Sends a Little Gift of Roses*
>   Sousa, *Stars and Stripes Forever March*

In case of inclement weather, programs were broadcast from a radio station studio, and on at least one occasion the move was made midway in a concert.

Radio commitments increased throughout 1924-25 and became such a significant activity that the band rehearsal hall was renovated to a broadcast site with telephone lines to station studios, and a limited number of audience seats. With inconvenient travel to radio stations no longer necessary and the full instrumentation always available, performance quality must have improved. The number of broadcasts increased to 52 in 1925 and by 1930 there were 237

---

[15]   Romping Around the Radio Dial, in: Washington Times, January 15, 1925.

272

broadcasts annually[16]. Throughout the 1930s and on to the band's wartime departure for overseas in June 1943, it averaged more than four broadcasts per week, an amazing schedule for any organization and probably not equaled by any others except The Marine and Navy Bands and in-house orchestras maintained by radio networks.

Microphone sensitivity was such in the 1920s and 1930s that to achieve prominence of an individual instrument the player often had to either stand and face the microphone or move to the front of the band and stand directly in front of the microphone. As regular concerts were broadcast, and even broadcasts directly from the band's home hall had a small live audience, microphone-oriented motions became part of band routine, in the manner of popular dance bands, even when not broadcasting. Having become ingrained as standard procedure, these kinds of motion persisted into the 1950s, long after their reasons for existence had passed[17].

Changes in Washington stations brought on by the Radio Corporation of America forming the National Broadcasting Company in 1926 led The Army Band to use the new station WMAL, which subsequently joined the Columbia Broadcasting System. With WMAL and WRC, the band now had direct access to both major networks: WRC for the National Broadcasting Company and WMAL for the Columbia Broadcasting System.

The first WMAL broadcasts, beginning in January 1927, instituted a special series by the orchestra, then called the symphonette, under the newly arrived assistant leader,Thomas F. Darcy. A typical program, October 26, 1927, was:

Axt, *The Chief of Staff March*
Suppe, *Pique Dame Overture*
Goering-Pettis, *Paradise Isle Waltz*
MacDowell, *Selections from "Woodland Sketches"*
Sylvia-Brown-Henderson, *Varsity Drag Fox Trot*
Romberg, *Selections from "Blossom Time"*

---

[16] Annual Summaries of The Army Band Performances, McCormick, op. cit., p. 813.

[17] Conversations with bandsmen and the author's observation, 1952-55.

It is interesting to note that the program was essentially the same as presented by the wind band.

In response to increasing commercial aspects of radio, the stations reduced the time available for The Army Band, though there was no reduction in the number of performances, and there was pressure to move public service programs, including the bands, from night to daytime. Evening hours had become the largest source of revenue from advertising. Evening audiences were larger and listeners tended to be more attentive. In 1927, the band continued regular programs over WRC and its connecting stations, but those programs were seldom longer than one hour. Usually, a full hour would be broadcast locally by WRC, with other stations joining for either the first or second half. Some connections were limited to Washington and New York, and others involved extensive networking with stations in Pittsburgh; St. Louis; Chicago; Springfield, Massachusetts; New York City; Schenectady, New York; Providence, Rhode Island; Cincinnati; and Cleveland. The most common evening broadcasts by the band were single special events, though some evening concerts, such as the Capitol Plaza summer series continued to be transmitted over the CBS network through 1929 and in later years over local Washington stations. The bands maintained loyal daytime audiences, and programming continued essentially the same as in outdoor band concerts: a mixture of marches, unpretentious symphonic music, opera excerpts and popular music. Thus, the bands maintained a familiar tradition rather than explore new concepts.

In 1927 two programs that included The Army Band set world records for the number of connected stations. Forty-eight stations broadcast The Army Band's concert in the House of Representatives before a joint session of Congress and President Coolidge celebrating the 195th anniversary of George Washington's birth, February 22, 1927. On June 11, over 52 stations broadcast the presidential reception for Charles Lindbergh upon his return from the historic nonstop flight to Paris.

Anchored by its two stations in New York City, WEAF and WJZ, The National Broadcasting Company divided into the Red and Blue Networks. The Red Network, with its WEAF background as the first station to carry advertising, entered upon a policy of greater commercial emphasis than did the Blue

Network and WJZ[18]. The Army Band began regular series over the Blue Network. In addition to Washington and New York City, connected stations in the beginning were in Rochester, New York; Detroit, Michigan; Des Moines, Iowa; St. Louis, Missouri; Davenport, Iowa; Omaha, Nebraska; and Philadelphia, Pennsylvania.

From the latter 1920s and through most of the 1930s networks constantly increased their numbers of outlets and brought The Army Band to more people than heard the band in all its other performances combined. Citizens of virtually every town, large and small, across the nation and into Canada heard the band in weekly broadcasts over the networks of NBC and CBS, and there were additional concerts over local Washington stations. Every opportunity was taken to increase radio audiences, the only restriction being the prohibition against commercial implications. On September 18, 1929, The Army Band, through WMAL (Washington) inaugurated the Columbia Broadcasting System's new key station in New York City. The program included a five-minute speech from President Herbert Hoover from the White House. In 1937, the Mutual Broadcasting System was added, giving The Army Band at least three nationwide concerts regularly scheduled each week, a schedule that persisted at least until the mid-1950s.

Throughout the late 1920s and the 1930s the band provided music for other government agency programs such as the National Farm and Home Hour and the Future Farmers of America programs of the Department of Agriculture. In those years, The Marine Band performed similar service with the 4-H Club radio program. Other series by The Army Band were "Congress Speaks," in the mid-1930s and "The Army Band Traveler" of the early 1930s, a musical travelogue concerning points of interest in the Washington area.

One series broadcast from the rehearsal hall utilized the daily flag-lowering ceremony of the army post as part of the radio program. At the close of each program the audience heard sounds of the actual ceremony as a band cornetist would sound the bugle call "Retreat" from outside the band building, the post cannon at the flag pole across the street would be fired, the band played "The Star Spangled Banner" and the closing army radio theme "Army Blue."

---

[18] BARNOUW, op. cit., p. 272.

Critics in newspapers and magazines praised The Army Band radio performances. The Toronto Star of January 30, 1933, reported that its poll of Canadian listeners ranked The United States Army Band as the foremost band on the air, followed in order by The United States Marine Band, United States Navy Band, the Goldman Band of New York, and the 48th Highlanders Band. Others receiving the foremost rating in their categories were Guy Lombardo and His Royal Canadians dance band, the Philadelphia Orchestra, Bing Crosby, Kate Smith and the Mills Brothers[19]. George Browning of the Baltimore Sun commented that:

...U.S. Army Band put on as fine a radio concert as we have a right to wish for ... Throughout the concert first one instrument and then the other predominated—all of them playing in equally true tones ...[20]

A New York critic wrote:

Washington is getting the best music these days in the wonderful concerts... by The U.S. Army Band...I have heard the bands of all nations, including the famous Garde Republicaine of France, but the service bands of this country are now better than the best in Europe[21].

As broadcast schedules became more rigid, Thomas Darcy, first as assistant leader and then as leader, gained admiration of radio announcers and technicians for his accuracy in timing programs to not interfere with the required station identification announcements[22]. General H. H. "Hap" Arnold, later of World War II army air corps fame, had occasion in 1938 to advise Darcy's commanding general that the Washington National Broadcasting Company manager stated Darcy was generally considered the most capable

---

[19]   Frank CHAMBERLAIN, Are You Listening, in: Toronto Star, January 30, 1933.

[20]   George BROWNING, Radio Review, in: Baltimore Sun, March 15, 1930, p. 4.

[21]   Manhattan Muses, newspaper clipping in Charles Kline Scrapbook, Vol. I, p. 32.

[22]   The Globetrotter, Radio News, clipping from a Washington newspaper, c. 1936.

conductor in the vicinity of Washington in his ability to accurately run a radio program[23].

The failure of other programs to be accurately timed caused Darcy to lose patience. In 1936, Columbia Broadcasting System began to broadcast regular Friday afternoon subscription concerts of the Cincinnati Symphony Orchestra immediately prior to The Army Band. On several occasions the orchestra ran overtime, causing Darcy to shorten the band programs. After assurances that the symphony would not infringe, the problem recurred with over nine minutes lost from the thirty-minute band program. The band lodged another protest with Harry C. Butcher, CBS vice president for Washington operations, but the only solution offered was to move the band to a Thursday time period to avoid the conflict[24]. The relationship between The Army Band and Harry C. Butcher continued to be less than desired.

Another story about CBS and infringement upon The Army Band time was related word-of-mouth by bandsmen, is impossible to document and may be complete fiction, but it does illuminate something of the bandsmen's concept of Darcy's personality and gives some flavor of the times. The story is that a band program over CBS was preceded by a worldwide broadcast by the Pope, one of his pronouncements of great import, presumably a pre-World War II appeal for peace or some similar statement. When it became apparent that the Pope would speak longer than expected, the network gave no thought to cutting him off because listeners would immediately turn to other stations. The band was ready to play from its own studio, the WMAL announcer and engineers all in place and prepared, when the producer informed Darcy that there would be a delay of possibly one minute. Darcy calmly instructed the musicians to omit repeats in the opening march, and when the delay was extended another minute Darcy eliminated repeats from the waltz to be played in the middle of the

---

[23] Letter to Commandant, Army War College, from Major General H. H. Arnold, Chief of the Air Corps, October 10, 1938. Original in Thomas F. Darcy Scrapbook, Vol. I, p. 6.

[24] Letter from Capt. Robb S. Mackie, Commanding Officer, The Army Band, December 19, 1936, copy in research file; and letter from Lawrence W. Loman, vice president in charge of operations, Columbia Broadcasting System, to Captain Robb S. Mackie, the Army Band, December 31, 1936, original in research file.

program. The story goes on to the effect that as the Pope's speech continued to consume band broadcast time, Darcy continued to announce deletions, gnawing impatience blossoming into anger that increased with each second of delay. When the Pope was still talking some six or seven minutes into the band time and there was no definitive information about when he would end, Darcy is said to have announced heatedly "I don't care whose speech it is--the Pope or Jesus Christ--we are waiting no longer. Good-bye boys, you are dismissed! See you tomorrow." Just as the band dispersed, the Pope concluded and CBS was left with something over twenty minutes of silent broadcast time throughout America[25].

Regardless of the story's veracity, when Harry C. Butcher went from manager of CBS operations in Washington to become an aide to General Eisenhower, commander of Supreme Headquarters, Allied Expeditionary Forces in Europe during World War II, he considered his assignment to publicize The Army Band to be an "onerous job"[26].

Live broadcasts to the entire nation and Canada three times a week over networks, plus broadcasts of concerts and special events, meant that radio was the dominant element of band life in the 1930s. To bandsmen, the phenomenon of being widely received and enjoyed brought special job satisfaction without the hectic pressure of commercial musical life. Daytime programs had the advantage of conforming to normal work hours, familiar repertoire demanded minimum preparation, and it became a comfortable position for an instrumentalist.

One anecdote indicates that comfort might have had some negative aspects. A cornetist recounted that, although musical standards were high for being accepted into the band, he enlisted with only a cursory physical examination and on the same day was assigned to play in a broadcast while still in civilian clothes. He sight-read the program accurately, though at the end of a waltz he was embarrassed to be the only person to play two final notes as written; the

---

[25] Traditional story related in 1952-55 by Master Sergeant Henry Winkler (flutist and librarian) and other bandsmen who performed in the radio broadcast.

[26] Harry C. BUTCHER, My Three Years with Eisenhower, New York 1946, p. 684.

278

band for a long time had omitted those notes but no one had bothered to mark the cornet part read by the new man[27].

The growth of radio brought new choices to the public. Prior to the advent of radio, the concert band was virtually the only medium to simultaneously bring to mass audiences serious music and popular entertainment. With radio, the audience could instantly choose to hear jazz performed by a jazz band, popular music by the finest "big name" dance bands and singers, opera from the Metropolitan Opera House, and symphonic music by the Philadelphia Orchestra under Stokowski and Ormandy, the New York Philharmonic under Damrosch and, beginning in 1937, the NBC Symphony under Toscanini. Band marches were thrilling and the soloists were as fine as any to be found. Army cornet soloist Ralph Ostrom had a gorgeous tone, flawless technique and masterful expressive abilities, yet Harry James' performance of a popular song with a dance band would elicit wider interest than would Ostrom's virtuoso performance of Arban's "Carnival of Venice" variations.

The United States Army, Navy and Marine Bands are unique among musical organizations in having begun broadcasting at the beginning of commercial radio, participated in phenomenal audience growth and extension of network transmission of the 1920s, presented more broadcasts than other musical organizations, and survived beyond the time when network television supplanted network radio as the primary family entertainment. Persistence of band broadcasts through the 1930s and into the 1950s and 1960s is a tribute to their effectiveness in extending the Golden Age of American band music for several generations who otherwise would have been deprived of that great tradition. The 1920s and 1930s were also decades of phenomenal increase in the numbers of school bands. To those young band students and their teachers, the Washington bands heard over the radio set the standard of performance in the same way that the New York Philharmonic and the Philadelphia Orchestra set standards for school orchestras. Generations of young people heard broadcasts and dreamed of some day joining The Army Band or its sister units in Washington. Even though The Army Band later grew in size, in the diversity of activities, and perhaps in musical sophistication, it might very well be that the decade of the 1930s was the highest point of that band's effect upon American musical life, for those probably were the years when, because of

---

[27] Conversations, 1952-55, with Master Sergeant Lawrence Kidd, trumpet player.

radio, the greatest percentage of Americans heard the band perform. American citizens and the United States Army were well served as The Army Band fulfilled its missions to stimulate patriotism and develop friends for the military service.

Jon C. Mitchell, Boston/MA, USA

THE KNELLER HALL ARCHIVES II:
THE ECKERSBERG AND SOMMER COLLECTIONS

The Royal Military School of Music, located at Kneller Hall in Twickenham, England, has long been recognized as the training center for British army bandsmen and conductors. It was established in 1857 by order of the Duke of Cambridge in an attempt to unify the bands of the British army. Prior to this, foreign bandmasters had been commissioned to lead the British military bands according to their own personal likes and dislikes. Hence, bands led by bandmasters of any particular nationality would not have had the same instrumentation, repertoire, or arrangements as those led by bandmasters of differing nationalities. The most infamous display of the problems that this practice created occurred in 1854 at Scutari (near Istanbul, on the Asian side of the Bosphorus), during the Crimean War. A massed British military band of 16,000 was assembled to perform "God Save the King" for the Duke of Cambridge in honor of the birthday of Queen Victoria. The music of course, was executed in multifarious arrangements pitched in different keys[1]! The resultant cacophony prompted the Duke of Cambridge's decision to found the Royal Military School of Music in 1857.

Much of the British military band music written since the establishment of the school has found its way into publication. Published works by the members of families steeped in the British military band tradition--the Godfrey's, Miller's, Winterbottom's, etc.--and others are not difficult to find, but what of the music written before the school began? Indeed, some of it did make its way into the earliest of the British military band journals[2], but the vast majority of this music remained in manuscript and subsequently disappeared. There are, however, two

---

[1]   Henry George FARMER, British Bands in Battle, London, Hinrichsen Ed. 1965, 20.

[2]   Some of the earliest British military band journals included the immense (331 works) Wessel and Stapletons's Military Journal (1845), Boose's Military Journal (1846 onward, published by Boosey & Co.), and Jullien's Journal for Military Band (1847 onward and eventually acquired by Boosey & Co.).

substantial surviving manuscript collections from the 1840's and 1850's that are housed in several bound volumes at Kneller Hall. These two collections, consisting of music arranged by the bandmasters themselves, display unique and varied approaches to instrumentation and repertoire. All are in full score. A detailed study of each reveals that, while the quality of music may be inconsistent from one piece to the next, there was a surprisingly wide selection of music made available for the "pops" style performances that were so ubiquitous during that era.

The earlier of the two collections, dating from 1840 onward, is in the hand of one Hermann Eckersberg. Little is known of the German-speaking Eckersberg, other than the fact that he was Bandmaster of the H Royal Irish Dragoon Guards (listed as the 4th Dragoon Guards by Eckersberg) from 1840 until May 3, 1864[3].

The Eckersberg collection is in three bound volumes bearing the catalogue numbers U14-U16. Although there do exist occasional works of quality, the majority of the pieces found here are quite unremarkable and ephemeral in nature. U14 contains twenty-two such pieces, primarily waltzes, galops, and marches. U15 consists of waltzes, marches, and concert arias while U16 contains mostly waltzes and excerpts from Adolphe Adam's 1841 ballet *Giselle*.

One Eckersberg arrangement that does merit consideration is from U15, the *Il Finale aus Don Juan*, the Finale (Scene XV) from Act II of Wolfgang Amadeus Mozart's 1787 opera *Don Giovanni*, completed by the arranger in 1843. The following is a comparison of the instrumentation used by Mozart and Eckersberg:

Finale from Act II of Don Giovanni:

Mozart (1787)[4]	Eckersberg (1843)
Key: D Major	Key: C Major
2 Flutes (C)	Clarinet in E Flat

[3]   William C. TANNER, ec. The Regular Army Bandmaster's Who's Who. Unpublished document, n. d.

[4]   Wolfgang Amadeus MOZART, Don Giovanni (Budapest, Koenemann Music, 1995), p. 316.

2 Oboes	Flute in E Flat
2 Clarinets in A	1st Clarinet in B Flat
2 Bassoons	2nd Clarinet in B Flat
2 Horns in D	3rd and 4th Clarinet in B Flat
2 Trumpets in D	2 Bassoons
Timpani in D, A	Serpent
Violin I	2 Horns in E Flat
Violin II	2 Trumpets in E Flat
Viola	2 Trombones (Tenor and Bass)
(Don Giovanni, Leporello)	Side Drum
Violoncello e Contrabasso	Bass Drum

TABLE 1
Comparison of Instrumentation

Eckersberg's contribution must be regarded as an arrangement and not as a transcription, for none of the parallel instrumental parts use the same chordal material. The horn and trumpet lines invented by Eckersberg, for example, are entirely different from their Mozartian counterparts. The tessituras are different and Eckersberg's brass lines require valved instruments. Eckersberg's serpent plays Mozart's original bassoon parts while his first bassoon plays something entirely different from any of Mozart's lines. It is possible that Eckersberg may have done his arrangement from a piano score and not from Mozart's original.

Clarinets in E Flat and Flutes in E Flat were of necessity in the British military bands of Eckersberg's day. The placement of the E Flat clarinet line above the flute, the consistent practice in U14-U16, is somewhat of an anomaly.

Of greater significance than the Eckersberg collection is a later manuscript collection, occupying volumes U17 through U 22. It is in the hand of one Jg. Sommer (no first name given) and consists of some fifty works composed or arranged by him at Colombo, Ceylon (now Sri Lanka) during the years 1850 – 1858. The title page of one of the manuscripts at least lends a clue as to Sommer's identity:

Wellington's Funeral March by H. Bishop
arranged for a full military band by Jg. Sommer

Band Master and Bugle Major
H.M. Ceylon Rifl. Rgt.[5]

The Sommer collection contains the following pieces:

U17

Alphonse Le Duc: *Marguerite d' Angou:*
Quadrille Historique   17 Feb 1850
Walter Palmer: *My Mountain Home*   21 March 1850
P. Linter: *The Full Cry Quadrille*   24 March 1850
Prkoces: *The Myrtle Schottisch*   26 Apr 1850
Rudolph Nordman: *Aurora Borealis Quadrille*   16 June 1850
Sommer: *I Weep with Thee Quickstep*   12 Aug 1850
Sommer: *Slow March*   17 Aug 1850
Calcott: *The Magyar Polka on Hungarian Melodies*   24 Aug 1850
Sommer: *7th Potpourri from Balfe's Opera The 4 Brothers* 7 Sept 1850
Jullien: *Jetty Treffz[6] Quadrille*   11 Sept 1850
Schubert: *Le Moulin Joli Quadrille*   15 Sept 1850
Rossini: *Duetto from Mose in Egitto*   6 Oct 1850
W. Richardson: *La Diligence Polka*   19 Jan 1852
Eugene Palanel: *Schottische*   30 Jan 1852
Aranfs: *Kathinka Polka*   5 Feb 1852
Sommer: *4th Troop*   29 March 1852
Sommer: *2de Troop*   3 Apr 1852

U18

d'Albert: *Emmeline Waltz*   10 March 1851
Donizetti: Scena et Duetto from *Marino Faliero*   16 Apr 1851
Herold: 4th Finale from *Le Pre aux Clercs*   20 Sept 1851
Herold: Il Duetto or Ensemble et Ronde from
Le Pre Aux Clercs   28 Sept 1851
Herold: "Mascarade" from *Le Pre Aux Clercs*   8 Oct 1851
Herold: 2nde Finale from *Le Pre Aux Clercs*   15 Oct 1851
Herold: Trio from *Le Pre Aux Clercs*   2 Nov 1851

---

[5]   U 18.

[6]   Henriette (Jetty) Treffz was the first wife of Johann Strauss, Jr.

U19

Bellini: *Grand Selection from Sonambula*	4 Jan 1857
Sommer: [untitled *Moderato*]	29 Sept 1857
Bishop: *Wellington's Funeral March*	undated
Sommer: *The Lancers' Quadrille*	4 Jan 1856
Sommer: [untitled]	18 Feb 1856

U20

Donizetti: Cavatina from *Lucia di Lammermoor*	6 Apr 1858
Bellini: Cavatina from *Beatrice di Tenda*	10 Apr 1858
Herold: Duetto from *Le Pre Aux Clercs*	18 Apr 1858
Donizetti: Duetto from *Belisario*	24 Apr 1858
Donizetti: Selections from *La Fille du Regiment*	14 May 1858
Donizetti: Duetto from *La Fille du Regiment*	19 May 1858
Donizetti: Cavatina from *Anna Bolena*	27 May 1858

U21

Rossini: Overture to Il Tancredi	19 Sept 1858
Rossini: Overture to *Il Barbiere di Seviglia*	27 Sept 1858
Bellini: Grand Selection from *Romeo*	29 Oct 1858
Boiedieu: Overture to *The Caliph of Bagdad*	19 Nov 1858

U22

Boiedieu: Overture to *La Dame Blanche*	30 June 1858
Rossini: Overture to *Othello*	17 July 1858
Auber: Overture to *Muette de Portice*	22 Aug 1858
Rossini: Overture to *L'Italiana in Algier*	12 Sept 1858
d'Albert: *The New Lancers Quadrille*	3 June 1858
Gung'l: *L'Orage Galop*	27 July 1858
d'Albert: *The Overland Galop*	13 Aug 1858
Sommer: [untitled]	15 Aug 1858
Stella: *The Rifle Galop*	1 Aug 1858
Sommer: [untitled]	undated

The collection as a whole is not only larger than the Eckersberg one, it is also more sophisticated. While the type of selections in U17 are not much different from those found in the Eckersberg collection, those in the other volumes are generally of a more serious nature. Complete overtures and substantial operatic selections dominate here. The collection is also more international than the

Eckersberg collection. Operatic selections (including the overtures) are dominated by French and Italian composers. There is even international diversity in the smaller works, as evidenced by the inclusion of pieces by the Austrian Schubert and the Hungarian Gung'l. The largest single piece, the *Grand Selection from Bellini's Sonambula* from U19, is huge--244 pages!

Sommer was very careful about maintaining the proper setting for each piece. His orchestrations vary from a semi-chamber instrumentation somewhat reminiscent of continental *harmoniemusik* to what the arranger referred to as a "full military band." The following two works were arranged by Sommer about a month apart in 1850:

Walter Palmer: *My Mountain Home*, composed for Mlle. Jetty de Treffz	Alphonse le Duc[7]: *Marguerite d'Anjou:* *Quadrille Historique*
	Piccolo F[8]
Flute F	Flute F
	2 Oboes
	Clarinet in E Flat
Solo Clarinet in B Flat	Solo Clarinet in B Flat
1st Clarinet in B Flat	1st Clarinet in B Flat
2nd Clarinet in B Flat	2nd and 3rd Clarinets in B Flat
3rd Clarinet in B Flat	
	2 Bassett Horns
1st Bassoon	1st Bassoon
2nd Bassoon	2nd Bassoon
2 Horns in B Flat	1st and 2nd Horns in F
	3rd and 4th Horns in B Flat
Piston (Soprano Saxhorn) in B Flat	2 Pistons (Soprano Saxhorns) in B Flat

---

[7] French composer Alphonse le Duc (1804 – 1868) is better-known for the publishing house bearing his name that he founded in 1841.

[8] In the mid-nineteenth century British military band tradition, piccolos and flutes were classified according to the open tones that the instruments produced. The instruments listed by Sommer as Piccolo F and Flute F are actually pitched in E Flat, as is verified by their key signatures.

286

2 Trumpets in F
2 Cornets in B Flat
2 Tenor Horns in B Flat
Alto Trombone
Tenor Trombone
Bass Trombone
Triangle
Snare Drum
Cymbals
Bass Drum
Bass   Solo Bass
                        Basses
                        Tuba

TABLE 2

Sample instrumentations used by Sommer

The instrumentation used by Sommer for the Alphonse Le Duc piece is the largest in the collection. The difference between Sommer's scoring on this piece, done on manuscript paper with twenty-four staves, and that of Eckersberg's scoring of the Mozart, written on twelve staves, is incredible. Only seven years' time separate the two, yet elapsed time is not much of a factor in accounting for the differences in scoring practice here. The nationalities of Eckersberg and Sommer are not known to the author, yet it appears that even if they hailed from the same country, they were the heirs to two completely different band arranging traditions. Eckersberg's version of the Mozart *Don Giovanni* selection is clearly an arrangement, with harmonic lines invented by the arranger. Sommer's version of Rossini's overture to *L'Italiana in Algieri* is indeed a transcription, with the musical content transferred directly from one medium to the other.

Rossini (1813)[9]   Sommer (1858)

Key of C   Key of E Flat

_____

[9]   Kalmus Edition (Original Italian). Some versions have no bass trombone; others have additional percussion.

	Piccolo E Flat[10]
2 Flutes (C)	Flute F
2 Oboes	
2 Clarinets in C	Clarinet in E Flat
2 Bassoons	1st Clarinet in B Flat
2 Horns in C	2nd Clarinet in B Flat
2 Trumpets in C	3rd Clarinet in B Flat
Bass Trombone	4th Clarinet in B Flat
2 Timpani	1st Bassoon
Violin I	2nd Bassoon
Violin II	1st and 2nd Horns in E Flat
Viola	3rd and 4th Horns in E Flat
Violoncello and Contrabass	1st and 2nd Pistons in B Flat
	1st and 2nd Trumpets in E Flat
	1st and 2nd Althorns in B Flat
	Euphonium in B Flat
	Alto Trombone
	Tenor Trombone
	Bass Trombone
	Triangle
	Snare Drum
	Cymbals
	Bass Drum
	Bassi
	Bombardon

TABLE 3

Comparison of instrumentation for
L'italiana in Algieri

Sommer's scoring practice is that of the traditional transcriber, using the clarinets to play the parallel violin and viola parts while assigning the violoncello and contrabass parts to whatever bass instruments were available. For some reason, there is no oboe in Sommer's scoring. He gives the oboe solo

---

[10] See footnote 8. The "piccolo E Flat" cited by Sommer is actually Piccolo in D Flat.

to the E Flat Clarinet, the logical choice, since it could penetrate through the B Flat clarinets better than the flute.

Further study of the Sommer collection stirs up more questions than answers. The collection spans from 1850 to 1858, yet it is not continuous. There are no scores from April 3, 1852 to January 4, 1856. This does not mean that Sommer put his arranging on hiatus. In all likelihood, the scores from this period of time either have been lost or misplaced. Regardless, Sommer's output was considerable, far exceeding the expectations of the time. The quantity of his work from the year 1858 alone is astounding.

Why did Sommer write so much? Part of the answer would be location. Working in Colombo, he probably did not have much access to band music of any kind. Mention has already been made of his 244 page Bellini selection of 1857. Sommer also had a number of unfinished works of his own; one of these was forty-three pages in length. Perhaps Sommer had the inextinguishable need for creating, whether it was composing original band works or recreating the musical essence of another's work for the band medium. He was trapped in a system where bandmasters were expected to arrange great music and yet not compose much of anything except for trivialities and occasional marches. His continual search for quality literature for his ensemble is manifested in his work. This search is something that has existed in all conductors up to and including the present day.

Ann-Marie Nilsson, Uppsala, Schweden

DIE SCHWEDISCHEN OKTETTE —
PROFESSIONELLE BLÄSERKAPELLEN DES SPÄTEN
19. JAHRHUNDERTS

Die schwedische Blasmusiktradition insgesamt, besonders aber die Musik der professionellen Bläserensembles als Vorbilder unserer Volksbewegungs- und Werkskapellen im 19. und 20 Jahrhundert, bedürfen noch eingehender Erforschung. Hier möchte ich eine kurze Einführung in die Tradition unserer spezifischen Blas- bzw. Bläseroktette geben, die schon um 1855 nachweisbar sind und ihre Blütezeit vom späten 19. Jahrhundert bis zum ersten Weltkrieg erlebten.

Ebenso wie man die Blas- und Militärmusik des 19. Jahrhunderts in einer *"longue durée"*— einer langen Zeitperspektive — betrachten darf, also als eine Fortsetzung der Musik der Hof- und Adelskapellen, so läßt sich auch das schwedische Oktett am besten in seinem historischen Zusammenhang erklären.

In Schweden war es — wie auf dem Kontinent — ein Anliegen der Offiziere, beim Militär adlige Gebräuche und daher auch *Harmonie-Musik* zu pflegen: aus der Hof- und Adelsmusik wurde damit "Militärmusik"[1].

Kurz nach der Mitte des 19. Jahrhunderts hatten auch bei uns die Ventilblasinstrumente soviel an Boden gewonnen, daß viele Militärblasorchester ausschließlich mit Blechblasinstrumenten besetzt waren; doch wurden auch, insbesondere bei den Infanterie-Regimenten, Klarinetten und Flöten beibehalten (Fagotte und Oboen eher selten). Saxophone wurden erst nach dem 2. Weltkrieg in unserer Militärmusik regelmäßig verwendet.

---

[1] Vielerlei Einzelheiten deuten diese Beziehungen an, die ich (1994) besprochen habe. Beispielsweise kann genannt werden: Die Aufgaben, Tafelmusik, konzertante Musik, Zeremonie-, Tanz- und Unterhaltungsmusik zu bekommen; der Terminus "Spiel", Bezeichnung der Hofmusikanten des 16. Jahrhunderts, war als Bezeichnung der Militärmusik[er] *spel* bis ins 19. Jahrhundert gängig; die Gewohnheit, auf einem Balkon oder einer Gallerie zu spielen; die Hofkapelluniform als Bekleidung der Militärkapellmeister.

Im Zusammenhang mit diesen größeren Orchestern sind — quasi als deren
"Abteilungen"— zwei kleinere Formationen zu sehen: aus den Infanterieblas-
orchestern mit Klarinetten und Flöten stammen u.a. Bläseroktette; aus den
Blechblasorchestern z.B. Blechbläserquintette und -sextette. Diese vier Kategorien werden in Tabelle 1 veranschaulicht.

1 a. Große Kavalleriemusik	**1 b. Sextett (Blechbläser-):**
1905 (nach Holmquist 1974, S.81):	
Kornett in As	
Schwed. Es-Kornette I, II	Es-Kornett
Schwed. B-Kornette I, II	B-Kornett
Trompete in B I, II	[Trompete in B (ad lib.)]
Trompete in Es I, II	
Horn I, II (Alt- oder Waldhörner)	Althorn
Tenorposaune (Ventilposaune, Tenor I)	Tenor in B I (Ventilposaune)
Tenorhorn	Tenor in B II (Ventilposaune/ Tenorhorn)
Bariton	
Posaune I, II, III	
Bässe I, II	Baßtuba
Schlagzeug [Pauken]	[Schlagzeug]
(nur an *Skånska Husarregementet* und *Skånska Dragonregementet*)	(Ein Quintett enthält ein Tenor- instrument, keine Trompete)

1 c. Große Infanteriemusik 1905	**1 d. Oktett (siehe auch Tabelle 2):**
(nach Holmquist 1974, S. 80)	
Flöte I, II	Flaute (Grosse u. Pikkola)
Es-Klarinette	
B-Klarinetten I, II, III [5 bis 10 Spieler]	B-Klarinetten I, II (2 + 1 Musiker)
Schwed. Es-Kornett	Es-Kornett
Schwed. B-Kornett	
Trompeten I, II, III	[Trompete in B (ad lib.)]
Waldhörner I, II, III, IV	Althorn in Es
Tenor-Ventilposaunen I, II	Tenor in B I (Ventilposaune)
Bariton	Tenor in B II (Ventilposaune, Tenorhorn od. -tuba)
Posaunen I, II, III	
Bässe I, II	Baßtuba
Schlagzeug (2 od. 3 Spieler)	[Schlagzeug, 1 Spieler]

Tabelle 1
Beispiele der schwedischen Besetzungstypen um 1905. Varianten davon
waren ziemlich häufig.

Zu beachten ist also, daß das Oktett nicht als eine vergrößerte Blechbläser-gruppierung mit hinzugefügten Klarinetten, sondern als ein revidiertes, prin-zipiell einfach besetztes Blasorchester zu betrachten ist. Diese kleinen Ensembles wurden sowohl für militärische als auch für zivile Aufgaben, in Parks und Kurorten, engagiert[2].

Man muß sich vorstellen, daß die Blasmusik damals als *fein, festlich und modern* angesehen wurde, und bald nach der Jahrhundertmitte vermehrte sich die Zahl der kleinen Blechbläserquintette[3] und -sextette[4] sowohl unter den Berufsmusikern als auch bei den Amateuren der Werkskapellen. Die *Blas-oktette* dagegen waren vorwiegend eine Sache der Berufsmusiker der Regi-mentsmusik[5]. (Siehe Abb. 1.)

---

[2] Solche kleinen Bläserensembles wurden im Norden sehr beliebt und konnten öfter an Kurorten, Hotels u. s. w. gehört werden; größere Musikkorps, Streich- und Salonorchester waren bei uns in solchen Milieus nicht so gewöhnlich wie auf dem Kontinent.

[3] Für Blechbläserquintette gab es bald nach der Mitte des 19. Jahrhunderts gedruckte Musikalien zu kaufen: 1865–1867 wurde Album för Militär-Musik, Arrangements von Fr. Sjöberg (1824 – 1885), 12 Hefte mit kürzeren Musikstücken, im Verlag Elkan & Schildknecht herausgegeben. Der Besetzungstypus wurde auch bei Amateurmusikern häufig, damit gab es einen Markt für gedruckte Musikalien.

[4] Ziemlich früh wurden auch Musikalien für Blechbläsersextette herausgegeben, z.B. die Hefte "Gammalt und nytt" (Altes und Neues) mit eine der Tenorstimmen — bemerkenswert die Tenorposaune — *ad lib.* Auch bei der Firma A. Th. Nilsson (siehe unten) konnte Sextettnoten gekauft werden.

[5] Die Musiker machten selbst ihre Bearbeitungen, sie schrieben Partitur- und Stimmbücher mit der Hand. Nach gedruckten Oktettmusikalien des 19. Jahrhunderts muß man also vergebens suchen. Die ersten dieser Art wurden von der Firma A. Th. Nilsson in Norrköping herausgegeben, vermutlich um die Jahrhundertwende oder kurz danach.

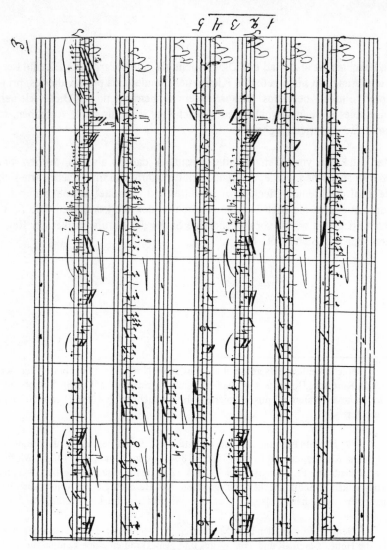

Abbildung 1

Ein Abschnitt (Takt 13–21) aus einer Krönungs-*Polonaise* 1873 (As-Dur)
von August Söderman (1832–1876) mag veranschaulichen, daß die
Oktettmusik nicht für Amateure der Werkkapellen, sondern eher für
Berufsmusiker geeignet war. Partitur (nicht datiert) aus den Sammlungen
des Infanterie-Regiments zu Bohuslän (I 17), vorl. im Archiv der Wehr-
machtmusik (FöMusC), Strängnäs. (Flauto, Klar. 1–2 in B, Kornett und
Althorn in Es, Tenorventilposaunen 1–2 in B, Baß, Schlagzeug.)

Die Instrumente

Wie auf dem europäischen Kontinent wurden in Schweden spezifische regionale Blechblasinstrumente entwickelt. Die bekanntesten Fabrikanten für Blechblasinstrumente waren Iacob Valentin Wahl und seine Nachfolger, die Firma *Ahlberg & Ohlsson* (1850 – 1959).

Die "schwedischen Kornette"[6] sind weitmensurierte Flügelhorninstrumente, deren Klang für die alte schwedische Militärmusik kennzeichnend ist (Abb. 2)[7]. Den "wunderbar weiche[n] Ton" derartiger Instrumente der schwedischen Kavalleriemusik bezeugt die Einfühlung, mit der die Musik im Jahre 1882 im *Straßburger Tageblatt und Stadt-Anzeiger*, beschrieben wird: "bald klingt ihre Musik wie das ferne Grollen des Donners, bald wie das hingehauchte Piano auf einem Erard'schen Flügel"[8]. Althörner und auch einige Tenorhörner wurden in Kornettform gebaut; auch Tenorhörner in Form von Tubas kamen öfter vor. Es gab mehrere Tenorinstrumente (siehe Abb. 3): die schwedische Ventiltenorposaune wurde anfangs ähnlich wie ein Tenorhorn verwendet, während der zweiten Jahrhunderthälfte aber als Soloposaune entwickelt. Schließlich setzte sie sich als "erster Tenor" als führendes Instrument im Alt/Tenorregister durch, oft mit melodisch selbständigen Stimmen — von daher zuweilen scherzhaft "Blech-Cello" genannt.

Schwedische Holzbläser hatten — gelegentlich bis weit ins 20. Jahrhundert hinein — Flöten und Klarinetten mit deutschen Klappenmechanismen (Müller und – später — Oehler-Klarinetten). Es gab auch einheimische Fabrikanten. In einem Brief des Drehers A. G. Swensson in Linköping ist von Instrumenten, die im Herbst 1876 (für ein Regiment in Kalmar, Südschweden) bestellt worden waren, die Rede: Klarinetten mit 13 Klappen in B, A und Es, große Flöten mit 12 Klappen in C, Des und Es und Pikkoloflöten mit 6 Klappen in C

---

[6]   Albertson (1990, 1984).

[7]   Vielleicht wurde das Instrument nach der Partiturstimme bezeichnet, also nach preußischen Kornetten/preußischer Praxis; das bleibt indessen eine Hypothese. — (Über "einen schwedischen Es-kornettisten" wurde einmal geäußert: "er will nicht seine Kameraden verlassen; denn ohne ihn können sie überhaupt nicht auftreten". RHA, B I:12, S. 46-49. Brief von E. von Heidenstam an Carl Hansen, 1897: "han skiljer sig icke från sina kamrater, ty i så fall blefve det ju omöjligt för dem att uppträda".)

[8]   Hierzu Strömberg (1927), S. 9.

und Es[9]. Ansonsten wurden Instrumente — auch Blechblasinstrumente nach "schwedischem Modell" — aus Zentraleuropa eingeführt.

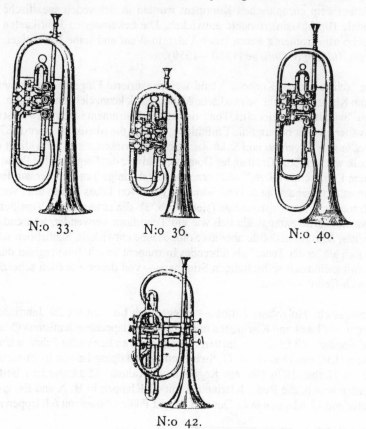

N:o 33.   N:o 36.   N:o 40.

N:o 42.

Abbildung 2
Schwedische Kornette, Trompete in B und *cornet à piston* in B. Aus den
Preislisten der Firma Ahlberg & Ohlsson, Stockholm (nicht datiert).
Archiv des Musikmuseums, Stockholm.

---

[9]   Briefe an F. Hellman, datiert 1876 und 1877. Hellmanska släktarkivet H 2:30.
— Frey Hellman (1827–1887) hatte eine Stellung als Auditeur bei dem
Infanterieregiment zu Kalmar (*Kalmar regemente*). Siehe Nilsson (1996), S. 86 u. 87.

Abbildung 3
Tenorhörner und Ventiltenorposaune. Aus den Preislisten der Firma
Ahlberg & Ohlsson, Stockholm (nicht datiert).
Archiv des Musikmuseums, Stockholm.

Die Besetzungen

Die Besetzungen der Oktette und die Aufgaben der einzelnen Instrumente
lassen sich vor allem anhand der erhaltenen Notenmaterialien studieren:
Stimmbücher und (seltener) Partituren[10]. Auch Briefe, Photos, Verträge und

---

[10] Öffentlich vor allem im Kriegsarchiv aufbewahrt. — Bei Verwendung der
Stimmbücher als Quellen ist immer das Risiko vorhanden, daß die Sammlungen vielleicht
nicht komplett sind; das läßt sich aber durch Untersuchungen der Arrangements kontrollieren.

andere Archivalien sind Zeugnisse dieser Zeit. Einige Stimmbücher enthalten übrigens Aufzeichnungen zur musikalischen Ausführung (z. B. Dynamikangaben); darüber hinaus finden sich in ihnen Daten und Namen, ja sogar Konzertprogramme[11]. Ikonographische Zeugnisse sind aus dieser Zeit nur spärlich vorhanden, aber natürlich aufschlußreich; sie sind manchmal schwer zu interpretieren oder wenig ergiebig — z. B. wenn die Instrumente der Musiker verdeckt sind oder die Musiker sie erst gar nicht mit ins Photoatelier genommen haben!

Die Notenbestände der Oktette des 19. Jahrhunderts sind ausnahmslos handschriftlich überliefert. Sie wurden größtenteils als privates Eigentum verwendet und aufbewahrt. Nicht selten sind diese Bestände aber für die Regimentsmusik gekauft worden. "Oktett" als Oberbegriff war ein in zeitgenössigen Musikalienverzeichnissen gängiger Fachausdruck, womit die Varianten dieses Ensembletypus zusammengefasst wurden. (Siehe Tabelle 2.) Der Nukleus aller Varianten besteht aus drei Holzblasstimmen und fünf Blechblasinstrumenten:

1) Flaute und zwei Klarinettenstimmen, wovon die erste mit zwei Musikern besetzt war, häufig divisiert. Die Flöte in Es wurde *"TertzFlauto"* genannt, ab ca. 1890 aber stehen große Flöten und Piccolos regelmäßig in Des.
2) schwedisches Kornett in Es, Horn (meistens Althorn) in Es plus ein zweites Horn (Althorn, siehe Abb. 4, oder ein Tenorinstrument, manchmal Waldhorn), Tenorposaune und Baßtuba.

(A)	(B)	(C)	(D)	(E)
Flaute in Es	Flaute in Des	Flaute in Des	Flaute in Des	Flaute in Des
1. Klarinette in B	1. Klarinette in B	1. Klarinette in B	1. Klarinette in B	1. Klarinette in B
2. Klarinette in B	2. Klarinette in B	2. Klarinette in B	2. Klarinette in B	2. Klarinette in B
Schw. Kornett in Es	Schw. Kornett in Es	Schw. Kornett in Es	Schw. Kornett in Es	Schw. Kornett in Es
(Piston in B)	(Piston in B)	Althorn in Es 1	Trompete in B	(Piston in B)
Althorn in Es 1	Althorn in Es (od. F)	Althorn in Es 2	Waldhorn	Althorn in Es

---

[11] Beispielsweise in einer Althornstimme (Privatbesitz) zur *Polonaise* von Adolf Sandberg: "Gustaf Gille Lund den 19/5 1899 kl. 9.45 e.m." — "Söderköping den 2 Aug. 1899. G.L. Wiström" — "8/7 1900" — "Oscar Johansson Lysekil 2 Juni 1903". Gille diente damals im Dragonmusikkorps zu Ystad in Schonen, wurde später Waldhornist im Symphonieorchester zu Göteborg; Wiström war ehemaliger Musiker im Musikcorps des 2. Leibgrenadierregiments; Johansson hatte zu der Zeit (1902) eine Stellung bei einem Theater in Stockholm.

Althom in Es 2	Tenorposaune in B	Tenorposaune 1	Tenorposaune in B 1 Waldhorn	
Tenorposaune in B	Tenorhom in B	Tenorposaune 2	Tenorposaune in B 2 Tenorposaune in B	
Baßtuba	Baßtuba	Baßtuba	Baßtuba	Baßtuba
Schlagzeug	Schlagzeug	Schlagzeug	Schlagzeug	Schlagzeug

Tabelle 2
Schwedische Oktette. Besetzungsvarianten

Quellen: Musikaliensammlungen im Kriegsarchiv zu Stockholm:
(A): *Hälsinge regemente*, aus den 1880er Jahren; (B): häufig bei den Leibgrenadierregimenten und mehreren Regimentsmusiken (öfters ohne Piston/Trompete); (C): nur selten angetroffen; (D): z.B. bei *Hälsinge regemente*, (E): in den Sammlungen von *Livregementets grenadjärer*. — In den ältesten Oktettmusikalien (ca. 1865) finden sich Stimmen für Trompete in Es und [Wald]horn in Es, im übrigen wie (B).

Abbildung 4
Oktett aus einem von den beiden Musikcorps der Leibgrenadierregimenter zu Linköping — 10 Mann, also Oktett mit Schlagzeug; zwei Hörner. Photo, datiert 1890, im Garnisonsmuseum zu Linköping.

Darüber hinaus hatte man natürlich oft einen Schlagzeuger. Bereits in den frühesten Oktettmusikalien konnte vereinzelt außerdem ein sog. "*piston*" — *cornet à piston* oder Trompete — hauptsächlich für die Melodie oder für fanfarenartige Passagen hinzugefügt sein. So eine Besetzung nannte man "Oktett mit Trompete"[12]; ihre Verbreitung nahm anscheinend gegen Ende des 19. Jahrhunderts zu. M. a. W.: die hauptsächlichen Varianten galten den Hörnern und dem eventuellen Vorkommen einer Trompete.

Die Varianten können mit 2 Fassungen des Finales aus dem 2. Akt von Verdis *Aïda* (beide aus den 1880er Jahren), die von verschiedenen Infanterieverbänden stammen, beleuchtet werden.[13]. Tonart und musikalisches Material sind im großen und ganzen gleich. Die eine Version[14] enthält zwei Althörner und ein "Piston"; in der anderen[15] finden wir das Oktett mit einem Althorn und zwei Tenorinstrumenten, ohne Piston.

Im Zusammenhang mit den Besetzungsvarianten und den Anforderungen an die Musiker möchte ich folgendes Zitat anführen: Im Jahre 1890 bemerkte Ernst von Heidenstam, geschäftsführender Direktor (1883 – 1912) am Kurort *Ronneby Heilquelle* (Blekinge, Südschweden), als Antwort auf ein Angebot eines Mitglieds des Orchesters der schwedischen Hofoper:

"Es wäre gut, wenn wir aus Ihrer Besetzung auch ein Streichquartett für die Tanzmusik bekommen könnten [...] Wie uns von Herrn S. mitgeteilt wurde, sollte sich Ihr Angebot auf eine Besetzung von 10 Personen beziehen, nämlich eine Flöte, 2 Klarinetten, ein [Kornett in] Es, ein Althorn, zwei Tenorhörner, 1 Baß und Schlagzeug; dies macht aber nun neun? Kommen dazu vielleicht auch ein Kornett in B oder möglicherweise zwei Althörner? Wäre es nicht besser, vier Holzbläser zu haben, also noch eine Klarinette? — Gut wäre es, für die Tanzmusik einen Pianisten zu haben"[16].

---

[12]   KrA, Livgrenadjärregementet, Musikkåren F III:4 (Partiturbücher); Partitur-bücher von A. Gille geschrieben im Besitz des Studentenvereins Södermanland-Nerike, Uppsala.

[13]   Nilsson (1996), S. 89–94.

[14]   KrA, Hälsinge regemente, Musikkåren Serie F I b vol. 4, datiert 10.10.1888.

[15]   KrA, Livgrenadjärregementet, Musikkåren Serie F IV vol. 8–10 [wahrscheinlich 1886].

[16]   Kopie eines Briefes von Ernst von Heidenstam (1843–1927) 27.11.1890 an G.

Zwei Jahre später schrieb er: "Die Kapelle besteht aus 10 Mann, nämlich 3 Clarinetten, 1 Fl., 5 Blechblasinstrumente und Trommeln" (d. h. 2 Musiker spielten erste Klarinette). Er wollte "während der Saison schwedische Militär- musik" anstellen und meinte, "es bedarf eines Personals von 9 oder 10 Mann, die Besetzung soll auch Schlagzeug enthalten"[17].

Die gegen Ende des 19. Jahrhunderts anscheinend häufigste Besetzung enthielt ein Althorn und zwei Tenorinstrumente. Mit Trompete *ad libitum* finden wir sie auch in den wenigen, vielleicht schon um 1900 herausgegebenen Drucken. Ein Ausschuß für die Reformierung der schwedischen Militärmusik- organisation schlug im Jahr 1914 das Oktett als den kleinsten regulären Ensembletypus in der Militärmusik vor[18]; dieser Vorschlag wurde abgelehnt. Eingetragene Notizen in Musikalien des 19. Jahrhunderts sowie Photos und Verträge sind Zeugnisse dafür, daß Oktette in den 1920iger Jahren im Musikleben tätig waren, vereinzelt auch noch nach dem 2. Weltkrieg.

Zur Instrumentation

Zweifellos bestand vor 1900 kein großer Bedarf an gedruckten Oktettnoten, somit auch keine Nachfrage. Die Fachleute schrieben ihre Noten selbst, wie es von alters her üblich war; Partituren zum Abschreiben wurden gegen Gebühr verliehen. Vergleichende Studien von mehreren Bearbeitungen derselben Musikstücke für gleiche oder verschiedene Gruppierungen bestätigen dies.

Wie man seine Musikalien erhalten hat und welche Vorlagen bevorzugt worden sind (Orchester- oder Blasorchesterpartituren, Klavierbearbeitungen u. a.), geht

---

Palmblad: "Är besättningen sådan att för dansmusik en stråkqvartett vore att tillgå [...] Herr S. uppgaf Edert erbjudande afse en besättning af 10 personer, neml. 1 Fl., 2 Cl 1 Es[kornett?] 1 Althorn 2 Tenorh. 1 Bas & Trumma; detta gör emellertid ju endast 9? kanske det skall vara äfven en Bkornett el. möjl. 2 Alth.? Men vore ej bättre få 4 träinstrumrnt d.v.s. ytterligare 1 Cl.? - Kan för dansmusiken fås en pianist, vore sådant bra." RHA, B I:10 Nr. 237.

[17] Kopie eines Briefes von Ernst von Heidenstam 15.1.1892 an den Musiker N. Aug. Lindahl, Sergeant bei *Skånska Husarregementet.* " "en personal af 9 à 10 man [...] i besättningen bör äfven ingå trumma". RHA, B I:10 Nr. 312.

[18] Hierzu Holmquist (1974), S. 85.

auch aus Rechnungen und Briefen hervor. In einem 1866 datierten Brief erwähnt ein damals hervorragender Kornettist namens Sander

"... ein 'gewagtes' Anliegen, nämlich ob Sie mir die Partituren zu *Die schöne Helena* leihen oder kaufen könnten [...] alle, die kommen, um uns zu hören, fragen, ob sie nicht etwas daraus hören könnten...."[19]

Mit seinen verschiedenen Klangfärbungsmöglichkeiten bietet das schwedische Blasoktett einen abwechslungsreichen Satz unter kammermusikalischen Bedingungen an. Den Instrumentalisten werden unterschiedliche Aufgaben bzw. ´Rollen´ vorgeschrieben. In Bearbeitungen von Ouvertüren und anderen Werken für großes Orchester muß jedes Instrument mehrere Originalstimmen bestreiten. Die "ersten Violinen" der Blasoktette sind die ersten Klarinetten. Die anderen färben die Melodie oder haben Begleit- oder selbständige Gegenstimmen. Diese Rollen sind austauschbar; z.B. werden auch dem Althorn nicht nur Begleit-, sondern auch Melodie- oder tiefere Stimmen anvertraut.

Stellung im Musikleben

Wie oben erwähnt, war auch in den schwedischen Kurorten "gute Musik während der ganzen Saison" erwünscht - für Unterhaltung, Feierlichkeiten und Tanz. Seit dem frühen 19. Jahrhundert waren Berufsmusiker aus den Militär- und/oder Bühnenorchestern während der Saisons dort beschäftigt. Sie instrumentierten sowohl Auszüge aus Opern und andere populäre Musik als auch *für nicht spezifizierte Besetzungen gedachte* Kompositionen, um das Allerneueste aus den Theatern und Ballsälen der Hauptstadt darzubieten; zum Teil schufen sie sogar eigene neue Kompositionen.

In einem Empfehlungsbrief (1901) wird erklärt, was man von einer Kurkapelle verlangte: "Das Oktett ist in musikalischer Hinsicht wohl gut besetzt und soll aus völlig zuverlässigen und gewissenhaften Männern bestehen. Außerdem soll bekannt sein, daß Herr Grawé ein ziemlich umfangreiches und für ein Kurhotel geeignetes Repertoire besitzt"[20].

---

[19] Brief an F. Hellman 22.7.1866: "en djerf anhållan. neml. att få låna eller köpa partituren till Skjöna Helena [...] de fråga alla hvem som hör oss om inte de kunna få höra något ur Skjöna Helena". Hellmanska släktarkivet, H 29.

[20] C.J. Nylén Linköping 21.3.1901. AB Storåns arkiv, Söderköping, F II:1.

Meine Oktettforschung bezog sich von Anfang an auf eine in meinen Besitz gelangte Notensammlung, die zwischen 1891 und 1894 von der Kurkapelle zu Ronneby, einer unserer größten Kurorte, verwendet wurde. Mit Hilfe musikalischer Analysen und unter Einbeziehung verschiedener anderer, bereits oben genannter Quellen, aber auch durch Kontakte mit noch lebenden Anverwandten der damaligen Musiker, kann die Musik in ihren historischen Zusammenhang betrachtet werden. Ich lernte die "Heilquellen" als Arbeitsplätze kennen, wo die Mitglieder der Kurkapelle als ”Personal”, nicht als ”Künstler” oder ”Artisten”, betrachtet wurden; wo sie täglich — sieben Tage pro Woche — 5 Stunden Musik (siehe Tabelle 3) ausüben sollten (oder, wie es in einem Brief ausgedrückt wurde: 4½, "wenn das Choralspielen des täglichen Morgengebetes nicht miteinbegriffen wird" — und dieses Gebet fand um 7.15 Uhr morgens statt!); wo sie, während ihrer dreimonatigen Sommer-Anstellung, weit entfernt von den vornehmen Gästen der "1. und 2. Klasse" beherbergt wurden, um diese Gäste, deren Lebensgeister sie jeden Morgen bei der Brunnenkur mit Musik auffrischen sollten, nicht mit ihren "beständigen Musikübungen" zu stören.

Es ergab sich auch eine Gelegenheit, diese Musik in Zusammenarbeit mit kompetenten Musikern und Liebhabern des Oktetts *Ehnstedts Nachf.* wieder zum Erklingen zu bringen. Uns gefällt die Musik. Wir fragten uns: Welche Musik machte damals Eindruck? Im J. 1873 schrieb C.A. Lundvall über das Repertoire seines Sextetts:

> "[...] wir hatten ja Nummern, die sich hören lassen können, darunter die Ouvertüre zu *die Stumme*[,] die Cavatine aus dem *Barbier*[,] das Duett aus *Linda* und andere große Sachen; größten Eindruck machen aber hier die Musik von Offenbach sowie Bellmans- und Volksmelodien [...]"[21]

Große »Wiener Walzer« von schwedischen Komponisten haben wir fast keine, aber die Musiker komponierten insbesondere Polonaisen, Märsche und Festmärsche; häufig begegnen auch kleine Stücke wie die Romance von Lundin, Tänze wie Polkas, Galoppe, Mazurkas sowie lange Potpourris über ”Bellmans- und Volksmelodien”. *Spezifisch schwedisch* sind ja nicht nur die Instrumente, der Klang, die Instrumentations- und Aufführungspraxis, sondern auch das Repertoire, das von schwedischen Musikern komponiert und dargeboten wurde. Auch in dieser Hinsicht sind die Oktette repräsentative Vertreter unserer Tradition gewesen, und in Bezug auf ihre Arbeitsverhältnisse, sowohl wie auch in Hinblick auf ihre Musik und deren Funktion, können wir sie auch als Fortführer der Harmoniemusiktradition betrachten.

---

[21] Brief an F. Hellman 10.8.1873. Hellmanska släktarkivet H 28.

	MONTAG	DIENSTAG	MITTWOCH
7.15 – 7.30	Morgengebet	Morgengebet	Morgengebet
8.00 – 9.00	Morgenmusik am Brunnen	Morgenmusik am Brunnen	Morgenmusik am Brunnen
12.00 –13.00			
15.00–16.00	Musik auf der Insel Karön (beim Schweizerhaus)	Musik in Ronneby (Platzkonzert)	Musik auf Karön
17.00–19.00	Nachmittagsmusik (Kurhotel oder Park)	Nachmittagsmusik	Nachmittagsmusik
19.00–21.30			

	DONNERSTAG	FREITAG	SAMSTAG	SONNTAG
7.15 – 7.30	Morgengebet	Morgengebet	Morgengebet	Morgengebet
8.00 – 9.00	Morgenmusik am Brunnen	Morgenmusik am Brunnen	Morgenmusik am Brunnen	Morgenmusik am Brunnen
12.00–13.00				Platzkonzert in Ronneby
15.00–16.00	Musik in Ronneby	Musik auf Karön	Musik in Ronneby	
17.00–19.00	Nachmittagsmusik	Nachmittagsmusik		Nachmittagsmusik 6.00-7.00
19.00–21.30			Tanzmusik im Kurhotel	

Tabelle 3
"Musikhaltung" am Kurort Ronneby Sommer 1897:
ungefährliche Spielstunden der Kurmusik.
Quelle: Brief von E. von Heidenstam, datiert 22. 3. 1897. RHA B I:12, Nr.46 – 49

Quellen

Ronneby
Stadtarchiv (*Centralarkivet*), Ronneby Helsobrunns Arkiv (RHA)

Stockholm
Kriegsarchiv (KrA):
Livgrenadjärregementena, Musikkåren. Serie F III–IV (siehe Nilsson 1996)
Hälsinge regemente, Musikkåren. Serie F I

Söderköping
AB Storåns arkiv (Söderköpings Bad och Brunn).

Uppsala
Hellmanska släktarkivet (Archiv im Privatbesitz).
Musikalien; Privatbesitz (Verfasserin; Christer Torgé).

Literatur-Auswahl

Helen Albertson, *Ahlberg & Ohlsson. En fabrik för bleckblåsinstrument i Stockholm 1850–1959*. Musikmuseets skrifter 17, 1990

Helen Albertson, "Om den s.k. 'svenska' kornetten. Några mättekniska observationer. Uppsala, 1984 (nicht gedruckt; Kopie in dem Institut für Musikwissenschaft, Universität zu Uppsala)

Bo Sandberg (Hrsg.), *Försvarets marscher förr och nu*. Militärmusik-samfundet, 1996.

Åke Holmquist, *Från signalgivning till regionmusik,* 1974

Ann-Marie Nilsson, "Några inblickar i musikhållningen vid Ronneby helsobrunn på 1890-talet". Per Beijer (Hrsg.), *Kring en åkrök. Ronneby — stad och bygd,* 1987

Ann-Marie Nilsson, "Brunnskapellet i svensk 1800-talsmusik. Om svenska musikers arbetsförhållanden". *Från stormakt till smånation. Sveriges plats i Europa från 1600-tal till 1900-tal*. Hrsg. S. Dahlgren, T. Jansson, H. Norman, 1994, S. 298–313.

Ann-Marie Nilsson, "Instrumentbesättning i svenska blåsoktetter före c:a 1920". *Svensk Tidskrift för Musikforskning/Schwedische Zeitschrift für Musikforschung/ Swedish Journal of Musicology* 76–77/1994–95; 1996, S. 69–103.

N.G. Strömberg: *Efterklang från Kronprinsens Husarregementes musikkår,* 1927.

Vertonungen

"Vid denna källa" (Music at the Spa). Oktetten Ehnstedts Eftr./Stockholms hemvärnsoktett. Caprice Records, CAP 21529 (1999). — Home page: http://material.fysik.uu.se/hv8tett

Under skuggande kastanjer [Unter schattigen Kastanien] Oktetten Kronan (Swedish Society SLT 33284; vergriffen)

Francis Pieters, Kortrijk, Belgien

PAUL GILSON: FATHER OF BELGIAN WIND BAND MUSIC

Isaac Albeniz wanted him as his private teacher, Richard Strauss conducted his music, he regularly met Cesar Cui, Rimsky-Korsakov, Alexander Glazounov and Alexander Scriabine, was acclaimed by Peter Benoit, Alfredo Casella, Paul Dukas, Oscar Esplá, François Gevaert, Guillaume Lekeu, Jules Massenet, Gabriel Pierné, Jean Sibelius, Richard Strauss, Charles-Marie Widor, Ravel and many others, but... he was a humble and modest man; he was born and spent his whole life in Belgium and did not expatriate himself to France to become famous as did his countryfellow men Gossec, Méhul, César Franck, Guillaume Lekeu etc... So he sank almost into oblivion, even in his home country. Yet Paul GILSON (1865-1942), musical theoritician, teacher and composer, was the most important character in Belgian music at the turn of the century. One can say that he has been the Rubens of Belgian music; and indeed a lot of stylistic parallelisms could easily be found between the paintings of the great Flemish master and the compositions (often musical paintings) by Gilson.

When we talk about the great innovators of Flemish music we usually mention three names in one breath: August De Boeck (1865-1937), Lodewijk Mortelmans (1868-1952) and Paul Gilson. Each of these three composers had his own strong and weak points. Anyway, the classical musicology will always consider their compositions for wind band as one of their weaker points. We would rather inverse this viewpoint by stressing the fact that Paul Gilson revitalized wind band music in Belgium. Without Gilson the Belgian wind band music repertoire would never have developed the way it did. Gilson realized the richness hidden in the several thousands of amateur wind bands where some tens of thousands of people from all social origins expressed their "love" for music in their own way, often with very limited means. He understood quite well that it was there that the musical heart of the Belgian people was living. He did not "also" compose for wind band, only because he was very keen on wind band music, but above all because he wanted to improve the level of the popular amateur band music. By means of his vast body of works for wind bands and his beneficial and profound influence on a large group of talented pupils, Gilson endowed the Belgian Wind Band Music with quite some patents of nobility. He wrote as well elitist compositions for professional or top amateur wind bands as very fine compositions for the ordinary amateur musicians ("aficionados"), that multitude of zealous musicians playing in those many local wind bands spread all over the country, both in small villages and large towns. Both types of bands (professional and amateur) deserved "better" music. Only a limited number of Gilson's band compositions do belong to the top wind band repertoire; we should even admit that in this field he was obviously surpassed by some of his own pupils, such as Jean Absil or Marcel Poot. The greater part of his wind band compositions always have an educational, a profound human and a real musical value. Gilson managed to pass on his "ardour", his belief in, and his love for wind band music to a whole generation of conductors and composers. He thoroughly understood that the symphonic band is a completely autonomous and full orchestral phenomenon, not a would-be symphony orchestra. In this respect he was ahead of his time; even nowadays too many musical critics do still not share this point of view.

Biography

Paul Gilson was born on 15 July 1865 in the immediate neighbourhood of the famous historical Market Place of Brussels. However, he spent the greater part of his youth in the small rural Flemish village of Ruisbroek, just outside Brussels. There he received his first musical initiation by the local sexton, August Cantillon, also assistant conductor of the local Fanfare Band, which fascinated young Gilson tremendously. Henri Maeck, a military band conductor taught him to play the violin and Charles Michiels, bandmaster of the Brussels paramilitary Mounted Civic Guard Band, taught him a lot of precious musical skills. Young Gilson was very eager to learn and assimilated all the musical knowledge he could. Any exercise was welcome, so at the age of fifteen, he made a band orchestration of the march "Toujours ça" (Always that - or At least that), based on a tune by Joseph Joly, famous Brussels cornet player, wind band conductor and... innkeeper. It was in that Brussels pub that Gilson met many professional musicians of the military bands stationed in Brussels and also fine amateur musicians of the numerous famous civilian fanfare bands the capital boasted in the second half of the 19th century.

In 1881-82, Gilson was aged sixteen, he composed the overtures for fanfare band "Le Marchand de Venise" (The Merchant of Venice) and "Eleusinies", and the military march "Le Goupillon et le Sabre" (Sprinkler and Sword).

These works were immediately performed by several bands in Brussels. In the meantime, Gilson studied with Karel Duyck, founder and director of the music school of Anderlecht, a Brussels suburb. In 1886 he studied composition with the famous August Gevaert then director of the Royal Brussels Conservatory of Music.

In 1889, at the age of 24, Gilson was awarded the Premier Grand Prix de Rome (the most prestigious European composition prize) for his cantata "Sinai" on a text by Jules Sauvenière (translated into Dutch by the famous poet Emmanuel Hiel). At this occasion he was serenaded by the Ruisbroek fanfare band at his Brussels home. This reward was quite an achievement for this composer who was largely self-taught. Three years later, in 1892 Gilson got at once an international reputation with his series of four symphonic sketches THE SEA, a kind of program symphony based on a text by Eddy Levis. The latter had asked Gilson to write some background piano music for four hands to his rather mediocre poems about the sea. Both artists met at Blankenberge, the popular Belgian seaside resort where Gilson used to spend his holidays. However, Gilson was inspired to write orchestral music rather than piano music. Joseph Dupont conducted the premiere on 20th March 1892, the poems being recited before each movement. (Later the texts were left out, as well as an additional group of winds - a.o. some saxhorns - and a male choir). It was this composition that Richard Strauss conducted in Germany, but it was also performed in Pavlovsk (the famous Vaux-hall near Saint Petersburg), in Warsaw, in the London Crystal Palace and by the famous Paris Concerts Colonne.

Two years later Gilson confirmed his reputation with the oratorio "Francesca da Rimini" (1894). In 1899 he was appointed professor of harmony at the Royal Brussels Conservatory of music and five years later also at the Royal Flemish Conservatory of Music of Antwerp. In 1909 he gave up both functions and succeeded to the composer Edgar Tinel as general inspector of the musical education in Belgium. In 1903 his opera "Princess Sunray", based on a libretto of the Flemish poet Pol de Mont (1895-1950), was a huge success. The great Flemish composer Peter Benoit had died before he could finish an opera on the same libretto; Gilson had now become the real successor to Benoit.

In 1924 Gilson and his pupil Marcel Poot founded the musical magazine "Revue Musicale Belge"; he remained its artistic director up to 1940. Gilson published numerous authoritative articles on all kind of musical topics; many articles dealt with the problems of both professional and amateur wind band music. Gilson was also musical reviewer for several newspapers, such as "Le Soir" or "Het Laatste Nieuws" and he also wrote hundreds of articles, reviews and essays in specialized periodicals such as "Le Guide Musical", "L'Echo Musical", "Le Diapason" and "La Gazette Musicale de Belgique".

In 1925 the Belgian musical world celebrated Gilson's sixtieth birthday. It was quite obvious that the celebrations included many wind bands for which he had written so much fine music. Arthur Prevost, the then conductor of The Symphonic Band of the Belgian Guides Regiment organized a Gilson Festival in the Brussels Central Park on the 14th of June. He conducted several works of Gilson with the Guides Band and with a Brussels Fanfare Band "La Phalange Artistique". The very same day six Walloon wind bands (mostly colliery bands) participated in a Gilson Festival at Monceaux-sur-Sambre; the finale being performed by massed bands totalling over 350 musicians. The wind band world had not forgotten the greatetst advocate of wind band music.

In the meantime Gilson continued to teach (mostly privately) and the list of composers that studied with him became really impressive. We just mention: August de Boeck, Jef Van Hoof, Jean Absil, Daniel Sternefeld; Karel Candael, Michel Brusselmans, Gaston Feremans, Arthur Meulemans, Suzanne Daneau, Marcel Poot, Robert Otlet, Theo Dejoncker, Gaston Brenta, Maurits Schoe-maeker, René Bernier, Jules Strens, Francis de Bourguignon and many others. Most of them also composed several works for wind band. It was also on the occasion of Gilson's sixtieth birthday that some of his pupils joined to form the group of the Synthetists (cf. my lecture of 4 years ago; Volume 18 of the series Alta Musica p.363). When Gilson was 70 years old, a memorial tablet was put at the front of the house where he had spent his youth in the village of Ruisbroek. The local fanfare band played several of his compositions. His birthday was celebrated all over the country; e.g. by a wind band concert in the Antwerp Opera House on 27 October 1935. During the last years of his life, Gilson remained very active, although life conditions became extremely difficult at the outbreak of World War II. What to think of the advertisement put at the window of a Brussels music shop: "Composer, First Grand Prix de Rome, accepts all kinds of copy work: apply 33, Voltaire Street".

It was almost in poverty that the great composer died on 3 April 1942 at his house in Schaarbeek, a Brussels suburb. He had almost fallen into complete obscurity even before he died. Yet he was the first Flemish composer to distinguish himself as author of typical symphonic music (his predecessors having mostly written oratoria, cantatas). His symphonic compositions are not that numerous, but as far as quality is concerned, they certainly belong to the best of European symphonic music of that time.

Gilson wrote some 400 compositions among which many orchestral pieces (for symphony orchestra and for string ensemble), four operas, two ballets, piano pieces, carillon music, organ music, chamber music, choir music, songs and, of course, numerous works for wind band. It is interesting to mention that he also composed film music. We should not forget his many theoretical and didactic works and his memoirs.

Paul Gilson and the Royal Symphonic Band of the Belgian Guides Regiment

Though Gilson was essentially concerned about amateur wind band music, which he wanted to get at a higher level, he was also interested in the professional wind bands. As he lived in Brussels he inevitably came into contact with the Royal Military Band of the Guides Regiment. This was mostly due to the fact that there was a close friendship, based on a mutual admiration, between Gilson and Arthur Prevost, the band's musical director since 1918. Prevost had studied harmony with Gilson at the Brussels Royal Conservatory of Music (graduating with a First Prize). In 1917 Prevost made a symphonic band transcription of the "Symphonic Variations" originally composed for brass ensemble. He made a transcription for symphonic band and for fanfare band of two excerpts of Gilson's ballet music: "La Captive" (The imprisoned woman). In 1925 he made a symphonic wind band transcription of the four symphonic sketches "La Mer" (The Sea). This transcription was premiered at the already mentioned Gilson concert by the Guides Band on 14 June 1925. In 1942, the year Gilson died, Prevost made a symphonic wind band orchestration "Little Song for Claribelle" composed in 1895 for voice and piano. It should be stressed that there was no permanent professional symphony orchestra in Belgium before 1932 when the National Symphony Orchestra of Belgium was founded. Gilson also insisted that his pupils (especially The Synthetists) wrote for Prevost and the Royal Symphonic Band of the Guides Regiment. (So they did, as I explained 4 years ago).

Quite special is the orchestration for symphonic band Paul Gilson made in 1925 of "Four Preludes" by Debussy (La Fille aux Cheveux de Lin, Les

Collines d'Anacapri, Hommage à S.Pickwick Esq., and Général Lavine); this band version was made on purpose for Arthur Prevost and the Symphonic Band of the Belgian Guides Regiment. When a pupil asked him why he had written this, Gilson simply answered : "as an exercise!".

On the occasion of the 125th anniversary of the birth of Adolphe Sax, Gilson organized several memorial concerts for the Belgian radio institution.

On 15 February 1939 he presented himself a radio concert performed by the Royal Symphonic Band of the Guides Regiment; it was a demonstration of wind band music before and after Sax. The original contemporary piece chosen was "Dionysiaques" by Florent Schmitt.

In September 1942, five months after Gilson's death, Prevost founded the FANFARE BAND PAUL GILSON in Brussels and conducted this amateur band from 1942 to 1947 and from 1952 to 1958. This band still exists.

WIND BAND COMPOSITIONS

A. Works for Brass Ensemble

Besides a series of compositions for small groups of brass instruments, which should rather be considered as chamber music, Gilson composed some fine works for large brass ensemble. Most of these compositions were written for the "Fanfare Wagnérienne" (Wagner Brass Ensemble) consisting of the brass instruments students of the Brussels Royal Conservatory of Music. In fact it was the ensemble class conducted by Henri Séha, trombone professor at the conservatory. The ensemble consisted of 4 B flat trumpets, 4 French horns in F, 4 Wagner tubas (2 tenor and 2 bass), 3 trombones in C, 1 tuba in B flat, 1 bombardon helicon (bass tuba worn over the shoulder) in B flat - so let us say a B-flat Bass, plus percussion. (Wagner had conceived the Wagner Tubas for his opera cycle "Der Ring des Nibelungen", as he wanted to fill up the tone gap between trombones and French horns).

In 1903 he wrote his most famous composition for large brass ensemble: **Variations Symphoniques** (Symphonic Variations) premiered in 1904 by the Brussels Wagner Brass Ensemble.

312

The exposition presents the theme without accompaniment. It is followed by seven variations:

1. Moderato molto (the harmonized theme), 2. Marziale (a kind of parade) 3. Moderato Elegiaque (the theme in minor interval) 4. Allegro Tedesco (a kind of Austrian Ländler), 5. Presto Scherzando Russo (a Cossack Dance), 6. Andante Ritenuto (a Notturno) and 7. Menolento Lyrico. The finale adds some new motifs to the theme. Actually Gilson wanted to quit once and forever the 19th century type of "Theme and Variations" as he stated already in 1896 in the periodical "La Belgique Musicale" (Musical Belgium).

B. Works for Wind Band
both Symphonic Band and Fanfare Band
Fanfare band= complete saxhorn (brass family) + saxophone family

Between 1880 and 1941 Gilson composed almost without interruption regularly for symphonic band and/or fanfare band. It was the local fanfare band "Saint Cecilia" in Ruisbroek, his birthplace, that made him enthusiastic about band music; so, quite naturally, his first band compositions were intended for fanfare band. He would never stop writing for fanfare band and had several of his fanfare band works later arranged for symphonic band by friends or students (if he had not done it himself). Already at that time, the band music publishers wanted the so-called "passe-partout" version (= a published version that could be used by both symphonic and fanfare band).

Many of his works were arranged or adapted (for publication) by his friend and pupil: **Jules BLANGENOIS** who was born in Tournai on April 28, 1870. He studied at the Royal Brussels Conservatory where he graduated with several First Prizes in 1893. He also studied privately with Paul Gilson. He was a trombone player at the Royal Brussels Opera for eleven years and conducted several amateur wind bands. He edited a wind band journal called "L'Echo" for his own publishing firm of the same name. He sometimes signed his compositions with the pseudonym Banon Jemy. He died in Brussels on July 29, 1957.

MARCHES

Gilson wrote a lot of marches because they were still the mainstay of the repertoire of most amateur wind bands. He wrote parade marches, concert marches, processional marches, concert allegros and pas-redoublés.

They are all out of print, some are still to be found in band libraries, but most sound very old fashioned and have only some historical value. As we have no suitable recordings I won't go into any details as far as these marches are concerned. I have still to mention that Gilson wrote several minor marches published by small Band Music Publishers and that he signed many of them with one of the pen-names mentioned. Gilson also wrote a series of PRO-CESSIONAL MARCHES. In Belgium (as in many other European countries) it was a popular tradition that almost every city or village boasted at least one religious procession. These processions were devoted to a saint or a holy relic that was being worshipped in a local church or chapel. In Bruges in Flanders we still have the annual Procession of the Holy Blood (exhibiting some of Christ's blood brought back by Crusaders). Those processions consisted of numerous groups dressed in historic costumes, representing scenes from the Bible, preceding the local religious authority bearing the holy relic. Also many bands, as well military as amateur bands, participated in those processions. So there is an extremely rich repertoire of such marches. Those small pieces were an enrichment of the amateur band repertoire. The composer showed his real craftsmanship by composing small but beautiful gems for amateur bands. He was a servant of the popular music of his country.

OVERTURES

The overture has always been a most popular item on the wind band repertoire, especially in the times the band played the role of musical educator of the masses. Gilson understood this very well and that's why he added a series of most valuable overtures to the original band repertoire. The degrees of difficulty as well as the styles vary a lot. They were also written at different periods of his life. Some were written for symphonic band, others for fanfare band, many were published in the then current passe-partout versions.

As illustration we chose the overture RICHARD III which is still popular nowadays. This overture was inspired by the historical tragedy of the same name by William Shakespeare. It describes the last night of this English King (1452-1485) who reigned from 1483 to 1485. He was thought to have ordered the killing of his nephews. He was killed at the battle of Bosworth Field after losing his horse. Hence the famous line in Shakespeare's tragedy: "A horse, a horse, my kingdom for a horse!" In Gilson's overture Richard has a kind of hallucination in which he sees all his victims hurling abuses at him. The triumphal march suggests the victory of the rebels and announces a more peaceful area.

FANTASIES AND NOVELTIES

They also belong to the typical band repertoire. Some are based on popular folk tunes from Belgium or abroad, others rather suggest a historical, mythological or patriotic story. This was also the case for **"Le Retour au Pays"** (The Return to the home country), another early work. This descriptive fantasy, subtitled "A Sea Picture", dates from 1885. It describes the return of Scottish exiles to their native country. The successive parts are: Prayer, Departure, Idyll, Tempest, Calm Sea, Scottish Dance, Hymn and disembarkment.

CHARACTERISTIC DANCES

Gilson was inspired by all kinds of dance forms to write small rhythmical pieces for amateur wind bands. Among those we find mazurkas, gavottes, polkas and, of course, several waltzes. Sometimes they were written for a special occasion; this was the case for "Waltz Suite in the Vienna Style" composed in 1885 as a posthumous tribute or "In Memoriam" for the great Austrian waltz composer Josef Lanner. His master piece in this field was however the **"Symphonic Waltz nr.1"** composed in 1892 for the band Société de Fanfares 'La Concorde' from Gilly, a village near the town of Charleroi. In 1902 Gilson made himself a symphonic band version; on the autograph he wrote the dedication:

"To the memory of Julien Simar, conductor of the symphonic band of the 1st Belgian Guides Regiment, the King's Own, which he conducted from 1892 to 1901, and which he turned into a wind orchestra of inestimable value"

It should be known that Gilson was rather sparing in his praise, so this was the expression of a very great admiration. The work was published in 1924.

This waltz sound as a virtuoso piece and is based on rhythmical changes and daring sound combinations.

RHAPSODIES

Gilson wrote four rhapsodies for band. The most popular being "BINCHE". This composition got three different subtitles: "Fantasy based on folk tunes from the local country", " Fantasy on popular tunes from Binche" and also "Capriccio on carnival tunes from Binche". It was composed in 1906. It is clear that the work was conceived for fanfare band, though it was published also for symphonic band in a revision and completed orchestration by Jules Blangenois. On the original manuscript Gilson wrote "for fanfare band, symphonic band and symphony orchestra". The thematic and structural use of the tunes justifies the classification as a rhapsody, rather than as a fantasy. Binche is an old Walloon city, internationally famous for its typical carnival procession with the typical original "Gilles de Binche", dressed in costumes inspired by the Aztecs, wearing a headgear made of huge ostrich plumes and throwing oranges while dancing continuously for many hours.The tradition of this carnival on Mardi Gras goes back to the XIVth century. This fine evocation of the city and its carnival is based on the initial obsessing drumbeat that accompanies the strange dance of the famous "Gilles of Binche". As already said, the brass is preponderant, especially at the numerous carnival fanfares that turn up at several places throughout the composition.

CHOIR AND WIND BAND

It is also interesting to mention that Gilson wrote some works for choir(s) accompanied by wind band. Some, such as the "Inaugural Cantata" were intended for mass performances. This cantata was composed in may 1897 for the 1887 Brussels International Exhibition. It was performed by seven military bands, numerous choirs and a crowd of school children, totalling 2.000 performers, Joseph Dupont conducting.

TRANSCRIPTIONS

It might be considered as natural and evident that Gilson also wrote transcriptions for wind band. Mostly these transcriptions were either commissions or an exercise in orchestration often meant to help one of his pupils.

They always illustrate his great orchestration talent. He did it with some works of great masters such as Bach, Chopin, Cui, Debussy, Grieg and Wagner.

WORKS FOR SMALL WIND ENSEMBLE

Gilson also wrote several pieces of chamber music for winds.

WORKS FOR SOLO WIND INSTRUMENTS

Our survey would be incomplete if we did not mention the fact that Gilson also composed a series of solo works for wind instruments. Among those his two concertos for alto saxophone are quite remarkable." Concerto nr.1 for Alto Saxophone" was composed at the request of Mrs. Elisa Hall from Boston. That lady gave similar commissions to Claude Debussy, Florent Schmitt and other eminent composers.Yvon Ducène, conductor of the Guides Band from 1962 to 1985 made an orchestration for symphonic band, premiered on 9 may 1980. It was recorded on a long playing record, sponsored by the Selmer Saxophone Factory. "Concerto nr. 2 for Alto Saxophone" was also composed in 1902. No dedication is mentioned on the score. It consists of two parts: an 'Andante Maestoso' with plenty of changes of tempo, and a 'Finale, Minuetto', also characterized by similar changes of tempo. This Finale is somewhat worked out in the form of variations. The score is to be found in the library of the RTBF (National French Speaking radio of Belgium).

Among the many theoretical books on music written by Gilson we should mention his "Manual for Military Band" published in 1926 in Antwerp and dedicated to Paul Vidal, professor at the Paris Conservatory of Music.

For many years it was considered as the best treatise on wind band orchestration techniques in Belgium. Gilson stresses the fact that wind instruments do have their own style, based on their specific tessitura, fingering, blow etc...

The pioneering work of Paul Gilson, especially in the field of wind band music, was maybe most successful in that he formed a multitude of pupils, following faithfully in his footsteps but developing their own typical style. Without Gilson wind band music in Belgium would not have developed the way it did.

WORKS FOR BRASS ENSEMBLE

- **Fanfare** 1887 (Breitkopf & Härtel, Leipzig 1895)
  fanfare band version (aut. Royal Conservatory Brussels)
- **Fantaisie dans la Forme Classique** 1894
  (Fantasy in the Classical Form) for trumpets, trombones, Wagner tubas and bass
  tuba. (Buyst,   Brussels s. d.)
  version fanfare band (aut. Royal Conservatory Brussels)
- **Fackelzug** (Torch March) 1899
  fanfare band version (aut. Royal Conservatory Brussels)
- **Fantastic Scherzo** for brass ensemble 1901
- **Variations Symphoniques** (Symphonic Variations) 1903
  (Molenaar Edition, Wormerveer)
- **Four Pieces for Brass Orchestra** - Andante, waltz, little rhapsody and scherzando
  1940

MARCHES (Concert and Parade)

- **Allegro Maestoso**, aut. symphonic band R.C.M.B. s.d.
- **Anniversaire** (Anniversary) - pas-redoublé (aut. cond.score R.C.M. Brussels)
- **Around the World** Panorama - Pas-redoublé (aut. symphonic band R.C.M.
  Brussels)
- **Ave Caesar**, pas-redoublé (aut. incomplete conductor score R.C.M.B.)
- **Brabant** 1905 (Le Carillon, Brussels s.d./Buyst, Brussels s. d.)
- **Ceux de Malonne** (The Guys from Malonne) march (aut. conductor score
  R.C.M.Brussels)
- **La Chanson du Brave Homme** (The Song of the Brave Man) pas-redoublé aut.
  fanfare band R.C.M. Brussels)
- **Les Clairons de la Garde** (The Guard's Buglers) before 1925   (Wtterwulghe, Liege
  s. d.)
- **Le Conciliant** (The Mediator) signed JAN BAT Wtterwulghe Liege s. d.)
- **Coral-Marche** (Andrieu, Parijs s. d.)
- **Le Défilé des Volontaires** (Trooping of the Volunteers) grand military march
  (aut. conductor score R.C.M. Brussels)
- **Discussion** pas-redoublé (aut. fanfare band version R.C.M.Brussels)
- **Election** pas-redoublé (aut. symphonic band R.C.M.Brussels)
- **Encore Un** (One more!) 1925 (L'Essor Musical, Brussels s. d.)
- **Epithalamène** (Nuptial Song) 1925 (?)
- **Goeden dag** (Hello) pas-redoublé signed VERHUIZER (Wtterwulghe Liege s. d.)
- **Goede Vriendenkring** (Fine Group of Friends) pas-redoublé (aut. Fanfare version
  R.C.M. Brussels)

318

- **Fackelzug** for fanfare band, 1899 (aut. Royal Conservatory of Music Brussels)
- **Flandre et Wallonie** (Flanders & the Walloon Provinces) 1914
- Military march on popular tunes
- **Hommage à Weber** 1910 (Cranz, Brussels s. d.)
- **Marche aux Flambeaux** (Torch dance) 1911 (Buyst, Brussels, s. d.)
- **Marche aux Flambeaux N°2** 1914 (aut. conductor score R.C.M. Brussels)
- **Marche Commémorative** (Commemoration March) 1906 (Buyst/Cranz rev. Blangenois 1948) (aut. Royal Conservatory Brussels)
- **Marche Cortège** 1889) (Le Carillon/Buyst, Brussels s. d.)
- **Marche des Diables Rouges** (Red Devils March) (aut. fanfare band R.C.M. Brussels)
- **Marche Dinantaise** (March from the town of Dinant)
- **Marche en Zig-Zag** 1934 (aut. R.C.M.Brussels) (man. library Guides Band)
- **Marche Fériale** (Festive March) 1908) (aut. fanfare band R.C.M. Brussels) (L'Essor Musical, Brussels s.d./Molenar Edition, Wormerveer, 1969)
- **Marche Héroïque de la Tribune Radiophonique du Combattant** (Heroic March, tune of a war veterans radio program) before 1937 (L'Essor Musical, Brussels s. d.) (aut. symphonic band R.C.M. Brussels)
- **Marche Militaire** aut. conductor score R.C.M. Brussels
- **Marche Militaire sur des Mélodies Populaires Belges** (Military March on Popular Belgian Tunes) 1914 (aut. symphonic band R.C.M. Brussels)
- **Marche Panégyrique** (March of Praise) 1913 (L'Echo, Brussels s.d./Cranz, Brussels s. d.)
- **Marche des Serments** (Oath March) 1896 also known as **Retraite Communale** (Local tattoo)
- **Marche Solenelle** (1908 & 1913 2 fanfare band versions)
- **Marche Solennelle pour le Cinquantenaire des Chasseurs de Binche** (Solmen March for a famous symphonic band of Binche) 1913 (aut. conductor score R.C.M. Brussels)
- **Marchons** (Let's march) (Wtterwulghe Liege s.d.)
- **Merxem** (name of an Antwerp suburb) - allegro militaire 1909 (L'Echo, Brussels orch. Blangenois/Cranz, Brussels s. d.)
- **Montréal** allegro militaire (1923) (L'Echo, Brussels, orch. Blangenois s. d./Cranz, Brussels s. d.)
- **Pas Redoublé** aut. fanfare band R.C.M. Brussels
- **Pas Redoublé. Dédié au Cercle Instrumental** (dedicated to the Brussels fanfare band "Cercle Instrumental) aut. fanfare band R.C.M. Brussels
- **Quarantenaire** (Fourtieth Anniversary) - concert march 1914 (L'Echo, Brussels s.d.)
- **Retraite Communale** (see Marche des Serments)
- **Le Sergeant Major** (The Sergeant Major) ('s Jongers, Brussels s. d.)
- **Tornacum** concert march (1930) (Cranz, Brussels s. d.)

PROCESSIONAL MARCHES

- **Andante Religieux et Triomphal** (Religious and Triumphant Andante)1907 (aut. symphonic band Royal Conservatory Brussels) (Cranz, Brussels s. d.)
- **Andante Solennemente** (aut. conductor score R.C.M.Brussels)
- **A Notre-Dame** (To Our Lady) (aut. symphonic band R.C.M.Brussels) (Wtterwulghe, Liege s. d.)
- **L'Archange** (The Archangel) signed MEDEWERKER Wtterwulghe Liege s. d.)
- **La Cène** (The Last Supper) religious andante religieux signed MEDEWERKER (Wtterwulghe Liege s. d.)
- **Eternité** (Eternity)- funeral march - signed MEDEWERKER (Wtterwulghe, Liege s. d.)
- **L'Etoile brillante** (The shining Star) - signed VERHUIZER (Wtterwulghe, Liege s. d.)
- **Gloria Dei** (aut. symphonic band R.C.M.Brussels) (Wtterwulghe, Liege s. d.)
- **Hymne de Noël** (Christmas Hymn) grand processional march (aut. Fanfare band version R.C.M.Brussels)
- **La Saint-Michel** (1928) (Cranz, Brussels, s. d.)
- **Laus Summa Patri** (1907)
- **Les Epis d'Or** (Golden Stalks) before 1937 (Buyst, Brussels s. d.) (aut. fanfare band R.C.M.Brussels)
- **Marche de Célébration** (1910) (L'Echo Musical, Brussels, s. d;)
- **Aux Mânes de Mendelssohn** (To Mendelssohn's Manes)
- **Marche Funèbre** (Funeral March) (aut incomplete conductor score R.C.M. Brussels)
- **Marche de Procession** (Processional March) 1914 (aut.fanfare band version R.C.M. Brussels)
- **Marche de Procession sur des Motifs de Beethoven** (Processional March on Themes by Beethoven 1909 (Cranz, Brussels, s. d.)
- **Marche Triomphale ou de Procession** (Triumphant of Processional March) 1908 (Cranz, Brussels s. d) (aut. conductor score R.C.M.Brussels)
- **Memento Domine David** (aut. symphonic band R.C.M. Brussels)
- **Pour L'Ascension** (For Ascencion Day) (aut. symphonic band R.C.M. Brussels)
- **Les Rameaux** (Palm Sunday) (aut fanfare band R.C.M. Brussels) signed VERHUIZER (Wtterwulghe Liege s. d.)
- **Sancta Maria** signed JAN BAT Wtterwulghe Liege s. d.
- **Sous le Dais** (Under the Canopy) 1927 (Cranz, Brussels s. d.)
- **Surge et Ambula** (1930) (Cranz, Brussels s. d.)
- **Le Vendredi Saint** (Good Friday) (aut. conductor score R.C.M. Brussels)

Gilson often signed minor works with several pen-names such as:
- JAN BAT
- MEDEWERKER (collaborator)
- G.THON
- VERHUIZER (remover)

OVERTURES

- **L'Anniversaire** (The Anniversary) (aut. fanfare band without cond. score R.C.M. Brussels)
- **Arduana**
- **Eleusinies** (Religious Festival at Eleusis in ancient Greece) 1882 L'Echo Brussels/orch. J.Blangenois, 1924).
- **Légendes** (Legends) 1925 (Gaudet, Paris, 1926) (aut. conductor score R.C.M. Brussels)
- **Le Marchand de Venise** Overture after Shakespeare's Merchant of Venice 1884 (Cranz, Brussels s. d.)
- **Ouverture Dramatique** (Dramatic Overture) aut. incomplete fanfare band version R.C.M. Brussels
- **Ouverture Le Serment** (Overture The Oath) signed VERHUIZER (Wtterwulghe Liege s. d.)
- **Ouverture Philadelphique** (Philadelphia) 1933 (Buyst, Brussels s. d.)
- **Ouverture du Pirate** (The Pirate's Overture) 1894 (aut. Archief en Museum voor Vlaamse Cultuurleven , Antwerp)
- **Ouverture Séculaire** (Lay Overture) 1926 (Buyst, Brussels, s. d.) (aut. conductor score R.C.M.Brussels)
- **Ouverture Solennelle** (Solemn Overture) 1926 (aut. incomplete, symphonic band R.C.M. Brussels)
- **Poème Symphonique en Forme d'Ouverture** (Symphonic Poem in the Shape of an Overture) 1900 aut. Royal Conservatory of Music Brussels
- **Richard III** before 1925 (Buyst Brussels, s. d.).
- **Sous le Chêne de Saint Louis** (Under Saint King Louis's Oak) 1935 (L'Essor Musical s.d., Brussels/Molenaar Edition, Wormerveer)
- **De Tirannen** (The Tyrants) dramatic overture (orch. Jules Blangenois, Scherzando, Brussels s. d.)

FANTASIES AND NOVELTIES

- **Capriccio Fantaisie** (orch. J. Banon: Cranz, Brussels, 1949)
- **La Chasse** (The Hunt), grand fantasy, before 1937, signed VERHUIZER (aut. conductor score R.C.M. Brussels)/ incomplete set for symphonic band Archief en Museum Vlaamse Cultuurleven Antwerp) (Wtterwulghe, Liege s. d.)
- **Chez ma Tante** (At my Aunt's) - signed JAN BAT, before 1925 (Wtterwulghe, Liege s. d.)
- **Le Centenaire** (Centenary) 1904 - fantasy for symphonic band (aut. Royal Conservatory Brussels)
- **Fantaisie Bijou** (Jewel Fantasy) signed THON (Verhoeven, Brussels, s. d.)
- **Fantaisie Militaire** (Military Fantasy) before 1925 (Wtterwulghe, Liege s. d.) (aut. incomplete, for symphonic band R.C.M.Brussels)
- **Fantaisie suédoise** (Swedish Fantasy) (aut. conductor score R.C.M. Brussels)
- **Fantaisie sur la Forme Classsique** (Fanatsy in the Classical Shape) (orch. H. Séha, Buyst s. d.)
- **Fantaisie Humoristique sur trois thèmes populaires** (Humoristic Fantasy on three Popular Tunes) 1940 (orch. Blangenois Buyst, Brussels s. d.)
- **Fantaisie sur des Airs populaires et nationaux anglais** (Fantasy on Popular and National English Tunes) 1897 (aut. R.C.M. Brussels)
- **Contes et Légendes** (Fairy Tales and Legends) (Gaudet, Paris)
- **L'Heureux Voyage** (The Happy Journey) Descriptive scenes 1912 (Andrieu, Paris s. d.) (aut. conductor score R.C.M.Brussels)
- **Les Néoménies** 1927 (Le Pavillon, s. d.)
- **Noces Villageoise** (Village Wedding Feast) before 1925 (Buyst, Brussels s. d./Le Carillon, Brussels s. d.)
- **Par les Plaines** (In the Fields) fantasy on popular tunes from Schleswig-Holstein, 1902 (Gaudet, Paris s. d.)
- **Patrouille Albanaise** (Albanese Patrol) 1923 (orch. Jules Blangenois, L'Echo, Brussels s. d./Cranz, Brussels s. d.)
- **Philinte et les Etrangers** (Philinte and the Strangers) - Choreographic fantasy 1923 (Buyst, Brussels s. d.)
- **Rapsodie en Fantazijstuk** (Rhapsody and Fantasy) for Fanfare Band 1906 (aut. Royal Conservatory Brussels)
- **Le Retour au Pays** (Back to the Home Country) 1885 (Cranz/Le Carillon/Buyst s. d.)

DANCES

- **Amulette** polka (aut. symphonic band R.C.M.Brussels)
- **La Belle Rose** (The Beautiful Rose)- redowa signed JAN BAT (Wtterwulghe Liege s. d.)

322

- **Les Bords de la Lieve** (The Banks of the Lieve) - Bolero (aut. Conductor score R.C.M. Brussels)
- **Brise de Mer** -polka mazurka (aut. conductor score R.C.M.Brussels)
- **Fête Directoire** fantasy-gavotte, 1898 (Gaudet, Paris s. d.)
- **Fleurs Campinoises** mazurka (Wtterwulghe, Liege s.d.) signed VERHUIZER
- **Gavotte Monsignore** 1919 (L'Echo, Brussels s.d./Cranz, Brussels s. d.)
- **La Grande Valse** (The Big Waltz) or **"Les Roses d'Ispahan"** 1888 (aut. Fanfare Ruisbroek; complete fanfare band version - incomplete symphonic band version)
- **Indiscretion** polka (aut. fanfare band R.C.M. Brussels)
- **Kermisdag** (Fair) quadrille (aut. fanfare band R.C.M. Brussels)
- **Le Pain du Tendre** (The Tender One's Bread) menuet (aut. Symphonic band incomplete R.C.M. Brussels
- **Polka Fantaisiste** before 1925 (Buyst, Brussels s.d./Le Carillon, Brussels s. d.)
- **Polka pour petit bugle** polka for E-flat flugelhorn; aut. fanfare band Archief en Muzeum voor Vlaamse Cultuurleven Antwerpen.
- **Pompadour** gavotte (aut. incomplete symphonic band R.C.M. Brussels) (Wtterwulghe Liege s. d.)
- **Preghiera a la Danza** - Neapolitan Dance, before 1937 (aut. symphonic band R.C.M. Brussels)
- **Un Rêve** (A Dream) waltz, before 1925 (Wtterwulghe, Liege s. d.)
- **Rêves dorés** (Golden Dreams) polka mazurka signed VERHUIZER (Wtterwulghe Liege s. d.)
- **Schottish** (uncompl. aut. symphonic band R.C.M. Brussels)
- **Soleil de Printemps** (Spring Sun) schottish aut. conductor score R.C.M. Brussels
- **Sur la Wartha** (On the River Wartha) polonaise (1928) (Cranz, Brussels s. d.)
- **Taniec Chlopski** Polish Peasant Dance (L'Essor Musical Brussels s. d.)
- **Valse** (Waltz) aut inc. fanfare band Archief en Muzeum voor Vlaamse Cultuurleven Antwerp
- **Valse pour jouer à cheval** (Valse to be played on horseback) aut. fanfareband R.C.M. ...Brussels
- **Vestris** mimical dance 1916 (L'Echo, Brussels s.d./Cranz, Brussels s. d.)
- **Suite de Valses à la Viennoise** (Suite of Waltzes in the Viennese Style) In Memoriam Joseph Lanner 1885 (Cranz s. d.)
- **Valse Jubilaire** 1916) (aut. conductor score R.C.M.Brussels) (Buyst, Brussels s. d.)
- **Symphonic Waltz nr.1** for military band (1902) (L'Echo, 1924/Cranz s. d.)
- **Symphonic Waltz nr.2** = **"Valse-Scherzo"** for fanfare band (Séléct-Edition, Paris, 1923/Andrieu, Paris s. d.)

RHAPSODIES

- **Rapsodie Hawaienne** (1890) (Publ. Muziekfonds, Antwerp 1924)
- **Rapsodie nr.1**, 1908 (Cranz, Brussels, 1909) (aut. fanfare band version R.C.M.Brussels)
- **Rapsodie nr.2** symphonic band version (aut. symphonic band R.C.M. Brussels)
- **Binche** (Buyst) Fantasy on popular tunes from the area of Binche, 1906 (orch. Jules Blangenois, Buyst, Brussels 1928)

CHOIR AND WIND BAND

- **A la Tombée de la Nuit** (1924) version female choir and fanfare band 1926 (man)
- **Cantate Inaugurale** (1896) mixed choirs, children's choir, military bands (Schott ...Frères, Brussels)
- **Le Chant des Forges** (ms) male choir and symphonic band
- **Marche Patriotique** (1905) mixed choir and military band
- **Quatre Adaptations** version for speaker and symphonic band (1929)

SMALLER WIND ENSEMBLES

- "**Bourrasque**", film soundtrack (Buyst)
  2 flutes, 2 oboes, 2 clarinets, 2 bassoons, 4 French horns, 2 trumpets, 3 trombones and tuba.
- "**Celadons et Godelireaux**" (ms) flute, oboe, 2 clarinets, bassoon, 2 French horns, 2 trumpets & trombone.
- "**Humoresques**" (1889) flute, oboe, 2 clarinets, 2 bassoons & French horn (part two + cello & double bass (man. RTBF Radio)
- "**Suite pour Instruments à Vent**" flute, oboe, English horn, 2 clarinets, 2 bassoons, 2 French horns, trumpet, cello and double bass (man. RTBF Radio)
- "**Suite pour 11 Instruments à Vent**" (1933) 3 flutes, 2 oboes, 2 clarinets, 2 bassoons & 2 French horns (= new version of "Suite for 7 Flutes" 1895

Clyde S. Shive Jr., Drexel Hill/PA, USA

EZEKIAL GOODALE'S *THE INSTRUMENTAL DIRECTOR* [1819]

The first quarter of the 19th century in the United States witnessed the publication of several collections of music for wind instruments. Some of these compilations contained instructions and fingering charts for learning to play the instruments, while others included music designed "for the use of schools and musical societies", and still others consisted of music arranged "for field bands". The one collection which provided music for each of these purposes was *The Instrumental Director* by Ezekial Goodale, published in 1819. A brief survey of the earlier publications in these categories will indicate the importance and the comprehensiveness of Goodale's work.

The Instrumental Assistant, Vol. 1, by Samuel Holyoke, published in 1800 in Exeter, New Hampshire by H. Ranlet, contains instructions for playing the violin, the German flute [1 key], the clarionett [4 keys], the bass viol[1], and the hautboy [2 keys]. Among the musical compositions in this collection are one duet and 64 short compositions printed on three staves, score form (2 staves in the treble clef and one in the bass clef). No instrumentation is indicated.

The year 1807 saw the publication of four collections for instruments—by Timothy Olmsted, Joseph Herrick, Oliver Shaw, and Samuel Holyoke.

Published in Albany, New York by Daniel Steele, Timothy Olmsted's *Martial Music* is "a collection of marches, harmonized for field bands, on various keys, such as are the most familiar and easy to perform on the clarinet, oboe, bassoon, &c". There are no instructions or fingering charts for any of the instruments[2]. The compositions appear in 3-stave score. The staves in most of the 58 pieces are indicated "Primo", "Secondo", and "Bass". However,

---

[1]   The instrument referred to here as the "bass viol" is, in modern usage, the violoncello, with four strings tuned a fifth apart. (from lowest to highest: C-G-D-A).

[2]   The first seven compositions have the word "Lesson" preceding their number or title.

"clarinet" is specified in four of the works; "clarinet or oboe" in 2 of them; and "bassoon" in only one[3]. All parts are in concert pitch.

The Instrumental Preceptor, by Joseph Herrick, published in Exeter by Ranlet and Norris, included instructions for playing the German flute [1 key], clarionett [5 keys], violin, bass viol or violoncello, and the bassoon [6 keys]. This compilation, in score form, includes music in one to four parts—9 solos; 44 duets; 63 trios; and 5 compositions in 4-parts. The are no indications of instrumentation and all parts are in concert pitch.

Oliver Shaw's *For the Gentlemen*, published in Dedham, Massachusetts by H. Mann, contains instructions for playing the flute [1 key], clarionett [5 keys], violin, violoncello, and bassoon [6 keys]; and is written in open score, chiefly in four-parts, with several duets and a few trios. The intended instrumentation is printed in all but one of the 33 compositions in this collection. "Clarionett" is indicated in 30 pieces; "flute" in 22; and "bassoon" in 23. All parts are in concert pitch.

Volume 2 of *The Instrumental Assistant*, published in Exeter by Ranlet and Norris, also in 1807, contains instructions for playing the French horn and the bassoon [6 keys]. Holyoke states in the preface, "those who possess both [vols 1 & 2], will have a complete set of Scales for the Instruments, which are at present used in this Country". This collection contains 84 compositions: 57 printed on 3 staves; 2 on 4 staves; 19 on 5 staves; 2 on 6 staves; and 4 on 7 staves. "Horn" or "corni" is indicated in 25 pieces; "clarionett" in 17 pieces; and "bassoon" in 7 compositions. Evidently some of the works in this compilation were intended for multiple instruments on each part—the bass or "bassoon" staff contains divisi in eleven works, and the "clarionett" or second treble stave includes a divided part in five compositions. Except for the horns in 8 compositions (4 in D, 3 in F, and 1 in A), music for all of the instruments is written in concert pitch.

The *Instrumental Preceptor* by William Whiteley, published in 1816 in Utica, New York by Seward and Williams, includes instructions for the clarinet [5

---

[3]   The last 8 bars in this 16 measure composition, titled "Gov. Sullivan's March", add a fourth stave indicated "tenoroon". In addition to appearing in this collection, this composition was also published separately.

keys], hautboy [2 keys], German flute [1 keys], the bassoon [6 keys]. Most of the 56 compositions appear in open score in four parts[4], with the only instruments indicated being "G flute" or "G clarinet (4)", marked over the 3rd staff.

The *Instrumental Director* (first edition, 1819) by Ezekial Goodale is described in an advertisement which is printed following the title page.

Although publications are numerous and well adapted to give assistance to the young performer in the principles of Music, still a work is wanted suitable for the instruction of a full Military Band. The books now in general use are designed to afford a knowledge of some one particular instrument, but offer no rules to assist the learner on other instruments, or to direct him in the practice with other performers. When musical companies have been organized, they have been under the necessity of employing a well skilled instructor, or each has been obliged to purchase books, which are different in their introductions, in order to acquaint themselves with the requisite principles and rules; consequently they have not contained a collection of tunes, which are uniform or at all adapted to every instrument. The compiler has been acquainted with several Bands of Musicians, who with proper Music before them could have been done honor to themselves, and to afford gratification to their hearers; but for want of tunes suited to the key of their instruments they have been unable to perform at all in concert, or to make any progress whatever.

The utility of such a work as the following must be apparent to every one, who is in the least connected with a Musical Band. Rules which are plain and easy to be understood, and at the same time sufficiently full and explicit, have been collected from the various productions now in general use, for the following instruments, viz.: Clarionett, Bassoon, French Horn, German Flute, Patent Flute, Hautboy, Flageolet, Trumpet, Bugle, Violin, Viola and Violoncello. Much care has been used to expunge what is thought erroneous or unnecessary, and to add whatever will facilitate the learner in his progress, or be of advantage in the performance.

The music has been selected with much attention from the most approved authors, and such a variety as will be adapted to every occasion; and so arranged, that any instrument can be used alone, or in concert with others, to produce Duetts, Trios, Quartetts, &c. or the display of the full Military Band.

---

[4]   One composition, "Fairy Dance", page 33, adds a fifth stave marked "3d Clar.".

No pains have been spared to compile a work, which will instruct and amuse the private gentleman, and afford Musical Associations with assistance, which can be found in no single work now extant[5].

Goodale (1780-1828) was a native of West Boylston, Massachusetts and by 1802 he had settled in Hallowell, Maine, setting up a printing business in 1813 and establishing a newspaper the next year. In 1817 he published *The Hallowell Collection of Sacred Music*. It was here that Goodale published *The Instrumental Director* in 1819. It must have been a popular work due to the fact that it ran through six editions, the last of which was printed in 1836[6].

The Instrumental Director contains instructions and/or fingering charts for playing the German flute [1 key], Patent flute [6 key], clarionett [5 keys], bassoon [6 keys], serpent [both without keys and with 3 keys], French horn, bugle and trumpet, bugle horn, flageolet [2 keys], hautboy [2 keys], violin, viola or tenor viol, bass-viol or violoncello, double bass, trombone, cymbals, tambourine, triangle and bass drum.

The fingering scale for the one-keyed flute is chromatic, similar to the one found in Oliver Shaw's *For the Gentlemen*. It is unlike other collections from the period 1800-1820, which contain two scales or "gamuts" including a "plain scale" and "scale of flats and sharps". The fingering scale for the 6-keyed flute is the first one in print in the collections and tutors considered above.

An amateur musician learning to play the clarinet or the bassoon, using the fingering scales in *The Instrumental Director,* was probably quite confused by the indications given for those instruments. The charts for the clarinet and bassoon have 13 and 14 dots or cyphers for each note respectively, but no indication which finger or key they represent. However, if these fingering scales are compared to those in several earlier compilations, where the appropriate labeling is provided, one can learn easily which hole or key is to be used for each pitch. Although a fingering chart and brief instructions for playing the flageolet and the hautboy are included in *The Instrumental Director,* none of the music provided is specifically indicated for those instruments. They

---

[5]   Ezekial GOODALE: The Instrumental Director, Hallowell, Maine 1819, p. ii

[6]   Barry H. KOLMAN, The Origins of American Wind Music and General Instrumental Tutors, dissertation University of Northern Colorado, 1985.

328

could, of course, play the treble parts in any of the compositions with an appropriate pitch range and key.

For the horn, a "scale of the natural (or 'open') notes", is provided, with a listing of the notes made possible by placing the hand in the bell. Goodale provides the following description of holding the instrument and its placement in an orchestra:

> The modern method of holding the Horn, for the Primo, is, with the left hand to steady the Mouth-piece, and for the right hand to be just within the edge of the Bell in order to be ready occasionally to rectify the imperfect notes, and produce the half tones, the method of doing which will be hereafter explained; the second Horn, is, with the right hand to steady the Mouth-piece, and with the left hand to manage the Bell. The situation in which Horns ought to be placed in an Orchestra, is in a row behind the leader, on his right hand; in which situation the Bell of the first Horn will be from the Singers, and by not being too predominant in their ears will enable the Performer to give a sufficient effect to the audience without annoying the leader or singers; The second Horn should be on the right of the first, which will be one desk farther from the leader, and by holding their Instruments as before mentioned, the two Bells will be together, which will enable them to hear each other equally, and if blown with equal strength, which ought to be particularly attended to, will blend the tones into the effect of one and the same instrument[7].

A "scale of the notes", (the natural open tones) is provided for the bugle and trumpet, and also for the bugle horn.

Seven pages are devoted to the string instruments—3 pages for the violin; a short paragraph for the viola; 3 pages for the "Bass Viol, or Violoncello"; and one page for the three string double bass[8]. Because the double bass is often

---

[7]   Goodale, p. 12.

[8]   Paul BRUN, A History of the Double Bass, translated by Lynn Morrel and Paul Brun, published by the author, France 1989, states p. 92:
"We know that following the introduction of the true cello in C G d a tuning, the same tuning an octave lower was adopted for the double bass violin. The three string double bass was born when bassists eliminated their low string which, for lack of sufficient tension, was poorly focused in sound and lacked dash and attack. The effects on a soundboard thus relieved of part of the string pressure were remarkable: there resulted an increased intensity of volume, the tone was suddenly brighter and more penetrating. In addition, the instrument could then be played with more ease: not only

used in various ensembles of wind instruments from the Classic period to the present, several quotations from Goodale's instructions may be of interest.

The Double Basses now in use have only three strings; a fourth, which gave notes too low for distinctness, being suppressed. The lowest note ... of the present strings is an octave below the lowest G of the Violoncello; and the middle string is an octave below its D. The Germans raise the upper string only to the ... fourth above the middle string; that is, it forms the octave (G) to the lowest string. Hence the Germans have the advantage in flat keys. But they thereby lessen the scale of the instrument; since they cannot reach the upper D without a troublesome shift; and yet this note is often called for. At the same time the instrument is less perfect, the strings not being duly proportioned. It is on this account that the Italians, French, and English, tune the third string as in the Violoncello; that is, in fifths throughout. The shifting thus corresponds in all of them; and the sounds throughout are more full and equal[9].

After describing the fingering, the position of holding the instrument, the bow, and various methods of using it, one reads, concerning the player, "His eye should always be upon the leader of his band, to seize and follow his motions; for the character of many passages is either to be much aided or much injured by an instrument possessed of the powers of the thorough bass. As vigor and time are principally marked by it in an orchestra, it follows that, in difficult music it must be in the hands of an intelligent, prompt, and experienced performer".

Regarding percussion instruments, Goodale admonishes:

The Cymbals, Tambourine, Triangle, and Bass Drum are Instruments principally used for keeping time. Precise rules for performance are somewhat difficult to be given, as almost every player has a favorite method peculiar to himself. We will therefor only observe, that the indiscriminate use, which is too often made of them, without the least regard to the character of the music, is to be entirely condemned.

---

could the remaining strings be made to vibrate more freely, but their reduced number allowed for a much easier clearance of the bow on each of them.

At the end of the 18th century, the three string bass was also tuned in fourths, A d g; and from then on, three-stringed basses were favored in Italy, Spain, France and England, whether in fourth or fifth tuning."

[9]   Goodale, p. 23.

They should be entrusted only to persons of good taste, whose judgment will direct when to give the Forte and Piano, and when to be silent; and in other respects so to vary as to favor the general design of the music.

At the conclusion of the introduction in *The Instrumental Director*, Goodale states:

The preceding instructions having been intended particularly for those who learn music merely as an amusement, and who can devote but a small proportion of their time for the acquisition, the most simple directions only are given, therefore when we say of an instrument that it is imperfect and little used, we would not be understood as saying that these imperfections *cannot* be overcome; but a person who has perhaps not more than an hour or two in a week to spare, for the purpose of learning, had better choose a more simple instrument.[10]

The musical compositions in *The Instrumental Director* range from duets to pieces in 12 parts. There are:

35 compositions in 2 parts [15 appear to be arranged for keyboard]; 10 pieces on 3 staves [5 appear to be arranged for a solo and keyboard]; 12 quartets — 5 for 2 clarinets, flute and bassoon; 4 for 2 violins, viola and violoncello, or flute, violin, viola and violoncello; and 3 with no instruments listed; 3 quintets; 6 works in 7 parts, — 2 clarinets, 2 flutes, 2 horns and "basso"; 3 pieces in 8 parts; one composition in nine parts. and 2 works printed on 12 staves.

The compositions with the greatest number of instruments are "Governor King's March", "Kennebec March", and "Hallowell March"—all names associated with the state of Maine. *Governor King's March* was written in honor of William King (1768-1852), the first governor of Maine, which was admitted to the Union as a State on March 15, 1820. "He was an early and ardent advocate of the separation of Maine from Massachusetts, and upon the consummation of that act presided over the convention which met in 1819 to frame the constitution of the new state. He was subsequently elected the first governor of Maine... "[11]. The town of Hallowell, where Goodale settled in 1802, is situated on the West bank of the Kennebec River, which, next to the Penobscot River, is the most important one in Maine.

---

[10]   Goodale, p. 25.

[11]   The Encyclopedia Americana, 1944 edition, vol 16, New York, p. 433.

Music in this compilation includes both original music and music which had been published earlier or had appeared in manuscript collections. In almost every instance, Ezekial Goodale's setting of the music includes a larger number of instruments than any previous arrangement. Compositions which had appeared in various other collections previous to *The Instrumental Director* include:

"Hail Columbia" (7 staves) [19 locations]
"Turkish Quick Step in the Battle of Prague" (7 staves) [29 locations]
"March in the Overture of Lodoiska" (7 staves) [8 locations]
"Washington's March" (7 staves) [39 locations]
"The Lass of Peaties' Mill" (8 staves)[6 locations];
"The Waterman" (4 staves) [6 locations]
"Tweed-Side" (4 staves) [6 locations]
"Shepherds, I Have Lost My Love" (4 staves) [11 locations]
"Royal Arch Masons March"[12] (7 staves) [9 locations]
"Chorus of Samnite Marriages" (3 staves) [6 locations]
"Fisher's Rondeau" (2 staves) [8 locations]

Some of the compositions in *The Instrumental Director* are music taken from popular stage presentations of the late 18th and early 19th centuries. These include: "Turkish Quick Step in the Battle of Prague"; "March in the Overture of Lodoiska"; "Quick March in the Demolition of the Bastile"; "March in Oscar and Malvina"; "Grand March in Abaellino"; "Waltz in Valentine and Orson"; and "Ella Rosenburg". Handel is represented by "Handel's Water Music", "Dead March in Saul", and "Minuet in Rodelinda".

The original works in this collection include those which are scored for the largest number of woodwinds and brasses. They are: "Kennebec March" (12 staves), "Hallowell March" (12 staves), "Governor King's March" (9 staves), "Maine March" (8 staves), and "Missouri March" (8 staves).

Until this time, all music, published in the United States, and labeled for the clarinet, was for "C" clarinet. Grove's *New Dictionary of Music and Musicians* states, concerning the clarinet, "By 1800 the expanded bands included clarinets in C and in high F; both Beethoven and Mendelssohn composed for the high F clarinet in their works for band, but not in orchestra music". John W. Moore's

---

[12]   "Non più andrai farfallone amoroso", Act I, Le Nozze di Figaro, W. A. Mozart.

Encyclopedia of Music, published first in 1854, in describing the clarinet declares, "Its powers through [it's] compass are not perfectly equal; the player, therefore, has not a free choice in his keys, being generally confined to those of C and F, which, indeed, are the only keys in which the clarinet is heard to advantage. The music for this instrument is, therefore, usually written in those keys. There are, however, Bb clarinets, A clarinets, D clarinets, B clarinets, and G clarinets; though the three latter are scarcely ever used in this country"[13].

The Instrumental Director is the first collection published in the United States to provide parts for clarinets in various keys. Music can be found here for clarinets in "Bb"[14], "C"[15], "D"[16], "Eb"[17], and "F"[18]. When three or more clarinets are called for, two of them are in one key and the third (or third and fourth) are higher-pitched instruments in another key, typically a fourth higher. Examples of this are: "Hallowell March", which uses 2 clarinets in Bb and 2 in Eb; and both "Royal Arch Masons' March" and "Grand March in Abaellino" indicate 2 clarinets in C and one in F.

---

[13] John W. MOORE, Encyclopedia of Music, Boston 1854.

[14] Hallowell March, p. 62; The Lass of Peaties' Mill, p. 34; and Hail Columbia, p. [28].

[15] Kennebec March, p. 36; Governor King's March, p. 76; Maine March, p. 52; Missouri March, p. 58; Turkish Quick Step in the Battle of Prague, p. 29; March in the Overture of Lodoiska, p. 30; Washington's March, p. 32; Florida Quick Step, p. 40; Royal Arch-Masons' March, p. 60; Dead March in Saul, p. 49; Grand March in Abaellino, p. 51; Governor Brook's Favorite Scotch March, p. 84; Quick March in the Demolition of the Bastile, p. 42; March in Oscar and Malvina, p. 42; A Quick Step, p. 43; and Royal Quick Step, p. 46.

[16] Kennebec March, p. 36.

[17] Hallowell March, p. 62; and The Lass of Peaties' Mill, p. 34.

[18] Royal Arch Masons' March, p. 60, and Maine March, p. 52.

The Instrumental Director contains parts for flutes in "Bb"[19], "C"[20], "Db"[21], and "Eb"[22]. Anthony Baines offers this brief explanation of the apparent mislabeling of the flute parts in music of this period:

> The band flutes are all transposing instruments conforming with the general rule for woodwind transposition, the six-finger note being written as D in every case. But they are named after the actual sound of this D, instead of after that of their C. The ordinary flute ... is then described as a 'concert flute in D.' By 'F flute is meant a flute pitched a third higher, its D sounding F; in orchestral nomenclature it would be 'in Eb,' because its C sounds Eb. Similarly, 'Bb flute' denotes a still smaller instrument pitched a sixth above the ordinary flute (a third below the piccolo); orchestrally it is 'in Ab.' Its part is written a minor sixth lower than it actually sounds. Popularly, it is often called a fife,...[23]

Typical examples are "Hail Columbia" and "Turkish Quick Step in the Battle of Prague". "Hail Columbia" is printed in the key of Bb and the flute parts, which appear in D, are labeled "F Flute" instead of Eb Flute. Similarly, "Turkish Quick Step in the Battle of Prague", is printed in the key of C and the flute parts, which appear in D, are designated "C Flute" instead of flute in Bb.

The trumpet is called for in three compositions in this collection: trumpet in F in the "Kennebec March", and in "Governor King's March"; and trumpet in Eb in the "Hallowell March". As might be expected, parts for horns appear in several keys: "Bb", "C", "D", "Eb", and "F". The parts for these brass instruments contain the natural harmonics only, the "open" tones.

---

[19] Kennebec March, p. 36; Turkish Quick Step in the Battle of Prague, p. 29; March in the Overture of Lodoiska, p. 30; Washington's March, p. 32; Florida Quick Step, p. 40; and Royal Arch Masons' March, p. 60.

[20] Governor King's March, p. 76; Missouri March, p. 58; Dead March in Saul, p. 49; Quick March in the Demolition of the Bastile, p. 42; March in Oscar and Malvina, p. 42; and Bliss, p. 57.

[21] The Lass of Peaties' Mill, p. 34; and Hallowell March, p. 62.

[22] A Quick Step, p. 43; and Royal Quick Step, p. 46.

[23] Anthony BAINES, Woodwind Instruments and their History, New York 1957.

Evidently a larger ensemble was expected for the performance of several of the works — 2nd Clarinet divisi is found in four of the compositions[24], and "Washington's March" contains bassoon divisi.

The keys in which the compositions appear may be determined in part by the instrumentation. When the total number of pieces in this collection are separated into two sections—those written on five staves or more [which are the works including brass instruments] in one group; and those on 2, 3, or 4 staves in another group, it is found that one-third of the compositions for woodwind and brass instruments are in the key of C, and nearly half (47 %) are in F. But in the group for woodwinds alone, 40% are in C, and only 21% in F.

For the third edition of *The Instrumental Director*, 1829, Goodale retained all of the compositions using five or more instruments from the first edition and deleted nine pieces—5 in four parts (four of these are for string quartet); 3 in three parts; and one flute duet. These were replaced with 21 compositions, several of which had some association with the New England area, such as "Massachusetts March", "Boston Cadets' March", "New-England Guards' March", and "Bowdoin March" [Bowdoin College in Brunswick, Maine, the oldest institution (1794) of higher learning in the state, was named after American statesman and Massachusetts governor, James Bowdoin, 1727-1790, founder and first president of the American Academy of Arts and Sciences]. Of the twenty-one works added for the 3rd edition, 1 in is eight parts[25]; 2 are in five parts[26], and 6 are in four parts[27]. The remaining pieces were printed on one[28], two[29] or three[30] staves. Three of the compositions are identical to those

---

[24]   Hail Columbia, p. [27]; Turkish Quick Step in the Battle of Prague, p. 29; March in the Overture of Lodoiska, p. 30; Washington's March, p. 32.

[25]   Alexander's March, p. 72.

[26]   Massachusetts March, p. 32; and Second Masonic March, p. 102.

[27]   New Stop Waltz. p. 52; Bowdoin March, p. 61; Aria in the Brazen Mask, p. 72; Hayden's [sic] March, p. 79; Downfall of Paris, p. 94; Boston Cadets' March, p. 96; New-England Guards' March, p. 98.

[28]   Cathleen McChree. p. 82; Thy Blue Waves, O Carron, p. 99.

[29]   Columbian Waltz, p. 97; Monmouth, p. 101; Brandywine, p. 101.

in *The Instrumental Assistant*, Vol. 2 by Samuel Holyoke __ "Massachusetts March", "The Cuckoo", and "Second Masonic March".

Also added to the 3rd edition of *The Instrumental Director* is a detailed description of the Kent bugle, complete with fingering charts. Goodale acknowledges that this material was "taken from Logier's Kent Bugle Tutor". *A Complete Introduction to the Art of Playing the Keyed Bugle* by J. B. Logier was published in Dublin in 1813, with a second revision in about 1820 to 1823[31]. However, none of the compositions in the 3rd edition of *The Instrumental Director* contain chromatic tones which would require the use of the Kent bugle.

From this description of *The Instrumental Director*, it can be seen that Ezekial Goodale did provide all that he had promised—music for more instruments, a wider variety of instruments, a greater range of keys, and settings appropriate to various combinations of instruments—from solos to a full band of twelve different parts. He thereby made a significant contribution to the development of the music of the wind band in the United States.

APPENDIX A

The Instrumental Director
1st edition [1819]

[27]-28 Hail Columbia.   2fl. 2cl. 2hn. b.
29   Turkish Quick Step in the Battle of Prague.   2fl. 2cl. 2hn. b.
30 - 31 March in the Overture of Lodoiska.   2fl. 2cl. 2hn. b.
32 - 33 Washington's March.   2fl. 2cl. 2hn. b.
33   Eagle's Wings.—A Duet for two Flutes.
34 - 35 The Lass of Peatie's Mill.   fl. 3cl. 2hn. b. spt.
34 - 35 Duet for two Bugle Horns.

---

[30] A Favourite Air, p. 56; Miss McCloud's Reel, p. 68; Auld Lang Syne, p. 78; Rosseau's Dream, p. 95; The Cuckoo, p. 100; Fisher's Hornpipe, p. 104.

[31] The New Grove Dictionary of Music and Musicians, ed. by Stanley Sadie. vol 10, p 42.

36 - 39	Kennebec March.	3fl. 3cl. 2hn. tp. bsn. tb. spt.
40	Florida Quick March.	2fl. 2cl. 2hn. b.
41	The Waterman	2vln. vla. vc. // fl. vln. vla, vc.
41	Reveille for Bugle Horn.	
42	Quick March, in the Demolition of the Bastile.	fl. 2cl. bsn.
42 - 43	March in Oscar and Malvina.	fl. 2cl. bsn.
43	A Quick Step.	fl. 2cl. b.
44	Over the Water.	2vln. vla. vc. // fl. vln. vla, vc.
44 - 45	Tweed Side.	2vln. vla. vc. // fl. vln. vla, vc.
45	Installation March.	2 treble, bass.
46	Royal Quick Step.	fl. 2cl. b.
46 - 47	Brunswick Waltz.	2 treble, bass.
47	Tattoo for 4 Bugle Horns.	
48	Shepherds, I have lost my Love. *	2vln. vla. vc. // fl. vln. vla. vc.
49 - 50	Dead March in Saul.	fl. 2cl. bsn. spt.
50	Quick Step.—A Duett for 2 Clarionetts.	
51	Grand March in Abaellino.	fl. 3cl. bsn.
52 - 56	Maine March.	fl. 3cl. 2hn. bsn. spt.
52	The Skaters.—A Duett for 2 Flutes. *	
54	Quick Step.—A Duett for 2 Clarionetts.	
56	Waltz in Valentine & Orson.—A Duett for 2 Clarionetts.	
57	Bliss. *	fl. 2 treble. bass.
57	Heard ye not the din from far? *	2 treble, bass.
58 - 59	Missouri March.	2fl. 2cl. 2hn. bsn. spt.
58	Charlotte and Werther.	treble, bass.
59	Miss Green's Fancy.—A Dance.	treble, bass.
60 - 61	Royal Arch Masons' March.	fl. 3cl. 2hn. bsn & spt.
61	The Hermit.—A Dance.	treble. bass.
62 - 63	Hallowell March.	2fl. 4cl. 2hn. tp. 2 bsn. spt.
64	Chorus of Samnite Marriages. *	2 treble. bass.
64	Vigueries' March.	2 treble, bass.
65	Canzonett.—Farewell, ungrateful Traytor.	2 treble. bass.
65	Peggy's Awa.	treble. bass.
66	Stella and Flavia.	treble. bass.
66 - 67	The Margate Waltz.	treble. bass.
67	Lord Wellington's Waltz.	treble. bass.
68 - 71	Handel's Water Music. *	2 treble, bass.
71	Birmingham Lasses.—A Dance.	treble. bass.
71	March for Bonaparte's Imperial Guard.	2 treble, bass.

72 - 73	Fisher's Rondeau. treble. bass.
73	Prince Dolgaruky's Waltz. treble. bass.
73	Lord Collingwood's Reel. treble, bass.
74	Burton's 1st Sonata. 2 treble, bass.
75	Loch Katrine. treble. bass.
75	Caro Dolce. treble. bass.
76 - 78	Governor King's March. 2fl. 2cl. 2hn. tp. bsn. spt.
76 - 77	Lady Caroline Lee's Waltz. treble. bass.
78 - 79	Rondo to Burton's 2d Sonata. treble. bass.
79	Giga in Rondo—to Burton's 8th Sonata. treble. bass.
80	Minuet in Rodelinda. treble. bass.
80 - 81	Shaw's Waltz. treble. bass.
81	Barbara. treble. bass.
82	The Lass of the Hills. treble. bass.
82	The Fairies' Festival. treble. bass.
83	La Seduisante. treble. bass.
83	Windsor Jubilee. treble. bass.
84 - 86	Governor Brook's favorite Scotch March. 2cl. 2hn. bsn.
86	Ella Rosenburg. treble. bass.
86	The Russian Dance or The Opera Hat. treble. bass.
87	New Rigged Ship. treble. bass.
87	The Italian Momfrina. treble. bass.
88 - 89	Canzonett. 2 treble. bass.
89	Wicklow Lift. treble. bass.
90 - 94	A Miscellaneous Quartett.—A Favorite Air. * 2vln. vla. vc. // fl. vln. vla, vc.
	The Last Time I Came O'er the Moor. *
	Lango Lee. *

*Compositions deleted for the 3rd Edition.

Compositions added for the 3rd edition [1829]

32	Massachusetts March. 2 treble. 2hn. bsn.
52	New Stop Waltz. fl. 2 treble. bass.
56	A Favourite Air. 2 treble. bass.
61	Bowdoin March,,—For the Bugle. fl. 2 treble. bass.
68	Miss McCloud's Reel. 2 treble. bass.

Armin Suppan, Graz, Österreich

BLASMUSIK-ZEITSCHRIFTEN[1]

In dem seit 1966 in Breisach-Niederrimsingen, Deutschland, und seit 1974 in Pürgg, Österreich, laufend erweiterten Blasmusikarchiv von Wolfgang Suppan nehmen neben der Sammlung einschlägiger Schriften zur Blasmusikforschung und Praxis, neben der Sammlung von Partituren und Ausgaben von Blasorchesterwerken, neben Verlagskatalogen und ikonographischen Zeugnissen, neben einem umfangreichen Briefwechsel mit Komponisten, Verlegern und Musikologen zur Erstellung der bisher vier Auflagen des „Lexikons des Blasmusikwesens" - die Blasmusikzeitschriften einen wichtigen Platz ein[2]. Es handelt sich dabei in der Regel um Periodica, die kaum von öffentlichen Bibliotheken gesammelt und die auch nicht in den offiziellen Listen des Musikschrifttums verzeichnet werden[3]. Man kann sagen, die Zeitschriften der internationalen, nationalen und regionalen Blasmusikverbände erscheinen gleichsam unter der Decke des offiziellen Musikschrifttums. Ausnahmen von der Regel bilden die ALTA MUSICA-Bände der Internationalen Gesellschaft zur Erforschung und Förderung der Blasmusik (IGEB), in denen auch dieser Beitrag erscheint, sowie – mit einigem Abstand - das „Journal of Band Research" der American Bandmasters Association.

---

[1] Die Liste wurde anhand der Zeitschriftensammlung im privaten Blasmusikarchiv von Univ.-Prof. Dr. Wolfgang Suppan, A-8951 Pürgg 3, Österreich erstellt. Ein erster Abdruck erfolgte im WASBE-Journal 1, 1994, S. 80 – 98, seither konnten zahlreiche Korrekturen und Ergänzungen eingefügt werden. – Vgl. auch die Listen von Verbänden und Organisationen in der Zeitschrift „Winds", Vol. 3, Nr. 4, S. 48; Vol. 4, Nr. 2, S. 35; Vol. 4, Nr. 3, S. 53; Vol. 4, Nr. 4, S. 27; Vol. 5, Nr. 1, S. 29; Vol. 5, Nr. 2, S. 39; Vol. 5, Nr. 4, S. 38.

[2] Wolfgang SUPPAN, Blasorchester-Festschriften, in: Alta musica 4, 1979, S. 183 - 219; Rudolf Weikl, Das Archiv auf der Alm, in: Clarino 1, 1990, S. 22f.; Wolfgang Suppan, Das Blasmusikarchiv Pürgg, in: Da schau her 16, Nr. 4, 1995, S. 3 - 6. – Der folgende Beitrag beruht ebenfalls auf den im „Blasmusikarchiv Suppan" gesammelten Daten: Armin Suppan, Blasmusik-Dissertationen in den USA, in: Studia musicologica Academiae Scientiarium Hungaricae 36, 1995, S. 181 – 226.

[3] Imogen FELLINGER, Artikel „Zeitschriften", in: Die Musik in Geschichte und Gegenwart, 2. Auflage, Sachteil 9, Kassel u. a. 1998, Sp. 2252 – 2275.

Blasmusik-Zeitschriften werden zumeist nicht von Musikwissenschaftlern oder gelernten Musikjournalisten redigiert sondern von Verbands- und Vereinsvertretern. Ihr Inhalt richtet sich an praktizierende Blasmusiker, wobei fachspezifische Artikel, Analysen von Blasorchesterkompositionen, Beschreibungen von Blasinstrumenten, Komponistenbiographien, in populärer Form aufbereitet werden. Den größeren Teil des Inhalts nehmen Berichte über Konzerte und andere Auftritte der Mitgliedskapellen des jeweiligen Verbandes, über Ehrungen von Funktionären ein, in denen grundsätzlich positiv über das Musik- und Vereinsleben referiert wird. Vor allem solcher oft unqualifizierter „Lobgesänge" wegen, kann der Fachmann und ernsthafte Musikkenner die Blasmusikzeitschriften vielfach nicht ernst nehmen.

Obgleich die Gründungen von Blaskapellen in die Zeit der Französischen Revolution zurückgehen, im mitteleuropäischen Raum vor allem ab der Mitte des 19. Jahrhunderts der Großteil der heute noch aktiven Amateur-Blaskapellen sich vereinsmäßig organisiert hat, Verbandsgründungen mit dem Jahr 1866 in der Schweiz einsetzen, kann man erst seit der Mitte des 20. Jahrhunderts von Zeitschriftengründungen im breiten Maßstab sprechen[4]. Vor dem Ersten Weltkrieg liegen nur die Anfänge einiger Militärmusik-Zeitschriften (seit 1879 erschien die „Deutsche Militärmusiker-Zeitung", deren 66. und letzter Jahrgang während des Zweiten Weltkrieges, 1944, gedruckt wurde) und der Schweizerischen Blasmusikzeitschrift (die als einzige einschlägige Zeitschrift beide Weltkriege überdauert hat – und im Jahr 2000 in den 89. Jahrgang geht). Aus den wirtschaftlich miserablen Zeiten zwischen dem Ersten und dem Zweiten Weltkrieg liegen einige Versuche vor, denen jedoch jeweils kein langes Leben beschieden war. Erst der wirtschaftliche Aufschwung seit den fünfziger Jahren des 20. Jahrhunderts veränderte die Situation. Dies alles spiegelt sich in den unten abgedruckten Listen, die nach Ländern und innerhalb der Länder alphabetisch geordnet sind[5].

---

[4]   Dazu allgemein: Wolfgang und Armin SUPPAN, Das Neue Lexikon des Blasmusikwesens, 4. Aufl. des „Lexikons des Blasmusikwesens", Freiburg 1994; dies., Artikel „Military Music", in: The New Grove, Ausgabe 2000 (im Druck); mit jeweils weiterführender Literatur.

[5]   In diesen Listen weist die Sigle „Suppan" darauf hin, welche Jahrgänge bzw. Nummern der angeführten Zeitschriften sich in der „Sammlung Suppan" befinden. Die Angabe einer Redaktions-Anschrift bezieht sich auf die in dieser Sammlung befindlichen zeitlich letzten Ausgaben. Die mit * bezeichneten Zeitschriften liegen jahrgangsweise gebunden vor.

Australien

ABODA. National Newsletter
Red.: Janelle Dawson, National President, POBox 943, Victoria Park, WA 6100
Suppan: Dez. 1994 - April 1996

Band News
Red.: PO Box 18, Cambridge Park, NSW 2747
Suppan: -

Clarinet & Saxophone Scene Clarinews
Red.: 91 Bellevue Parade, Hustville, Sydney 2220
Suppan: -

Belgien

Caecilia
Ed.: Koninglijk Muziekverbond van Belgie
Red.: Martin De Ryck, Kouterstraat 2f, Postbus 4, B-9140 Temse
1950ff.
Suppan: Einige Nummern.

Fedekamnieuws
Ed.: Fedekam Vlaanderen
Red.: Rijselsestraat 27 bus 4, B-8500 Kortrijk
1955ff.
Suppan: *Vollständig.

Flandria-Nieuws
Ed.: Muziekverbond West-Vlaanderen
Red.: Lieven Maertens, Marksestwg 119, B-8500 Kortrijk
1980ff.
Suppan: *Seit 1994.

L´Accroche, Bulletin Bimestriel
Ed.: Confédération Musicale de Belgique
Red.: Quai de la Boverie 67, B-4020 Liege.
Suppan: -

Dänemark

Dansk Amatørmusik
Ed.: Danks Amatør-Orchester Union

1972 - 1982.
Suppan: *Vollständig 1972-82.

DAO-Bladet
Ed.: Dansk Amatør-Orkesterforbund
Red.: Lis Moeslund, Schleppegrellsgade 16-4. tr., DK-8000 Aarhus/C
Suppan: -

Luren
Red.: Carl Justesen, Rosenvangs Akké 16, DK-8260 Viby
[1966]
Suppan: Einige Nummern.

Deutschland

Allgemeine Volksmusik-Zeitung, s. Die Blasmusik.

Bayerische Blasmusik
(Die Bayerische Volksmusik, 1949 - 1984)
Ed.: Bayerischer Blasmusikverband
Red.: Hans Albertshofer, Druckerei Hans Obermayer GmbH, Pf. 127, D-86801 Buchloe
1949ff.
Suppan: Frühe Jahrgänge beinahe vollständig. *Vollständig seit 1967.

BDBV-Info
Ed. und Red.: Bundesvereinigung Deutscher Blas- und Volksmusikverbände
1997ff.
Suppan: Vollständig

Berliner Bläserblatt
Ed: Blasmusikverband Berlin
Red.: Berliner Straße 61, D-13189 Berlin
Suppan: Unvollständig seit 1993.

Clarino
Red.: Joachim Buch, Pf. 127, D-86801 Buchloe
1990ff.
Suppan: *Vollständig.

Crescendo
Ed.: Volksmusikerbund Nordrhein-Westfalen
Red.: Wülfte, Immenhütte 20, D-59929 Brilon
1990ff.
Suppan: Unvollständig.

344

Der Blasmusiker
(Der Volksmusiker, 1955 - 1984)
Ed.: Blasmusikverband Karlsruhe
Red.: Ludwig Müller, Fischerweg 7, D-76307 Karlsbad-Langensteinbach
1955ff.
Suppan: *Vollständig seit 1962.

Der Blasmusiker im Vorspessart
Ed.: Blasmusikverband Vorspessart
Red.: Rainer Herbig, Wendelin-Veith-Straße 3, D-63762 Großostheim
1981- 1989
Suppan: Unvollständig.

Der Blasmusikkurier
Ed.: Blasmusikverband Odenwald-Bauland
Red.: Roland Weber, Panoramaweg 3, D-97953 Königsheim
19..ff.
Suppan: Unvollständig.

Der Deutsche Volksmusiker
(Ehemals „Der süddeutsche Volksmusiker")
Ed.: Bundesvereinigung Deutscher Blas- und Volksmusikverbände
1950 - 1997
Suppan: *Vollständig 1962 - 1997.

Der Hornruf, Übersetzung von / translation of *The Horn Call*/USA
Red.: Hans Pizka, Pf. 1136, D-85541 Kirchheim
Suppan: Unvollständig.

Der Turnermusiker
Ed.: Deutscher Turner-Bund
Red.: Dieter Adam, Große Str. 3, D-49492 Westerkappeln
1988ff.
Suppan: Unvollständig.

Deutsche Militärmusiker-Zeitung
1879 - 1944
Suppan: Vorhanden sind die Jahrgänge 1907, 1908, 1927 – 1930, 1935 – 1944.

Die Blasmusik
(Allgemeine Volksmusik-Zeitung, 1950 - 1969)
Ed.: Bund Deutscher Blasmusikverbände
Red.: Christian Buss, Pf. 1166, D-76699 Kraichtal
1950ff.
Suppan: *Vollständig.

Die Hessische Blas- und Volksmusik
(Der Hessische Spielmann)
Ed: Hessischer Musikverband
Red.: C.-H. Friederich, Am Gesänge 9 A, D-34128 Kassel
1973ff.
Suppan: * Vollständig seit 1991.

Die Volksmusik
Vol. 1 - 8, 1936 - 1943.
Suppan: *Vollständig 1936, 1938 - 1943

Forte
Ed.: Blasmusikverband Baden-Württemberg
Red.: Daniela Hollrotter, Bahnhofstraße 33, Postf. 127, D-86807 Buchloe
1998ff.
Suppan: *Vollständig

Mit klingendem Spiel. Militärmusik - einst und jetzt
(Mitteilungsblatt des Arbeitskreises Militärmusik in der Deutschen Gesellschaft für Heereskunde)
Ed.: Deutsche Gesellschaft für Militärmusik
Red.: Hans Freese, Elsbachstraße 5, D-51379 Leverkusen
1978ff.
Suppan: *Vollständig.

Mitteilungsblatt der Internationalen Blankenburg-Vereinigung
Red.: Manfred Schustereit, Luhdorfer Str. 57, D-21423 Winsen
1978ff.
Suppan: Unvollständig.

Musik zum Lesen
Red.: Reußensteinweg 4, D-73249 Wernau
1991ff.
Suppan: *Ab 1998.

Neue Militärmusiker-Zeitung
1894 - 1909
Suppan: Vollständig.

Oberschwäbische Musiker-Zeitung
[1927]
Suppan: Einige Nummern.

'rohrblatt
(Oboe - Klarinette - Fagott / Die Klarinette)
Red.: Hans-Jürgen Müller, Auf dem Rotental 56, D-50226 Frechen 4 (Großkönigsdorf)
1986ff.
Suppan: Unvollständig.

Posaunenchor
Ed.: Posaunenchorwerk in der Ev. Kirche Deutschlands
Red.: Karl-Heinz Saretzky, Mathiasstraße 40, D-44879 Bochum.
1987ff.
Suppan: Einige Jahrgänge.

Prisma. Blasmusik ohne Grenzen
Ed. und Red.: Edwin Stern, Druckerei Acker, Mittelberg 6, D-72501 Gammertingen
1998 (nur ein Heft erschienen)
Suppan: Vollständig

Sachsens Bläserpost
Ed.: Sächsischer Blasmusikverband
Red.: Werner Kunath, Heinrich-Budde-Straße 10, D-04157 Leipzig
1996ff.
Suppan: Unvollständig.

SAM. Saarländische Amateur-Musik
(Volksmusik an der Saar / Blasmusik an der Saar / Das Blasorchester)
Ed.: Bund Saarländischer Musikvereine
Red.: Gudrune Mahling, Weinstraße 16, D-66129 Bübingen.
1956ff.
Suppan: *Vollständig seit 1964.

Tibia. Magazin für Freunde alter und neuer Bläsermusik
Red.: Sabine Haase-Moeck, Pf. 3131, D-29231 Celle.
1976ff.
Suppan: *Vollständig.

TUBA Journal
Ed.: Deutsches Tubaforum e. V.
Red.: Klemens Pröpper, Saarbrückener Straße 26, D-30559 Hannover
Ohne Jahrgangs-Numerierung (1999, Nr. 9)
Suppan: -

Frankreich

Batteries-Fanfares Magazine
Ed.: Confédération Française des Batteries Fanfares
Red.: Jean-Louis Couturier, C. F. B. F., BP Nr. 20, F-92420 Vaucresson
Ohne Jahrgangs-Numerierung (Juli 1999, Nr. 137)
Suppan: -

Cuivres et Bois
Red.: Feeling Musique, 61 Rue de Rome, F-75008 Paris
Suppan: -

Harmoniques
Le Magazin des Bois, Cuivres, Percussion
Red.: Dominique Poisson, B. P. 09, F-41700 Cour Cheverny
Ohne Jahrgangs-Numerierung (Oktober 1999, Nr. 7)
Suppan:-

Journal de la Pratique Musicale des Amateurs
(Journal de la Confédération Musicale de France)
Ed.: Confédération Musicale de France
Red.: 103 Boulevard Magenta, F-75010 Paris
[1978 - 1986 ?]
Suppan: Einige Nummern.

La Gazette des Cuivres
Red.: 5 Rue Maurice Berteaux, F-78200 Mantes la Ville
Suppan: -

La Revue du Corniste
Ed.: L'Association Française du Cor
Red.: Michel Garcin-Marrou, 141 rue Gabriel Péri, F-94430 Chennevieres
Ohne Jahrgangs-Numerierung (Eté 1999, Nr. 76)
Suppan: -

L'écho des fanfares
Ed.: l'Union des Fanfares de France
Red.: Désiré Dondeyne, UFF – Les Dominicains, BP Nr. 95, F-68502 Guebwiller cedex
Ohne Jahrgangs-Numerierung (September 1999, Nr. 357)
Suppan: -

Les Cahiers du Saxophone
Ed.: Association de Saxophonistes – A. Sax
Red.: François Cotinaud, 105, Avenue du Belvédère, F-93310 Les Pré Saint Gervais

148ff.
Suppan: Einige Nummern.

Les Ménétrieurs de Note-Dame
Red.: René Wehrlen, 15, rue Fr.-Roosevelt, Colmar.
1948ff.
Suppan: Einige Nummern.

Les Tambours
Ed.: Association Internationale de lÈcole Francaise du Tambour
Red.: Nicolas Ronxin, 4, Boulevard Charner, F-22000 St-Brieuc
Ohne Jahrgangs-Numerierung (September 1999, Nr. 48)
Suppan: -

Musique pour Tous
Ed.: Fédération des Sociétés de Musique d'Alsace
Red.: Charles Goetzmann, 1a, place des Orphelins,, F-67000 Strasbourg
Ohne Jahrgangs-Numerierung (1964ff.? – September 1999, Nr. 316)
Suppan: Einige Nummern.

Großbritannien

Band International
Ed.: International Military Music Society
Red.: Major Graham Turner MBE, PO Box 2638, Eastbourne, East Sussex, BN20 7HJ,
England
Suppan: *Vollständig.

Brass Band World
Red.: Caron Publications, Eccles Rd., Chapel-en-le-Frith, Stockport SK12 6HB
Suppan: -

Brass Review
Red.: Dennis Wilby, Korlees Music, 50 Wyke Old Lane, Balliff Bridge, Bridgehouse,
West Yorkshire
[1991]
Suppan: Einige Nummern.

British Bandsman
Red.: Peter Wilson, The Old House, 64 London End, Beaconsfield, Bucks, HP9 2JD
1887ff.
Suppan: Jahrgänge 1987 bis 1989.

British Horn Society Newsletter
Red.: Elmorem, Hugh Rd., Chipstead, Coulsdon, Surrey CR 3 3SB
Suppan: -

Česká Muzika
Ed.: The Frantisek Kmoch Czech Bands Society
Red.: John & Iris Bladon, 1 Keelton Close, Bicton Heath, Shrewsbury, Shropshire, SY3 5PS, United Kingdom
1975ff.
Suppan: *Vollständig.

Clarinet & Saxophone
Ed.: Clarinet & Saxophone Society of Great Britain
Red.: Laurence of Mar, 8 The Square, DIRM School, Dover, CT15 5DR
1976ff.
Suppan: Einige Nummern.

Double Reed News
Red.: Flat 1, 21 Fitzjohns Ave, London NW3 5JY
Suppan: -

Fanfare
RMSM Kneller Hall, Twickenham TW2 7DV
Suppan: -

Journal of the British Association of Symphonic Bands and Wind Ensembles
Ed.: British Association of Symphonic Bands and Wind Ensembles
1982 - 1985 (?)
Suppan: Einige Nummern.

PAN
Red.: 40 Portland Rd., London W11 4LG
Suppan: -

Salvationist
Red.: 101 Queen Victoria Street, London EC4P 4EP
Suppan: -

Sounding Brass (& The Conductor)
1972 - 1978
Suppan: „Vollständig 1974 - 1987.

The Blue & the Gold
Red.: RAF School of Music, RAF Uxbridge, Uxbridge UB10 0RZ
Suppan: -

The Blue Band
Red.: Royal Marines School of Music, Deal, Kent CT14 7EH
Suppan: -

The Champion Journal
Ed.: Eric Ball
1946ff.
Suppan: -

The Galpin Society Journal
Ed.: The Galpin Society
Red.: Charles Mould, The Coach House, 55a High St., Long Crendon, Aylesbury, Bucks,
HP18 9AL
1948ff.
Suppan: *Vollständig.

The Trombonist
Ed.: British Trombone Society, P. O. Box 817, London SE21 7BY
Red.: Anthony Parsons, 3 Christchurch Road., London N8 9Q1
Ohne Jahrgangs-Numerierung
Suppan: -

Winds
Ed.: The British Association of Symphonic Bands and Wind Ensembles
Red.: Bruce Wendell Perkins, Snowdon House, 1 Francis Street, Brynmill, Swansea SA1
4NH, England
1986ff.
Suppan: *Vollständig.

Israel

The Magazine of IFYOB
PO Box 207, K Bialik 277
Suppan: -

Italien

Banda Viva
Ed.: Associazione Bergamasca Bande Musicali
Red.: Corso Roma 1, I-24068 Seriate Bg
Suppan: -

Brescia Musica
Ed.: Associazione Filarmonica Isidoro Capitanio
Red.: Renzo Baldo, Via delle Battaglie 61/1, I-25100 Brescia
Suppan: -

Consonanza
Ed.: Associazione Consonanza Musicale
Red.: Allesandro Consonni-Silvano Lissoni, Via C. Colombo 11, I-20035 Lissone M
Suppan: Einige Nummern

Pentagramma
Ed.: Federazione Corpi Bandistici della Provincia di Trento
Red.: Sergio Franceschinelli-Renzo Merler, Vie Brennero 52, I-38100 Trento
Suppan: Einige Nummern

Risveglio Musicale
Ed.: Associazione Nazionale Bande Italiene Musicale Autonome
Red.: Giuseppe Bicocchi-Delio Vicentini, Via Marianna Dionigi 42 (43?), I-00913 Roma
Suppan: -

Tiroler Volkskultur
(Die Volksmusik / Südtiroler Volkskultur)
Ed.: Verband Südtiroler Musikkapellen
Red.: Alfons Gruber, Schlernstraße 1, Waltherhaus, I-39100 Bozen
1949ff
Suppan: *Vollständig.

Japan

Aria
Ed.: Alfred Reed International Association
Suppan: Einige Nummern

Band Journal
[Vol. 20, 1978, No. 1]
Suppan: Einige Nummern

Kanada

The Canadian Band Journal
Ed.: Canadian Band Association
Red.: Red Deer College, Box 5005, Red Deer, Alberta T4N 5H5
Suppan: -

Luxemburg

Revue musicale (Lëtzebuerger Musek-Zeidung)
Ed.: Union Grand-Duc Adolphe. Fédération nationale de Musique du Luxembourg
Red.: 2, rue Sosthéne Weis, L-2722 Luxembourg-Grund
Ca. 1939ff.
Suppan: *Vollständig ab 1992.

Neuseeland

Newsletter
Ed.: New Zealand Concert Band Association
Red.: PO Box 22667, Auckland 6, New Zealand
Suppan: -

Niederlande

ANUM Klanken (seit/since 1993 "Klank & Show")
1987 - 1989
Suppan: Einige Jahrgänge.

Brass Info
Ed.: Muziekhandel De Fiiftrieme
Red.: Postbus 41, NL-9230 AA Surhuisterveen
1980ff.
Suppan: Nur Jg. 14, Nr. 11 (Dez. 1993)

De Dirigent
Ed.: Bond van Orkestdirigenten in Nederland
Red.: J. G. van Beck, Kievitsweg 58, NL-2983 AE Ridderkerk
1987ff. (?)
Suppan: *Vollständig ab 1989.

De Muzikant
Ed.: Uitgeverij Du Commerce
Red.: Bert Aalders, Postbus 7944, NL 1008 AC Amsterdam. - Geervliet 66, NL 1082 NV Amsterdam
1997ff.
Suppan: Einige Nummern.

De Muziekbode
Ed.: Nederlandse Federatie van Christelijke Muziekbonden

Red.: W. Timmer, Postbus 204, NL-7100 AE Winterswijk
Suppan: Einige Nummern.

Het Blaas Blad
Ed.: Molenaar Edition BV
Red.: Postbus 19, Industrieweg 23, NL-1520 ND Wormerveer
1985ff.
Suppan: Vollständig seit Mai 1988.

Klank & Show (früher "ANUM Klanken")
Ed.: Koninklijke Nederlandse Federatie van Muziekvereigingen/Algemene Nederlandse
Unie van Muziekvereigingen
Red.: Sw. de Landasstraat 83, NL-6814 DC Arnhem
1993ff.
Suppan: *Vollständig.

Sint Caecilia
Red.: Petra Geraets, Hofstraat 12a, NL-6017 AK Thorn
Suppan: Einige Nummern.

Norwegen

Bedre Korps
Red.: Pf. 130, N-2260 Kirkenaer.
Suppan: -

Musikkorps aviso
Ed.: Norges Musikkorps Forbund
Red.: Arnt Roger Aasen, Postboks 2015 Nordnes, N-5024 Bergen
1995ff.
Suppan: *Vollständig.

Österreich

Alpenländische Musiker-Zeitung
1930 - 1935
Suppan: *Vollständig (zumeist in Kopie).

Alta musica
Ed.: IGEB (Internationale Gesellschaft zur Erforschung und Förderung der
Blasmusik/International Society for the Promotion and Investigation of Band Music)
Red.: Wolfgang Suppan und Eugen Brixel, Institut für Musikethnologie, Kunst-

Universität, Leonhardstraße 15, A-8010 Graz.
1976ff.
Suppan: *Vollständig.

Arbeitsberichte - Mitteilungen
Ed.: Pannonische Forschungsstelle
Red.: Bernhard Habla, Kunst-Universität Graz, Expositur, A-7432 Oberschützen
1990ff.
Suppan: *Vollständig.

BBV Fanfare
Ed.: Burgenländischer Blasmusikverband
Red.: Pfarrgasse 10, A-7000 Eisenstadt
Suppan: Unvollständig.

Blasmusik aktuell
Ed.: Salzburger Blasmusikverband
Red.: Georg Spindler, Petersbrunnhof, Postfach 527, A-5010 Salzburg
Suppan: Vollständig ab März 1998.

Blasmusik in der Steiermark
Ed.: Steirischer Blasmusikverband
Red.: Wolfgang Suppan u.a., Herdergasse 3, A-8010 Graz
Suppan: Beinahe vollständig.

Blasmusik in Oberösterreich
Ed.: Oberösterreichischer Blasmusikverband
Red.: Alois Möseneder, Raiffeisenbank, A-4680 Haag/H.
Suppan: Vollständig ab 1994, No. 150ff.

Blasmusik in Tirol
Tiroler Blasmusikverband
Red.: Hans Eller, Klostergasse 1, A-6020 Innsbruck
Suppan: Vollständig ab 1996.

Blasmusik in Vorarlberg
Ed.: Vorarlberger Blasmusikverband
Red.: Franz Höhn, Montfordstraße 9, A-6840 Götzis
1997ff.
Suppan: Vollständig.

Der Nichtberufsmusiker
1923 - 1928
Suppan: Einige Nummern.

Mitteilungsblatt der IGEB
Red.: Bernhard Habla, Kunst-Universität Graz, Expositur, A-7432 Oberschützen
1975ff.
Suppan: *Vollständig.

Musica Pannonica
Ed.: Pannonische Forschungsstelle für Musikanthropologische und Musikethnologische
Grundlagenforschung, Oberschützen/Burgenland, Kunst-Universität Graz, Expositur, A-
7432 Oberschützen
Red.: Wolfgang Suppan, Graz, und Zoltán Falvy, Budapest
1991ff.
Suppan: Vollständig.

NÖ Bläserpost
Ed: Niederösterreichischer Blasmusikverband
Red.: Dr. Friedrich Anzenberger, A-3062 Kirchstetten 44.
Suppan: Vollständig seit 1996.

Österreichische Blasmusik
Ed.: Österreichischer Blasmusikverband
Red.: Gerhard Imre, Steinamangerstraße 187, Postfach 38, A-7400 Oberwart
1952ff.
Suppan: *Vollständig.

Salzburger Volkskultur (ehem. *Salzburger Heimatpflege*)
Ed.: Landesverband Salzburger Volkskultur
Red.: Lucia Luidold und Hildegard Hager, Postf. 527, A-5010 Salzburg
1977ff.
Suppan: Vollständig.

Schweden

Blasmusikmagasinet
Red.: SMF Box 6302, S-11381 Stockholm
Suppan: -

Blasut
Red.: Presidentgatan 24, S-55265 Jonköping
Suppan: -

Marschnytt
Militärmusiksamfundet med Svenskt Marscharkiv
Red.: Box 3283, S-10365 Stockholm

1970ff.
Suppan: *1976 – 80

Schweiz

Blasmusikzeitung [seit 2000: *Unisono*]
Ed.: Schweizer Blasmusikverband
Red.: Josef Odermatt, Mättliweg 11, CH-6353 Weggis
1912ff.
Suppan: *Vollständig.

BOF-Journal
Ed.: Blasorchesterforum Schweiz
Red.: Baldur Bronnimann, Pf. 4222, CH-6304 Zug
1990ff.
Suppan: *Vollständig.

Brass Band
Red.: Werner Obrecht, Pf., CH-4537 Wiedlisbach
1978ff.
Suppan: *Vollständig.

Brass Bulletin
Red.: Jean-Pierre Mathez, CH-1630 Bulle
1971ff.
Suppan: *Vollständig.

Dynamik
Ed.: Schweizer Ausbildungszentrum Militärmusik (SAM)
Red,; Daniel Buser und Fabrice Müller, Kaserne, CH-5001 Aarau
1998ff.
Suppan: Vollständig.

Risveglio Musicale
Red.: Corti Gian Battista, Fermo Posta, Boffalora, CH-6830 Chiasso 3
Suppan: -

Schweizer Berufsdirigenten-Verband
Red.: Willy Honegger, Stutzstraße 9, CH-8834 Schindellegi
Suppan: Einige Nummern

Schweizerischer Spielführer-Verband
Red.: Stefan Schwarz, Oelegasse 74, CH-3210 Kerzers
Suppan: -

WASBE Schweiz
Red.: Kurt Brogli, c/o Schweizer Radio DRS, Brunnenhofstraße 22, CH-8042 Zürich
1995ff.
Suppan: Unvollständig.

Unisono
siehe „Blasmusikzeitung"

Zürcher Musikant
Ed.: Zürcher Kantonalmusikverband
Red.: Claire Langhart-Schibli, Hornerweg 554, CH-8477 Oberstammheim
Suppan: *Vollständig seit 1993, No. 4.

Slowakei

Dychová Hudba
Ed.: Casopis Zdruzenia dychovych hudieb Slovenska
Red.: Bastová 4, Slovakei-81629 Bratislava
1992ff.
Suppan: Einige Nummern.

Slowenien

Novice
Ed.: Szeza Slovenskih GODB, Stefanova 5, SLO-1000 Ljubljana
Red.: Erwin Hartman, Krpanova 22, Maribor
1999ff
Suppan: Einige Nummern.

Slovenski Godbenik
Red.: Ervin Hartman, Limbuska 15, YU-62000 Maribor
1991ff.
Suppan: Einige Nummern.

Südafrika

SAASBE News
Red.: Hugo Lambrecht Music Centre, PO Box 68, Parow 7500
Suppan: -

Spanien

Informusica
Red.: Bernardo Adam Ferrero, Apartado de Correos 6232, ES-46070 Valencia
1988 ?
Suppan: Einige Nummern.

Música y Educatión
Revista trimestral de Educación Musical
Red.: Mariano Pérez Gutiérrez, Escosura, 27, ES-28015 Madrid
Suppan: Einige Nummern.

Musica y Pueblo
Ed.: Federación de Sociedades Musicales de la Comunidad Valenciana
Red.: Cristina Quilez, Sorni, 22-1, ES-46004 Valencia
Suppan: Einige Nummern.

Tschechien

Dechovy Orchestr
1967 - ?
Suppan: Einige Nummern.

Slováцká Dechovka
Red.: Dum kultury, Národní tr. 21, Tschien-69501 Hodonín
1992ff.
Suppan: *Vollständig ab 1994.

Ungarn

Fanfár Fúvószenei Folyóirat
Red.: Tóth Anna, Pf. 65, H-1428 Budapest
[3. Szám, 1991, Junius]
Suppan: Einige Nummern.

Hírlevél
Ed: WASBE-Sektion Ungarn
Red.: Bem rakpart 6, H-1011 Budapest
1996ff.
Suppan: Einige Nummern.

USA

Advance
Ed: The Association of Concert Bands
Red.: Publications Coordinator, Daniel W. Hinz, 462 Linden Street, Rochester,
NY 14620-2442
1981ff.
Suppan: Vollständig seit Fall (Herbst) 1989

Band and Orchestra Product News
Ed.: Band & Orchestra Product News, Terry Mares, 25 Willowdale Avenue, Port
Washington, NY 11050
Suppan: Vol. 2, No. 10, December 1999 (nur diese Nr.)

Bandworld Magazine
Red.: M. Max McKee, 407 Terrace Street, Ashland, Oregon 97520
Suppan: Vol. 2, 1986, No. 1ff. (einige Nrn. fehlen), *ab 1987.

BDGuide (Band)
Red.: Toni Ryon, 2533 S. Maple Ave. # 102, Tempe, AZ 85282-3559
1984ff.
Suppan: *Vollständig.

Boombah Herald. A Journal of Band History
Red.: Loren D. Geiger, 15 Park Boulevard, Lancaster, New York 14086-2510
1973ff.
Suppan: *Vollständig.

Brass and Woodwind Quarterly
1966 - 1969
Suppan: *Vollständig.

Brass Quarterly
1957 - 1963.
Suppan: *Vollständig.

Brass Players' Guide
Red.: Robert King Music Sales, Shovel Shop Sq., 28 Main St., Bldg. 15 N, Easton,

MA 02356
Suppan: -

Brass Research Series
Red.: Brass Press, 136 Eighth Avenue N, Nashville, TN 37203
Suppan: -

Cadenza
Ed.: The United States Air Force Band, Washington, DC
Ed.: Paul Swantek, 201 McChord Street, Bolling AFB, DC 20322-0202
Suppan: Einige Nummern

CBDNA Journal
Ed.: College Band Directors National Association
Red.: James Arrowood, The University of Wisconsin, Stevns Point, WI 54481-3897
1984ff.
Suppan: *Vollständig.

CBDNA Report
Ed.: College Band Directors National Association
Red.: Douglas Stetter, 132 Castleman Hall, 1870 Miner Circle, Rolla, MO 65409-0670
[1986ff.]
Suppan: *Vollständig seit Fall (Herbst) 1986

Circus Fanfares
Ed.: Windjammers Unlimited, Inc.
Red.: The Corydon Democrat, 301 N. Capitol Ave., Corydon, Indiana 47112
1971ff.
Suppan: Einige Nummern.

Clarinet Choir News International
Red.: Norman Heim, Music Dep. of the University of Maryland at College Park, 20742
1978ff.
Suppan: Vollständig 1978 - 1982.

ClariNetwork
Red.: David Hite, Pf. 09747, Columbus, OH 43209
1982ff.
Suppan: einige Nummern.

Double Reed
Red.: 626 Lakeshore Dr., Monroe, LA 71203-4032
Suppan: -

Drum Corps News
Red.: Tri Star Enterprises Inc., Box 108, Boston, MA 02199
Suppan: -

Drum Corps Review
Red.: Drum Corps Sight & Sound, Box 8052, Madison, WI 53708
Suppan: -

Flute Talk
Red.: Kathleen Goll-Wilson, The Instrumentalist Publ. Comp., 200 Northfield Road,
Northfield, IL 60093
1981ff.
Suppan: einige Nummern.

Flutist Quarterly
Red.: Myrna Brown, 805 Laguna Drive, Denton, TX 76201
Suppan: -

Historic Brass Society Journal / Newsletter
Ed: The Historic Brass Society
Red.: Jeffrey Nussbaum, 148 W. 23rd St., #2A, New York, NY 10011
1989ff.
Suppan: *Vollständig.

ITA-Journal
Ed.: International Trombone Association
Red.: Vern Kagarice, Music Dept., Univ. of North Texas, Box 305338, Denton, TX 76203
1972ff.
Suppan: -

Jacob's Band Monthly
1916 - 1924 (?)
Suppan: -

Journal of Band Research
Ed.: The American Bandmasters Association
Red.: Jon R. Piersol, Troy State University Press, Troy, Alabama 36082
1964ff.
Suppan: *Vollständig.

Journal
Ed.: International Trumpet Guild
Red.: Bryan Goff, School of Music, Florida State University, Tallahassee, FL 32306-2098
Suppan: -

362

Keyed Brass Newsletter
Red.: Ralph T. Dudgeon, State University College at Cortland, Studio 1, Pf. 2000,
Cortland, NY 13045
1989 ?
Suppan: Einige Nummern.

Modern Drummer
Red.: Drummer Publications Inc., 870 Pompton Avenue, Cedar Grove, NJ 07009
Suppan: -
NACWPI Journal
Ed.: National Association of College Wind and Percussion Instructors
Red.: Richard Weerts, Division of Fine Arts, Northeast Missouri State University,
Kirksville, Missouri 63501 USA
Suppan: Vol. 42, 1993, No. 3ff.

NBA Journal / Newsletter
Ed.: National Band Association
Red.: (Journal) Earl Dunn, 8308 West Rolling Drive, Muncie, IN 47304; (Newsletter)
Edward S. Lisk, POBox 121292 Nashville, TN 37212
Ca. 1960
Suppan: Vollständig seit Vol. 30, No. 2, Nov./Dec. 1989

Notes
Ed.: The Friends of the U. S. Marine Band
Red.: Marine Barracks, 8th and I Streets, SE, Washington DC 20390-5000
188ff. (?)
Suppan: Vollständig seit 1988

Percussive Notes
Ed.: Percussive Arts Society
Red.: 123 W Main Street, Box 697, Urbana, IL 618011-0697
Suppan: -

Resource
Ed.: Shattinger Music Co., 1810 S. Broadway, St. Louis, MO 63104
1992ff.
Suppan: Einige Nummern.

The Brass World
1965 - 1974
Suppan: *Vollständig.

The Clarinet
Red.: James Gillespie, School of Music, North Texas State University, Denton,
Texas 76203
Suppan: Unvollständig, *soweit vollständig.

The Horn Call
Red.: Paul Mansur, Dep. of Music, SE Okla. State University, Durant, Oklahoma 74701
1970ff.
Supan: Einige Nummern.

The Instrumentalist
[Ed.: National Band Association]
Red.: The Instrumentalist Comp., 200 Northfield Road, Northfield, Illinois 60093
1946ff.
Suppan: *Jahrgänge (mit wenigen Ausnahmen) vollständig.

The Newsletter of the American Band History Research
Red.: Diana Eiland, 3605 North Village Drive, Upper Marlboro, MD 200772 ?
1984ff.
Suppan: Einige Nummern.

The School Musician
1929 - 1985 ? (erscheint nicht mehr)
Suppan: *Jahrgänge (mit wenigen Ausnahmen) vollständig.

The Woman Conductor
Red.: Gladys S. Wright, 344 Overllok Drive, West Lafayette, IN 47906
1989 - 1991
Suppan: Einige Nummern.

Windplayer
Windplayer Publications, Box 234, Northridge, CA 91328
Suppan: -

TUBA Journal
Ed.: Tubists Universal Brotherhood Association
Red.: Jerry A. Young, Dept. of Music and Theatre Arts, Univ. of Wisconsin – Eau Claire,
Eau Claire, WI 54702
1972ff.
Suppan: Einige Nummern.

Eva Szórádová, Nitra, Slowakei

BLASINSTRUMENTENBAU IN BRATISLAVA

Die Erforschung der Musikinstrumente in der Slowakei ist im Bereich Blasinstrumente bisher vernachlässigt worden. Ziel dieser Studie ist es, bisher bekannte Tatsachen über Herstellung und Hersteller von Blasinstrumenten in Bratislava (Pressburg, Pozsony) aus historischer Sicht zu unterbreiten. Umstände, durch welche der Bau bedingt, stimuliert oder gehemmt wurde, sind gleich wichtig für die Erkennung der Entwicklungsetappen des Musik- instrumentenbaus, wie der Geschichte der Musikkultur. Spezifisch organo- logische Standpunkte werden erst nach gründlicher Analyse noch erhaltener Instrumente Bratislavaer Provenienz in unseren und ausländischen musealen und privaten Sammlungen erstellt werden können. Die einzige Studie, die sich u. a. mit der Problematik des Blasinstrumentenbaus beschäftigt, stammt von Zoltán Hrabussay[1]. Hrabussay befaßt sich darin mit den Geschäftsbüchern der Bratislavaer Firma Schöllnast.

Erste Hersteller von modernen Blasinstrumenten in der Slowakei sind vermutlich die Stadtbläser (Trompeter), deren Existenz in der Slowakei bereits im 14. Jahrhundert belegt ist (Bratislava, Banská Štiavnica / Schemnitz, Selmecbánya). In späterer Zeit waren diese in Form von Zünften organisiert. Mit Erhöhung der Ansprüche an die Interpreten trennte sich die Funktion der Hersteller von den Bläser-Interpreten.

Es existiert eine relativ große Anzahl von Angaben des Vorhandenseins der Blasinstrumente in der Slowakei. Die Quellen sind jedoch nicht so reichlich, sofern es um Informationen über Hersteller geht, welche für uns zum Großteil anonym bleiben. Nur in Ausnahmefällen erscheinen z. B. in kirchlichen Visitationsprotokollen Vermerke über Hersteller der in Kirchen aufbewahrten Musikinstrumente. Etliche bezeugen, dass Blasinstrumente z. B. in Wien oder Nürnberg angekauft wurden. Zum Beispiel wurden für die deutsche evangelische Kirche in Prešov (Eperies, Eperjes) laut *Canonica Visitation* (aus

---

[1] Zoltán HRABUSSAY, Výroba a výrobcovia hudobných nástrojov v Bratislave, in: Hudobnovedné štúdie 5, Bratislava 1961, S. 197 – 238.

dem Jahre 1806) vier *Clarini* von Johann Leonhard Ehe aus Nürnberg und zwei *Tubas* von Johann Leichan Schneider aus Wien im Jahre 1722 gekauft[2]. Andere Angaben weisen auf heimische Instrumentenbauer hin.

Im 18. und beginnenden 19. Jahrhundert spielte sich der Großteil der Musikproduktionen in den Kirchen oder in Häusern des Adels ab. Viele Adelige hielten sich eigene Orchester, Bläserkapellen, die sogenannten *Harmoniemusiken.* Der Eigentümer der Herrschaft in Bernolákovo (Čeklís, Cseklész), Franz Eszterházy kaufte dafür Blasinstrumente von den Wiener Instrumentenbauern *I. Schumann* (1780) und *Karl Startzer*[3].

Das erste Verzeichnis von 21 Blasinstrumentenbauern in der Slowakei wurde im Katalog *Hudobné nástroje na Slovensku* (Musikinstrumente in der Slowakei) von Ivan Mačák im Jahre 1975 veröffentlicht[4]. Seit dieser Zeit ist diese Zahl nicht korrigiert worden, obwohl klar ist, dass in der Slowakei viel mehr Hersteller tätig gewesen sein müßten. Vor allem das Verhältnis zwischen den Bratislavaer (19) und den außer Bratislava tätigen Blasinstrumentenbauern (2) erscheint unrealistisch.

Terminologie

Die noch nicht gelöste terminologische Frage erschwert die Identifikation von Herstellern. Der Begriff *Instrumentenmacher* wurde als Bezeichnung für spezialisierte Blasinstrumentenbauer erst seit Beginn des 19. Jahrhunderts benutzt. Dieser Begriff konnte aber gleichzeitig auch andere Musikinstrumentenmacher bezeichnen. Die Hersteller von Holzblasinstrumenten konnten in den Drechslerzünften organisiert werden (lateinisch *torneator*) und Blechblasinstrumentenmacher wirkten wahrscheinlich auch als Handwerker (Kunst-

---

[2] Nachlaß von PhDr. Otmar Gergelyi.

[3] Anna PETROVÁ-PLESKOTOVÁ, Dokumenty o umelecko-remeselníckej a stavebnej aktivite na panstve a objektoch grófa Františka Esterházyho z rokov 1738 – 1785, in: Ars 1995/2 – 3, S. 219 – 250.

[4] Ivan MAČÁK, Hudobné nástroje na Slovensku, Katalóg k výstave, Bratislava 1975.

handwerker), die mit dem Kupfer arbeiteten (die Stadt Bardejov/ Bartfeldt, Bártfa, kaufte im Jahre 1428 von Michael Rotgisser *una trumpeta*[5]).

Die Bemühungen um eine genauere und eindeutigere Terminologie kommen erst am Ende des 18. Jahrhunderts zum Ausdruck und hängen nicht nur mit der steigenden Anfrage nach Musikinstrumenten und der Steigerung der Zahl von Musikinstrumentenbauern zusammen, sondern auch mit dem größeren Anteil der Stadt an der Regulierung und Beeinflussung der Tätigkeit von verschiedenen Handwerkern und Gewerbetreibenden. Im Jahre 1778 erhielt Johann Bernhofer das Bratislavaer Bürgerrecht als *Musicus et Waldhornm[acher]*. Die Bezeichnung *Waldhornmacher* ist bisher die älteste bekannte Bezeichnung für den konkreten Blasinstrumentenmacher in Bratislavaer Quellen.

Allgemeine Bezeichnungen *confector instrumentorum, Instrumentenmacher, confector instrumentorum flatilium, fuvóhangszer készítő, Blasinstrumentenmacher* erschienen in den allgemeinen Stadtdokumenten (Matrikel, Verzeichnisse der Bewohner, Bürgerbücher usw.). In den Dokumenten, die mit ihrem Inhalt direkt das konkrete Handwerk betreffen (Eintragungen in Magistratsprotokollen, Gesuche, Beschwerden, Gerichtsangelegenheiten, Erbschaftsprotokolle usw.) kommt die genaue Spezifikation der Tätigkeit zum Ausdruck: *Waldhornmacher, Messing-Instrumentenmacher, Metall Instrumentenmacher, messingener Musik Instrumentenmacher, musikalischen Instrumentmacher von Messing, Messing-Blas-Instrumentenmacher, Blechinstrumentenmacher, pléhszerkészítő, Holzblasinstrumentenmacher, musikalischer Instrumentenmacher von Holz.*

Blasinstrumentenbauer in der Slowakei

Zur Zeit kennen wir in der Slowakei nur einige Blasinstrumentenmacher, die außerhalb von Bratislava gewirkt haben:

---

[5]   L. FEJÉRPATAKI, Magyarországi városok régi szamadáskönyvei, Budapest 1885. Die Angabe stammt aus dem Nachlaß von PhDr. Otmar Gergelyi.

Paulo Jánoss, Holíč (Holics, Holych). Im Jahre 1755 stellte er für die katholische Kirche *Tympanis item 4 Tubis et cornibus* her[6].

Christian, Trompeter in Levoèa (Leutschau, Löcse). Im Jahre 1663 wurden ihm sieben Gulden für eine Posaune bezahlt[7].

Michael Koch, Nitra (Neutra, Nyitra). Wahrscheinlich identisch mit Michael Koch, der in den Jahren 1824 - 1828 bei der Bratislavaer Drechslerzunft in der Lehre war[8]. Er widmete sich auch der Erzeugung von Tárogató[9].

Baltazár Lilia, Veľký Šariš (Gross Scharisch, Nagysáros). Im Jahre 1825 stellte er für die katholische Kirche die Trompeten her[10].

Malszovits, Trnava (Tyrnau, Nagyszombat). Wird als Musikinstrumentenbauer (wahrscheinlich Blasinstrumentenmacher) in den *Statistischen Nachweisungen über das Pressburger Comitat* aus dem Jahre 1866 angeführt[11].

Adam Molnár, stellte im Jahre 1808 drei Posaunen für die Pfarrkirche in Rožòava (Rosenau, Rosznyó) her[12]. Wahrscheinlich identisch mit dem

---

[6]   Nachlaß von PhDr. Otmar Gergelyi.

[7]   Pavol NIEDERLAND, Záznamy o hudobnom živote v Levoči 1, Levoča 1971, Handschrift, S. 69.

[8]   Archív mesta Bratislavy (AMB), Freysprech Buch der Bürgerl. Drechler Innung zu Pressburg 1830, Sign. 89.

[9]   György GÁBRY, A tárogató, in: Musica Pannonica 3, A tárogató történet, akusztikai tulajdonságok repertoár hangszerkészítök/ Das Tárogató. Geschichte, akustische Merkmale, Repertoire und Instrumentenbauer. Kiadja Zolan Falvy/ Herausgegeben von Bernhard Habla, Budapest - Oberschützen 1998, S. 9 - 21.

[10]   Nachlaß von PhDr. Otmar Gergelyi.

[11]   Statistische Nachweisungen über das Pressburger Comitat 1866, S. 175.

[12]   Nachlaß von PhDr. Otmar Gergelyi.

Musikanten, Stadttrompeter und Geigenmacher, der in den Jahren 1776 – 1809 in Prešov (Eperies, Eperjes) wirkte[13].

Pietro Nicasio, Trompeter in Levoèa. Im Jahre 1632 wird in leutschauer Rechnungsbücher angeführt: *dem Petro Nicasio weg d'Posaun*[14].

Potuschek, Komárno (Komorn, Komárom). Laut Rechnungen der St. Andreas Kirche bekam er 1843/44 *für Clarinetten* zwanzig Gulden bezahlt[15].

Albert Scripsky, Košice (Kaschau, Kassa), erhielt im Jahre 1810 das Bürgerrecht in Košice als Blasinstrumentenmacher. Im Jahre 1843 wurde ihm vom Stadtmagistrat eine Flöte bezahlt[16]. Später wirkte er als Blech- und Holzblasinstrumentenmacher in Pest und seit 1846 in Buda (Ofen). Auf der Industrieausstellung in Pest im Jahre 1846 präsentierte er Fagott, Fuvola und Klarinette. Er stellte auch Tárogató her[17].

Anton Kazimír Sztimovits, Košice, erhielt im Jahre 1897 die Gewerbebewilligung für die Erzeugung und Reparatur von Musikinstrumenten (wahrscheinlich Blasinstrumenten) in Košice[18].

Carolus Waczek, Jasov (Jooss, Jászó), 18. Jh., Praemonstratenser Mönch in Jasov, Holzblasinstrumentenbauer. An der Milleniumsausstellung in Budapest

---

[13] Ivan MAČÁK, Hudobné nástroje na Slovensku, Katalóg k výstave, Bratislava 1975.

[14] Pavol NIEDERLAND, Záznamy o hudobnom živote v Levoči 1, Levoča 1971, Handschrift, S. 41.

[15] Nachlaß von PhDr. Otmar Gergelyi.

[16] Nachlaß von PhDr. Otmar Gergelyi.

[17] Freundliche Mitteilung von Frau Dr. Eszter Fontana.

[18] Archív mesta KOŠÍC, Živnostenský register 1893 – 1900.

im Jahre 1898 wurden seine Instrumente *tibia berecintia* (Blockflöten) ausgestellt[19].

Andreas Webel, *Stadtpfeiffer* in Levoča. Im Jahre 1626 stellt er einen *Zinck* in Rechnung[20].

Blasinstrumentenbauer in Bratislava

Der erste bekannte Blasinstrumentenmacher, welcher in der zweiten Hälfte des 18. Jahrhunderts in Bratislava wirkte, war Johann Theodor Lotz (*1748, +1792). Lotz war gebürtiger Wiener. Ursprünglich war er ein Klarinetten-, Fagott-, Bassetthorn-[21] und laut den anderen Quellen auch Violaspieler[22] und Kompositor. Er wirkte in Eszterház[23] und dann gehörte er (spätestens seit dem Jahre 1775) dem Orchester von Kardinal Batthyányi in Bratislava an. Im Jahre 1775 führte er in Bratislava sein *Konzert für Klarinette* vor[24]. Später leitete er Batthyányi's *Harmonie*. Im Jahre 1777 verehelichte er sich in Bratislava als *Erster Kammer Musicus bey Ihro Hochfürstlichen Gnaden Joseph von*

---

[19] Ivan MAČÁK, Hudobné nástroje na Slovensku, Katalóg k výstave, Bratislava 1975. Freundliche Mitteilung von Herrn PhDr. Ivan Maèák.

[20] Pavol NIEDERLAND, Záznamy o hudobnom živote vLevoči 1, Levoča 1971, Handschrift, S. 35.

[21] Helga HAUPT, Wiener Instrumentenbauer von 1791 bis 1815, in: Studien zur Musikwissenschaft 24. Bd., Graz - Wien - Köln, 1960, S. 158.

[22] Adolf MEYER, Die Preßburger Hofkapelle des Fürstprimas Ungarn, Fürst Joseph von Batthyány, in den Jahren 1776 bis 1784, in: Das Haydn Jahrbuch, Band 10, Wien 1978, S. 84.

[23] Helga HAUPT, Wiener Instrumentenbauer von 1791 bis 1815, in: Studien zur Musikwissenschaft 24. Bd., Graz - Wien - Köln, 1960, S. 158.

[24] Pressburger Zeitung 1775, Nr. 29; Darina Múdra, Odraz hudobného života Bratislavy obdobia klasicizmu v Pressburger Zeitung, in: Musicologica slovaca 8, SAV Bratislava 1982, S. 61.

Batthyán[25], und bis 1783 wird er in den Matrikeln als *Musicus beym Cardinal Bathjani* (1779), *Music Director* (1780), *bey Se[ine] Eminenz Cardinal von Battyan in Diensten* (1782, 1783) und *Meister der Thon-Kunst* (1785) angeführt[26].

Im Jahre 1782 vervollständigte Theodor Lotz in Bratislava das Bassetthorn[27]. Über seine Tätigkeit als Instrumentenbauer in Bratislava haben wir bisher keine Informationen. Die noch erhaltenen Bassetthörner sind in Wien signiert[28]. Im Archiv der Stadt Bratislava sind mehrere Dokumente erhalten geblieben, die sein Privatleben betreffen. Nach Auflassen der Batthyáni-Kapelle (1783) über-

---

[25] AMB, Matricula copulatorum, Sign. 298.

[26] AMB, Matricula copulatorum, Sign. 299; Matricula baptisatorum, Sign. 288; Matricula defunctorum, Sign. 311.

[27] W. L. F. von LÜTGENDORFF, Die Geigen und Lautenmacher vom Mittelalter bis zur Gegenwart 1. Band, Tutzing 1975, S. 243; Zoltán Hrabussay, Výroba a výrobcovia hudobných nástrojov v Bratislave, in: Hudobnovedné štúdie 5, Bratislava 1961, S. 203; L. G. Langwill, An Index Of Musical Wind-Instrument Makers, Edinburgh 1972, S. 98 – 99.

[28] Drei Bassetthörner befinden sich im Slovenské národné múzeum - Múzeum Betliar. Bassetthörner sind signiert: Theodor Lotz, K. K. Hofinstr. Macher in Wien, No. 1, 2, 3 (Inv. č. H 220/1 - 3). Diese Instrumente wurden wahrscheinlich für Graf Georg Andrássy hergestellt. Die Instrumente aus der Lotzischen Werkstatt befinden sich noch in folgenden europäischen Sammlungen: zwei Bassetthörner und Fagott in Prag (Musikmuseum des National Museums), je ein Bassetthorn in Nürnberg (Germanisches National Museum), Berlin (Sammlung alter Musikinstrumente der Staatlichen Hochschule für Musik) und Konstanz. (Freundliche Mitteilung von Vojtech Taschler vom Múzem Betliar und Eric Hoeprich aus Amsterdam.) Ein Englisch Horn besitzt das Musikinstru-mentenmuseum der Universität in Leipzig. Das Instrument hat dieselbe Signatur, wie die Bassetthörner in Betliar. (Freundliche Mitteilung von Frau Dr. Eszter Fontana.) Eine Klarinette ist im Musée des Instruments anciens in Genève, ein Fagott in Göttingen und eine Hoboe in Modena erhalten. Der Rolle des Theodor Lotz in der Entwicklung des Bassethornes widmete sich in seiner Diplomarbeit Róbert Šebesta, Basetový roh a jeho genéza v 2. polovici 18. storoèia a prvých dvoch dekádach 19. storoèia (1760 - 1820), VŠMU Bratislava, 1998.

siedelte Lotz nach Wien, wo er sich dem Bau von Blasinstrumenten widmete, welche sehr gefragt und besonders wertvoll waren. Er bekam den Titel *K. u. K. Hofinstrumentenmacher* und *K. K. Kammer Waldhorn und Trompetenmacher.* Er war Mitglied der Wiener Freimaurerloge *Zur gekrönten Hoffnung*[29].

Die Angaben im Testament über die Versteigerung der Werkstatteinrichtung und der Instrumente zeugen von einer sehr guten und qualitativ hochwertigen Werkstatt[30]. Im Lotzischen Nachlaß befanden sich die folgenden Musikinstrumente und die Werkstatteinrichtung: *An Werkzeugssachen, und Arbeit: 1 harte Drähbank mit einem Rad ohne Werkzeug, 1 detto samt Rad, fernere Dröhbank samt Werkzeug, sämtliches rohr Holz, 1 englische Flaute von Ebenholz, 1 detto ordinari Flaute, 1 Sonnenuhr und Wasserwaage, verschiedene einschichtige Instrumenten Stückl, verschiedenes theil eichen, theil buxbaumenes Ausschußholz, 3 alte grosse Fagott, 1 Steinurgel, 62 Stück verschiedene Instrumenten Bohrer, 160 Stück verschiedene Instrum. Werkzeuge, 1 Schrauben Ambassel mit 2 Stöcke, 1 grosser Schraubenstock mit Messing, 1 französischer Schraubenstock, 1 kleiner detto ord., 17 Stück unverfertigte Fagott theils mit, theils ohne Hauben, Hobelbank samt Hobeln, dazu gehörigen Sägen, 1 ferner Schraubstock, 1 Blaßbälk, 1 Werkbankel samt Schraubstock.* Für gelieferte Instrumenten blieben Lotz folgende Besteller schuldig: *Fürst Sultikor in Rußland 1794 fl.* [!]; *... für nach Gratz unter der Besorgung des H. Hofagente N. Scati... 200 fl.; H. Graf N. Malsan zu Preslau... 90 fl.; Anton Stadler Musicus ... für 2 neu erfundene Pasklarinet... 162 fl.*

Weitere Namen von Blasinstrumentenbauern finden sich in Bürgerverzeichnissen, die Steuern betreffenden Aufzeichnungen und Matrikelprotokollen des Magistrates: Johann Bernhoffer (-1778 - 1786-), geboren in Bratislava, Sohn des Musikanten Johann Bernhoffer sen., ist einer der ersten Blasinstrumentenmacher, welcher im Jahre 1778 als *Musicus et Waldhornmacher* (resp. *ein blasender Instrumenten Macher*[31]) das Bürgerrecht in Bratislava erhalten hat[32]. Er

---

[29] L. G. LANGWILL, An Index Of Musical Wind-Instrument Makers, Edinburgh 1972, S. 98.

[30] Für die Zur-Verfügung-Stellung der Dokumente aus dem Nachlaß von Theodor Lotz danke ich Herrn Róbert Šebesta.

[31] AMB, Protocollum Magistratuale (Protocollum actionale) 1778, fol. 163.

wurde auch als *Blasinstrumentmacher* bezeichnet, baute aber auch Saiten-instrumente (*Lautenmacher*)[33]. Sein Bruder Franz Bernhofer (*1751, + ca 1819) erscheint in den Steuerbüchern in Bratislava seit dem Jahre 1774[34]. Er wurde in den Stadtbüchern als *Musicus* und *Instrumentenmacher* (1815)[35] be-zeichnet. Ein Verwandter von Franz und Johann Bernhofer war vermutlich Ignaz Bernhofer (*1780, +1810)[36], der auch Blasinstrumente herstellte. Nach seinem Tod führte die Werkstatt seine Ehefrau Elisabeth Bernhofer (später Steinmüller, geb. Dworschak), die im Jahre 1811 als *Musikinstrumenten-machers Wittwe* eine Erlaubnis, *einen fachkündigen Gesellen* zu beschäftigen verlangte[37]. Im Jahre 1816[38] heiratete sie ihren Gesellen - den Blasinstrument-macher Franz Steinmüller (*1790, +1822[39]), der aus Kraslice stammte[40].

---

[32] AMB, Neues Bürger-Buch 1768 – 1785, Sign. 2 e 5; Bürger-Tax 1754 – 1791, Sign. 2 e 4.

[33] AMB, Gaaben Rechnung, Sign. 126. – 132. 3 d; Conscriptions Buch 1781, Sign. 148. 3 d; Conscriptions Buch pro Anno 1782, Sign. 149. 3 d; Conscriptions Buch 1783, Sign. 150. 3 d; Pressburger Stadt Portiones Rechnung 1783 – 1784, Sign. 204. 3 d.

[34] AMB, Gaaben Rechnung 1774 – 1775, Sign. 121. 3 d.

[35] AMB, Contributions Buch 1815 – 1816. Sign. 205. 3 d.

[36] AMB, Matricula defunctorum, Sign. 222.

[37] AMB, Regestum actorum 1811, Sign. D b 27; Fond: Mesto Bratislava, 1811, kr. 1066, f. 9, Nr. 54.

[38] AMB, Matricula copulatorum, Sign. 204.

[39] AMB, Matricula defunctorum, Sign. 224.

[40] Von Franz Steinmüller blieb eine Trompete im Nemzeti Múzeum in Budapest erhalten, Signatur: Franz Steinmüller, Pressburg. (Freundliche Mitteilung von Frau Dr. Eszter Fontana.)

Die markanteste Gestalt in der Geschichte des Instrumentenbaues in der Slowakei war neben dem Klavierbauer Carl Schmidt[41] der Blasinstrumentenmacher Franz Schöllnast (*1775, +1844). Er wurde in Város-Leth (Várolöd) im Komitat Veszprém geboren. Zu Ende des 18. Jahrhunderts kam er als *Musicus* nach Bratislava, wo er im Jahre 1799 Anna Stadler, die Tochter des Bratislavaer Drechslermeisters Daniel Stadler heiratete[42]. Zu Beginn des 19. Jahrhunderts gründete er in Bratislava eine Werkstatt zur Fertigung von Blasinstrumenten. Er erwarb bald überlokal Anerkennung und galt als geschätzte Persönlichkeit unter den Bratislavaer Bürgern.

1807 erteilte ihm der Magistrat das Stadtrecht[43]. In der Eintragung über die Aufnahme von Schöllnast als Bürger wird konstatiert:

Dem Supplicanten wird aus Rücksicht dessen, daß er seine Geschicklichkeit in Verfertigung der Musikalischen Instrumente, durch die beigebrachten Zeugniße statthaft gewiesen habe, und ein Landeskind seye, sowohl zur fernerweitigen Aufmunterung seines Fleißes, als auch damit das Publicum Gelegenheit habe derley Instrumente auch hierorts anzukaufen, das erbetene Bürgerrecht Magistratualiter verliehen[44].

Laut dieser Information gab es also in der Stadt keinen weiteren bedeutenden Blasinstrumentenbauer[45]. Wir wissen nicht, wo Schöllnast in der Lehre war, doch er legte zu dem Gesuch nützliche Dokumente und Zeugnisse bei. Es kann angenommen werden, dass er sich in Stadlers Drechslerwerkstatt auch mit dem Bau der Holzblasinstrumente befaßte.

---

[41]   Carl Schmidt (*1794, Anhalt-Cöthen, +1872, Bratislava), der bedeutendste Klaviermacher in der Slowakei, der seit dem Jahre 1822 in Bratislava wirkte. Laut dem erhaltenen Geschäftsbuch stellte Carl Schmidt in den Jahren 1822 - 1860 insgesamt 1311 Instrumente (Fortepianos, Pianinos, Fisharmonikas, Aelodikons) her.

[42]   AMB, Matricula copulatorum, Sign. 203.

[43]   AMB, Protocollum magistratuale 1807, Nr. 486, 1251.

[44]   AMB, Protocollum magistratuale 1807, Nr. 1055.

[45]   AMB, Fond: Mesto Bratislava, 1825, kr. 1292, f. 13, Nr. 918.

Bereits in den ersten Jahren seines Wirkens in Bratislava hat sich Franz Schöllnast zu einem anerkannten Hersteller emporgearbeitet, welcher auch mit ausländischen Firmen konkurrenzfähig war[46]. Er schuf sich einen umfangreichen Kundenkreis nicht nur in ganz Ungarn, sondern auch im Ausland. Seine angesehene gesellschaftliche Stellung stieg sich von Jahr zu Jahr. In Schöllnasts Werkstatt wurden tausende Instrumente gebaut, hauptsächlich Blas- und Schlaginstrumente (Querflöten, Blockflöten, Piccoloflöten, Oboen, Klarinetten, Fagotte, Kontrafagotte, Waldhörner, Trompeten, Englischhörner, Bassetthörner, Serpente, Czakane, Tamburine, Glockenspiele, Becken). Er lieferte Musikintrumente zum Großteil für Militärkapellen auch außerhalb der österreichisch-ungarischen Grenzen. Er fertigte auch Einzelinstrumente in den verschiedensten Ausführungen an, entsprechend dem Kundenwunsch. Franz Schöllnast hatte eine breite Klientele in der Slowakei, Böhmen, Mähren, Österreich, Ungarn, Slowenien, Kroatien, Rumänien, Frankreich, Italien, Deutschland, Polen, der Schweiz und Rußland. Er arbeitete durchschnittlich mit zwölf Gesellen und Gehilfen, angeblich vierzehn Stunden täglich[47]. Er hatte sein eigenes Orchester und war Mitglied des Kirchenmusikvereines.

---

[46] Pressburger Zeitung 1809, Nr. 15: Anzeige. "Obwohl sich in der Preßburger Stadt mehrere geschickte musikalische Instrumentenmacher wohnhaft befinden, die unter die Zahl der geschickter Europäischen Künstler gerechnet zu werden verdienen, so hält man es doch für nothwendig, einen darunter, der zwar in hiesiger Gegend allgemein berühmt und beliebt ist, auch einen anderwärtigen musikalischen Publikum bekannt zu machen. Herr Franz Schällnast [!] ist nicht nur einer derjenigen vorzüglich geschickten Künstler in Verfertigung blasender Holzinstrumente von engl. Flöten, Klarinets, Bassethorn, Fagotte u.s.w. sodann selbst von vorerwähnten Instrumenten ein besonders guter Spieler und Tonkünstler, womit die durch ihn eigends mit sonderlichen Fleiß, Rettigkeit, Genauigkeit verfertigte Instrumente vor vielen andern nicht nur im Aeußern den Vorzug haben, sondern auch die nur möglichst zu erwartende standhafte und reine Stimmung besitzen, und blos dem musikalischen Geiste des gedachten Künstlers zuzuschreiben kömmt, der dieserwegen bestens empfohlen zu werden verdient."

[47] Karl FRANZÉ, Die Geigenmacher von Preßburg. Ein sterbendes Kunsthandwerk, in: Grenzbote, 25. Dezember 1938; Zoltán Hrabussay, Výroba a výrobcovia hudobných nástrojov v Bratislave, in: Hudobnovedné štúdie 5, Bratislava 1961, S. 205, 207 – 209; Zoltán Hrabussay, Význam podniku pre hudobné nástroje rodiny Schöllnast v Bratislave, in: Hudební nástroje 11, 1974, Nr. 2, S. 53 – 54.

Im Jahre 1839 war als Geselle bei Franz Schöllnast einer der bedeutendsten Blechblasinstrumentenmacher in Böhmen Václav František Červený (*1819, +1896). Im Jahre 1839 vermerkte Schöllnast in seinem Geschäftsbuch[48]:

... den 13ten 8tober [1839] obige Instr. gesend. aber H. Olitsch hat einer Trompetin stat Trompete geschickt welche Herr Grusa wieder an mich Retour gesend. und eine G. Trompete nicht aber Trompetin (Posthorn) bestelt hätte. Nun habe solche G. Trompete mit Pakfang verziert als Kranz, zwenge Trummel bei Maschin Truken u.s.w. samt Mundstück und 5 Bögen von mein Gesell Wenzl Czerweny ausfertigen lassen und am 8ten Xber wider gesend[et].

Červený verbrachte seine Gesellenzeit in Brno, Wien, Vratislav, Budapest und (laut Schöllnasts Buch) in Bratislava und im Jahre 1842 siedelte sich in Hradec Králové an[49].

Zu Beginn baute Franz Schölnast nur Holzblasinstrumente. Blechblasinstrumente baute für ihn (bis Jahre 1824) sein Geselle Engelbert Lausmann oder er bestellte diese in Wien. Im Jahre 1839 inserierte Schöllnast jedoch bereits Instrumente jeglicher Art und widmete sich auch der Reparatur von Streichinstrumenten. Er bestellte und verkaufte Streichinstrumente von den Bratislavaer Geigenmachern Johann Paul Wörle, Karl Ertl, Andreas Tauber und Jacob Wahl.

Im Jahre 1815 verbesserte er das Blasinstrument *Tsakan (tsákany, csákány, Czakan)*, eine neue Form einer Blockflöte (er änderte die Mensur und verkleinerte die Öffnung für den Daumen)[50]. Etwa im Jahre 1820 erfand er das Instrument *Furollya*, welches die Länge einer normalen Flöte hatte und einen Bereich vom kleinen g bis zu den höchsten Flötentönen[51]. Zusammen mit

---

[48] AMB, Einschreibbuch des Instrumentenmachers und Erfinders Franz und Johann Schöllnast von 1839 – 1859, Fond: Hudobniny, kr. 1, fol. 12.

[49] Èeskoslovenský hudební slovník osob a institucí. Svazek prvý A - L, Státní hudební vydavatelství, Praha 1963, S. 110 – 111.

[50] Hermann MOECK, Czakane, englische und Wiener Flageolette, in: Studia instrumentorum musicae popularis 3, Musikhistoriska museet Stockholm 1974, S. 152 – 163; Emese Duka-Zólyomiová, Vývoj hudobného nástrojárstva v Bratislave do roku 1918, Diplomarbeit, FF UK Bratislava 1978, S. 100.

[51] Tudományos Gyüjtemény 1820, Band 4, S. 115; Pressburger Zeitung 1820, Nr. 64.

seinem Sohn Johann konstruierte er (etwa in den Jahren 1838 – 1839) ein neues Instrument *Tritonikon*[52], ein Kontrabass-Blasinstrument aus Kupferblech, ver-sehen mit einem Fagott-Mechanismus und fünfzehn Klappen (Bereich von Kontra D bis klein f) *von Piano bis zur sechsfachen Stärke des Kontra-Fagott* spielbar[53]. Das Instrument bestand aus fünf Teilen und es war 4,56 Meter lang.

Schöllnast widmete sich auch der Vervollkommnung der Stimmung von Blas-instrumenten, worüber Heinrich Klein[54] in der *Pressburger Zeitung* im Jahre 1831, im Artikel *Ueber einige neue Erfindungen und Verbesserungen musikalischer Instrumente* schrieb:

> Die Erfahrung lehrt uns, daß jedes Blasinstrument, wenn es durch längeres Spiel sich erwärmt, seine Stimmung verändert; um diesem Uebel abzuhelfen, hat der schon rühmlich bekannte Hr. Franz Schölnast eine Vorrichtung an dem Zugrohr angebracht, wodurch, bey Verlängerung oder Verkürzung dieses Rohres, die augenblickliche Stimmung bewirkt werden kann. Diese Vorrichtung ist bey allen Blasinstrumenten anwendbar[55].

Der erste Sohn des Franz Schöllnast sen. - Franz Schöllnast jun. (*1800, +1836) erlernte auf den Wunsch seines Vaters den Blasinstrumentenbau. Schon im Jahre 1821 suchte er beim Stadtmagistrat um die Erlaubnis an, ein Käse-stecher Gewerbe (Erzeugung von Käse) zu errichten. Der Bratislavaer Magis-trat genehmigte dies, trotz des Protestes der hiesigen Käsestecherzunft[56].

Die Familientradition wurde vom zweiten Sohn des Franz Schöllnast - Johann Schöllnast (*1810, +1882) fortgesetzt. Schon im Jahre 1831 versuchte er das

---

[52]   Mestské múzeum Bratislava, Werbungsmaterial zum Tritonikon - Abdruck des Druckstocks, Sign. F - 1167.

[53]   AMB, Pozostalosť Ľudovíta Keménya, kr. 2.

[54]   Heinrich Klein (*1765, +1832) - Musikprofessor der Königliche Musikschule in Bratislava, bedeutende Persönlichkeit des Bratislavaer Musiklebens, Ehrenmitglied der Schwedischen Königlichen Akademie.

[55]   Pressburger Zeitung 1831, Nr. 98.

[56]   AMB, Protocollum magistratuale 1821, Nr. 168, 467, 468, 524.

Bürger- und Meisterrecht zu erwerben[57]. Das Bratislavaer Bürgerrecht erhielt er erst im Jahre 1844 als *Blas-Instrumentenmacher*[58]. Nach dem Tod des Vaters im Jahre 1844 übernahm er die Leitung des Betriebes[59]. Es wurden weiter Instrumente insbesondere ins Ausland, an Militärgarnisonen und Musikanten in ganz Europa geliefert[60]. Er war ein ausgezeichneter Hoboist, Mitglied des Kirchenmusikvereines. Bei Johann Schöllnast lernten mehrere Instrumentenmacher, z.B. Wilhelm Reinisch (1845 – 1850), Silvester Pfeiffer (Feiffer, 1850 – 1856), Anton Szintsák (1854 – ?), Johann Riedl II. (1858 – 1861), Stephan Pauer, Anton Barcsák u. a. Im Jahre 1882 übernahm Stephan Pauer Schöllnast's Werkstatt.

Im Archiv der Stadt Bratislava sind Geschäftsbücher des Betriebes SCHÖLLNAST erhalten: *Einschreibbuch des Instrumentenmachers und Erfinders Franz Schöllnast senior von 1814 – 1839* und *Einschreibbuch des Instrumentenmachers und Erfinders Franz und Johann Schöllnast von 1839 – 1859*[61]. Diese beinhalten die detaillierte Produktion der Firma über fast vierzig Jahre (die ersten Seiten des Geschäftsbuch blieben nicht erhalten, die älteste Angabe stammt aus dem Jahre 1821). Sie sind eine ausgezeichnete Quelle nicht

---

[57] AMB, Protocollum magistratuale, 1831, Nr. 142, 887 (... um die Verleihung des Bürgerrechtes das von seinem Vater Franz Schölnast zu überkommende Instrumentenmachergewerbe).

[58] AMB, Bürger Buch 1819 - 1870, Sign. 2 e 6; Protocollum Magistratuale, 1844, Nr. 3831.

[59] Es sind mehrere Instrumente der Firma Schöllnast erhalten: in Bratislava (Hudobné múzeum Slovenského národného múzea, Mestské múzeum), Budapest (Magyar Nemzeti Múzeum), Wien (Kunsthistorisches Museum), Prag, New York u. a.

[60] In Statistische Nachweisungen über das Pressburger Comitat (Pressburg 1866, S. 174) wird darüber geschrieben: "Besonders gute Blech-, namentlich aber Holzblasinstrumente erzeugt Herr Johann Schöllnast, die bei allen österreichischen Militär-Musik-Kapellen, weil sie sehr leicht zu spielen und in Folge der reinen Octav-Stimmung mit diesen Instrumenten sehr schwung- und klangvolle Accorde hervorgebracht werden können, sehr beliebt und gesucht sind."

[61] AMB, Fond: Hudobniny, kr. 1.

nur zum Erkennen der Produktionsaktivitäten und des Musikinstrumenten-Sortiments der Firma Schöllnast, sondern auch des gesellschaftlich-kulturellen Hinterlandes der Abnehmer in nahezu dreizehn europäischen Ländern. Forscher auf dem Gebiet der Militärmusik des 19. Jahrhunderts können in diesen Büchern viele interessante Informationen finden.

Gleichzeitig mit Franz Schöllnast wirkten in Bratislava auch andere Hersteller, jedoch nicht einer von diesen erlangte eine mit Schöllnast vergleichbare Stellung. Vielfach beschuldigten sich diese gegenseitig Vorschriften nicht einzuhalten. Einem Hersteller, welchem eine Bewilligung für den Bau von Holzblasinstrumenten erteilt wurde, durfte keine Blechinstrumente bauen, - und umgekehrt. Diese Vorschrift wurde oft übertreten.

Es wurde bereits erwähnt, dass Franz Schöllnast zu Beginn nur Holzblasinstrumente baute. Blechinstrumente stellte in seiner Werkstatt bis zum Jahre 1824 der Geselle Engelbert Lausmann (*1799 – 1848 -) her, ein Sohn des Instrumentenbauers Anton Lausmann in Kraslice. Er wurde als *Blechinstrumentenmacher, Metall Instrumentenmacher, Messing Instrumentenmacher* oder *Waldhornmacher* bezeichnet. Lausmann machte sich später selbständig[62]. Er war ein begabter Instrumentenbauer, wovon auch die positive Empfehlung zeugt, welche er zusammen mit dem Ansuchen um Erteilung des Stadtrechtes vorlegte. Musikprofessor Heinrich Klein und auch Franz Schöllnast bestätigten ihm den Bau von Instrumente *besonders in schöner netten Bearbeitung und guten Stimmung*. Das Bürgerrecht wurde ihm in Jahre 1825 erteilt[63]. Um das

---

[62]   AMB, Protocollum magistratuale, 1824, Nr. 1539.

[63]   AMB, Bürger Buch 1819 - 1870, Sign. 2 e 6; Protocollum magistratuale, 1825, Nr. 1812, 2555 (Nachdeme dem Bittsteller auf den beigebrachten Entlassschein seiner Grundherrschaft die hierortig obrigkeitliche Bewilligung seine Kunst allhier ausüben zu dürfen vermög Rathschluß D° 15 Juni 1824 Zahl 1538 bereits ertheilt mit Vortheil ausgeübet und darin nach den seinen Bittschrift urschriftlich anliegenden Zeugniss des Hr. Professors der Tonkunst Heinrich Klein und des bürgl. Musikalischen Instrumenten Verfertigers Franz Schölnast, besonders in schöner netten Bearbeitung und guten Stimmung hinlängliche Proben an den Tag gelegt hat, übrigens aber auch gegen seine bisherige Aufführung und sittliches Betragen nichts eingewendet werden kann, wird ihm das erbettene Bürgerschaft auf die Messing Instrumenten Verfertigung mag[istra]-tualiter verliehen.).

Jahr 1831 vervollkommnete er in Bratislava das Waldhorn mit einem Klappensystem, worüber Heinrich Klein in der *Pressburger Zeitung* im Jahre 1831 schrieb[64]:

Herr Engelbert Lausmann, musicalischer Blech-Instrumentmacher, hat sich mit Erfindung eines Klappenwaldhorns, das einen Umfang vom hohen bis zum tiefen b hat, ausgezeichnet. Dieses Instrument bewährt sich in allen Tonarten, sowohl der diatonischen als chromatischen Tonleiter, in der reinsten Stimmung, da die Schleifbögen sich nach jeder Höhe und Tiefe verlängern oder verkürzen und sich nach der Mensur des mathematischen Maaßstabes der Röhrenlänge genau ausgleichen. Die Spielart dieses Klappeninstruments ist so schnell und leicht, wie bey einem Fagott und jedem andern Klappeninstrument.

Obwohl Engelbert Lausmann ein geschickter Instrumentenbauer war[65], konnte er sich nicht von der Fertigung von Musikinstrumenten ernähren, und seine soziale Situation verschlechterte sich ständig. Im Jahre 1832 war er bereits so arm, dass er um eine Bescheinigung seiner Mittellosigkeit und Armut ansuchte[66]. Vergeblich verlangte Lausmann im Jahre 1839 vom Magistrat eine Erklärung, warum Franz Schöllnast Blechinstrumente bauen durfte, und Gesellen dafür beschäftigen konnte, da dieser nur für die Fertigung von Holzblasinstrumenten die Erlaubnis besitzen würde[67]. Zu dieser Zeit war die professionelle und auch gesellschaftliche Stellung von Franz Schöllnast unerschütterlich. Lausmann hatte keine Chance, aus diesem Streit erfolgreich hervor-

---

[64] Pressburger Zeitung 1831, Nr. 98.

[65] Von Engelbert Lausmann blieb eine Trompete und ein Waldhorn aus dem Jahre 1828 im Stadtmuseum in Bratislava (Sign. E. Lausmann, Pressburg) und im Magyar Nemzeti Muzeum in Budapest eine Trompete aus dem Jahre 1823 erhalten.

[66] AMB, Protocollum magistratuale, 1832, Nr. 3997, 4249 (Armuthszeugniß für den ausser seinem dürftignährenden Gewerbe sonst kein Vermögen besitzenden bürgl. Metall Instrumentenmacher Engelhard Lausmann.).

[67] AMB, Protocollum magistratuale, 1839, Nr. 4209; 1840, Nr. 61 (Eine Bittschrift des hiesigbürgerlichen Blechinstrumentenmachers Engelbert Lausmann womit dem hiesig bürgerlichen Blaß Instrumentenmacher Franz Schöllnast, der nur Holzinstrumentenmacher sei, die Verfertigung der Blechinstrumente mittels eines fachkundigen Gesellen, als ihm nicht zuständig eingestellt werden möchte.).

zugehen. Tatsache ist jedoch, dass die Bratislavaer Magistratsprotokolle während des gesamten Wirkens von Franz Schöllnast in Bratislava kein Ansuchen von diesem um Erteilung einer Bewilligung zur Fertigung von Blech-Blasinstrumenten registrieren.

Im Jahre 1839 reparierte Lausmann vier Trompeten für den Bratislavaer St. Martin´s Dom[68]. Die letzte Angabe von Engelbert Lausmann stammt aus dem Jahre 1846, wo er um ein Zeugnis bittet[69]. In Bratislavaer Steuerbüchern wird er bis 1847/48 angeführt[70].

Der Sohn von Engelbert Lausmann Michael Lausmann (*1823 – 1848 -), erlernte (vermutlich bei seinem Vater) auch den Blasinstrumentenbau und heiratete im Jahre 1848 als *Zene eszköz /: Instrumente macher :/ Csináló*[71]. In Bratislava siedelten sich noch zwei andere Mitglieder der verzweigten Familie Lausmann an, beide starben jedoch sehr jung. Joseph Lausmann (*1807, +1832), er stammt auch aus Kraslice, starb als 25-jähriger *confector instrumentorum musicorum* im Jahre 1832[72], und Wilhelm Lausmann (*1820, +1837), in Saar in Böhmen (*Saar = Žiár?*) geboren, *confector instrumentorum*, starb im Jahre 1837 im Alter von 17 Jahren[73].

Im 19. Jahrhundert wirkten in Bratislava drei (nicht wie bisher angenommen zwei) Angehörige von Instrumentenbauer-Familie Wacha: Albert Wacha sen. (*1773, +1829), Franz (Xaver) Wacha (*1796 – 1870 -) und Albert Wacha jun. (*1800/1801, +1859).

---

[68] Nachlaß von PhDr. Otmar Gergelyi.

[69] AMB, Regestum actorum, 1846, Nr. 12/ 784, Sign. D b 62 (Lausmann - für den Bürger u. Messing-Instrumentenmacher Engelbert - über dessen Geschicklichkeit Zeugniß-Ausstellung.).

[70] AMB, Extra Opificien 1847/48, Sign. 57. 3 e.

[71] AMB, Matricula copulatorum, Sign. 206.

[72] AMB, Matricula defunctorum, Sign. 225.

[73] AMB, Matricula defunctorum, Sign. 226.

Der älteste, Albert Wacha sen. stammte aus Böhmen (*Stekno*?) und war Holz-blasinstrumentenbauer, ursprünglich ein Schneidergeselle. Um das Bratislavaer Stadtrecht bewarb er sich im Jahre 1807 – im selben Jahr wie Franz Schöll-nast[74]. Zu Beginn des 19. Jahrhunderts erwarben Musikinstrumentenbauer das Stadt- und Meisterrecht verhältnismäßig leicht. Der Magistrat betrachtete diese Art von Kunstgewerbe als eines der Mittel zur Steigerung des kulturellen Niveaus der Bewohner und so nahm er auch zur Feststellung der Berechtigung zum Erteilen des Stadtrechtes an Musikinstrumentenbauer eine wohlwollende Haltung ein. Die Begründung betonte *Fleiß und Kunsterfahrenheit* des Gesuch-stellers und drückte die Hoffnung aus, dass das Stadtrecht zur weiteren Ermuti-gung bei dessen Arbeit dienen wird.

Bereits 1808 geriet er jedoch mit dem Gesetz in Konflikt[75]. Er kaufte von einem Soldaten eine Klarinette, obwohl er wußte, das diese gestohlen war. Das Instrument wurde dem Besitzer zurückgegeben, Wacha wurde bestraft. Im Jahre 1822 beschwerten sich die Bratislavaer Geigenmacher, Tischlermeister und Gürtlermeister über Wacha[76]. Die Untersuchungskommission drohte Wacha mit einer Strafe und mit dem Verbot Handel mit fremden Erzeugnissen zu treiben und Gesellen zu beschäftigen. Für weiteren Aufruhr sorgte er 1825, als er auf Grund einer falschen Anzeige den Blasinstrumentenbauer *Ferdinand Hell* in Brünn beschuldigte, dass er seine *verpfuschten Instrumente* mit dem Namen Wacha und dem ungarischen Nationalwappen kennzeichne, und damit den Ruf der Wacha-Instrumente schädigen würde[77]. Die Angelegenheit hatte

---

[74] AMB, Protocollum magistratuale, 1807, Nr. 1575, 1920, 1985.

[75] AMB, Protocollum magistratuale, 1808, Nr. 2760.

[76] AMB, Protocollum magistratuale, 1822, Nr. 2710, 3055 (Die Eingriffe in ein fremdes Gewerb bey Confiscation Straf der durch ihn nicht verfertigten Artikeln so wie auch die Haltung der Gesellen von anderen Professionen verbothen worden.).

[77] AMB, Protocollum magistratuale 1825, Nr. 2272, 2608; 1826, Nr. 2080 (Antwortschreiben des Brünner Magistrats ddo. 9ten Juny 1826 das nach den zu folge diesseitigen Ersuchsschreiben ddo 11ten October 1825 auf die rückfolgende Beschwer-de des hiesigen Instrumentenmachers Albert Wacha wider den dortigen Blasinstrumen-tenmacher Ferdinand Hell wegen Beeinträchtigung in seinem Gewerbe gepflogenen Erhebungen keine ordentliche Übersuchung wider Ferdinand Hell stattfinden können und man daher den dieß städtischen Magistrat ersuche dem beschwerdführenden Albert Wacha die in seiner Angabe sich erlaubte Beschimpfung und ausfalle gegen Ferdinand Hell als einen Meister von unbescholtenen Rufe strengsten zu vorhaben. Dem hiesigen

weitreichende Auswirkungen. Die Anzeige erwies sich als unbegründet, der empörte Stadtrat verwarnte Wacha.

Im Jahre 1824 bestellte der Musikinstrumentenhändler Joseph Hauk in Wiener Neustadt bei Albert Wacha sen. folgende Instrumente:

...Uibrigens besorgen Sie mir 6 oder 8 Paar D. Es Clarinett. und 4. Paar C. B. dann die Flöte wie ich bestellt habe 6. Picolo, und 2 Terz Flöten 1. Fagott 1 dzt Schnäbel auf C. B. und aber spitzig, nicht so breit, die Käufer haben die Art von Schöllnast lieber, weil sie nicht so breit sind 1 Faßel auf D. E. und bis zum Weihnachten mir zu schicken...[78]

Wachas älterer Sohn Franz Wacha, ebenfalls Holzblasinstrumentenmacher, suchte mehrmals in den Jahren 1824, 1825, 1826 und 1827 um das Bürger- und Meisterrecht in Bratislava an. Der Bratislavaer Magistrat verlangte von ihm Zeugnisse seiner Geschicklichkeit und betonte, dass er sich nicht anderen Handwerken widmen dürfte, weder dem Tischlerhandwerk noch dem Blechblasinstrumentenbau[79]. Im Jahre 1827 wurde auf sein unsittliches Leben hingewiesen, als er erneut um Erteilung des Bürgerrechtes bat. Diese für Wacha ungünstige Situation nützte Franz Schöllnast aus, der beschuldigte diesen der Unfähigkeit und Pfuschens, unter Berufung auf die *beygebrachten Zeugniße der hiesigen Tonkünstler*. Laut Schöllnast ist Wacha nicht fähig, *brauchbare*

Blasinstrumentenmacher Albert Wacha d. ält. wird seine zurückgesendete Bittschrift, und eine beglaubigte Abschrift dieses Antwortschreibens zugestellt, und zugleich ein strenger Verweis gegeben, daß er sich unterfing seiner Obrigkeit mit der Beförderung eine Klage zu behelligen, die sich auf Angaben solcher Correspondenten gründete, von denen Glaubwürdigkeit derselbe Bittsteller, wir und den Erfolg zeigt, keineswegs vollkommen überzeigt seyn kannte, welche Voreiligkeit in Wiederholungs falle noch strengen geahndet werden müßte.).

[78]   AMB, Fond: Mesto Bratislava, 1825, kr. 1289, f. 11, Nr. 741.

[79]   AMB, Protocollum magistratuale 1824, Nr. 2685; 1825, Nr. 46; 1826, Nr. 124; 1827, Nr. 1113, 1894, 2936, 1900 (Dem Supplicanten wird die angesuchte Erlaubniß mit der Beschränkung ertheilt, daß er sich von allen Eingriffen in ein anderes bürgl. Gewerb besonders aber der Tischler Profession, und der musikalischen Instrumente von Messing zu enthalten haben werde, daß Bürgerrecht solle ihme nur dann ertheilt werden, wenn er durch einige Jahre Beweise seiner Geschicklichkeit, und seines Fortkommens wird gegeben haben.).

Instrumente zu verfertigen[80]. Er beantragt sogar, diesem bis zum Erlangen der notwendigen Kenntnisse zu verbieten, die angefertigten Instrumente mit der Bezeichnung *Preßburg* und dem ungarischen Wappen zu signieren, weiters diesem das Aushängeschild an der Werkstatt zu demontieren und seine Gesellen zu entlassen. Der Magistrat bedrohte Wacha mit Strafe und Konfiszierung. Erst im Jahre 1832 wurde ihm, nach wiederholtem Ansuchen, das Bürgerrecht erteilt[81].

Der Blasinstrumentenbau gewährte Franz Wacha nicht die Möglichkeit, für zufriedenstellende Existenz zu sorgen und seine Familie zu ernähren. Im Jahre 1847 bemühte er sich um Aufnahme in die Drechslerzunft und suchte um die Befreiung von einem Meisterstück an[82]. Im *Pressburger Wegweiser* ist er als *Instrumentenmacher* bis dem Jahre 1870 angeführt[83].

Der jüngere Sohn Albert Wacha´s, Albert Wacha jun., *musikalischer Instrumentenmacher von Messing* (Blechblasinstrumentenmacher), resp. *Metall Instrumentenmacher*, erlangte im Jahre 1822 das Stadtrecht im Bratislavaer Podhradie (Schloßgrund) als Musikinstrumentenmacher und Händler mit Blas- und Streichinstrumenten[84]. Schon im Jahre 1823 forderte er in Bratislava *sein Kunstfach allhier auszuüben*[85]. Der Magistrat, belehrt durch Erfahrungen mit den Musikinstrumentenbauern, erteilt diesem das Stadtrecht mit dem Hinweis, dass er sich von jeden unbefugten Eingriffen in andere Handwerke zurück-

---

[80]   AMB, Protocollum magistratuale 1827, Nr. 3964, 4633.

[81]   AMB, Bürger Buch, 1819 - 1870, Sign. 2 e 6; Protocollum Magistratuale 1832, Nr. 3063, 3605, 3705.

[82]   AMB, Protocollum magistratuale - Index 1847, Nr. 4652, 5270.

[83]   Pressburger Wegweiser 1840, 1842, 1853 – 1870.

[84]   AMB, Bürger-Recht 1803 – 1839 (Schlossgrund), Sign. Podhr. 10 (... als Mitbürger dieses königl. Schloßgrundes, als Instrumentenmacher, wie auch auf den Handel blassender sowohl, als Saiten Instrumenten, gerichtlich aufgenommen worden.).

[85]   AMB, Protocollum magistratuale 1823, Nr. 86.

halten muß und sich nicht der Fertigung von Holzblasinstrumenten widmen darf[86].

Auch Albert Wacha jun. gelang es nicht in Bratislava entscheidend Fuß zu fassen. Das Problem bestand auch im Mangel von ausgelernten Gesellen für den Blechblasinstrumentenbau. Im Jahre 1825 ersuchte er erfolglos um die Bewilligung, Gesellen von anderen Professionen zu beschäftigen (*um die gnädige Erlaubniß in Ermanglung der Gesellen seiner Profession, Gesellen aus fremden Handthierungen werben und verwenden zu dürfen*)[87]. Sein Ansuchen wurde von der zuständigen Komission abgewiesen[88].

So konnte auch Albert Wacha jun. sich nicht vom Blasinstrumentenbau ernähren. Im Jahre 1838 versuchte er erfolglos, die Bewilligung zum Betreiben eines Geschäftes mit Beugel und Bäckereiwaren zu erlangen[89].

Im erste Drittel des 19. Jahrhunderts wirkte in Bratislava Wenzel Jech (- 1809 – 1840 -), geboren in Telč (Teltsch) in Mähren. Bereits im Jahre 1809 versuchte er als Blechblasinstrumentenbauer und Musikinstrumentenhändler das Stadtrecht in Bratislava zu erwerben.[90] Der Stadtrat begrüßte einen weiteren

---

[86] AMB, Protocollum magistratuale 1823, Nr. 1139 (Weil es sich befunden, daß der Supplicant in diesen erlernten Kunstfache hinlängliche Geschichtlichkeit besitze, und sich bishers immer sittlich betragen auch ein hiesiger Bürgerssohn seyn, wird ihm das erbettene Bürgerrecht mit der Beschränkung verliehen, daß er sich von allen Eingriffen in ein anderes Gewerb, und der Verfertigung der Musikalische Instrumente von Holz zu enthalten haben werde.).

[87] AMB, Protocollum magistratuale 1825, Nr. 1506.

[88] AMB, Protocollum magistratuale 1825, Nr. 1875 (Weil durch die Haltung der Gesellen von verschiedenen Professionen nur eine Störung der Allerhöchsten Arts vorgeschriebenen Zunft und Gewerbeordnung verursacht, überdies aber auch die betreffende ohnehie gegenwärtig ... bestehende Meisterschaft dadurch sehr beeinträchtiget würde, könne dem Gesuche des Bittstellers nicht willfahret werden).

[89] AMB, Protocollum magistratuale 1838, Nr. 1650, 2429 (um Bewilligung zum öffentlichen Verkauf der Beugel und andere Backwercks).

[90] AMB, Protocollum magistratuale 1809, Nr. 187.

Musikinstrumentenbauer, vertrat aber einen grundsätzlich abweisenden Standpunkt bezüglich des Handels mit Musikinstrumenten:

Nachdem die hierorts bestehenden verschiedenen Instrumentenmacher mit ihren verfertigten Musicalischen Instrumenten sowohl daß hiesige Publicum zu versehen im Stande sind, als auch solche in das Ausland schicken, könne demselben nicht willfahret werden, ihme jedoch die eigene Verfertigung der messingenen Instrumente gestattet [91].

Laut den vorhandenen Dokumenten befaßte sich Jech bereits im Jahre 1810 mit dem Verkauf von Musikinstrumenten. Laut Aussage eines Kaufmannes transportierte dieser drei volle Kisten mit Musikinstrumenten aus Bratislava mit der Fähre bei Gran nach Pest. Unglücklicherweise versank die gesamte transportierte Ware[92]. Sein Ansuchen um Erteilung des Stadtrechtes wurde mit einer negativen Stellungnahme abgeschlossen. Die Untersuchungskommission deckte Jechs illegales Geschäft mit Musikinstrumenten auf, beschuldigte diesen als Täuscher und charakterlosen Menschen und weigerte sich, mit ihm zu verhandeln[93]. Jech gab jedoch nicht auf und begab sich nach Bratislavaer Podhradie (Schloßgrund), wo er bereits im Jahr 1814 das Stadtrecht als Musikinstrumentenbauer erhalten hat[94]. Im Steuerbuch aus dem Jahre 1815

---

[91] AMB, Protocollum magistratuale 1809, Nr. 1096.

[92] AMB, Fond: Mesto Bratislava, 1812, kr. 1072, f. 3, Nr. 24.

[93] AMB, Protocollum magistratuale 1813, Nr. 2777 (Nachdem der Supplicant seitl. der ihme ertheilten Befugniß musikalische Instrumente von Messing auf eigene Haus verfertigen, die nicht mündisten Beweise an Tag geloget, daß es die darzu erforderliche Kenntnüße besitze, und sich nur mit den ... hiesig bürgerl. Instrumentenmachern nachtheilgen Handel mit verschiedenen Instrumenten befasset hat, und sein moralischer Charakter durch die beygebrachten Zeugniße nicht in besten Lichte dargestelt worden, er übrigens auch ein der Conscription unter unterliegender Mährer ist, werde derselbe mit seinem Gesuch magistratualiter abgewiesen.).

[94] AMB, Bürger-Recht 1803 - 1839 (Schlossgrund), Sign. Podhr. 10.

wird er als *Markthändler* angeführt[95]. In Bratislavaer Podhradie wirkte er noch im Jahre 1840[96].

Kurz war das Wirken von Franz Scholl (*1752, +1828) in Bratislava, eines Musikinstrumentenmachers aus Wien. Nach dem Tode von Theodor Lotz bemühte er sich in Wien den Titel *K. u. K. Hofmusikinstrumentenmacher* zu erwerben. Im Jahre 1802 erhielt er ausschließlich das kaiserliche Privileg für den Bau des neuen Blasinstrumentes *Schollbasso*. Dieses, einer Klarinette ähnliche Instrument hatte einen 4-Oktaven-Bereich. Er baute auch Klarinetten mit einem erweiterten Bereich[97]. In Bratislava siedelte er sich vermutlich wegen seiner Tochter an, welche im Jahre 1822 nach Bratislava heiratete[98]. Es ist nicht bekannt, dass er sich in Bratislava dem Instrumentenbau gewidmet hätte. Er starb im Jahre 1828 im Alter von 76 Jahren[99].

Ein anderer Holzblasinstrumentenbauer, Michael Weinmann (*1800, +1824), erlernte das Handwerk in Bratislava. Im Jahre 1819 ging er mit der Wanderungsbewilligung des Stadtmagistrats nach Wien[100], wo ihn die Kriminalpolizei suchte. Er starb in Wien (Leopoldstadt) im Jahre 1824[101]. Ein weiteres Bewilligungsattest wurde vom Bratislavaer Magistrat im Jahre 1822 für Instrumentenmacher Gesellen Jacob Weinmann nach Wien ausgestellt[102].

---

[95] AMB, Register mešťanov 1815, Sign. 2 e PK 3a.

[96] AMB, Menný register 1840, Sign. 2 e 5 PK.

[97] Helga HAUPT, Wiener Instrumentenbauer von 1791 bis 1815, in: Studien zur Musikwissenschaft 24. Bd., Graz - Wien - Köln, 1960, S. 172.

[98] AMB, Matricula copulatorum, Sign. 204.

[99] AMB, Matricula defunctorum, Sign. 224.

[100] AMB, Protocollum actorum 1819, Sign. D b 35; Fond: Mesto Bratislava, 1819, kr. 1160, f. 8, Nr. 479; 1820, kr. 1183, f. 8, Nr. 624; 1822, kr. 1228, f. 4, Nr. 310.

[101] Helmut OTTNER, Der Wiener Instrumentenbau 1815 – 1833, Tutzing 1977, S. 158.

[102] AMB, Protocollum actorum 1822, Sign. D b 38; Fond: Mesto Bratislava, 1822, kr. 1225, f. 4, Nr. 268.

Aus Nürnberg kam Fridrich Lehner (*1797) nach Bratislava, der Sohn des Musikinstrumentenmachers Johann Lehner. Im Jahre 1823 heiratete er Maria Batta aus Bratislava[103]. Zwei Jahre später verließ er seine Familie[104] und versuchte in Wien als *Blasinstrumentenmacher und -fabrikant* Fuß zu fassen[105].

Im Jahre 1845 stellte der Bratislavaer Magistrat eine Wanderungsbewilligung für *Instrumentenmacher* Franz Ehrenhofer aus[106]. Nach Langwill[107] wirkte im 19. Jahrhundert in Bratislava noch der Blasinstrumentenmacher F. de Szelassy.

Die Bratislavaer Matrikel belegen in der ersten Hälfte des 19. Jahrhunderts zudem die Tätigkeit anderer Instrumentenmacher:

Mathias Blaschek (*1825, +1844), *fúvóhangszer Csináló* (Blasinstrumentenmacher), Abstammung aus Böhmen (Gemeinde *Branitz*), starb im Jahre 1844 im Alter von 19 Jahren[108];

Josephus Pisetz (*1836, +1853), *Confector instrumentorum flatilium* (Blasinstrumentenmacher), stammte aus Kunešov (*Koneschau*), starb als 17-jähriger im Jahre 1853[109].

---

[103] AMB, Matricula copulatorum, Sign. 300.

[104] AMB, Protocollum actorum 1827, Sign. Db 43; 1828, Sign. Db 44; Protocollum magistratuale 1829, Nr. 75; Fond: Mesto Bratislava, 1827, kr. 1314, f. 4, Nr. 261; 1827, kr. 1328, f. 14, Nr. 1060.

[105] Helmut OTTNER, Der Wiener Instrumentenbau 1815 – 1833, Tutzing 1977, S. 94.

[106] AMB: Protocollum magistratuale 1845, Nr. 1086; Protocollum actorum 1845, Sign. D b 61 . Es ist möglich, dass die Stockflöte - Tsakan, die das Stadtmuseum in Pressburg besitzt, mit dem Signatur *Ernhofner Pressburg*, wurde eben von Franz Ehrenhofer hergestellt.

[107] L. G. LANGWILL, An Index Of Musical Wind-Instrument Makers, Edinburgh 1972.

[108] AMB, Matricula defunctorum, Sign. 227.

[109] AMB, Matricula defunctorum, Sign. 229.

388

Es schien, als ob im 19. Jahrhundert Johann Schöllnast in Bratislava doch noch Konkurrenz gehabt hätte. Einige Mitglieder der Instrumentenbauerfamilie Riedl aus Schönwerth in Böhmen versuchten, sich in Bratislava niederzulassen. Der bedeutendste von ihnen war Johann Riedl I. (*1820, +1862?) geboren in Schönwerth in Böhmen. Er lernte seinen Beruf *bei renomirtesten Instrumentenmachern Wiens und anderer großen Städte*[110]. Im Jahre 1848 stellte er einen Antrag für das Meisterrecht, das er 1849 erhielt. Im Dezember 1849 annoncierte er als *musikalischer Blasinstrumenten Fabrikant* und empfahl Interessenten seine ausgezeichnet klingenden Musikinstrumente. Der ebenfalls aus Schönwerth stammende Johann Baptist Riedl (vielleicht ein Neffe von ihm) war 1848 - 1849 Geselle in seiner Werkstatt[111]. Die *Leipziger Illustrierte Zeitung*[112] und *Preßburger Zeitung*[113] informierten im Jahre 1854 über die neue Erfindung von Johann Riedl: er entwickelte ein vierventiliges Waldhorn in Form eines Kornetts. Er bezeichnete es als *achromatisches oder englisches F-Horn* und feierte mit diesem anfangs großen Erfolg in London. Er wirkte etwas über zehn Jahre in Bratislava. Er ist möglicherweise identisch mit Johann Riedl, der im Jahre 1862 nach Pest übersiedelte, den Gewerbeschein erhielt und kurz danach starb[114].

Franz Riedl (= Johann?), Instrumentenmacher (auch Geigenmacher?), dessen Tätigkeit in Bratislava in den Jahren 1854 – 1864 nachweisbar ist. Sein Name findet im Pressburger Wegweiser Erwähnung. Möglicherweise identisch mit Johann Riedl, der im Jahre 1857 urkundlich (ebenso wie Franz Riedl) am Franziskanerplatz wohnte[115].

---

[110] Pressburger Zeitung 1849, Nr. 279; Freundliche Mitteilung von Frau PhDr. Alexandra Tauberová.

[111] Freundliche Mitteilung von Frau Dr. Eszter Fontana.

[112] Leipziger Illustrierte Zeitung, 15. Juli 1854. Freundliche Mitteilung von Frau Dr. Eszter Fontana.

[113] Pressburger Zeitung 1854, Nr. 179; Freundliche Mitteilung von Frau PhDr. Alexandra Tauberová.

[114] Freundliche Mitteilung von Frau Dr. Eszter Fontana.

[115] Pressburger Wegweiser 1853 - 1864.

Johann Riedl II. (*1833, +1921), Blechblasinstrumentenmacher, wurde in Schönwerth geboren, lernte seinen Beruf in einer der heimischen Werkstätten. Seine Gesellenzeit verbrachte er bei Wiener Meistern (Franz Bock, Ignaz Stowasser und Leopold Uhlmann) und in den Jahren 1858 – 1861 in Johann Schöllnasts Werkstatt in Bratislava. Im Jahre 1861 ließ er sich in Sopron nieder[116].

Johann Baptist Riedl (*1832 – 1861 -), Blechblasinstrumentenmacher, geboren in Schönwerth, wo er seinen Beruf erlernte. In den Jahren 1848 – 1849 war er bei seinem Verwandten Johann Riedl Geselle in Bratislava. 1849 stellte er den Antrag, sich in Bratislava niederlassen zu dürfen[117]. Der Antrag wurde wohl abgelehnt, weil er im Jahre 1856, als die Familie das Haus in Schönwerth verkaufte, in München als Trompetenmacher (wahrscheinlich als Geselle) wirkte. 1858 hielt er sich nochmals länger in Schönwerth auf, dann verließ er das Elternhaus.

Laut Eszter Fontana wirkten in Bratislava noch zwei andere Mitglieder der Instrumentenbauerfamilie[118]:

Vinzenz Riedl I. (*1829? – 1863 -), Blechblasinstrumentenmacher, wurde in Schönwerth bei Graslitz geboren. Er lernte seinen Beruf in einer der heimischen Werkstätten. Er ist wahrscheinlich der Musikinstrumentenmacher in Bratislava, bei dem 1858 sein Neffe Vinzenz Riedl II., Sohn seiner Schwester

Marianne Riedl in Schönwerth, seine Lehrzeit begann. 1862 hielt er sich möglicherweise noch in Bratislava auf.

Vinzenz Riedl II. (*1849, +1926), Blechblasinstrumentenmacher, in Schönwerth geboren. Er begann seine Lehrzeit im Jahre 1858 bei seinem Onkel Vinzenz Riedl I., zu der Zeit Musikinstrumentenmacher in Bratislava. Möglicherweise identisch mit dem Vinzenz Riedl, der in den 1880er und 1890er Jahren als Instrumentenmacher in Graslitz nachweisbar ist.

---

[116] Freundliche Mitteilung von Frau Dr. Eszter Fontana.

[117] AMB, Regestum Actorum 1848, Sign. D b 64; 1849, Sign. D b 65.

[118] Freundliche Mitteilung von Frau Dr. Eszter Fontana.

Einer der Schüler von Johann Schöllnast war Blechblasinstrumentenmacher Anton Szintsák (* 1835, + cca 1914). Er leitete seine Werkstatt zur Fertigung von Musikinstrumenten in Bratislava seit dem Jahre 1863[119]. Er stellte vor allem Blechblasinstrumente her. Im Jahre 1913 übernahm sein Sohn Karl Szintsák die Leitung der Werkstatt[120].

In der zweiten Hälfte des 19. Jahrhunderts gehörte Stefan Pauer (*1852, +1907) zu den bedeutendsten Bratislavaer Musikinstrumentenmachern. Auch er erlernte seinen Beruf bei Johann Schöllnast und übernahm nach dessen Tod im Jahre 1882 dessen Instrumentenbauwerkstatt und das Musikinstrumenten-Geschäft in Bratislava[121]. Im Jahre 1893 übernahm er zudem die Geigen-bauerwerkstatt von Hamberger. In seinen Werkstätten wurden Saiten- und Blasinstrumente gebaut, repariert und im Geschäft verkauft. Ab dem Jahre 1906 baute er Musikinstrumente gemeinsam mit Alois Kubescha. Nach dem Ableben Pauers führte die Werkstatt seine Ehegattin Emilie Pauer (- 1907 – 1929-), die den Betrieb offiziell im Jahre 1916 auflöste[122].

Zu den Lehrlingen Stefan Pauers zählt Alois Kubescha (*1869, +1946), Holz- und Blechblasinstrumentenmacher. Er erlernte zudem das Geigenmacher-handwerk (bei Vencel Gottfried)[123], das Tischler- und Drechslerhandwerk sowie das Flöten- und Fagottspiel. In den Jahre 1892 – 1917 war er im Stadttheater als erster Fagottist tätig. Er baute und reparierte Flöten, Piccolo-flöten, Klarinetten und Tárogató. Im Jahre 1945 wurde sein Geschäft ver-staatlicht, aber Kubescha arbeitete darin bis zu seinem Tode[124]. Bei Kubescha erlernte Václav Múčka das Instrumentenmacherhandwerk[125].

---

[119] Pressburger Wegweiser 1862.

[120] Pressburger Wegweiser 1863 – 1916.

[121] AMB, Index živností 1872 – 1884.

[122] AMB, Živnostenský protokol 1891 – 1919.

[123] AMB, Živnostenský protokol 1891 – 1919, Živnostenský protokol 1914 – 1920 A.

[124] Von Kubescha blieben mehrere Musikinstrumente im Musikmuseum des Slowakischen National Museums in Bratislava erhalten.

[125] Freundliche Mitteilung von Herrn PhDr. Ivan Maèák.

Zu Beginn des 20. Jahrhunderts kam Georg Berghuber sen. (*1868, +1934) nach Bratislava, ein Schüler des bedeutenden Budapester Instrumentenbauers (seines Onkels) Wenzel József Schunda. In Budapest und später in Wien arbeitete er bis zum Jahre 1911 als Gehilfe, dann übersiedelte er nach Bratislava. Er eröffnete ein Geschäft und später auch eine Werkstatt zur Fertigung und Reparatur von Musikinstrumenten[126]. Er war Instrumenteninstandhalter des Stadttheaters (später Slowakisches Nationaltheater) in Bratislava. Im Jahre 1922 stellte er seine Instrumente auf der Slowakischen Gewerbeausstellung in Bratislava aus. Er beschäftigte einige Instrumentenmacher: Štefan Nič, Václav Múèka, Róbert Kantner, u. a.[127].

In der Werkstatt von Berghuber lernte auch sein Sohn Georg Berghuber jun. (*1897, +1980), welcher sich seit dem Jahre 1934 nur dem Geschäft widmete. Seine Firma wurde im Jahre 1945 verstaatlicht und im Jahre 1951 aufgelassen. Im Jahre 1945 verließ er Bratislava und siedelte sich in Linz an, wo er als Geigenbauer tätig war[128]. Georg Berghuber sen. und sein Sohn Georg Berghuber jun. erfüllten zu Beginn des 20. Jahrhunderts die besten Voraussetzungen, den Blasinstrumentenbau in Bratislava weiterzuführen. Ihr Wirken in Bratislava war für die Bratislavaer Musiker und Musikinstitutionen zwar sehr erfolgreich, blieb jedoch lokal beschränkt[129].

BEILAGE

Pressburger Zeitung, 11. August 1820:

Der hiesige Bürger Hr. Franz Schöllnast, als Künstler und musikalischer Blas-Instrumentenmacher, in der musikalischen Welt des Inn- und Auslandes rühmlich

---

[126]   AMB, Živnostenský protokol 1891 – 1919.

[127]   Freundliche Mitteilung von Frau Hildegarda Koubková.

[128]   Freundliche Mitteilung von Frau Hildegarda Koubková.

[129]   Zur Situation vor 1800 vgl.: Jindřich KELLER, Pištìlníci a trubaøi. Pojednání o výrobì dechových nástrojù v Èechách pøed rokem 1800, in: Sborník národního musea v Praze (Acta Musei Nationalis Pragae), Řada A - Historie, Svazek 29, číslo 4 - 5, Praha 1975.

bekannt, hat aber mals einen neuen Beweis seines Künstler-Talentes und uner-
müdeten Forschens in seiner Kunst durch eine neue Erfindung an der Flöte gegeben, die allen Tonkünstlern dieses Instrumentes den größten Vortheil der
Bequemlichkeit und Vollkommenheit darbietet. Dieses ausgezeichnete Instrument
hat nur die gewöhnliche Länge einer gewöhnlichen Flöte, ist aber von Tonumfang
um einer Quinte tiefer, denn sie reicht bis in das kleine g hinab, und enthält von
dieses Tiefe die ganze chromatische Tonleiter hinauf. Nach dem vor uns liegenden
glaubwürdigen Zeugnis des Herrn Heinrich Klein, Professors der Tonkunst an der
k. Musterschule allhier, und Mitgliedes der k. schwedischen musikalischen Aca-
demie in Stockholm, ist das Ton Verhältniß, sowohl in der Tiefe als in der Höhe,
von jener Vollkommenheit, die dem Tonkünstler nichts mehr zu wünschen übrig
läßt. Da Herr Franz Schöllnast ein geborner Ungar ist, so hat derselbe diese neue
Erfindung seiner Nation, als eine ungrische National-Flöte, unter dem ungrischen
Namen Furolya, in tiefster Ehrfurcht gewidmet, unter welchem Namen sie dem
musikalischen Publikum bekannt gemacht wird.

Pressburger Zeitung 1857, Nr. 198:

Lokalnachrichten.
Nachdem in neuster Zeit die Blechinstrumente alle übrigen Blasinstrumente so zu
sagen zurückgedrängt und über dieselben die Oberhand erlangt haben, so zwar,
daß selbst, die schwierigsten und schönsten Solopartien auf diesen Instrumenten,
besonders auf dem Flügerhorne vorgetragen und executirt werden, wäre es sehr
wünschenswert und höchst zweckmäßig, daß man auf das Materiale derselben,
insbesondere aber auf deren Stimmung - die Seele der Harmonie - die möglichste
Aufmerksamkeit verwende. Leider ist dies jedoch bis zur Stunde nicht der Fall, da
dieser höchst wichtige Umstand, der nicht nur für das gebildete musikalische Ohr,
sondern für jeden Laien höchst fühlbar ist, keiner genügenden Aufmerksamkeit
gewürdigt wird, was um so mehr bedauert werden muß, da der Mangel einer
richtigen Stimmung dieser Instrumente, der Reinhart und Runduna ihres Tones den
Gesammteindruck der harmonisch sein sollenden Töne gänzlich und auf das nacht-
heiligste paralisirt und dadurch den Kunstgenuß, den Zauber der Musik verschwinden macht. Bei den meisten Musikbanden werden derlei ungestimmte
Instrumente angekauft und dem Musiker in die Hand gegeben. Welch´ ein uner-
freuliches Resultat wird aber dadurch für den Zuhörer und welch´ undankbares für
das betreffende, dieses Instrument spielende Individuum erzielt! Letzterer mag sich
mühen, wie er will, er mag alle seine technische Geschicklichkeit entfalten, er wird
doch nur falsche oder kreischende disharmonische Töne hervorzubringen vermögen. Um meiner Ansicht mehr Glauben zu verschaffen, möge der Augenschein,
die eigene Ueberzeugung genügen, man möge sich nur die kleine Mühe nehmen,

dem hiesigen, durch seine Leistungen auf das Vortheilhafteste bekannten Metall-instrumentenmacher Herrn Riedl am Franziskanerplatze einen Besuch zu machen: man probiere und höre seine Instrumente und ich bin überzeugt, daß man meiner Ansicht beistimmen, den Unterschied von andern derlei Instrumenten vollkommen erkennen und seinen Instrumenten, die durch ihre reine Stimmung, durch ihren runden, vollen und schönen Ton den Kunstverständigen gewiß in jeder Beziehung befriedigen werden und deren Vorzüglichkeit bereits vom Auslande gewürdigt wurde, die vollste Anerkennung nicht versagen wird.

Leipziger Illustrierte Zeitung, 15. Juli 1854; Pressburger Zeitung 1854, Nr. 179:

Der Metall-Blasinstrunmentenmacher Joh. Riedel in Preßburg in Ungarn, dessen Erzeugnisse sich seit einer Reihe von Jahren der ehrenvollsten Anerkennung des Auslandes erfreuen und ihm namhafte Aufträge aus London und Amsterdam, sowie aus **mehren** Städten Deutschlands gebracht haben, wurde von dem Capell-meister des ersten Garderegiments in London veranlaßt, die Form der schrägen bisherigen Waldhörner zu verbessern. was ihm auch in Folge des eifrigsten Studium vollkommen gelang.

Man weiß, daß die frühere Form des Waldhorns ganz ungenügend war, denn der Ton desselben hing von den Handbewegungen des Bläsers ab und war folglich sehr beschränkt, da sich derselbe mit der hohen Hand im Schallbecher behelfen mußte, um eine Stimmung hervorzubringen. Bei der unten detaillirten Verbesse-rung des Waldhorns muß als Hauptpunkt hervorgehoben werden, daß dieselbe vorzugsweise die Mensur betrifft, und daß die Töne im Kreise der Harmonie, besonders bei größeren Musikkörpern, z.B. Regimentsmusikcorps, schmelzender Zusammentreffen und hiedurch vielseitige Wünsche erfüllt sind.

Wir geben hier eine Abbildung des wesentlich verbesserten Hörns; welches der Verfertiger <englisches F-Horn> nennt, und lassen die Erklärung der Ver-besserung nachstehend folgen.

Das englische Horn enthält vier Octaven, vom obern G oberhalb der fünften Linie bis ins Contra-G, wodurch ein viertes Ventil oder der vierte Wechsel erzielt wird. Dieser vierte Wechsel ist ein Stellvertreter der ersten und dritten Tonvertiefung (nämlich fünf kleine Töne oder die kleine Quint); jedes Eröffnen eines Wechsels ist eine Vertiefung. Die achromatische Maschine enthält 1/2, 1 ganzen und 1 1/2 Ton, im Ganzen die kleine Sechs genannt; jede Wechseleröffnung vertieft 1, 1/2, 1 ganzen und 1 1/2 Ton. Alle einzelnen Griffe sind rein ausgestimmt.

Wenn man - um ein Beispiel anzuführen - zum Contra-G die erste und dritte Klappe zu öffnen hat, so sind die fünf kleinen Töne zu hoch, weil es z.b. vom hohen C bis b einen ganzen Ton ausmacht, und der Verfertiger eine Röhrenlänge von 4 1/2'' braucht, während er eine Octav tiefer von C bis b eine Röhrenlänge von 12 bis 13'' bedarf; das Eröffnen zweier Wechsel - erster und dritter Klappe - vertieft es folglich um die kleine Quint, was beim tiefen F-Horn zu hoch und zu kurz ist. Es ist deshalb der vierte Tonwechsel unvermeidlich; er ist für sich und der achromatischen Maschine als fünf tiefere kleine Töne zugegeben.

Da nun alle Töne, die mit der ersten und dritten Klappe genommen werden, zu hoch sein müssen, ist die vierte Klappe angebracht, um die reine Stimmung hervorzubringen. Jedes Instrument hat zwei nicht natürliche Töne: das F auf der fünften Linie und das b zwischen der zweiten und dritten Linie; durch diese vierte Tonverlängerung der achromatischen Maschine muß die richtigste Tonstimmung erfolgen, sei es nun bei dem hoch- oder tiefgestimmten Metallinstrumente.

Die Erfindung des vierten Tonwechsels haben wir dem in Preßburg ansässigen ehemaligen Instrumentenmacher Engelbert Lausmann, der eine ehrenvolle Berühmtheit erlangt hatte, zu verdanken.

Bei dieser Veranlassung möge der Metall-Blasinstrumentenmacher Hr. Johann Riedel in Preßburg allen Musikcorps des In- und Auslandes auf das Beste empfohlen sein; jeder seiner Auftraggeber wird sich überzeugen, daß der Ruf, den sich dieser in seinem schwierigen Fache so tüchtige Mann in kurzer Zeit sogar in der Weltstadt erworben, ein vollständig begründeter ist.

[Pressburger Zeitung 1854, Nr. 179: Hr. Riedl, der inzwischen die Effectuirung dieses Hornes nach London bewerkstelligte, erhielt von dort bereits eine Antwort zurück, worin ihm der Besteller seine vollkommenste Zufriedenehit ausdrückte, die Hörner ganz vorzüglich nennt und versichert, daß sie ihm alle Ehre machen. Wir unsererseits wünschen aufrichtig, daß die Bestrebungen des Hrn. Riedl auch in den Betreffenden vaterländischen Kreisen Würdigung finden mögen.]

Chronologische Reihenfolge der Instrumentenbauer in Bratislava

Johann Theodor Lotz (*1748, +1792)
Johann Bernhofer (-1778 – 1786 -)
Franz Bernhofer (*1751, + cca 1819)
Ignatz Bernhofer (*1780, +1810)

Elisabeth Bernhoferová (- 1810 – 1816 -)
Franz Steinmüller (*1790, +1822)
Franz Schöllnast (*1775, +1844)
Franz Schöllnast jun. (*1800, +1836)
Johann Schöllnast (*1810, +1882)
Engelbert Lausmann (*1799 – 1848 -)
Joseph Lausmann (*1807, +1832)
Wilhelm Lausmann (*1820, +1837)
Michael Lausmann (*1823 – 1848 -)
Albert Wacha sen. (*1773, +1829)
albert Wachajun. (*1800/1801, +1859)
Franz (Xaver) Wacha (*1796 – 1870 -)
Vencel Jech (- 1809 – 1840 -)
Michael Weinmann (*1800, +1824)
Jacob Weinmann (- 1822 -)
Fridrich Lehner (*1797 – 1831 -)
Franz Scholl (*1752, +1828)
Václav František Červený (*1819, +1896)
Mathias Blaschek (*1825, +1844)
Franz Ernhofner (- 1845 -)
F. de Szelassy (19. st.)
Anton Barcsák (19. st.)
Wilhelm Reinsch (- 1845 – 1850 -)
Silvester Pfeiffer (- 1850 – 1856 -)
Josephus Pisetz (*1836 , +1853)
Johann Riedl I. (*1820, +1862?)
Franz (=Johann?) Riedl (- 1854 – 1864 -)
Johann Riedl II. (*1833, + 1921)
Johann Baptist Riedl (*1832 – 1861 -)
Vincenz Riedl I. (*1829? – 1862 -)
Vincenz Riedl II (*1849, +1926)
Anton Szintsák (*1835, +1913/1914)
Karol Szintsák (- 1914 -)
Štefan Pauer (*1852, +1907)
Emilia Pauerová (- 1907 – 1929 -)
Alojz Kubescha (*1869, +1946)
Juraj Berghuber sen. (*1868, +1934)
Juraj Berghuber jun. (*1897, +1980)
Štefan Nič (20. st.)
Václav Múčka (20. st.)
Robert Kantner (20. st.)

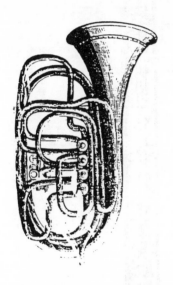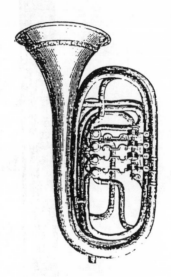

Abbildung 1
Achromatisches (englisches F-Horn) von Johann Riedl
Leipziger Illustrierte Zeitung, 15. Juli 1854

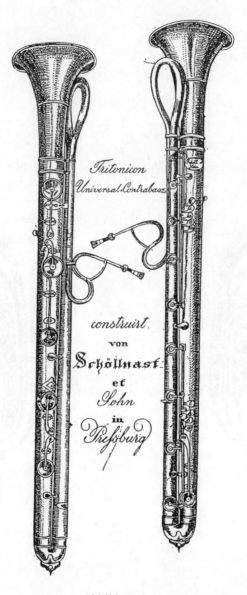

Abbildung 2
Werbungsmaterial zum Tritonikon – Abdruck des Druckstocks; Fa. Schöllnast
Mestské múzeum Bratislava, Sign. F-1167 (Stadtmuseum)

Karl H. Vigl, Meran/Südtirol, Italien

BLÄSERISCHES BEI JOSEF LECHTHALER

Runde Jahrtage können und sollen wohl auch dazu führen, dass man die Öffentlichkeit des etablierten Kulturwesens aufmerksam macht auf Erscheinungen, die zeitweise – aus welchen Gründen auch immer – in die Schatten- und Randbereiche der Betrachtung gelangen.

Vor fünfzig Jahren starb in Wien Dr. Josef Lechthaler: an schwerem Herzleiden nach tiefen Depressionen, wie die Biographen nachdrücklich betonen! Und betroffen und beflissen ist der Eindruck, der die Reaktionen auch im kulturellen Umfeld der Metropole einer breiteren Trauergemeinde auslöste:

"Wie reich und vielfältig das Lebenswerk des Meisters war, erweist die Tatsache, dass mindestens ein halbes Dutzend Nachfolger bestellt werden mussten, um die wichtigsten Sparten seiner Tätigkeit zu besetzen - die Leere nach dem Tod eines Großen war damals beängstigend fühlbar" (E. Tittel).

Die Dimension dieser Grösse lässt sich erschliessen aus der Bewertung des Musikhistorikers der *Musica Sacra Austriaca*, der Josef Lechthaler zur bedeutendsten Erscheinung unter den Musikern der österreichischen Kirchenmusik der ersten Jahrhunderthälfte erhebt.

Es ist möglich, dass neben den Imponderabilien der biographischen Fatalität, durch die ein Lebenswerk unterbrochen wurde und, nicht überschaubar, einer zu wenig darauf vorbereiteten geistig-kulturellen Erbengemeinschaft überantwortet werden musste, gerade auch diese Nähe zur Geistlichen Musik dafür ausschlaggebend wurde, dass die Dimension der Größe nach *allgemein* gültigeren Wertkriterien nicht ausgerichtet wurde. Josef Lechthalers Lebenswerk ist heute nahezu verschollen. Die verdienstvollen Publikationen, die seinerzeit eine sinnvolle Gesamtschau vermitteln sollten, und die noch immer die Maßstäbe für eine Beurteilung geben müssen, konnten dies nicht verhindern.

Hans Jancik, Ernst Tittel, Ernst Knoflach haben die musikwissenschaftlichen und stilkritischen Grundlagen erarbeitet, die dieser Darstellung zugrundeliegen müssen, da seit mehr als drei Jahrzehnten keine anderen mehr zugänglich gemacht worden sind[1]. Im gesamtdeutschen Kulturraum finden sich davon überhaupt kaum erwähnenswerte Anzeichen.

Der geringe Bekanntheitsgrad der Persönlichkeit Josef Lechthalers lässt es hier wohl angemessen und hilfreich erscheinen, zunächst den biographischen Überblick zu geben.

Josef Lechthaler wurde am 31. Dezember 1891 in der Nordtiroler Kleinstadt Rattenberg geboren. Dort versah der Vater gerade seinen Dienst als k. k. Finanzwachkommissär. Aber der Herkunft nach väterlicherseits aus dem Vinschgau, stammte die Familie aus Algund im südtiroler Burggrafenamt. Nach den ersten Schuljahren des Sohnes in Reutte und Hall i. T. kehrte sie nach Meran zurück. Dort erlebte J. Lechthaler in den Jahren 1902 bis 1910 während der Studien am Benediktinergymnasium auch entscheidende und prägende Eindrücke in der Musikbildung durch den Direktor der Anstalt, den Benediktiner P. Magnus Ortwein. Bei ihm betrieb J. Lechthaler während der beiden letzten Gymnasialjahre Studien in Musiktheorie und Komposition, nachdem er gleich zu Anfang des Schulbesuches (1902) das Klavierspiel begonnen hatte.

Aber andere Eindrücke mögen nicht minder prägend gewesen sein. Das Meraner Kurorchester unter Musikdirektor Emil Schmeißer befand sich auf einem Höhepunkt künstlerisch-symphonischer Leistungsfähigkeit, durch die auch Neuheiten des damals aktuellen und zeitgenössischen österreichisch-süddeutschen Musikschaffens ins Kulturleben der Passerstadt vermittelt werden konnten. Andrerseits war es gerade die Algunder Musikkapelle, die es sich zugute hielt, dass unter der Leitung von Anton Schrötter eine Repertoire-erweiterung vollzogen wurde, die u. a. darauf ausgerichtet war, die großen Rossini-, Donizetti- und Verdi-Fantasien als Bereicherung für das südtiroler Blasmusikwesen in exemplarischen Aufführungen bei Saal- und Platzkonzerten vorzuführen.

1910 nahm Lechthaler das Studium in romanistischen Fächern, später in Jurisprudenz an der Universität Innsbruck auf. Im Oktober 1912 inskribierte

[1] Hans JANCIK, Josef Lechthaler, in: Singende Kirche 1960, S.177ff; Lechthaler Josef, in: MGG 8, 1960, Sp. 438 – 440; Ernst TITTEL, Josef Lechthaler, eine biographische Studie, Wien 1966; Ernst KNOFLACH, Die kirchenmusikalischen Werke Josef Lechthalers, ungedr. Dissertation, Innsbruck 1962.

er aber in Wien Musikwissenschaft bei Guido Adler. Gleichzeitig besuchte er die Abteilung für Kirchenmusik an der Musikakademie, die er bereits nach zwei Jahren (1914) mit ausgezeichnetem Abschluss verlassen konnte.

Dort erfolgte die zweite wichtige Begegnung mit einer Lehrerpersönlichkeit aus der südtiroler Kulturtradition: mit Vinzenz Goller. Die dritte prägende Lehrergestalt war dann Max Springer. Kriegsbedingte Umstände führten dazu, dass J. Lechthaler erst im März 1919 mit der Dissertation *Die kirchenmusikalischen Werke Alexander Utendals* zum Doktor der Philosophie mit musikwissenschaftlicher Ausrichtung promovierte. (Bemerkenswerterweise zum gleichen Zeitpunkt, da seine südtiroler Heimat aus dem seit einem halben Jahrtausend bestehenden (1361 – 1919) Kulturverband des habsburgischen Österreich herausgelöst und einem neuen, nahezu fremden Kulturkreis politisch eingebunden wurde.)

Nach Abschluss des Studiums und der Staatsprüfungen als Lehrer für Klavier, Orgel und Gesang begann er 1924 eine pädagogische Laufbahn als Theorielehrer an der Kirchenmusikabteilung der Akademie in Wien, zu deren Leitung er 1932 beauftragt wurde.

Langgehegte Pläne konnten nun feste Formen annehmen, als an ihn 1933 der Auftrag erging, die Abteilung für Kirchenmusik und das Musikpädagogische Seminar als einheitliche *Abteilung für Kirchen- und Schulmusik* zu organisieren und im Juni 1933 deren Leitung zu übernehmen.

Die Abteilung war gerade in einer bedeutsamen organisatorischen und pädagogischen Entwicklung begriffen, als man 1938, willfährig dem neuen Regime, von einer Stunde zur anderen Lechthaler aus diesem Wirkungsfeld entfernte[2].

Es hätte eine volksbildnerisch und musikpädagogische eminent folgenreiche und richtungsweisende Epoche des Musiklebens eingeleitet werden können, die auch der künstlerischen Evolution des Blasmusikalischen zugute kommen sollte!

"Lechthaler, die schöpferischste Potenz der österreichischen Kirchenmusik in der ersten Jahrhunderthälfte, war gleichermaßen auch Pädagoge und Organisator von großer Gestaltungskraft, weit planendem, kühnem Schwung und geistiger

---

[2]   Hans JANCIK, in: Singende Kirche 7, 1960, S. 177.

Steigerungen schließen sich zu homophonen, rein harmonischen Wirkungen zusammen...".

Dieses polyphone Element kommt deutlich zur Geltung durch das Oktett der Blechbläser - 3 Hörner, 2 Trompeten, 3 Posaunen; der ursprüngliche Orgelpart, der dieser ad libitum-Besetzung zugrunde liegt, lässt die Konturen der linearen Stimmführung nicht in gleicher Weise prägnant zur Geltung gelangen.

Die Anlehnung an Bruckner ist nicht überhörbar, wenngleich sie vor allem auf die homophonen Partien zutrifft. Im *Benedictus* sind dazu dann verhaltene Anklänge an G. Mahler spürbar. Aber noch eine andere Faszette musikalischer Erfahrungen und künstlerischer Beeinflussung ist in dem Frühwerk eingearbeitet. Erste Skizzen zur Komposition reichen übrigens in die Jahre 1912 – 14 zurück. Es sind die Erfahrungen aus der Meraner Zeit.

Chordirektor Franz Xaver Gruber (1875 – 1926), der nachmalige Salzburger Domkapellmeister, hatte z. B. am 1.Mai 1910 die *Erstaufführung in Österreich* der G-Dur-Messe op. 14 von Karl Pembaur mit dem Meraner Stadtpfarrchor und Orchester zustande gebracht und dadurch den Ausblick der Cäcilianer in die Gefilde der neudeutschen Geistlichen Musik nach den Visionen des Franz Liszt nachvollzogen. Gruber hatte zudem auch eigene Beiträge kirchenmusikalischer Gebrauchsmusik geliefert, wie ein *Stabat mater* für Männerchor und Bläser, (*stimmungsvoll und doch liturgisch gestimmt*, wie der lokale Berichterstatter hervorhob)[5].

Der Superior des Benediktiner-Kollegiums, Professor und Gymnasialdirektor P. Magnus Ortwein (1845 – 1919), hatte in der Meraner Studienzeit Lechthalers noch deutlichere Ausrichtung gegeben. P. Magnus erreichte in seiner Kirchenmusik eine "durchaus originelle Synthese von palestrinensischer Polyphonie und Wagner'scher Leitmotivtechnik" (E. Tittel). Lechthaler formt daraus die neue Synthese, die die Idee des Leitmotivs mit *Klangfarben* und *Instrumental*individualitäten verbindet, und diese Idee in das polyphone Linienspiel der zur Kirchenmusik zugelassenen engmensurierten *Blas*instrumente umsetzt. Dadurch dienen die Instrumente nicht der intonatorischen Stütze für den Chor und nicht nur der reinen dynamischen Verstärkung und Aufwertung klanglicher Kulminationspunkte.

---

[5] Ernst KNAPP, Kirchenmusik Südtirols, Bozen 1993, S. 227.

Lechthaler zieht seine Konsequenz aus der "Unvereinbarkeit des polyphonen Vokalsatzes der Renaissancemotette mit der an reale Bühnenvorgänge gebundenen Leitmotivtechnik R. Wagners". Er entscheidet sich, "ausgehend von dem Gedanken, dass alle Kunst eins sei, nach der bereits ein halbes Jahrhundert dauernden archaisierenden Kirchenkunstpflege vom Kirchenboden aus den Anschluß an das allgemeine Musikleben der Gegenwart (zu) gewinnen" (J. Lechthaler).

Ein effektvolles Kontrastelement aus Ortweins Formmodellen konsolidierte sich im nächsten Werk: im *30. Psalm – Auf dich, o Herr, vertraue ich* für gemischten Chor, einstimmigen Kinderchor, Orgel, 2 Trompeten, 3 Hörner, 3 Posaunen - (2 Flöten, 2 Oboen, 2 Klarinetten, 2 Fagotte, Kontrafagott, Tuba und Pauken ad libitum) Opus 10, komponiert 1922 – 23.

Hier gewinnen Chorunisoni und polyphone Vielstimmigkeit der Sing- und Instrumentalstimmen formgliedernde Funktion aus textdeklamatorischer Sinnhaftigkeit. Die ad libitum-Holzbläser allerdings dienen der Ausführung des Orgelpartes in Freiluftaufführungen oder zur konzertanten außerliturgischen Interpretation.

Mehr und mehr gelangte der Einfluß des Lehrers Max Springer zum Durchbruch, gerade im Sinne einer romantisch gefärbten Polyphonie, die sich zwischen vokalen und instrumentalen Figuren abspielt. Dazu kommt die prägnante architektonische Disposition, zugleich ein "Zurücktreten von Einzelzügen zugunsten eines geschlossenen formalen Ablaufs"[6], und schließlich auch das erkennbare Bestreben (- wohl aus der wissenschaftlichen Auseinandersetzung mit den *kirchlichen Werken von Alexander Utendal* -) die Imitationseffekte auf neuartige Manier ins damals moderne harmonisch ausschweifende Feld der Riemannschen Funktionstheorie einzubinden[7].

Drei folgende Werke sind nicht nur im engen zeitlichen Zusammenhang zu sehen, in dem sie in den Jahren 1930-34 entstanden waren und veröffentlicht worden sind, sondern auch aus dem Gesichtspunkt, dass sie "für eine Wieder-

---

[6]   Ernst TITTEL, Kirchenmusik, S. 335.

[7]   Hans JANCIK, S. 178.

polyphone Linienführung in konsequenter Verarbeitung kurzer Motive durch alle Stimmen. Das vollständige Aufführungsmaterial des Werkes war bisher nicht zugänglich. Das Urteil des Gewährsmannes E. Tittel mag bis auf weiteres als die kompetente Aussage des Fachmannes und des wesensverwandten künstlerischen Erbverwalters gelten:

"In der ... Wiener Singmesse ... op.33 (nach Henz-Texten), versuchte er einen Ausgleich zwischen einfachem Volksgesang und künstlerischer Eigenart in den Vor- und Nachspielen, die er für großes Blasorchester setzte. Dieser Ausgleich ist nicht gelungen; er konnte bei den heterogenen Stilelementen auch nicht zustandekommen: zu weit ist die Kluft zwischen den symphonischen, sich in kühnsten, dissonant-polyphonen Verzweigungen ergehenden Zwischenspielen und den lapidar einfachen Ordinariumsgesängen des Volkes"...

Gerade dieser Hinweis auf die symphonische Faktur der Zwischenspiele ist Anlaß zum Bedauern darüber, dass hier über ein letztes Werk geistlicher Bläsermusik nichts anderes zu referieren ist, als dass es im Werkverzeichnis als Opus 39 angeführt ist als *Sakrale Suite für Blasorchester* mit dem Vermerk: "1. Satz Anruf, die übrigen Teile nicht vollendet". Ebenso muss die Spur des Opus 45 – *Deutscher Segen* für einstimmigen Chor mit Blechbläserorchester erst wieder ausgemacht werden....

* * *

Josef Lechthaler scheint nie ein Näheverhältnis zu den Institutionen des Blasmusikwesens angestrebt zu haben. Dies wird bekundet durch glaubwürdige Zeugen aus seinem künstlerischen und aus seinem persönlichen und familiären Umfeld. In der Funktion als Vorstandsmitglied des Musikreferats im Kulturreferat der *Vaterländischen Front*, das ihm 1934 – 37 mit besonderer Zuständigkeit im Arbeitskreis für Musik (Sparte *Komponisten – Öffentliche Lehrer*) zugewiesen worden war[8], ließ er sogar eine deutliche Distanz zur Sparte *Laienmusik*, die für Landmusiker, volkstümliche Musikpflege und leichtere Musik zuständig war, erkennbar werden.

---

[8] Heinrich ZWITTKOVITS, Die musikalischen Verbände im Österreichischen Ständestaat...., in: Kongreßbericht Abony/Ungarn 1994, hg. Wolfgang Suppan, Alta Musica, 18, Tutzing, 1996; S. 441 - 509 und Heinrich ZWITTKOVITS, Österreichischer Ständestaat und Blasmusik, in: Arbeitsberichte-Mitteilungen Pannonische Forschungsstelle Oberschützen, Nr. 5, 1994, hg. von Bernhard Habla, S. 547 – 588.

Die beiden Märsche für Blasorchester, der *Hechl-* und der *Zeller-*Marsch, die als Jugendkompositionen unter seinen *Werken ohne Opuszahl* aufscheinen, sind als Form- und Instrumentationsstudien zu sehen, in denen auch die musikalischen Erfahrungen seiner Meraner Jahre verarbeitet waren. Die Kurstadt Meran der Vorkriegsjahre war zwar geradezu geprägt von einem reichen Musikleben, in dem die Unterhaltungsmusik vom professionellen Ethos der Orchestermusiker und einiger Kurkapellmeister mitunter auf die hohen Ebenen symphonischer Standards gehoben wurde, und die Militärkonzerte der Regimentsmusiker wohl alles, was damals im Genre gängig war, im Programm hatten. Dazu gab es jedoch auch die Musikkapellen der Stadt und nächsten Umgebung (das *"Adressbuch 1909 des Kurortes Meran"* führt deren nicht weniger als dreizehn an), die alle in das gesellschaftliche, soziokulturelle, öffentliche Musikleben der Stadt einbezogen waren. Also gehörte die Blasmusik, wie dies für manchen anderen (von Bruckner bis Mahler, von Bartók bis Martinu) zutrifft, auch für J. Lechthaler zu den elementaren Jugend-Eindrücken aus einer dörflichen oder kleinstädtischen Musikpraxis.

Die beiden Märsche waren davon geprägt und vermittelten – nach Urteil derer, die sie hörten und kannten, - eindeutig den Eindruck Tiroler Folklore.

Erst das Opus 54 ist ein profanes Musikwerk für Blasorchester. So ist es im Werkverzeichnis angeführt: *Festliche Tafelmusik - Eine Suite in fünf Sätzen für Blasorchester.*

Der Wiener Kapellmeister Hans Heinz Scholtys hatte sich im *Trompetenchor der Stadt Wien* ein exzellentes Blechbläserensemble herangebildet, für das er die Wiener Komponisten mehrfach zu interessieren versuchte. Diese für den Trompetenchor geschriebenen Kompositionen reichten von simpler Gartenmusik bis zu polyphonen Meisterwerken, wie sie eben Lechthalers *Festliche Tafelmusik* op. 54 darstellt. Die handschriftliche Partitur trägt die Widmung für das Ensemble und dessen künstlerischen Leiter. Aus den Randnotizen läßt sich erschließen, dass die Komposition in wenigen Tagen niedergeschrieben wurde, zwischen dem 12. und 22. Februar 1941 (wie aus einem Guss, sozusagen) in immerhin 88 Partiturseiten.

Wie auch in allen geistlichen Stücken sind die weitmensurierten Bügelhornregister nicht berücksichtigt in der großen Besetzung, die als *Blasorchester* zusammenfassend bezeichnet ist. Die Partiturtitelseite sieht vor: 10 Trompeten, 8 Posaunen, 2 Tuben, Schlagzeug. Die Partitur selber ist (wohl zugleich als

Heinrich Zwittkovits, Wiener Neustadt, Österreich

DIE DIFFUSION VON INNOVATIONEN IM BLASMUSIKWESEN -
ANWENDUNG EINES KULTURGEOGRAPHISCHEN KONZEPTS IN
DER BLASMUSIKFORSCHUNG ALS BEITRAG ZUR
MUSIKGEOGRAPHIE

1. Berührungspunkte zwischen Musikwissenschaft, Geographie und Diffusionsforschung - ein kurzer Überblick

Interdisziplinäre Forschungsarbeiten zwischen *Musikwissenschaft* und *Geographie* sind expressis verbis selten als solche deklariert, doch vielfach vorhanden. Insbesondere sei an die unzähligen regionalen Fallstudien erinnert, die in der Vergleichenden und Historischen Musikwissenschaft, in der Musikethnologie und Musikanthropologie publiziert wurden und werden. Sie wären ohne konkreten Raumbezug, ohne Beziehung zur natürlichen und vom Menschen gestalteten Umwelt, nicht denkbar. Insbesondere *Manfred Büttner* und *Marius Schneider* kommt das Verdienst zu, Beziehungen zwischen **Tonalität und Naturraum**, dessen Morphologie und Klima, untersucht zu haben[1].

Leopold Nowak postulierte 1948 die **Musiktopographie** als eine Methode, Landschaften zu charakterisieren. Er meint in seinen *Studien zu einer Musiktopographie Niederösterreichs*, daß man ein Land auf verschiedene Art zu beschreiben vermag: nach seinen geographischen, geologischen, wirtschaftlichsozialen, kulturellen usw. Strukturen. Dabei regt er an,

„daß man eine solche Beschreibung auch von Seiten der Musik her unternehmen kann". ... „Wie jede geistig-schöpferische Tätigkeit ist auch Musik ein sehr wesentlicher Bestandteil im gesamten Kulturleben einer Landschaft und wir haben gelernt, sie als einen solchen gebührend einzuschätzen. So ist es ... eine wohl selbstverständliche Forderung, daß man allem Musikalischen in der Beschreibung einer Landschaft Aufmerksamkeit schenkt." Dadurch kann die musikalische Substanz eines Landes herausgearbeitet werden. Seine Forderung besteht in der

---

[1] Manfred BÜTTNER, Grundsätzliches zur Musikgeographie aus bläserischer Sicht, 1991; M. BÜTTNER, Zum Einfluß der geographischen Lage auf die kultische Musik, 1991; M. BÜTTNER, Die Trompete in Altertum und Mittelalter, 1991; Marius SCHNEIDER, Die Kunst der Naturvölker, 1939; M. SCHNEIDER, Geschichte der Mehrstimmigkeit, 1969.

*Bronislaw Malinowski*s in der Zwischenkriegszeit. Diffusion wurde für ihn zu einem wichtigen Motor des kulturellen Wandels.

„Der Wandel kann entweder durch Faktoren und Kräfte einer spontanen Entwicklung oder durch die Berührung zweier verschiedener ausgelöst werden. Im ersten Fall ist das Ergebnis eine unabhängige Evolution, im zweiten Falle das, was man gewöhnlich als *Diffusion* bezeichnet." ... Bei *Malinowski* erhält der Begriff der Diffusion einen anderen Sinn als bei vielen seiner Fachkollegen. „Für ihn bilden die Institutionen die Einheiten der Umformung, die entsprechend den neuen Bedürfnissen der Kontaktlage neue Funktionen übernehmen oder neue Formen annehmen. Daher bedeutet Diffusion einen Vorgang der ‚Reorganisation nach ganz neuen und spezifischen Grundsätzen'. Sie stellt nicht eine ‚Mischung von Kulturelementen' dar, die man wieder entwirren und auf die verschiedenen Mutterkulturen zurückführen kann."[7] Dabei geht er, um zu allgemeingültigen Erkenntnissen zu kommen, idiographisch - induktiv vor. „Der moderne Forscher ist sich ... dessen bewußt, daß er, um zu erkennen, was Diffusion ist, empirisch vorgehen und sie an den Quellen studieren muß. ... Es ist Aufgabe des Ethnologen als eines Chronisten der zeitgenössischen Vorgänge, eine der bezeichnendsten Phasen der Menschheitsgeschichte, nämlich die Verwestlichung der Welt, zu beschreiben und zu analysieren. Beobachtungen, die wir am Kulturwandel ... anstellen, offenbaren uns auch die allgemeinen Gesetze der Diffusion; sie geben uns auch das Material, um gewisse Seiten der menschlichen Kultur zu verstehen: das hartnäckige Festhalten an Glaubensformen und überlieferten Lebensweisen, die Gründe, warum sich gewisse Seiten der Kultur rascher wandeln als andere - kurz gesagt den dynamischen Charakter des Vorganges."[8]

Malinowski kann sicherlich als bedeutendster Wegbereiter moderner Diffusionsforschung für mehrere Wissenschaftsdisziplinen angesehen werden. Wichtige Impulse diffundierten von seinen anthropologisch-ethnologischen Studien in die Volkskunde, Soziologie, Geographie und andere Wissenschaften.

---

[7]   Phyllis KABERRY, Vorwort zu B. Malinowsky, Die Dynamik des Kulturwandels, 1951, S. 9 f.; Bronislaw MALINOWSKI, Die Dynamik des Kulturwandels, 1951, S. 23.

[8]   B. MALINOWSKI, 1951, S. 26 f.

416

2.2. Die Diffusion in der Geographie

Die Gedanken *Malinowskis* (und wohl auch *Ratzels*) sind insbesondere bei schwedischen Humanwissenschaftlern nach dem Zweiten Weltkrieg auf fruchtbaren Boden gefallen. Während der Ethnologe *Nils-Arvid Bringeus* das Diffusionskonzept in seinen Disziplinen weiterentwickelte[9], gilt *Torsten Hägerstrand* als Begründer der *modernen geographischen Diffusionstheorie* mit seiner an der Universität von Lund approbierten Dissertation[10]. In der Arbeitsweise hat er *Bringeus* übrigens maßgeblich beeinflußt.

Der Ausgangspunkt der **geographischen Diffusionsforschung** lag in der schwedischen Siedlungsgeographie, die ein Kulturgefälle hinsichtlich der Ausstattung von Bauernhäusern und ländlichen Siedlungen von Süden nach Norden beobachtete. Das jeweilige Verbreitungsmuster war demzufolge das gegenwärtige räumliche Abbild eines von Süd nach Nord voranschreitenden Ausbreitungsprozesses. *Hägerstrand* griff diese Forschungen unter neuen Aspekten wieder auf, wobei er vor allem die im Zeitablauf zunehmende Häufigkeit und Dichte von Erscheinungen am selben Ort untersuchte. Er führte quantitative Methoden - bis hin zur Computersimulation - ein, die eine enorme Weiterentwicklung dieses Forschungsansatzes ermöglichten.

Hägerstrand ging dabei wie *Malinowski* idiographisch und induktiv vor, um schließlich zu allgemeingültigen Aussagen zu kommen. Anhand mehrerer, sehr unterschiedlicher Phänomene in Schweden (z. B. Akzeptanz der Tuberkulosekontrollen bei Milchrindern, Zunahme der Weidewirtschaft, Einführung und Ausbreitung des Postscheckdienstes, des Automobils, des Telefons u. a. m.) untersuchte er - nach eingehender Analyse der „klassischen" geographischen Raumstrukturen - die *Mechanismen der Diffusion*, ihre Form, Struktur, Hierarchie, Ausbreitungsniveaus, Barrieren und schließlich auch die *Innova-*

---

[9]   Nils-Arvid BRINGEUS, Das Studium von Innovationen, 1968; und N.-A. BRINGEUS, Der Mensch als Kulturwesen, 1990, bes. S. 123 – 135.

[10]   Torsten HÄGERSTRAND, Innovationsförlöppet ur kyrolisk synpunkt, Lund 1953. – Diese Arbeit wurde von Alan PRED ins Englische übersetzt (Torsten HÄGERSTRAND, Innovation diffusion as a spatial process, Chicago 1967). Ursprünglich stammt der Begriff Innovation aus der Botanik, wo er das Vorschieben der Knospen bedeutet. (Vgl. Christoph BORCHERT, Die Innovation als agrarsoziale Regelerscheinung, 1969, und Ekkehard MEFFERT, Die Innovation ausgewählter Sonderkulturen, 1968; zitiert bei H. ZWITTKOVITS, Innovationen und Diffusionen, 1979, S. 6).

tionsinversion, das allmähliche Abflauen und den Rückgang ehemaliger Innovationen, hervorgerufen durch neue, bessere Innovationen[11]. *Hägerstrand* erkannte, daß die Ausbreitung sämtlicher Phänomene immer gewissen, einander ähnelnden, wellenförmigen Raumbewegungen folgte. Er konnte daher nicht nur vom Idiographischen ins Nomothetische überleiten und allgemeingültige Regeln für Diffusionsprozesse aufstellen, sondern darüber hinaus ein Computersimulationsmodell - die „Monte Carlo-Simulation" - entwickeln, mit dessen Hilfe er nach entsprechender Eichung die Verbreitungsprozesse nachvollziehen und künftige Diffusionsvorgänge simulieren konnte.

Hägerstrand löste damit eine (Diffusions-)Welle von Aufsätzen zur Diffusionsforschung aus, insbesondere nach der Übersetzung seiner Dissertation ins Englische. Damit gilt er zu Recht als Begründer der geographischen Diffusionsforschung, die in keinem modernen (angelsächsischen) Lehrbuch zur wissenschaftlichen Geographie fehlen darf.

2.3. Begriffsdefinitionen zum geographischen Diffusionsprozeß
Innovation

Eine **Innovation** bezeichnet in den *Sozialwissenschaften Ideen, Praktiken oder Objekte, die in menschlichen Gehirnen entstehen und von Individuen als neu angenommen werden.* Dabei ist es gleichgültig, ob es sich um tatsächliche Neuerungen *(Inventionen)* handelt, oder ob sie den Individuen nur neu erscheinen[12]. Innovationen sind demnach neue Erscheinungen, die angenommen werden, Ergebnisse kreativen Denkens, zu denen man „durch Denkprozesse, die nicht bloß Wissensaktualisierung sind", gelangen kann. Häufig sind sie aber Zufallsereignisse. „Die meisten Innovationen der Geschichte des menschlichen Fortschritts sind keine Resultate analytischen, wissenschaftlichen Verständnisses, sondern der Spekulation, des Probierens und des Experimentierens." Je höher eine Gesellschaft entwickelt ist, desto mehr Innovationen hat sie angenommen[13].

---

[11] T. HÄGERSTRAND, 1967; vgl. auch Ronald ABLER, John S. ADAMS, Peter GOULD, Spatial organization, 1977, Kapitel 11, ab S. 389, und Peter HAGGETT, Geography: A modern synthesis, 1975, Kapitel 12, ab S. 294.

[12] Everett M. ROGERS, F. Floyd SHOEMAKER, Communication of innovations, 1971, S. 19.

[13] Siegfried GEIGER, Wolfgang HEYN, Innovation, 1970, S. 555. – Im Wirt-

Unter **Diffusion** versteht man einen *Prozeß*, nämlich jenen der *räumlichen und zeitlichen Ausbreitung von Innovationen*. Eine Population nimmt eine außerhalb ihrer Region vollendete kulturelle Innovation an, wobei diese Neuerung während des *Adaptionsvorgangs* in der Regel nicht weiter verbessert wird[14]. *Adaption einer Innovation* bedeutet deren Annahme.

Damit ein **Diffusionsprozeß** in Gang kommen kann, benötigt er ein *Innovationszentrum* (jener Ort, in dem eine Innovation entsteht bzw. in einer Region erstmals auftritt), *potentielle Adaptoren* (Personen, Personengruppen bzw. Organisationen, die eine Innovation annehmen können oder könnten) sowie *Kommunikations- und Informationskanäle*, entlang derer sich die *Informationen* über die Neuerung ausbreiten[15].

Es gibt gewisse Ausprägungen in Art und Form der Verbreitung. Dabei lassen sich folgende *Diffusionsarten* erkennen:

(1) Hinsichtlich der Quantität und Intensität der Verbreitung unterscheidet man die *Expansionsdiffusion*, die *Relokationsdiffusion* sowie *Mischformen* zwischen beiden. Die *Expansionsdiffusion* expandiert aus dem *Innovationszentrum*, wobei die Innovation im Zentrum und in den früh innovierten Gebieten erhalten bleibt, während es bei der *Relokationsdiffusion* mit zunehmender räumlicher Ausdehnung einer neuen Erscheinung zu deren Abnahme *(Innovationsinversion)* in den innovierten Gebieten kommt.

(2) Bezüglich des *Kommunikationsflusses* differenziert man zwischen *Kontaktdiffusion* und *hierarchischer Diffusion*. Erstere beruht im wesentlichen auf direktem, persönlichem Kontakt bei der Informationsübermittlung, daher nimmt die Chance, eine Innovation zu adaptieren, mit zunehmender

---

schaftsleben hingegen versteht man unter einer Innovation nach GEIGER und HEYN eine „realisierbare oder realisierte Lösung eines Problems durch einen Lösungsansatz", wobei ein Bedarf für die Lösung bestehen muß und die Neuerung spätestens zum Zeitpunkt der Einführung als Problemlöser empfunden wird.

[14]   T. HÄGERSTRAND 1967, S. 13.

[15]   Diese und die folgenden Ausführungen folgen im wesentlichen früheren Arbeiten des Verfassers. (H. ZWITTKOVITS, Die Diffusion von Innovationen, 1980, S. 46, und H. ZWITTKOVITS, 1993, ab S. 74).

Entfernung vom Innovationszentrum ab. Es entsteht ein *zentripetales Verbreitungsmuster*. Letztere zeichnet *hierarchische Raumstrukturen* (z. B. zentralörtliche Struktur, Wirtschaftspotential, Bildungsniveau) nach, ihre *Informationskanäle* sind vorwiegend die Massenmedien[16].

(3) Auch *Maßstabskategorien* sind zu beachten: Man *unterscheidet lokale*, *regionale*, *nationale* und *internationale Ausbreitungsprozesse*. Dementsprechend spricht man von der **Mikroebene** und der **Makroebene** für die unterste bzw. oberste Verbreitungsebene sowie von mehreren **Mesoebenen** für die dazwischen liegenden Niveaus. Theoretisch könnten alle potentiellen Adaptoren nach Bekanntwerden einer Innovation diese rasch annehmen. Durch mentale, psychologische, kulturelle und sonstige persönlichkeitsbedingte Differenzen *(Barrieren)* verhalten sie sich der Neuerung gegenüber jedoch verschieden.

Daher unterscheidet man nach der Adaptionszeit *fünf Adaptorenkategorien*:

a) Die Kleingruppe der *Innovatoren* führt die Innovation in einem neuen Gebiet ein. (In Diagramm 1: I)

b) Die *frühen Adaptoren* nehmen sie bereits nach kurzer Zeit an. (II)

c) Die *frühe Mehrheit* folgt. Sie wird berechnet aus der Differenz zwischen den bisherigen und der Hälfte der potentiellen Adaptoren im Beobachtungsgebiet. (III)

d) Ihr schließt sich die *späte Mehrheit* an. Sie entspricht zahlenmäßig der frühen Mehrheit. (IV)

e) Die *Nachzügler* adaptieren schließlich erst, wenn die Annahme bereits zur Selbstverständlichkeit geworden ist. (V)

---

[16] Selbstverständlich existieren auch Mischformen aus beiden Typen. Eine in den Lehrbüchern häufig angeführte Sonderform stellt das „Beatles Pattern" dar. Dabei handelt es sich um die hierarchische Diffusion einer Innovation, die nicht in einem zentralen Ort der ersten Kategorie entsteht, sondern in einer Provinzmetropole. Von dort diffundiert sie zunächst in die Hauptstadt des Entstehungslandes, weiters in ausländische Metropolen und danach – streng hierarchisch – in die zentralen Orte der jeweils nächsten Stufe sowie in die Umgebung der innovierten Zentren. Man hatte bei der Benennung dieser modifiziert hierarchischen Ausbreitung die Diffusion des Beats und die Akzeptanz der Beatles als beispiel- und namensgebend herangezogen: Ihr Stil breitete sich von Liverpool nach London aus, von dort traten sie ihren Siegeszug in alle Welt an, und zwar immer zuerst über die Hauptstädte in einer hierarchischen Diffusion. Damit bediente sich die Geographie terminologisch der Musikwissenschaft, um einen bestimmten dynamischen Raumprozeß zu erläutern. (Vgl. u.a. P. HAGGETT, 1975, S. 298).

Stellt man die *Adaptionen* einer Innovation in konstanten Zeitintervallen dar, ergibt sich im (theoretischen) Idealfall die Kurve einer *Gaußschen Normalverteilung*. Summiert man sie, so entsteht eine S-förmige Kurve, wobei der Übergang von konkav zu konvex die Grenze zwischen früher und später Mehrheit kennzeichnet (vgl. Diagramm 1).

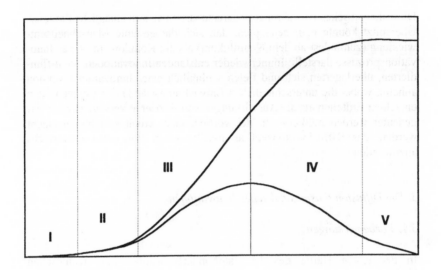

Diagramm 1
Diffusion von Innovationen - Adaptorenkategorien

Nach ROGERS / SHOEMAKER 1971, S. 177.
Auf der Abszisse ist die Zeit in konstanten Intervallen, auf der Ordinate die Adaptionsquote angegeben. Die römischen Ziffern zeigen die Adaptorenkategorien.

Beeinflußt wird der Diffusionsprozeß auch durch **räumliche Barrieren**, die *absorbierend, reflektierend* oder (zumeist) *permeabel* sein können. An ihnen wird der Ausbreitungsprozeß gestoppt, verstärkt oder abgeschwächt. Als Beispiele für Barrieren seien politische, ethnische oder naturräumliche Grenzen genannt.

421

Der Verbreitungsprozeß startet vom Innovationszentrum und folgt verschiedenen formalen Ausbreitungskriterien. Sehr oft verläuft die Diffusion nicht kontinuierlich, sondern in mehreren *Wellen*. Wird eine Innovation durch eine neue (bessere) ersetzt, so führt dies zu einem rückläufigen Prozeß, einer *Innovationsinversion*, die in der Regel *im neuen Innovationszentrum* am raschesten und im alten Zentrum (soweit es nicht mit dem neuen ident ist) sowie in den spät innovierten Gebieten am langsamsten abläuft.

Diese theoretischen Ausführungen charakterisieren an sich alltägliche Prozesse. Überspitzt könnte man behaupten, daß sich die gesamte Menschheitsentwicklung (zumindest ab dem Neolithikum) als ein Konglomerat vieler Innovationsprozesse darstellt: Immer wieder entstanden Innovationen, sie diffundierten, überlagerten sich und fielen schließlich einer Innovationsinversion anheim, wobei die unterschiedlichen Entwicklungsstände der Völker in den einzelnen Erdteilen als die Auswirkungen von Barrieren verschiedenster Art gedeutet werden müßten[17]. In der vorliegenden Arbeit soll nun versucht werden, das Diffusionskonzept an musikalischen Beispielen Österreichs anzuwenden.

3. Die Diffusion blasmusikalischer Innovationen

3.1. Vorbemerkungen

In der ersten Hälfte des 19. Jahrhunderts wurden jene technischen Verbesserungen im Bau von Blasmusikinstrumenten erzielt, die dem Blasmusikwesen einen ungeheuren Aufschwung ermöglichten. Die Klarinette, 1690 vom Nürnberger *Christoph Denner* entwickelt und rund ein halbes Jahrhundert später ins Orchester gekommen, wurde 1812 durch ein Ringklappensystem des böhmischen Instrumentenbauers *Müller* modifiziert. Weitaus revolutionärer waren die Verbesserungen an den Blechblasinstrumenten: Die Erfindung (1813) und Patentierung der Drehventile durch den schlesischen Militärmusiker *Friedrich Blümel* und den Berliner Kammermusiker *Heinrich Stölzel* bot die Möglichkeit zur Zusammenstellung leistungsfähiger Blasorchester[18].

---

[17]   H. ZWITTKOVITS, 1993, S. 76.

[18]   Ludwig DEGELE, Die Militärmusik, 1937, S. 36 ff.; vgl. dazu auch H. ZWITTKOVITS, 1978, S. 11.

Die Ventiltrompeten und -hörner fanden rasch Eingang in die Militärmusik. Weitere Verbesserungen auf dem Instrumentensektor ergaben sich durch Abwandlung der Grundinstrumente in die verschiedenen Stimmlagen, von der Sopran- bis zur Baßlage. Daraus entstanden in den diversen Staaten unterschiedliche Instrumentenfamilien, die die jeweilige Militärmusik prägten. In Preußen waren dies die Instrumente der Kornettfamilie, in Frankreich die Sax-Hörner und in Österreich die Familie der Flügelhörner[19].

Die Militärmusikkapellen entwickelten sich dadurch zu leistungsfähigen Orchestern, die für Symphonieorchester komponierte Stücke jetzt in adäquaten Arrangements zu spielen in der Lage waren. Sie erlebten damit einen enormen Bedeutungsaufschwung und mutierten von reinen Zweckverbänden zu symphonischen Orchestern. Besonders in der Habsburgermonarchie engagierten während der Gründerzeit ehrgeizige Regimentskommandanten fähige, akademisch gebildete Musiker und Komponisten als Kapellmeister, die ihrerseits häufig die Militärmusik als Sprungbrett für eine glänzende weitere Musikerkarriere nützten. In zahlreichen Konzerten, nicht zuletzt auch aus finanziellen Erwägungen gegeben, erfreuten die symphonischen Militärorchester in Stadt und Land viele Zuhörer. Klassische Musik konnte damit erstmals breiten Bevölkerungsschichten erschlossen werden. So übernahmen die Militärkapellen wertvolle volksbildnerische Aufgaben. Zudem initiierten abgerüstete Militärmusiker oft Neugründungen ziviler Blasmusikkapellen auf dem Lande, in die sie nicht nur ihr musikalisches und organisatorisches Können, sondern auch das Spielgut der Militärkapellen mitbrachten[20].

Die technischen Verbesserungen an den Blasmusikinstrumenten, deren massive Anwendung in den Militärkapellen sowie die fast „flächendeckende" Konzerttätigkeit dieser Orchester stellen also wichtige Innovationen auf dem Sektor des Blasmusikwesens dar, die sich in zahlreichen Diffusionswellen ausbreiteten[21].

---

[19] LEXIKON des BLASMUSIKWESENS, 1976, S. 29 ff.; H. ZWITTKOVITS, 1978, S. 11.

[20] H. ZWITTKOVITS, 1978, S. 12.

[21] Viele musikwissenschaftliche Arbeiten befassen sich mit dieser bedeutsamen kulturpolitischen und innovativen Rolle der Militärmusik, wenngleich sie nicht mit den Methoden der Diffusionsforschung arbeiten (siehe Literaturverzeichnis). Daher braucht hier nicht näher auf dieses Thema eingegangen werden.

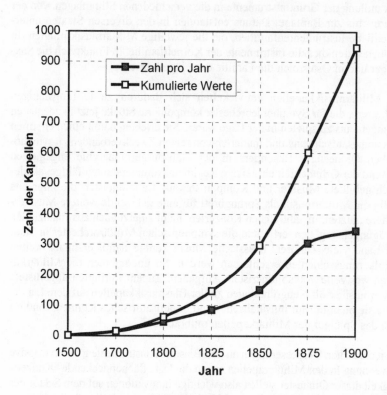

Diagramm 2
Diffusion des Blasmusikwesens in Österreich

Dem 19. Jahrhundert kam zweifellos die entscheidende Bedeutung in der Entwicklung moderner Blasmusik zu. Gerade in Österreich entstanden in dieser Zeit nach dem Vorbild der Militärorchester zahlreiche zivile Blasmusik-kapellen. Es ist interessant, diese Entwicklung anhand der vorhandenen Quellen[22] darzustellen und nach geographischen Gesichtspunkten im Sinne

---

[22] Als Quellen dienten vornehmlich die Blasmusikbücher der einzelnen ÖBV-Landesverbände. Diese erfassen allerdings nur die Mitgliedskapellen der jeweiligen Landesverbände des Österreichischen Blasmusikverbandes. (In Hinkunft wird bei allen

eines raum-zeitlichen Diffusionsprozesses zu analysieren. In Diagramm 2 ist die Diffusion der Kapellen in Österreich bis 1900 dargestellt. Dabei zeigt sich, daß dieser Prozeß die Idealtypen von Adaptorenkategorien (nach *Rogers - Shoemaker*, vgl. Diagramm 1) nahezu erreicht. Die Zunahme der Kapellen zeichnet annähernd eine *Gauß*sche Normalverteilung nach, wobei der Anstieg in einer streng monotonen Reihe erfolgt, deren erster Wendepunkt kurz vor 1850 liegt. Um 1900 nähert sich die Zunahme einem relativen Hochpunkt.

Anmerkungen anstelle „Blasmusikverband" das Kürzel „BMV" verwendet). Zwei Probleme waren nach den Erfahrungen des Verfassers dabei evident: (1) Manche Kapellen gaben nicht das wirkliche (frühere) Gründungsdatum an, sei es, weil sie es nicht kannten, sei es aber auch, daß man bloß den Beginn einer etwaigen Wiedergründung bzw. den Neubeginn in einer modernen Vereinsstruktur als Beginn der blasmusikalischen Tätigkeit überhaupt nannte. (2) Manche Kapellen nannten bereits eine sehr frühe urkundliche Erwähnung von Musikausübung in ihrem Ort (beispielsweise in einer Pfarrchronik) als ihr Gründungsdatum, vermutlich ohne eine effektive Kontinuität als Musikensemble wirklich nachweisen zu können. –
Weiters soll angemerkt werden, daß diese frühzeitigen Bläserensembles noch nicht viel mit der Formation einer heutigen Blasmusikkapelle gemeinsam hatten, die sich bekanntlich erst seit den Erfindungen und technischen Neuerungen am Beginn des 19. Jahrhunderts (vgl. Kapitel 3.1. in der heute gängigen Form kostituieren konnte. Doch sie waren erste Anzeichen einer organisierten bläserischen Musikausübung und besaßen für ihr Dorf innovativen Charakter.
Behandelte man bloß die "Diffusion der Blasorchesteridee", dürfte man den Beginn dieser Innovation erst mit etwa 1800 ansetzen, wo die technischen Neuerungen im Instrumentenbau und die Französische Revolution mit dem danach einsetzenden "Zeitalter der Massen" zeitlich zusammentrafen. (Der Verfasser dankt Prof. Suppan für den diesbezüglichen Hinweis).
Für das Burgenland wurde auch die Dissertation des Verfassers als Quelle herangezogen, allerdings aus Gründen der Vergleichbarkeit nicht in ihren Gesamterkenntnissen, sondern lediglich nach den Strukturen der üblichen Blasmusikbücher. Dies bedeutet, daß vor 1900 nur dort organisierte Blasmusikausübung berücksichtigt wurde, wo sich bis heute unmittelbare Nachfolgekapellen innerhalb des Burgenländischen BMV erhalten konnten. – In Wien bestanden im 19. Jahrhundert zwar viele Militär- und Salonkapellen, jedoch keine zivile Blasmusikkapelle, die sich ihren Bestand bis in die Gegenwart kontinuierlich erhalten konnte. (Telefonische Mitteilung am 9. Jänner 1995 durch Wolfgang Findl, Obmann des Wiener BMV).

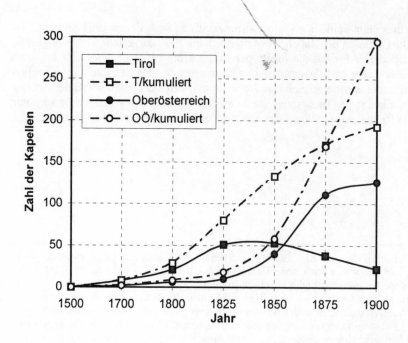

Diagramm 3
Diffusion des Blasmusikwesens in Tirol und Oberösterreich bis 1900

Wesentlich interessanter ist die Untersuchung allerdings, wenn man den regionalen Aspekt mitberücksichtigt. Diagramm 3 zeigt die beiden stärkst innovierten Bundesländer, Tirol und Oberösterreich. Dabei fällt auf, daß Tirol den relativen Hochpunkt der Diffusion bereits um 1840 erreicht hat. Schon damals erfolgte der Übergang von der frühen zur späten Mehrheit. Der Wendepunkt der Adaptionskurve liegt dabei um 1800. Ab diesem Jahr nimmt der Verbreitungsprozeß in Tirol ein relativ rasches Tempo an. Damit kommt Tirol innerhalb Österreichs der Rang des bedeutendsten blasmusikalischen Innovationszentrums zu, wenngleich die ältesten Kapellen in Salzburg beheimatet sind und die älteste Tiroler Kapelle (Wilten) erst 1605 in den Quellen aufscheint.

426

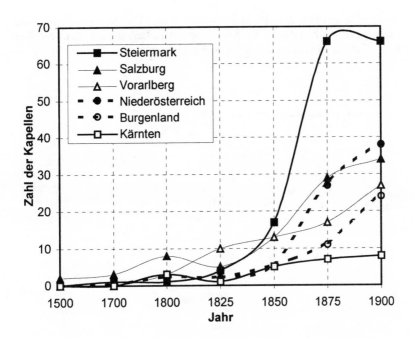

Diagramm 4
Diffusion des Blasmusikwesens in den übrigen Ländern

Die Diffusion der Blasmusikkapellen in den übrigen Bundesländern ist gemeinsam in Diagramm 4 dargestellt. Dabei wurde aus Gründen der Übersichtlichkeit auf die kumulierte Darstellung verzichtet. Salzburg gilt als das älteste Innovationszentrum. In Radstadt hat es angeblich schon 1390 und in Wagrain knappe hundert Jahre später (1483) Bläserensembles gegeben. Doch noch vor 1700, also lange vor den großen technischen Innovationen im Instrumentenbau und der Reform der Blasorchester durch die Militärmusik, mußte Salzburg diese Position an Tirol abgeben.

Sehr klar treten die unterschiedlichen Regionalstrukturen in der kartographischen Darstellung des Diffusionsprozesses zutage. Kartenserie A zeigt dies: Das eigentliche Innovationszentrum Salzburg wird bis 1700 von Tirol (Inn-, Wipp-, Ötztal, Außerfern) abgelöst. Erstmals treten damals auch Kapellen in Oberösterreich (Grieskirchen, Ennstal) in Erscheinung. Bis 1800 verstärkt sich in diesen Ländern die Diffusion, besonders im Inntal. Neu innoviert sind

427

bereits alle anderen Bundesländer außer Wien. Die Vorrangstellung des Westens bleibt erhalten. Bis 1825 schreitet der Prozeß zügig voran. Das West - Ost - Gefälle wird noch deutlicher sichtbar.

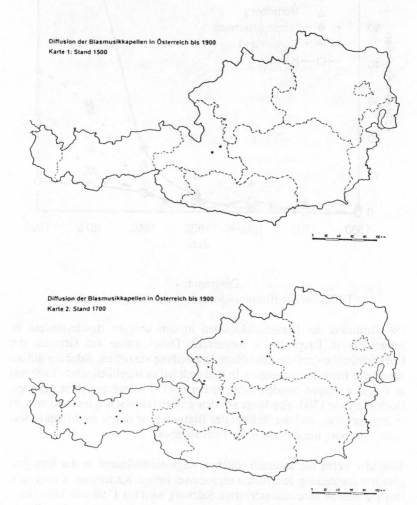

Kartenserie A:
Diffusion der Blasmusikkapellen in Österreich bis 1900

Tirol hat bereits das Stadium der frühen Mehrheit abgeschlossen, in Vorarlberg
- insbesondere im Raum Bregenz - entsteht ein neuer Verdichtungsraum. In
Niederösterreich, in der Steiermark, im Burgenland und in Kärnten bleibt
hingegen die Verbreitung schwach. Diese Strukturen bleiben auch in den
nächsten Beobachtungsjahren erhalten. Um 1850 haben hinsichtlich der regionalen Innovationsdichte bereits Oberösterreich und Vorarlberg Salzburg
deutlich überflügelt. Bis 1875 erfolgt eine intensive Verstärkung der Adaption
in der Steiermark und im Burgenland. Im Jahr 1900 zeigt sich schließlich ein
sehr interessantes Verbreitungsmuster: In einer West - Ost - Achse vom Vorarlberger Rheintal über das Tiroler Inntal und den Salzburger Zentralraum bis
nach Oberösterreich liegt eine Zone besonders gehäuften Vorkommens von
Blaskapellen.

Osttirol, das südliche Salzburg, die Steiermark, das Burgenland sowie das
westliche und südöstliche Niederösterreich weisen eine mittlere Innovationsdichte auf, während insbesondere Kärnten und das restliche Niederösterreich
bis 1900 nur schwach, Wien noch gar nicht von der Innovation Blasmusikkapelle erreicht wurden.

Diffusion der Blasmusikkapellen in Österreich bis 1900
Karte 3: Stand 1800

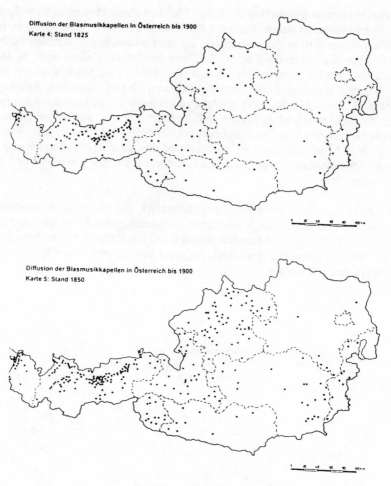

Kartenserie A:
Diffusion der Blasmusikkapellen in Österreich bis 1900

Untersucht man diesen Diffusionsprozeß nach formalen Gesichtspunkten, so erkennt man nach 1700 sehr klar eine reine *Expansions-* und eine *Kontaktdiffusion auf nationaler Ebene.* Elemente der Relokationsdiffusion sind nicht, der hierarchischen Diffusion kaum festzustellen. In der Zeit davor kann man aufgrund der unsicheren Quellenlage kein derart eindeutiges Urteil fällen. Als sicher vermag aber zu gelten, daß externe Organisationsstrukturen die Ent-

430

stehung von Blasmusikkapellen gefördert haben[23], so etwa die Notwendigkeit städtischer Signalmusik (z. B. Radstadt mit Stadtpfeifern und Trommlern), von Kirchen- und Prozessionsmusik (z. B. Wagrain mit Spielleuten und Pfeifern) oder von Marsch- und Exerziermusik für die traditionellen Tiroler Schützenkompanien und Bürgerwehren. Weiters ist deutlich ersichtlich, daß es mit Ausnahme der Distanz zu frühen Innovationszentren keine nennenswerten Barrieren gegeben hat.

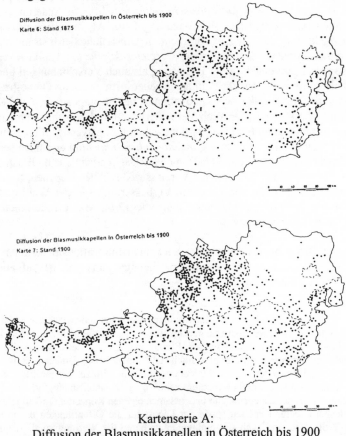

Kartenserie A:
Diffusion der Blasmusikkapellen in Österreich bis 1900

---

[23] Kurt BIRSAK, Manfred KÖNIG, Das große Salzburger Blasmusikbuch, 1983, S. 296 bzw. S. 303, und Erich EGG, Wolfgang PFAUNDLER, Das große Tiroler Blasmusikbuch, 1979, S. 201 ff.

3.3. Diffusionen und Innovationsinversionen, gezeigt an aktuellen regionalen Entwicklungen

Innovationen im Blasmusikwesen und deren Diffusion hat es aber nicht bloß in dessen Anfangsphase gegeben. Immer wieder treten Neuerungen auf, die die musikalische Praxis modifizieren, verbessern, sogar neu strukturieren. Diese Inventionen kann man in vier große Gruppen unterteilen: in *technisch-praktische*, *spielpraktische*, *organisatorische* sowie *musikalische* Neuerungen. Zur Illustration seien einige Beispiele dazu angeführt: Als *technisch-praktische Neuerung* kann aus letzter Zeit vor allem die Umstellung der Instrumentation auf Normalstimmung genannt werden, als *spielpraktische Innovationen* vermag man sowohl Neuerungen in der Besetzung als auch Verschiebungen bei den Spielanlässen anzuführen. Die Aufnahme neuer Instrumente ins Orchester setzt selbstverständlich musikalische Innovationen, neue Kompositionen und Kompositionstechniken, voraus. Auch Verbesserungen in der Probenarbeit sowie in der Ausbildung und Nachwuchspflege gehören selbstverständlich in diesen Bereich[24]. Zu den zahlreichen *organisatorischen Innovationen* zählen seit der Zwischenkriegszeit u.a. die Schaffung von Dachverbänden im Blasmusikwesen, die verstärkte Förderung der Vereinsstruktur in den Kapellen, Neuerungen in der Einkleidung der Kapellen, Verbesserungen in der Wahl und der Ausstattung der Probelokale, das Engagement von Marketenderinnen und andere äußerliche Symbole.

Viele der Diffusionen provozierten aber auch Innovationsinversionen bisheriger Gepflogenheiten. Dies zu untersuchen und zu zeigen, ist Aufgabe der folgenden Ausführungen.

---

[24] Zu den spielpraktischen Innovationen zählt beispielsweise die verstärkte Verwendung von solchen Instrumenten im Blasorchester, die man zuvor dort kaum hören konnte, etwa Oboe und Fagott, Elektrobaß, Baßklarinette usw. – Bei den Spielanlässen dominierten früher persönliche und „ortsübliche" (Brauchtums-)Anlässe (Begräbnisse, Hochzeiten, kirchliche Veranstaltungen, Kirtage, Tanzmusik u. a. m.). Diese Anlässe sind zwar nicht unbedingt zahlen-, jedoch anteilsmäßig im Abnehmen begriffen. Die früher dagegen kaum bedeutsamen eigenen Konzerte, die Teilnahme an Musikfesten anderer Kapellen sowie der Dienst für die Öffentlichkeit expandieren gegenwärtig. Neu sind auch seit einigen Jahrzehnten die Wertungsspiele der Blasmusikverbände, Radio-, Fernseh-, Schallplatten- und Tonbandaufnahmen sowie Konzertreisen in andere Bundesländer und ins Ausland. (H. ZWITTKOVITS, 1993, S. 527 ff. bzw. S. 656 ff.) – An musikalischen Innovationen lassen sich z. B. avantgardistische Stücke, moderne Bearbeitungen musikalischer „Klassiker" sowie Originalkompositionen für Blasmusik in eigenwilligen Instrumentationen anführen.

3.3.1. Die Ausbreitung musikalischer Verbände in der Zwischenkriegszeit

Die Ausbreitung (amateur-)musikalischer Verbände im Österreich der Zwischenkriegszeit darf als reine Expansionsdiffusion bezeichnet werden, die als Kontaktdiffusion von West nach Ost (Ausnahme: Salzburg) verlief. Beeinflußt wurde die Konstituierung von Musikverbänden durch ausländische – insbesondere südwestdeutsche - Vorbilder[25]. Es ist daher keineswegs zufällig, daß sich die erste derartige Organisation innerhalb Österreichs im alemannischen Sprachraum bildete. Nach einem zunächst gescheiterten Versuch 1905 entstand der *Vorarlberger Harmoniebund* 1924[26]. Tabelle 1 zeigt die Expansion des musikalischen Verbandswesens in Österreich bis 1938[27]. Mit Ausnahme Vorarlbergs, wo sich im Harmoniebund ausschließlich oder zumindest partiell Blasmusik betreibende Vereinigungen fanden, gehörten den Verbänden der übrigen Bundesländer auch andere Musikensembles (Volksmusikgruppen, Salonorchester u. dgl.) an.

Land	Jahr	Land	Jahr	Land	Jahr
Vorarlberg	1924	Kärnten	1928	ÖSTERREICH	1929
Tirol	1925	Steiermark	1929	Salzburg	1930
Oberösterreich	1927	Niederöster-reich-Wien-Burgenland	1929	Burgenland	1934

Tabelle 1
Die Gründung (amateur-)musikalischer Verbände in der Zwischenkriegszeit[28]

---

[25] „Als erster Blasmusikverband in deutschen Sprachraum entstand im Jahr 1892 der Breisgau-Markgräfler Musikverband im Raume Emmerdingen – Freiburg – Krozingen – Buggingen, der sich bis Offenburg hin ausbreitete." (Wolfgang SUPPAN, Blasmusik in Baden 1983, S. 98).

[26] BLASMUSIK in VORARLBERG, 1987, S. 228 ff. – Interessant ist zudem, daß auch nach dem Zweiten Weltkrieg die Initiative zur Schaffung von Blasmusikverbänden in Österreich von Vorarlberg ausging.

[27] 1938 wurde zunächst die Tätigkeit sämtlicher Vereine im Zuge des Anschlusses an Deutschland sistiert, danach wurden die meisten von ihnen behördlich aufgelöst und deren Vermögen eingezogen. Alle österreichischen Verbände fielen dieser Auflösung anheim. (H. ZWITTKOVITS, 1993, S. 489 ff.).

[28] Vgl. sämtliche österreichische Blasmusikbücher sowie ÖSTERREICHISCHES

3.3.2. Die Stimmung der Instrumente in den Blasmusikkapellen Kärntens

Nach diesem historischen Thema stammen die folgenden Beispiele aus der musikalischen Gegenwart Österreichs. Zunächst wird exemplarisch an Kärnten gezeigt, daß ab Mitte der 1960er Jahre die Normalstimmung (Grundstimmung in B) der Instrumente die bis dahin in Österreich weitverbreitete hohe Stimmung (in H) immer stärker zurückdrängt. Damit überlagern sich zwei räumliche Prozesse: eine Diffusion sowie eine Innovationsinversion[29]. Dieses Stadium der Überlagerung dauert allerdings nur kurze Zeit an, da sich nach gut einem Jahrzehnt die Normalstimmung endgültig durchsetzt (Kartenserie B).

Deutlich läßt sich dabei bloß eine Expansionsdiffusion bei der Normalstimmung und die entsprechende Inversion bei der hohen Stimmung feststellen. Signifikante räumliche Mechanismen sind bei diesem Wandel kaum erkennbar. Klar wird bloß, daß die Innovatoren für die Normalstimmung peripher liegen, daß diese Innovation also von außen in die Kärntner Blasmusik hinein geraten worden ist. 1970, als sich die Normalstimmung zumeist durchgesetzt hat, zeigt sich bloß in der abgelegenen Region des Lesach- und oberen Drautales sowie in der Mitte Kärntens in einem west-ost verlaufenden Streifen durch die Bezirke Spittal / Drau, Feldkirchen und St. Veit / Glan ein relativ großes Beharrungsvermögen. 1976 verwenden dann fast alle Kärntner Kapellen bereits die gängige Stimmung.

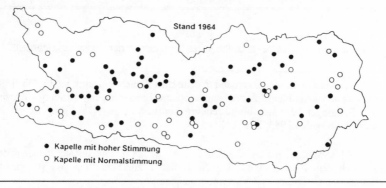

Stand 1964

● Kapelle mit hoher Stimmung
○ Kapelle mit Normalstimmung

MUSIKER-JAHRBUCH, 1934, S. 21 ff.

[29] Quelle: Offizielle Statistik des Kärntner BMV (Standesmeldungen, Jahresberichte). Zur Frage der instrumentalen Stimmung vgl. auch Eugen BRIXEL, Zur Frage der Blasorchester-Stimmung im k.(u.)k. Militärmusikwesen Österreich-Ungarns, 1996, S. 127 ff.

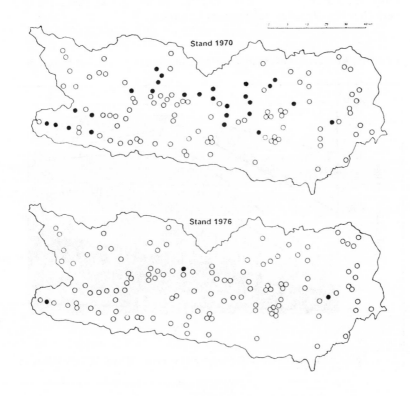

Kartenserie B
Diffusion und Innovationsinversion Normalstimmung und
hohe Stimmung am Beispiel Kärntner Blasmusikkapellen

Selbstverständlich reziprok zu dieser Diffusion verlief der Prozeß einer
Innovationsinversion bei der hohen Stimmung, der wohl keiner näheren
Erläuterung bedarf. Interessant erscheint aber die Frage, warum deutliche
räumliche Mechanismen bei diesem Umwandlungsprozeß nicht erkennbar sind.
Vermutlich liegt die Ursache dafür sowohl im späten Datum dieses Wandels
(im Ausland verwendete man bereits längst die Normalstimmung) als auch in
der Organisationsarbeit aller Blasmusikverbände, welche die Umstellung
dringend empfahlen. Daher erfolgte diese überall relativ rasch, außerdem verlor
die räumliche Nähe weitgehend ihre Bedeutung als wichtigste Informations-
quelle. Damit ergibt sich der eigenartige Fall, daß sowohl die Expansions-

435

diffusion als auch die Innovationsinversion weder kontaktabhängigen noch hierarchischen Charakter aufzuweisen vermögen.

3.3.3. Innovationsprozesse bei den Probelokalitäten steirischer Kapellen

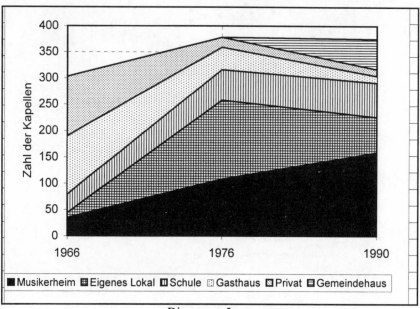

Diagramm 5
Probelokale steirischer Blasmusikkapellen

Nach ähnlichen Schemata verlaufen die Prozesse von Diffusion und Innovationsinversion bei organisatorischen Neuerungen. Als konkretes Beispiel werden hier Änderungen bei den Probelokalen untersucht. Generell weist die Statistik der ÖBV-Landesverbände folgende Möglichkeiten von Probelokalen aus: eigenes Musikerheim, eigenes Lokal, Schule, Gasthaus, privat. (In manchen Statistiken fanden sich auch Gemeindehäuser, Pfarrheime oder Betriebslokale.)

Während in früheren Jahren die Gasthäuser bzw. private Probelokale eindeutig dominierten, vollzog sich unter dem Einfluß der Verbände zuletzt ein deutlicher Wandel. Man förderte angesichts des starken Zuwachses an Jungmusikern in den letzten Jahr(zehnt)en die Abkehr von den Gasthäusern, weil man

436

deren „Atmosphäre" als für Jugendliche nicht zuträglich erachtete. Der Bau von Musikerheimen sowie der Ausbau eigener Probelokale wurden ideell und finanziell - im Weg über Befürwortungen von Landessubventionen - unterstützt. Die Zahl der Probelokale in Schulen oder anderen öffentlichen Gebäuden blieb davon unberührt und insgesamt relativ konstant. Diagramm 5 zeigt dies auch für die Steiermark.

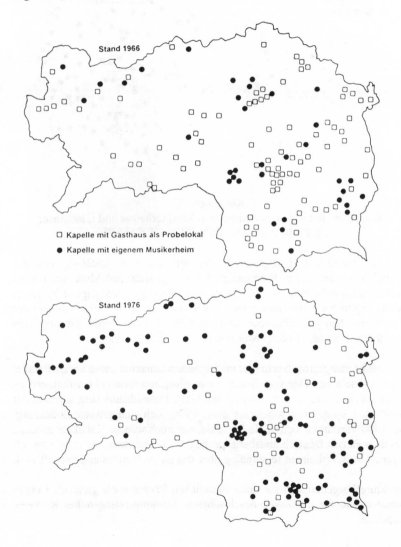

Stand 1966

□ Kapelle mit Gasthaus als Probelokal
● Kapelle mit eigenem Musikerheim

Stand 1976

Kartenserie C
Diffusion und Innovationsinversion Musikerheime und Gasthäuser
als Probelokale steirischer Blasmusikkapellen

Die Kartenserie C beschäftigt sich mit den signifikantesten Änderungen bei den Probelokalen am selben Raumbeispiel. Es zeigt sich, daß Mitte der 1960er Jahre die Gasthäuser noch die bedeutendste Rolle spielten. Eigene Musikerheime waren bis dahin noch relativ selten. Als räumliche Schwerpunkte der fortschrittlichen Einrichtungen fungierten das Ennstal sowie die Regionen Voitsberg, Leibnitz, Bruck / Mur und die südliche Oststeiermark.

Der Ausbreitungsprozeß schreitet im folgenden Jahrzehnt zügig voran. Parallel dazu vollzieht sich eine signifikante Innovationsinversion bei Gasthäusern als Probelokalen. Lediglich in den Räumen Graz, Deutschlandsberg sowie in der nördlichen Oststeiermark besitzen diese 1976 noch eine gewisse Bedeutung. Bis 1990 verstärken sich beide Prozesse, nur noch wenige Kapellen, zumeist aus dem Bezirk Deutschlandsberg, proben in Gasthäusern, während jene mit eigenen Musikerheimen regelmäßig über das ganze Bundesland verteilt sind.

Strukturell ergeben sich für diese räumlichen Prozesse die gleichen Konsequenzen wie für die zuvor beschriebenen Stimmungsfragen bei Kärntner Kapellen:

438

(1) Eine klar nachvollziehbare *Expansionsdiffusion* bei der *fortschrittlichen*, eine deutliche *Innovationsinversion* bei der *althergebracht-überkommenen* Variante und (2) keine klar erkennbaren Strukturen hinsichtlich des Kommunikationsflusses. Auch in diesem Fall vollzog sich der Nachahmungsprozeß in sehr raschem Tempo und wurde von externen Faktoren - Förderung durch den Landesverband, Subventionierung durch die Landesregierung - maßgeblich beeinflußt, ja sogar dominiert.

3.3.4. Die Diffusion institutioneller Innovationen in der ostösterreichischen Blasmusik

Nicht immer sind bei den neueren Diffusionsprozessen in der österreichischen Blasmusik die Expansionen ohne strukturell klaren Verlauf. Der Verfasser hat in seinen Studien auch andere Beispiele dazu gefunden und möchte an dieser Stelle darauf hinweisen. So hat er in bislang noch nicht veröffentlichten Studien die *Expansion des Niederösterreichischen Blasmusikverbandes (NÖBV)* untersucht. Ohne an dieser Stelle die Raumstrukturen kartographisch veranschaulichen zu wollen, kann festgestellt werden, daß sich hierbei eine eindeutige Kontaktdiffusion - jedoch nicht unbeträchtlich beeinflußt von hierarchischen Elementen - vollzogen hat. Sie nahm ihren Ausgang im Westen des Bundeslandes. Der Bezirk Amstetten - innoviert aus dem benachbarten Oberösterreich und hinsichtlich der Kapellengründung ein früher Schwerpunkt innerhalb Niederösterreichs - fungierte dabei als Innovationszentrum, von dem aus ab 1952 der Verband stark expandierte. Zwei Jahre später kristallisierten sich weitere Zentren heraus: einerseits der Bezirk Neunkirchen im Südosten (beeinflußt aus der Steiermark), andererseits das Marchfeld, wo sich in Obersiebenbrunn während der Zwischenkriegszeit der Sitz des *„Reichsverbandes für österreichische Volksmusik"*, eines institutionellen Vorläufers des NÖBV, befand.

Aus der Dissertation des Verfassers sei das Beispiel der Diffusion des Vereinswesens in burgenländischen Blasmusikkapellen zitiert. Diese konstituierten sich extrem spät als Musikvereine. Nur eine einzige, Neusiedl bei Güssing, war schon 1924 ein Verein. Die anderen Musikvereine der Zwischenkriegszeit, meist musikalische Vereinigungen auf politischer oder sozialer Basis, fielen der Auflösung während der NS-Zeit anheim. Auch nach dem Zweiten Weltkrieg gaben sich die Kapellen nur zögernd eine Vereinsstruktur. Dabei beheimateten die Umgebung von Eisenstadt und der Raum Neusiedl bei Güssing die ersten neuen Vereine. Somit ist hier anfänglich eine Kombination von hierarchischen und kontaktabhängigen Strukturen festzustellen, die letztlich ebenfalls in eine reine Kontaktdiffusion münden[30].

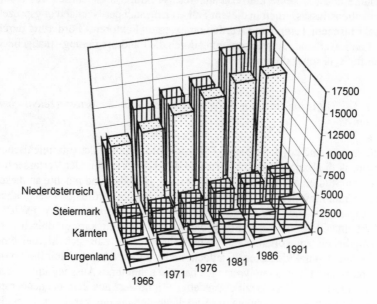

Diagramm 6
Entwicklung der Musikerzahlen in 4 Landesverbänden

3.3.5. Aktuelle Tendenzen in der Mitgliederentwicklung unter dem Aspekt der Diffusionstheorie

Abschließend sei noch die Entwicklung der Musiker- und Jungmusikerzahlen in ausgewählten Landesverbänden unter dem Gesichtspunkt der Diffusions-

---

[30] H. ZWITTKOVITS, 1993, S. 627 ff. (insbesondere Karte 12, S. 627). – Daß aber hierarchische Strukturelemente in der Amateurmusik dennoch von Bedeutung sind, läßt sich an Karte 13 derselben Arbeit (S. 630) – Musikvereine im Burgenland insgesamt – nachweisen. Darin wurden neben der Blasmusik auch andere musikalische Vereine berücksichtigt. Hinsichtlich der Gesamtverteilung zeigt sich eine klare Dominanz des Raumes Eisenstadt.

theorie untersucht[31]. Dabei weist die Entwicklung der aktiven Musiker eine beträchtliche Nähe zur idealen Adaptionskurve einer *Gauß*schen Normalverteilung auf. Besonders in den südlichen Bundesländern Kärnten und Steiermark nähern sich die kumulierten Adaptionskurven (in Diagramm 6 in Säulenform dargestellt) bereits den „Nachzüglern". In Niederösterreich und im Burgenland ist diese Expansion nicht so regelmäßig. Hier sind Kontinuitätssprünge erkennbar, die Wendepunkte der Adaptionskurven markieren. In Niederösterreich ist dies in den Pentennien 1966 - 1971 sowie 1981 - 1986 der Fall, im Burgenland hingegen im Dezennium 1971 - 1981.

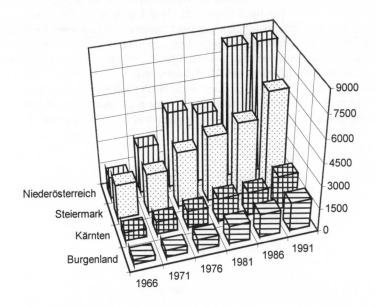

Diagramm 7
Entwicklung der Jungmusikerzahlen in 4 Ländern

---

[31] Die Auswahljahre korrespondieren mit den Volkszählungsjahren (1971, 1981, 1991), zusätzlich sind die Pentennien dazwischen berücksichtigt.

Eine Untersuchung der Jungmusikerentwicklung nach denselben Kriterien gestaltet sich schwieriger. Zum einen ist die Datenlage daran schuld[32], zum anderen verlief die Jugendförderung in den einzelnen Ländern sehr unterschiedlich und offenbar auch unregelmäßig, sodaß zahlreiche Kontinuitätssprünge auftraten. Kontinuierlich verlief die Entwicklung sicherlich im Burgenland und in der Steiermark, wo die Jungmusikerzuwächse weitgehend kongruent zur allgemeinen Musikerentwicklung waren. Der starke Anstieg 1991 ist aus der in Anmerkung 37 kritisierten „statistischen Kosmetik" erklärbar. Generell entspricht hier der Verlauf der Adaptionskurve im gezeigten Bereich dem Teilstück der späten Mehrheit. Kärnten und Niederösterreich weisen hingegen deutliche Kontinuitätssprünge, Wendepunkte in den Adaptionskurven, auf. In Niederösterreich ist 1981 bereits erstmals eine Rezession festzustellen, die sich danach fortsetzt. Das „Zwischenhoch" von 1986 ist nur durch die bereits zitierten statistischen Tricks bedingt. Kärnten weist 1986 noch das 20-Jahr-Alterslimit auf. Hier erkennt man eine Stagnation, die 1991 durch das höhere Alterslimit kaschiert wird. Noch kann man in den Verbänden von keiner richtigen Innovationsinversion sprechen, doch die Hochblüte der Akzeptanz von Blasmusik durch Jungmusiker scheint vorbei zu sein.

---

[32] Offenbar in der irrigen Auffassung, in den Rechenschaftsberichten der Landesverbände nur positive Meldungen servieren zu dürfen, haben ÖBV-Funktionäre ab 1986, als in einigen Ländern die Zahl der Jungmusiker schon rückläufig gewesen ist, deren bisheriges Alterslimit von 20 auf 24 Jahre hinaufgesetzt. Bei den hier untersuchten Bundesländern verfuhr damals ausschließlich Niederösterreich so, die anderen Verbände wiesen die Jungmusikerzahlen für beide Limits aus. Im Diagramm sind – soweit vorhanden – die Zahlen für das untere Limit angegeben. 1991 hatten sich leider alle Bundesländer auf die neue Variante umgestellt.

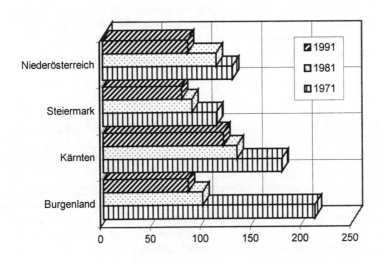

Diagramm 8
Relation zwischen Blasmusikern und Bevölkerung

In Diagramm 8 ist die Relation zwischen der Gesamtbevölkerung und der Musikerzahl dargestellt. Das Ergebnis könnte als „Blasmusikdichte" bezeichnet werden: Sie gibt an, wieviel Einwohner auf einen Blasmusiker entfallen. Dabei zeigt sich, daß in der Steiermark, im Burgenland und in Niederösterreich die Blasmusik einen sehr hohen Stellenwert besitzt. 1991 kamen hier ca. 70 bis 80 Einwohner auf einen Musiker. Kärnten liegt mit etwas mehr als 110 Einwohnern pro Musiker deutlich zurück. In allen Bundesländern hat dabei in den letzten zwanzig Jahren die Dichte zugenommen. Die Steiermark besaß 1971 die beste Ausgangsposition, konnte die Dichte aber nur noch wenig steigern. Dabei erfolgte diese Steigerung in der ersten Dekade des Beobachtungszeitraumes deutlich rascher. In Niederösterreich verlief der Verdichtungsprozeß ähnlich. Er begann allerdings aus einer schlechteren Ausgangsposition, nahm aber schließlich, vornehmlich in der zweiten Dekade, intensivere Ausmaße an.

Burgenland und Kärnten besitzen davon etwas abweichende, doch einander ähnelnde Strukturen. Diese Bundesländer erfuhren vor allem zwischen 1971 und 1981 eine starke Verdichtung der Akzeptanz von Blasmusik, die im

Burgenland überaus intensive Formen annahm. In dieser Dekade verdoppelte sich die aktive Mitarbeit in den Kapellen. Kamen 1971 noch über 200 Personen auf einen aktiven BBV-Musiker, so lag dieser Wert 1981 bereits unter 100. In der zweiten Beobachtungsdekade waren in beiden Ländern jedoch nur noch geringe Steigerungen möglich.

Summary:

The Diffusion of Innovations Concerning Wind Music - The Application of A Human Geographic Concept in The Research of Wind Music as A Contribution to The Geography of Music.

Interdisciplinar researches between *musicology* and *geography* exist in numerous regional studies as well as in ethnomusicology and in the anthropology of music. *L. Nowak* suggested a *topography of music* as an alternative method for characterizing landscapes, *M. Schneider* and *M. Büttner* investigated relationships between *tonality* and the *geosphere*.

Based on the human geographic theory of diffusion this paper tries to introduce *dynamic elements* into the *geography of music*. Spatial and temporal spreading of musical innovations is demonstrated with regional examples (diffusion of wind music and musical associations, organizatorial and institutional innovations in Austrian regions as well as the development of membership seen from the aspect of diffusion) and sounded out with cartographic, mathematical and statistical methods.

BIBLIOGRAPHIE

Ronald ABLER, John S. ADAMS, Peter GOULD, Spatial organization. The geographer's view of the world, Englewood Cliffs 1977.

ALTA MUSICA, Publikationsreihe der Internationalen Gesellschaft zur Erforschung und Förderung der Blasmusik, hg. v. W. Suppan und E. Brixel, Tutzing ab 1976.

Günther ANTESBERGER, Tradition und Innovation in der Kärntner Volksmusik, in: Tradition und Innovation, hg. v. W. Deutsch (1987), S. 90 - 98.

444

Wilhelm BAETHGE, Innovation durch Lust am Kontrast: Der Komponist Joachim Gruner und seine konzertante Musik für großes Blasorchester, Pauken und Schlagwerk, in: Alta Musica, Bd. 16 (1994), S. 105 - 114.

Kurt BIRSAK, Manfred KÖNIG, Das große Salzburger Blasmusikbuch, Wien 1983.

BLASMUSIK in VORARLBERG, hg. v. E. Schneider, Lustenau 1987.

Christoph BORCHERT, Die Innovation als agrarsoziale Regelerscheinung, in: Sozialgeographie, hg. v. W. Storkebaum (1969), S. 340 - 386.

Nils-Arvid BRINGEUS, Das Studium von Innovationen, in: Zeitschrift für Volkskunde, 64. Jg. / Nr. 2 (1968), S. 161 - 185.

Nils-Arvid BRINGEUS, Der Mensch als Kulturwesen. Eine Einführung in die europäische Ethnologie, Würzburg 1990.

Eugen BRIXEL, Das große Oberösterreichische Blasmusikbuch, Wien-München 1984.

Eugen BRIXEL, Zur Frage der Blasorchester-Stimmung im k.(u.)k. Militär-musikwesen Österreich-Ungarns, in: Alta Musica, Bd. 18 (1996), S. 127 - 148.

Eugen BRIXEL, Gunther MARTIN, Gottfried PILS, Das ist Österreichs Militärmusik. Von der „Türkischen Musik" zu den Philharmonikern in Uniform, Graz 1982.

Eugen BRIXEL, Wolfgang SUPPAN, Das große Steirische Blasmusikbuch, Wien 1981.

Manfred BÜTTNER, Grundsätzliches zur Musikgeographie aus bläserischer Sicht. Zu Beziehungen zwischen Klima und Tonraum, in: Musikgeographie, hg. v. M. Büttner, W. Schnabel und K. Winkler (1991), Teilband 1, S. 159 - 175.

Manfred BÜTTNER, Zum Einfluß der geographischen Lage auf die kultische Musik, insbesondere das „Posaunenblasen", in: Musikgeographie, hg. v. M. Büttner, W. Schnabel und K. Winkler (1991), Teilband 1, S. 177 - 207.

Manfred BÜTTNER, Die Trompete in Altertum und Mittelalter - Ursprung und Ausbreitung. Eine musikgeographisch-theologische Studie, in: Musikgeographie, hg. v. M. Büttner, W. Schnabel und K. Winkler (1991), Teilband 2, S. 3 - 109.

Ludwig DEGELE, Die Militärmusik. Ihr Werden und Wesen, ihre kulturelle und nationale Bedeutung, Wolfenbüttel 1937.

Walter DEUTSCH, Das große Niederösterreichische Blasmusikbuch, Wien 1982.

Erich EGG, Wolfgang PFAUNDLER, Das große Tiroler Blasmusikbuch, Wien 1979.

Siegfried GEIGER, Wolfgang HEYN, Innovation, in: Management-Enzyklopädie, Bd. 3 (München 1970), S. 555 - 563.

Franz GRIESHOFER, Vereinswesen I - Gesangvereine; Vereinswesen II - Blasmusikwesen; Vereinswesen III - Schützenverbände; Vereinswesen IV - Trachtenvereine in: Österreichischer Volkskundeatlas, 5. Lieferung, Graz 1974.

Rainer GSTREIN, Innovationsprozesse in der instrumentalen Volksmusik - dargestellt am Beispiel der Tanzmusik-Ensembles in Österreich in der ersten Hälfte des 19. Jahrhunderts, in: Jahrbuch des österreichischen Volksliedwerkes, Bd. 34 (1985), S. 49 - 61.

Bernhard HABLA, Besetzung und Instrumentation des Blasorchesters seit der Erfindung der Ventile für Blechblasinstrumente bis zum Zweiten Weltkrieg in Österreich und Deutschland, Tutzing 1990 (gedruckte phil. Diss., Graz 1989).

Torsten HÄGERSTRAND, The propagation of innovation waves, Lund 1952.

Torsten HÄGERSTRAND, Innovation diffusion as a spatial process, Chicago 1967.

Peter HAGGETT, Geography: A modern synthesis, New York 1975.

Richard HUBER, Die Blasmusik in Kärnten. Vergangenes und Gegenwärtiges aus Anlaß des vierzigjährigen Bestehens des Kärntner Blasmusikverbandes, Klagenfurt 1991.

LEHRBUCH für VÖLKERKUNDE, hg. v. K. T. Preuss und R. Thurnwald, Stuttgart 1939.

LEXIKON des BLASMUSIKWESENS, 2. Aufl., hg. v. W. Suppan, Freiburg/ Breisgau 1976.

Bronislaw MALINOWSKY, The dynamics of cultural change. An inquiry into race relations in Africa, New Haven 1947.

Bronislaw MALINOWSKY, Die Dynamik des Kulturwandels (mit einer Einleitung von Phyllis H. Kaberry), Wien-Stuttgart 1951.

Ekkehard MEFFERT, Die Innovation ausgewählter Sonderkulturen im Rhein-Mainischen Raum in ihrer Beziehung zur Agrar- und Sozialstruktur, Frankfurt/ Main 1968.

Walter MEIXNER, Der „Alpenländische Volksmusikwettbewerb" in Innsbruck - ein Indikator für Innovation und Tradition in der Volksmusikpflege, in: Tradition und Innovation, hg. v. W. Deutsch (1987), S. 196 - 217.

MITEINANDER, NEBENEINANDER, GEGENEINANDER. Vielfalt religiöser, ethnischer, kultureller Gruppen und deren Beziehungen zueinander im gemeinsamen Lebensraum. Ein Beitrag zur Geographie der Geisteshaltung, hg. v. M. Büttner, Bochum 1994.

MUSIKGEOGRAPHIE. Weltliche und geistliche Bläsermusik in ihren Beziehungen zueinander und zu ihrer Umwelt. Tagungsband (2 Teilbände) des Symposiums 1990, hg. v. M. Büttner, W. Schnabel und K. Winkler, Bochum 1991.

Leopold NOWAK, Studien zu einer Musiktopographie Niederösterreichs, in: Jahrbuch für Landeskunde von Niederösterreich, N.F. Bd. 29 (1948), S. 394 - 408.

ÖSTERREICHISCHES MUSIKER-JAHRBUCH, hg. v. E. Munninger, Wels 1934.

Everett M. ROGERS, F. Floyd SHOEMAKER, Communication of innovations. A cross cultural approach, New York 1971.

Albert SCHNEIDER, Musikwissenschaften und Kulturkreislehre. Zur Methodik und Geschichte der Vergleichenden Musikwissenschaft, Bonn-Bad Godesberg 1976.

Marius SCHNEIDER, Die Kunst der Naturvölker: Ethnologische Musikforschung, in: Lehrbuch der Völkerkunde, hg. v. K. T. Preuss u. R. Thurnwald (1939), S. 135 - 163.

Marius SCHNEIDER, Geschichte der Mehrstimmigkeit, Tutzing 1969.

Wolfgang SUPPAN, Blasmusik in Baden. Geschichte und Gegenwart einer traditionsreichen Blasmusiklandschaft, Freiburg/Breisgau 1983.

Wolfgang SUPPAN, Der musizierende Mensch. Eine Anthropologie der Musik, Mainz 1984.

TRADITION und INNOVATION. Vorträge des 14. Seminars für Volksmusikforschung, Wien 1985, hg. v. Walter Deutsch, Wien 1987.

Heinrich ZWITTKOVITS, Die Blasmusikkapellen im Viertel unter dem Wienerwald. Ihre Entstehung, Entwicklung und kulturelle Bedeutung, Wien 1978 (histor. Diplomarbeit, Univ.).

Heinrich ZWITTKOVITS, Innovationen und Diffusionen, dargestellt an der Entwicklung freiwilliger Handelsketten (unter besonderer Berücksichtigung Österreichs), Wien 1979 (geograph. Diplomarbeit, Univ.)

Heinrich ZWITTKOVITS, Die Diffusion von Innovationen. (Eine kurze Einführung mit praktischen Beispielen), in: Wissenschaftliche Nachrichten, Nr. 54 (1980), S. 45 - 49.

Heinrich ZWITTKOVITS, Die Pflege der zivilen Blasmusik im Burgenland im Spiegel der allgemeinen historischen Entwicklung (unter besonderer Berücksichtigung der Zwischenkriegszeit), Tutzing 1993 (gedruckte phil. Diss. Wien).